LA
PRATIQUE DE LA
PHOTOGRAPHIE

LA PRATIQUE DE LA PHOTOGRAPHIE

JOHN HEDGECOE

17 Rue du Montparnasse 75298 Paris cedex 06

Photographies **John Hedgecoe**

Texte **Leonard Ford**

Directeur du Projet **Roger Pring**

Avec la collaboration de :
Michael Allman, Heather Angel, Gerry Granham,
Robert Forrest, Bill Gaskins, Jonathan Hilton, Adrien Holloway,
Ewan Mitchell, W.E. Pennel, Gordon Ridley et David Waterman

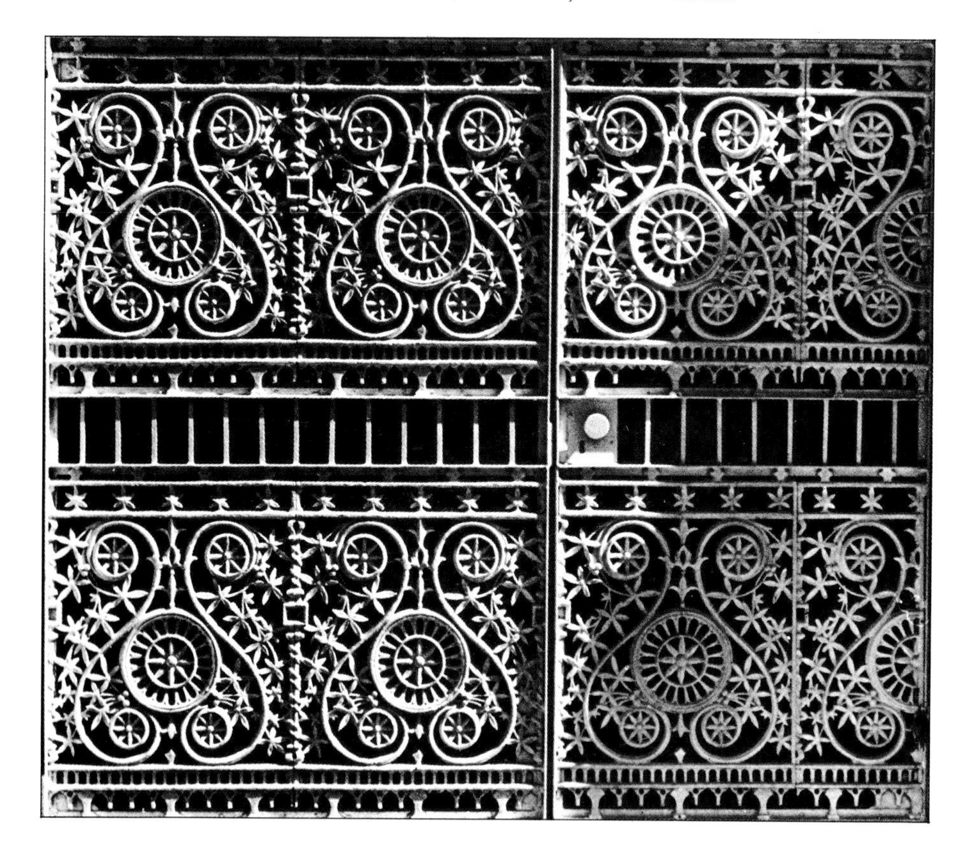

Traduction **René Bouillot**

Adaptation française **René Bouillot et Pierre Montel**

Réalisation **Agence Média**

Titre de l'ouvrage original **Photographer's Handbook** (4e édition)

Distributeur exclusif au Canada : Messageries ADP, 1751, Richardson, Montréal (Québec)

ISBN : 2-03-560232-7

Éditeur
David Reynolds

(nouvelles éditions)
Richard Dawes
Victoria Sorzano

Mise en page
Julian Holland

Dessins
Mike Blore
Chris Meehan
Patrick Nugent
Steve Storr

Éditeur assistant
Ros Franey

Directeur artistique
Roger Bristow

Directeur éditorial
Jackie Douglas

Rédacteur en chef
Christopher Davis

SOMMAIRE

Appareils

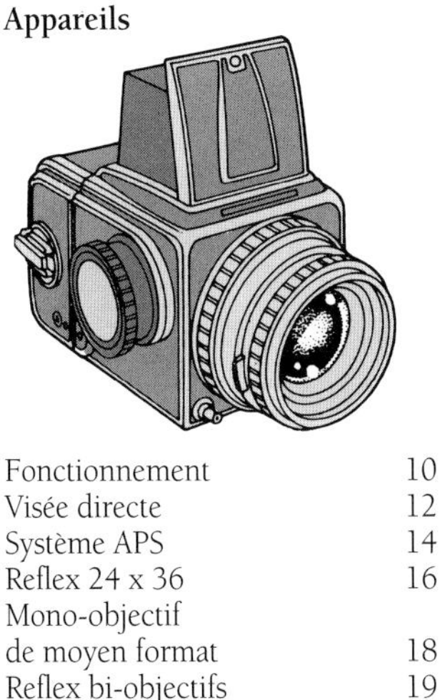

Objectifs

Équipement

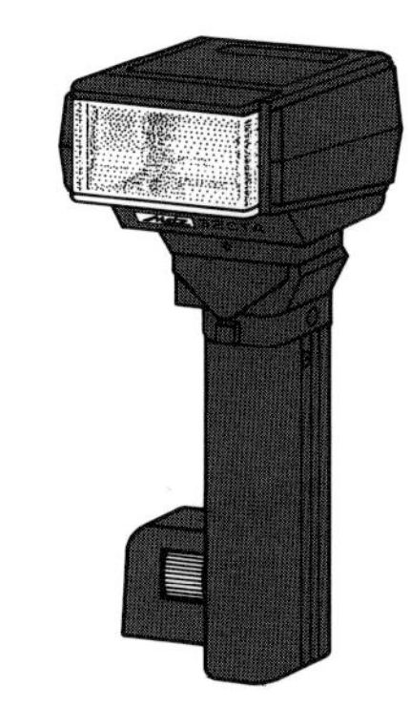

Noir et blanc

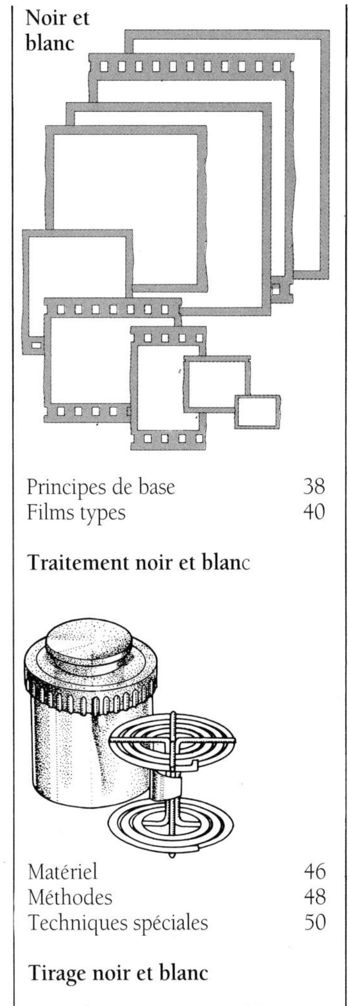

Traitement noir et blanc

Tirage noir et blanc

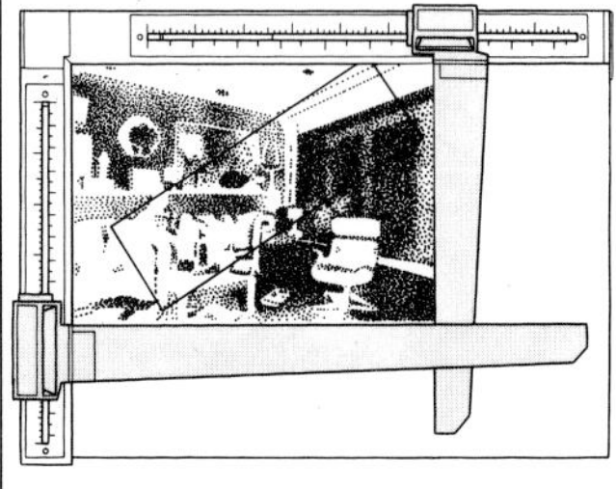

Film couleur

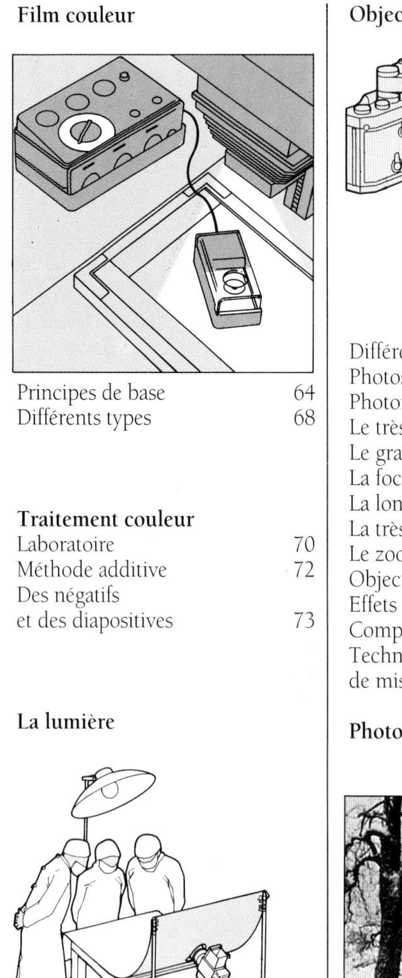

Traitement couleur

La lumière

Objectifs

Photo noir et blanc

Photo en couleur

Contrôle du mouvement

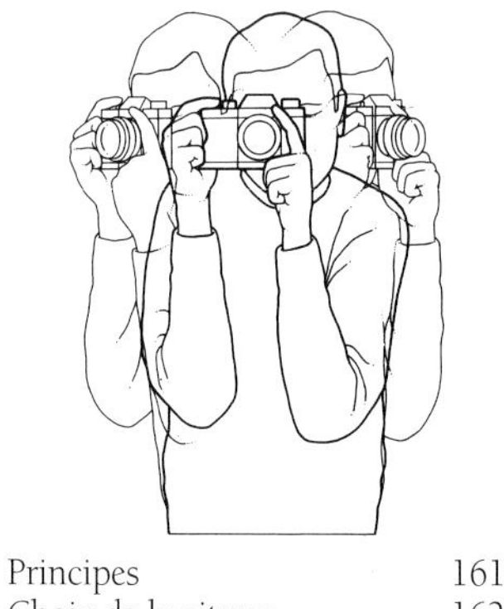

Composition

Photographie des personnages

Techniques de studio

Techniques spéciales de laboratoire

Applications particulières

Photo numérique

Préface

À l'instar des autres médias de l'information et de la communication – informatique, téléphonie mobile, vidéo, audio, télévision, etc. –, la photographie est à son tour marquée, à l'orée du troisième millénaire, par la "révolution numérique". Après une période de gestation d'une dizaine d'années, la photographie numérique peut maintenant offrir des performances comparables à celles de la photographie argentique. C'est pour cela que nous lui avons consacré, en fin d'ouvrage, un très important chapitre qui l'étudie sous ses aspects technologiques les plus actuels.

Mais il ne faut pas confondre le moyen et le but : qu'elle soit "argentique" ou "numérique", la photographie reste ce qu'elle a toujours été, c'est-à-dire "l'art de fixer, par l'action de la lumière, l'image des objets sur une surface sensible". C'est dire que l'appareil photographique, qu'il utilise le film ou un capteur imageur, qu'il soit simple ou ultra-perfectionné, n'est en somme qu'une machine à capturer des images. Des images qui ne sont "artistiques" que si elles interprètent le monde à travers le regard et la pensée d'un photographe créateur.

C'est pourquoi nous conseillons, même à celle ou à celui qui désire aborder directement la photographie par le numérique, de s'intéresser avec autant de ferveur à tout ce qui concerne l'esthétique de l'image. Cette partie, la plus importante et la plus richement illustrée de l'ouvrage, est bien sûr commune aux deux procédés.

Même si la photo numérique doit un jour intégralement remplacer la photo argentique, c'est loin d'être le cas aujourd'hui, tout au moins dans les applications pour lesquelles la rapidité d'obtention des images n'est pas primordiale, comme le reportage de presse, par exemple. Vous verrez en lisant cet ouvrage que le film fournit, par sa nature même, une qualité technique d'image (netteté, résolution, sensibilité, rendu des valeurs et des couleurs, etc.) que l'on ne peut atteindre en numérique qu'avec des matériels bien plus complexes et coûteux. Enfin, l'appareil photo numérique n'est pas le seul (ni peut-être pour vous le meilleur) moyen de numériser les images afin de les travailler avec un ordinateur : vous bénéficierez de possibilités créatives quasiment illimitées en analysant vos négatifs, diapositives ou tirages traditionnels sur papier à l'aide d'un scanner. On peut dire que cette solution mixte, mariant l'argentique au numérique, combine les avantages de chacun de ces deux procédés.

René Bouillot

La manière dont vous consulterez cet ouvrage dépend avant tout du domaine que vous cherchez à approfondir. Qu'il s'agisse d'un thème général, par exemple la photographie de personnages ou le contrôle du mouvement, ou bien d'un point particulier, comme la photographie de groupes, vous le localiserez facilement grâce à la table des matières qui figure au début de cet ouvrage : les sujets y sont répertoriés avec l'indication des têtes de chapitre et des numéros de page correspondants. Si votre centre d'intérêt du moment est très ponctuel – la manière d'utiliser un flash indépendant par exemple –, reportez-vous plutôt à l'index en fin d'ouvrage. Vous y trouverez la liste alphabétique de tous les sujets traités. Les sujets principaux sont indiqués en caractères gras. En principe, la réponse à la question que vous vous posez se trouve dans les pages indiquées en gras ; vous pouvez néanmoins consulter utilement les autres pages et les renvois qui pourront vous apporter quelques informations complémentaires utiles.

L'Appareil de Base

Si vous restez quelque temps enfermé dans une chambre noire dont une petite ouverture laisse entrer la lumière provenant, par exemple, d'un jardin ensoleillé, l'image de ce jardin se projette sur le mur opposé. C'est de ce phénomène, connu depuis plus de mille ans, que dérivent nos appareils actuels les plus sophistiqués. Au XVIe siècle, la petite ouverture fut remplacée par un verre de lunettes convexe, du type utilisé pour les presbytes. Cette lentille donnait une image nette et brillante sur l'écran où elle se formait : ce qui permettait de tracer les contours des paysages, des bâtiments et des natures mortes. L'appareil photographique ne devint possible qu'au XIXe siècle, grâce à la découverte d'un matériau suffisamment sensible pour enregistrer directement les images. Les émulsions sensibles étaient couchées sur une plaque de verre, glissées dans l'appareil à la place de l'écran de mise au point, exposées le temps nécessaire, puis développées. L'obturateur devint nécessaire pour contrôler le temps de pose, puis le diaphragme pour régler la luminosité de l'image. Vers 1890, l'appareil à pellicule de George Eastman permit de prendre de nombreuses vues sur un seul rouleau. Des milliers de modèles d'appareils ont été étudiés depuis, pour aboutir à sept types principaux qui seront décrits dans les pages suivantes.

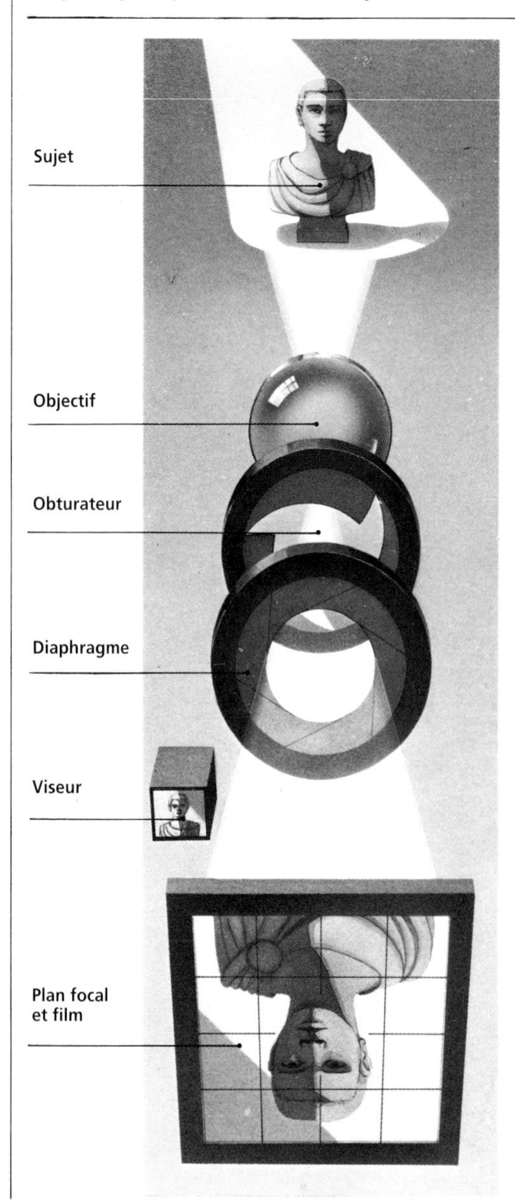

Éclairage et sujet Une source de lumière – soleil, lampe électrique ou simple bougie – est indispensable pour éclairer le sujet de toute photographie. Photographier veut dire "écrire avec la lumière". La lumière qui atteint le sujet est réfléchie dans toutes les directions, une partie de ses rayons passant à travers l'objectif pour former l'image. Si le sujet est coloré, les rayons réfléchis le seront également. La position de la source (hauteur et direction) et la qualité de la lumière (qu'elle soit dure comme

Objectif Sous sa forme élémentaire, c'est un simple disque de verre soigneusement poli, plus épais au centre que sur les bords : autrement dit une lentille convergente. Elle forme de chaque point du sujet une image dont l'ensemble constitue une représentation complète du sujet : une image inversée, nette et lumineuse. Le pouvoir convergent d'une lentille est exprimé par sa distance focale, qui est la distance séparant la lentille du plan focal – là où se forme sur le film l'image d'un sujet situé

Obturateur C'est le dispositif qui permet de choisir le moment précis où la photo sera prise et de déterminer la durée d'action de la lumière sur le film. Il en existe deux principaux types : lamelles métalliques à proximité du diaphragme (à gauche), ou bien combinées avec ce dernier et l'obturateur focal : deux rideaux permettant de changer d'objectif à tout moment et rendant possible la visée reflex, l'objectif étant grand ouvert.

Diaphragme Le diaphragme est toujours situé à l'intérieur de l'objectif. C'est en modifiant son diamètre que l'on peut contrôler la quantité de lumière entrant dans l'appareil et, par conséquent, la luminosité de l'image. Une grande ouverture de diaphragme avec un sujet faiblement éclairé peut donner une image aussi lumineuse qu'une petite ouverture avec un sujet fortement éclairé. Le diaphragme iris est formé de plusieurs lamelles métalliques dont la rotation, grâce à une bague, modifie l'ouverture ;

Viseur Tous les appareils pouvant être utilisés à la main sont munis d'un système permettant le cadrage, donc la composition de l'image. Le viseur peut être du modèle optique représenté à gauche ou même un simple cadre métallique délimitant les bords de l'image. Beaucoup d'appareils modernes ont la visée reflex : soit par l'emploi d'un deuxième objectif, soit – cas du reflex mono-objectif – en utilisant le même objectif formant l'image sur le film. Ce dernier principe a l'avantage d'une absolue

Plan focal C'est le plan sur lequel se forme l'image nette du sujet. Pour la prise de vues, le film est positionné sur ce plan focal. Plus le sujet est proche de l'objectif, plus le plan focal doit en être éloigné. Cela implique l'existence d'un dispositif de mise au point permettant d'éloigner ou de rapprocher l'objectif du plan focal, en fonction de la distance du sujet. Pour tous les appareils bien conçus, le plan du film coïncide exactement avec le plan focal.

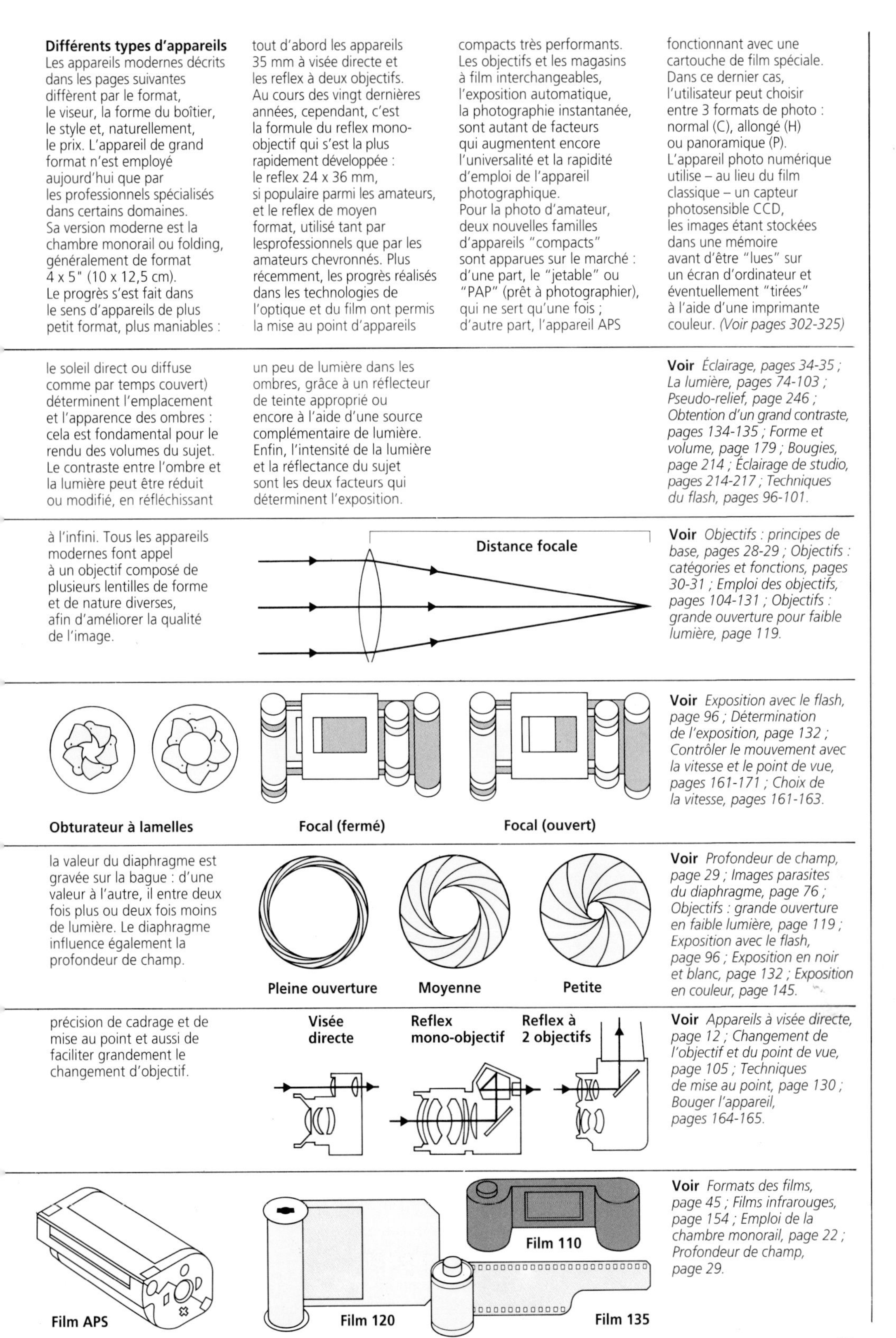

Différents types d'appareils
Les appareils modernes décrits dans les pages suivantes diffèrent par le format, le viseur, la forme du boîtier, le style et, naturellement, le prix. L'appareil de grand format n'est employé aujourd'hui que par les professionnels spécialisés dans certains domaines. Sa version moderne est la chambre monorail ou folding, généralement de format 4 x 5" (10 x 12,5 cm). Le progrès s'est fait dans le sens d'appareils de plus petit format, plus maniables : tout d'abord les appareils 35 mm à visée directe et les reflex à deux objectifs. Au cours des vingt dernières années, cependant, c'est la formule du reflex mono-objectif qui s'est la plus rapidement développée : le reflex 24 x 36 mm, si populaire parmi les amateurs, et le reflex de moyen format, utilisé tant par lesprofessionnels que par les amateurs chevronnés. Plus récemment, les progrès réalisés dans les technologies de l'optique et du film ont permis la mise au point d'appareils compacts très performants. Les objectifs et les magasins à film interchangeables, l'exposition automatique, la photographie instantanée, sont autant de facteurs qui augmentent encore l'universalité et la rapidité d'emploi de l'appareil photographique. Pour la photo d'amateur, deux nouvelles familles d'appareils "compacts" sont apparues sur le marché : d'une part, le "jetable" ou "PAP" (prêt à photographier), qui ne sert qu'une fois ; d'autre part, l'appareil APS fonctionnant avec une cartouche de film spéciale. Dans ce dernier cas, l'utilisateur peut choisir entre 3 formats de photo : normal (C), allongé (H) ou panoramique (P). L'appareil photo numérique utilise – au lieu du film classique – un capteur photosensible CCD, les images étant stockées dans une mémoire avant d'être "lues" sur un écran d'ordinateur et éventuellement "tirées" à l'aide d'une imprimante couleur. *(Voir pages 302-325)*

---

le soleil direct ou diffuse comme par temps couvert) déterminent l'emplacement et l'apparence des ombres : cela est fondamental pour le rendu des volumes du sujet. Le contraste entre l'ombre et la lumière peut être réduit ou modifié, en réfléchissant un peu de lumière dans les ombres, grâce à un réflecteur de teinte approprié ou encore à l'aide d'une source complémentaire de lumière. Enfin, l'intensité de la lumière et la réflectance du sujet sont les deux facteurs qui déterminent l'exposition.

Voir *Éclairage, pages 34-35 ; La lumière, pages 74-103 ; Pseudo-relief, page 246 ; Obtention d'un grand contraste, pages 134-135 ; Forme et volume, page 179 ; Bougies, page 214 ; Éclairage de studio, pages 214-217 ; Techniques du flash, pages 96-101.*

à l'infini. Tous les appareils modernes font appel à un objectif composé de plusieurs lentilles de forme et de nature diverses, afin d'améliorer la qualité de l'image.

Distance focale

Voir *Objectifs : principes de base, pages 28-29 ; Objectifs : catégories et fonctions, pages 30-31 ; Emploi des objectifs, pages 104-131 ; Objectifs : grande ouverture pour faible lumière, page 119.*

Obturateur à lamelles **Focal (fermé)** **Focal (ouvert)**

Voir *Exposition avec le flash, page 96 ; Détermination de l'exposition, page 132 ; Contrôler le mouvement avec la vitesse et le point de vue, pages 161-171 ; Choix de la vitesse, pages 161-163.*

---

la valeur du diaphragme est gravée sur la bague : d'une valeur à l'autre, il entre deux fois plus ou deux fois moins de lumière. Le diaphragme influence également la profondeur de champ.

Pleine ouverture **Moyenne** **Petite**

Voir *Profondeur de champ, page 29 ; Images parasites du diaphragme, page 76 ; Objectifs : grande ouverture en faible lumière, page 119 ; Exposition avec le flash, page 96 ; Exposition en noir et blanc, page 132 ; Exposition en couleur, page 145.*

---

précision de cadrage et de mise au point et aussi de faciliter grandement le changement d'objectif.

Visée directe **Reflex mono-objectif** **Reflex à 2 objectifs**

Voir *Appareils à visée directe, page 12 ; Changement de l'objectif et du point de vue, page 105 ; Techniques de mise au point, page 130 ; Bouger l'appareil, pages 164-165.*

Film APS **Film 120** **Film 110** **Film 135**

Voir *Formats des films, page 45 ; Films infrarouges, page 154 ; Emploi de la chambre monorail, page 22 ; Profondeur de champ, page 29.*

Appareil Compact à Visée Directe

Il est ainsi appelé parce que son système de visée est séparé de l'objectif de prise de vue. Il s'agit d'un viseur optique comprenant habituellement une lentille simple à chaque extrémité, dans lequel le champ embrassé par l'objectif est délimité par un cadre lumineux. Ce système évite l'emploi d'un prisme redresseur et du miroir mobile, éléments spécifiques de l'appareil reflex mono-objectif (SLR). La suppression de ces deux dispositifs a permis de réduire les dimensions et le poids de l'appareil que l'on désigne par le terme "compact". Les appareils compacts peuvent être classés en plusieurs catégories en fonction de leurs caractéristiques. Les plus simples sont équipés d'un objectif à focale et à mise au point fixes et n'offrent que très peu, voire aucun réglage. Ils sont conçus pour la prise de vues entre 1,20 m et l'infini. Ils sont souvent à vitesse et diaphragme fixes, le seul élément variable étant le flash incorporé, donnant des images correctes jusqu'à 2 ou 3 mètres du sujet. Les compacts plus évolués disposent de l'affichage automatique de la sensibilité du film (système DX) et d'un objectif à focale fixe de 35 à 40 mm, avec mise au point automatique dite "autofocus". Une autre catégorie de compacts est celle du "bifocal", pourvu d'un double système d'objectif. Il ne s'agit pas d'un zoom, mais d'un principe permettant de choisir entre deux focales différentes, par exemple 28 et 40 mm ou encore 35 et 70 mm. En tête de la catégorie des compacts, on trouve les compacts-zooms autofocus. Certains modèles sont extrêmement perfectionnés et sont parfois plus onéreux qu'un boîtier reflex de base. La plupart n'ont pas de zoom de forte amplitude (35-70 mm par exemple) ; certains sont dotés d'un zoom motorisé à plus forte variation de focale, pouvant aller de 35 à 105 mm ou même 135 mm. Le microprocesseur intégré à l'appareil permet par ailleurs le choix du mode d'exposition. Par exemple, le mode "portrait" sélectionne une grande ouverture et le mode "sport" une grande vitesse d'obturation.
Voir *Profondeur de champ, page 29 ; Arrêter le mouvement, page 162.*

Parallaxe

Un simple viseur ne voit pas exactement le sujet comme l'objectif de l'appareil : il se trouve à quelques centimètres de ce dernier et n'embrasse le même champ que si le sujet est placé à partir de 2 mètres de distance. Mais, pour les distances inférieures, le viseur montre plus de champ en haut de l'image que n'en voit l'objectif, ce qu'indiquent les schémas ci-dessous. La parallaxe est d'autant plus prononcée que le sujet est plus proche de l'appareil.

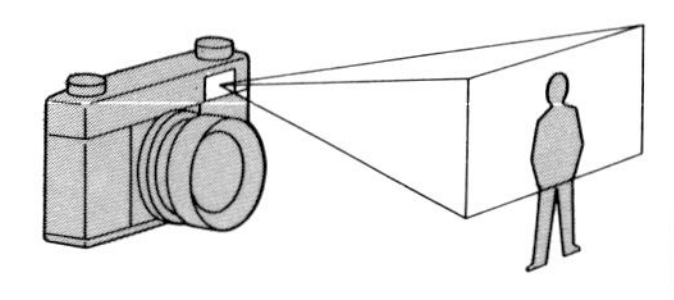

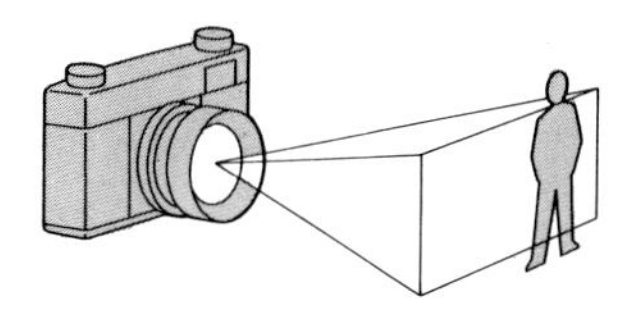

CANON EPOCA

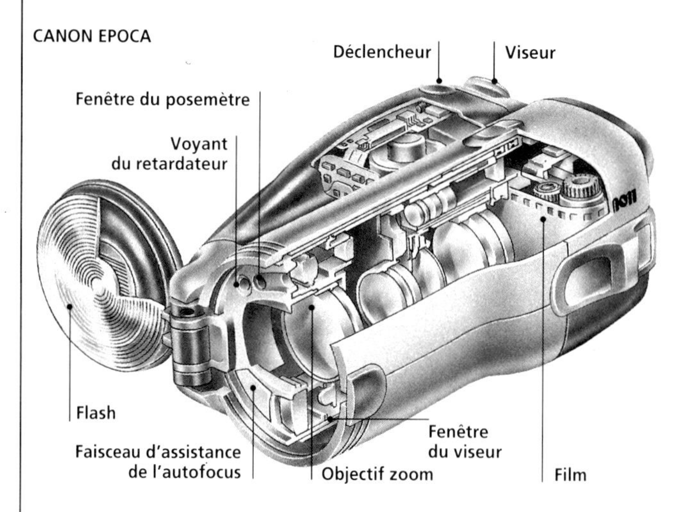

Compact-zoom autofocus
Si l'on excepte leur zoom inamovible (par opposition à la gamme complète des objectifs interchangeables d'un reflex), ces compacts sont pourvus de nombreuses fonctions facilitant leur emploi. Certains modèles – tel l'appareil ci-contre – ont une architecture originale et ergonomique partiellement justifiée par la nécessité d'éloigner au maximum le flash de l'objectif dans le but de réduire l'effet "yeux rouges", problème inhérent aux compacts à flash incorporé.

Chargement et Avancement du Film

Un appareil compact utilise le film 135 en cartouche de 36 ou 24 vues. Pour le chargement, il suffit de placer la cartouche dans son logement et de positionner l'extrémité de l'amorce du film sur un repère côté bobine réceptrice. Le film avance automatiquement dès la fermeture du dos, puis sur la vue suivante après chaque déclenchement. Beaucoup de modèles rebobinent le film dans la cartouche dès que la dernière vue a été prise. La plupart des appareils motorisés sont à affichage automatique de la sensibilité du film. Celle-ci est indiquée sous la forme d'un code DX (des carrés noirs ou métalliques) imprimé sur la cartouche, que le boîtier "lit", grâce à des contacts situés dans le logement du film.

Réglages L'appareil compact le plus simple est muni d'un objectif à mise au point fixe, réglé pour donner une image nette de tous les sujets allant du portrait en buste au lointain paysage. Il ne demande aucun réglage : il suffit de cadrer le sujet et de déclencher. Sa vitesse d'obturation est souvent fixée à 1/100 ou 1/125 s. Un modèle non DX comporte parfois un sélecteur permettant d'utiliser une gamme limitée de films, de sensibilité comprise entre 100 et 400 ISO.

Compacts autofocus
Ces appareils ont un objectif à focale fixe, mais dont la mise au point est réglable selon la distance du sujet.
Le choix dans cette catégorie va de l'appareil le plus simple (2 ou 3 zones de mise au point, lentilles en plastique ; 100/400 ISO) au modèle très évolué doté d'un objectif de très haute qualité et capable d'utiliser tous les films jusqu'à 5 000 ISO par exemple.

Riva AF 35

Jetable. Déjà chargé d'un film (c'est l'appareil que l'on "donne à développer"), le PAP ne demande aucun réglage. Il en existe différents modèles : normal, avec flash, de format panoramique ou étanche pour photographie sous-marine.

Nikon TW20 AF

Ultra-compact Au fur et à mesure qu'il incorpore de nouvelles fonctions, le compact tend à perdre cette caractéristique. Ce n'est pas le cas du Contax T2 (119 mm de large, 66 mm de haut). L'appareil est équipé d'un superbe objectif autofocus Zeiss de 38 mm (débrayable), avec chargement, avance, rebobinage automatiques du film, flash intégré, sensibilité DX 25-5 000 ISO et mode d'exposition à priorité diaphragme.

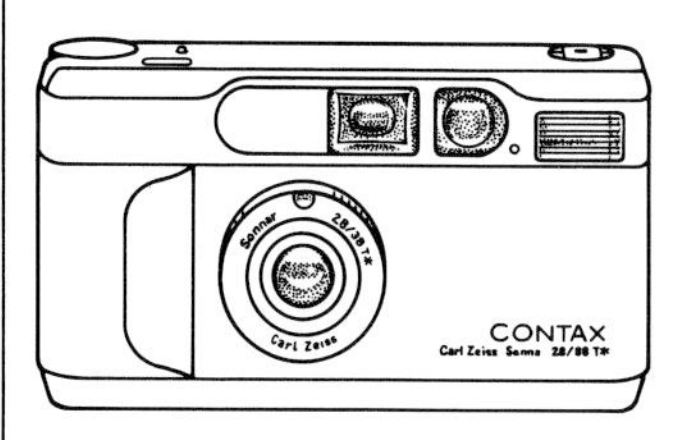

Contax

Appareils à Visée Directe

Un appareil à visée directe évolué comme le Leica M6 offre des caractéristiques intéressantes. Un télémètre couplé assure la précision de mise au point. Il suffit de tourner la bague de mise au point jusqu'à ce que la partie du sujet située dans la zone centrale du viseur soit parfaitement superposée à l'ensemble de l'image. L'obturateur de type focal donne les vitesses allant de 1 s à 1/1 000 s et l'on peut utiliser les films de sensibilité 6 à 6 400 ISO.

L'appareil est mécaniquement complexe : 104 pièces pour le seul télémètre. La visée directe, la rapidité opérationnelle et le silence de fonctionnement sont des qualités pour le reportage discret et les scènes d'action. L'inconvénient de la visée directe est que l'on ne peut pas apprécier visuellement l'étendue de la profondeur de champ et que l'image de visée n'est pas absolument identique à celle enregistrée sur le film.

LEICA M6

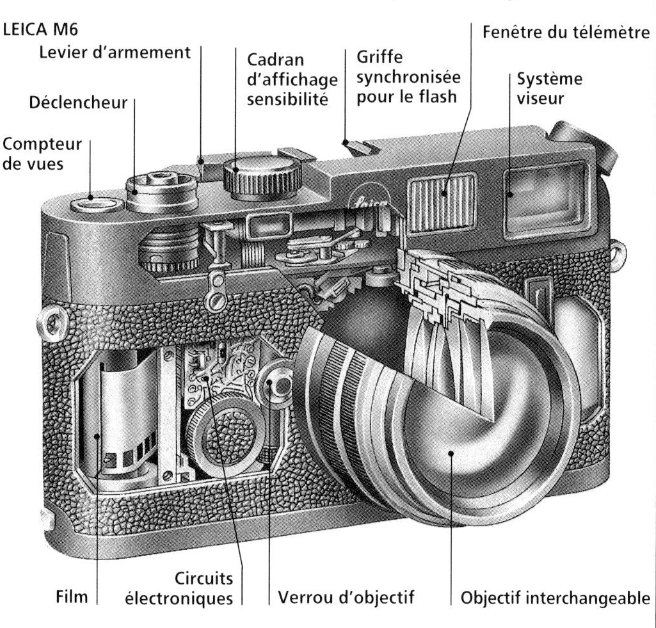

Mise au Point Télémétrique

Dans le système télémètre couplé – ci-dessous –, la lumière passant par la fenêtre du télémètre et réfléchie par des miroirs forme une image centrale à l'intérieur du viseur.
En tournant la bague des distances de l'objectif, on fait pivoter l'un des miroirs. La mise au point est assurée lorsque l'image de la plage télémétrique centrale se superpose à celle donnée par le viseur. Durant l'opération, le cadre lumineux se déplace obliquement afin d'indiquer la correction de parallaxe.

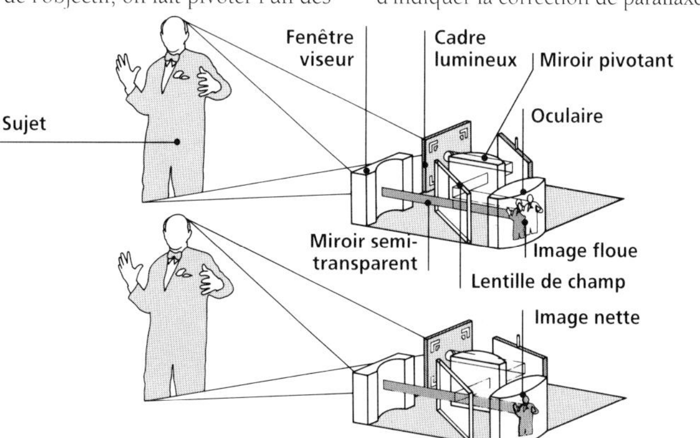

Le Système APS et ses avantages

Le format APS (Advanced Photo System) a été lancé en 1996 par un consortium réunissant cinq grands fabricants (Canon, Fuji, Kodak, Minolta et Nikon). Il a, depuis, été adopté par tous les autres.
Bénéficiant des technologies les plus récentes, l'APS a été conçu pour simplifier encore davantage l'emploi de l'appareil photo et pour faciliter la gestion des travaux de laboratoire tout en améliorant la qualité des tirages. Dans l'esprit de ses promoteurs, l'appareil compact APS devait rapidement détrôner son homologue 24 x 36 auprès du grand public ; ce vœu n'a été que partiellement exaucé puisque, cinq ans plus tard, de nombreux compacts à film 135 continuaient à apparaître sur le marché.

Les atouts de l'APS sont les suivants :
- le chargement du film est simplifié : il suffit d'introduire la cartouche dans le logement du boîtier, toutes les opérations suivantes étant dès lors entièrement automatiques ;
- l'utilisateur a le choix entre trois formats de cadrage à la prise de vue (voir page suivante) ;
- les principaux paramètres de chaque prise de vue s'inscrivent sur la pellicule au fur et à mesure de son avancement. Lus automatiquement par le laboratoire, ils doivent lui permettre d'améliorer la qualité technique des tirages ;
- les premiers tirages sont livrés avec une planche-index regroupant les vues du film sous forme de vignettes numérotées (voir page suivante).

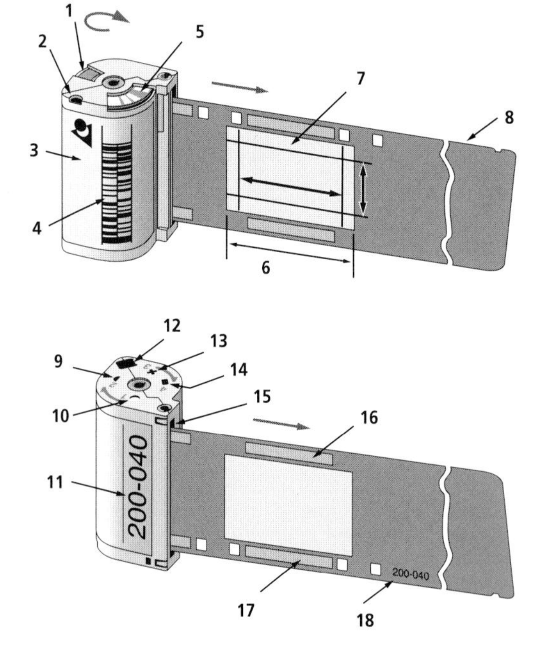

Cartouche film IX240 et codages

1 Fenêtre de lecture du disque de données
2 Indicateur de sensibilité ISO du film
3 Étiquette de la cartouche
4 Code-barres
5 Disque de données
6 Longueur du format H
7 Cadre de l'image
8 Amorce du film
9 Indicateur "film partiellement exposé"
10 Indicateur "film vierge"
11 Numéro d'identification en clair
12 Indicateur "film ne pouvant pas/plus être traité"
13 Indicateur "film exposé"
14 Indicateur "film développé"
15 Volet de protection du film
16 Pistes magnétiques (C1/C2) des données de prise de vue
17 Pistes magnétiques (P1/P2) des données d'échange avec le laboratoire
18 Numéro d'identification en clair.

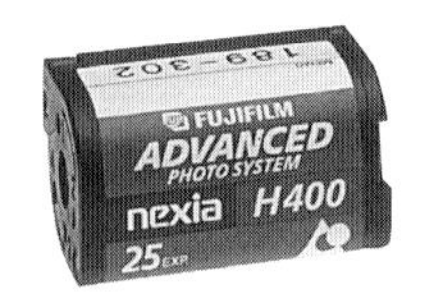

Cartouche de film APS **Fujicolor Nexia H400** 25 vues (Fujifilm)

Le Film APS

Le film APS (code IX240) est conditionné en cartouches de 15, 25 ou 40 vues. Il mesure 24 mm de largeur et enregistre des images de format 16,7 x 30,2 mm.
La surface de l'image produite par un APS est donc inférieure d'environ 41 % à celle d'un 24 x 36 mm.
Le support en naphtalate de polyéthylène du film APS, épais de 0,111 mm, est très résistant, et sa rigidité assure une bonne planéité à la pellicule lorsqu'elle est déroulée dans l'appareil pour la prise de vue. La netteté de l'image recueillie par le film est ainsi optimale en chacun de ses points.
Sauf lorsqu'il est déroulé dans l'appareil pour les prises de vue, le film APS, qu'il soit vierge, exposé ou développé, reste enroulé à l'abri des rayons lumineux – et des accidents ! – dans sa cartouche d'origine.
La cartouche de film APS (39 x 30 x 21 mm) est pourvue sur l'un de ses flasques d'un indicateur mécanique d'état du film (FSI) qui est visible à travers une fenêtre située à la base de la cartouche.
L'autre flasque de la cartouche porte un disque couplé à la bobine. débitrice. Ce disque indique automatiquement au boîtier de l'appareil photo, grâce à un système de codes-barres lu par un détecteur optique à diodes situé dans le logement de la cartouche, la sensibilité et le type de film utilisé. En tournant à mesure que le film avance, il enregistre de la même façon certains paramètres de chaque prise de vue : format choisi, emploi (ou non) du flash intégré.
Le film lui-même porte quatre pistes magnétiques transparentes, deux sur chaque marge de la bande.
Deux pistes (C1 et C2) sont consacrées à l'échange d'informations entre le film et l'appareil, et deux autres (P1 et P2) à l'échange d'informations entre le film et le laboratoire de traitement.

Indicateur d'état du film sur une cartouche APS

Le cercle plein signifie que le film est vierge ; le demi-cercle indique qu'il est partiellement exposé ; la croix, qu'il est exposé mais non développé. Le rectangle, enfin, montre que la cartouche contient un film développé.

Cadrage : Trois Formats au Choix

Sauf certains "jetables", les appareils APS permettent de choisir entre trois formats de cadrage de l'image :
(1) format C (Classique) ;
(2) Format H (initiale de HDTV, acronyme anglais désignant la télévision haute définition dont ce format reprend les proportions) ;
(3) Format P (Panoramique).
Le réglage du sélecteur trois positions C, H ou P du boîtier sur le format choisi a un double effet :

- le viseur de l'appareil affiche le cadrage approprié ;
- le code-barres correspondant au format choisi s'inscrit sur le disque optique de la cartouche. Lue par la tireuse du laboratoire, cette information lui permet de produire l'épreuve du format requis.

En réalité, toute la surface du film étant exposée à chaque vue, il est donc toujours possible de commander des retirages d'un format différent de celui qui avait été choisi à la prise de vue.

Les trois formats de cadrage APS
1 Format C (Classique) : négatif 17 x 23 mm (rapport 4:3), tirage 100 x 152 mm.
2 Format H (HDTV) : négatif 17 x 30 mm (rapport 16:9), tirage 100 x 178 mm.
3 Format P (Panoramique) : négatif 9,5 x 30 mm (rapport 3:1), tirage 100 x 254 mm.

Ci-dessus : **Canon Eos IX7** reflex APS

Ci-dessous : APS **Fuji Nexia 320i** Zoom

Ci-dessous : planche Photo-Index APS

Un Système "Communicant"

Les appareils APS compacts les plus simples ne savent pas lire le code-barres de la cartouche : un petit palpeur s'engageant ou pas dans une encoche de la cartouche indique à l'appareil s'il s'agit d'un film "rapide" (200-400 ISO) ou "lent" (100 ISO).
D'autres, un peu plus perfectionnés, lisent le code-barres, mais n'enregistrent rien sur les pistes magnétiques : les informations indispensables au laboratoire - en particulier le format C/H/P des tirages - sont impressionnées optiquement dans la marge du film, grâce aux diodes du boîtier.
Enfin les appareils les plus évolués (dits "IX" pour « échange des informations ») enregistrent toutes les informations sur les pistes magnétiques (sensibilité précise du film, de 25 à 3 200 ISO, conditions techniques de prise de vue, impression de la date et de titres, nombre de tirages de chaque vue, etc.). Il faut noter que les mêmes pistes magnétiques sont utilisées et/ou modifiées lors du tirage des épreuves (dans ce dernier cas, même sur les images issues des appareils qui n'enregistrent pas en magnétique) : c'est le système "PQI" (Print Quality Improvement), conçu pour maintenir ou améliorer la qualité des retirages ultérieurs.
Ces appareils APS évolués sont également pourvus du système "MRC" (Mid-Roll Change) qui permet de remplacer le film partiellement exposé chargé dans l'appareil par un autre, même s'il est de sensibilité différente ; on peut à tout moment revenir au premier film, dont le nombre de vues non exposées, mémorisé par la cartouche, s'affiche alors automatiquement sur l'écran ACL du boîtier.

La Focale des Objectifs pour APS

Pour connaître la focale "équivalente 24 x 36" d'un objectif APS, il suffit de multiplier sa focale nominale par 1,25 (c'est le rapport entre la surface utile de ces deux formats).
Exemple : un zoom APS 25 - 100 mm correspond à un 31 - 125 mm environ en format 24 x 36 mm.

LE REFLEX MONO-OBJECTIF

Le reflex mono-objectif (ou "SLR") est considéré à juste titre comme l'appareil le plus performant et universel. Son principe de base (emploi d'un miroir mobile renvoyant l'image formée par l'objectif sur un dépoli de visée jusqu'au moment de l'exposition) date de la fin du XIXe siècle. Cependant, les reflex 24 x 36 et de moyen format d'aujourd'hui atteignent une précision de fonctionnement inimaginable il y a cent ans.

Pour et contre

Son plus grand avantage est l'absence de parallaxe (voir page 13). Vous voyez dans le viseur l'image telle qu'elle sera exactement enregistrée sur le film (cadrage, composition, répartition de la zone de netteté, etc.).Les objectifs étant interchangeables, le viseur reflex montre à chaque fois le champ embrassé par chacun d'eux. Un reflex s'adapte aussi bien au télescope qu'au microscope et accepte toutes sortes de compléments optiques, avec contrôle visuel continu de l'image. Étant universellement apprécié, il bénéficie des plus récents progrès de la technologie optique et électronique. Posemètre intégré, objectif zoom, motorisation intégrale sont les éléments du "système" dont le boîtier reflex est le cœur. Parmi les inconvénients de l'appareil, on peut citer la brève disparition de l'image au déclenchement, le poids, la complexité et, bien sûr, le prix. Certains utilisateurs de SLR non autofocus trouvent que la mise au point est plus rapide et facile avec un appareil à visée directe et télémètre couplé, surtout en cas de faible lumière. Cependant, avec le reflex, le cadrage, la mise au point et la mesure de l'exposition se font presque toujours à pleine ouverture : le diaphragme "présélectionné" se ferme à la valeur réelle juste avant le déclenchement. De cette façon, l'image formée sur le verre de visée reste claire, en favorisant la précision de la mise au point. Par ailleurs, le reflex moderne bénéficie de toutes les innovations déjà appliquées aux compacts haut de gamme : transport automatique du film, affichage DX de la sensibilité, autofocus. Beaucoup d'entre eux incorporent un flash et permettent le choix de plusieurs modes d'exposition automatiques, plus le mode manuel.

Voir *Profondeur de champ, page 29 ; Appareils-systèmes, page 20 ; Posemètre incorporé, page 133 ; Techniques de mise au point, page 130.*

CANON EOS 3

1 Déclencheur
2 Molette principale
3 Mesure Multispot
4 Correction d'exposition
5 Touche d'éclairage de l'écran ACL
6 Commande du système "Eye-Control"
7 Griffe synchronisée pour le flash
8 Sélecteur des modes d'exposition
9 Anneau de courroie
10 Sélecteur AF/MF
11 Verrou d'ouverture du dos
12 Commande stabilisateur
13 Connecteur de télécommande
14 Connecteur ordinateur
15 Bague de mise au point manuelle (MF)
16 Zoom 28-135 mm à stabilisateur optique
17 Poignée ergonomique

Viseur d'un reflex L'image, formée par l'objectif sur le verre de visée, reste inversée droite/gauche après sa réflexion sur le miroir reflex. Elle est totalement redressée par le pentaprisme (5 faces, dont 3 sont argentées). Cette disposition pour visée à hauteur de l'œil offre deux avantages : d'une part, une image présentée dans son orientation normale, d'autre part, une grande compacité, grâce au repliement du faisceau imageur par le pentaprisme.

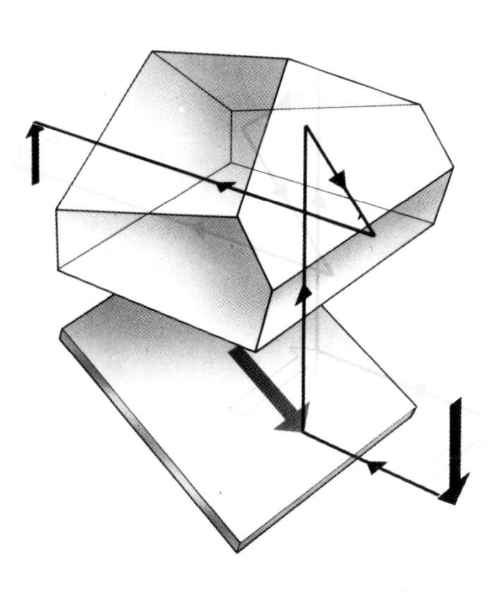

Viseur capuchon Quelques reflex 24 x 36 "professionnels" offrent l'interchangeabilité des viseurs et des verres de visée. Le viseur capuchon remplaçant le prisme permet la visée à hauteur de la poitrine. Avec un crayon gras, on peut tracer des repères de cadrage sur le verre, par exemple pour les surimpressions à la prise de vues.

Nikon F4

Verres de visée Tous les verres de visée comportent une surface finement dépolie où l'image se forme. Au centre du verre peut se trouver une plage, une couronne de microprismes, ou un télémètre à prismes croisés, dispositifs facilitant la mise au point. Les verres quadrillés par de fines lignes gravées servent aux travaux de reproduction et aux vues d'architecture.

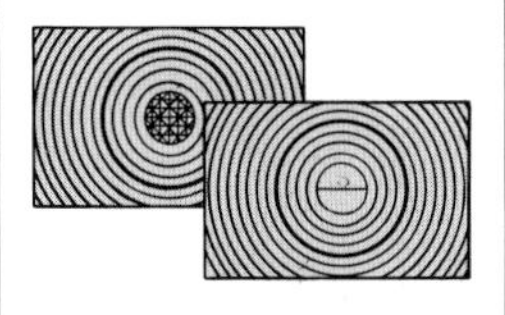

Verre avec lentille de Fresnel Il s'agit d'une mince feuille de plastique portant des reliefs circulaires. Placée immédiatement sous le verre de visée, elle a pour effet de distribuer également la lumière sur toute la surface du verre, en donnant ainsi une image très lumineuse.

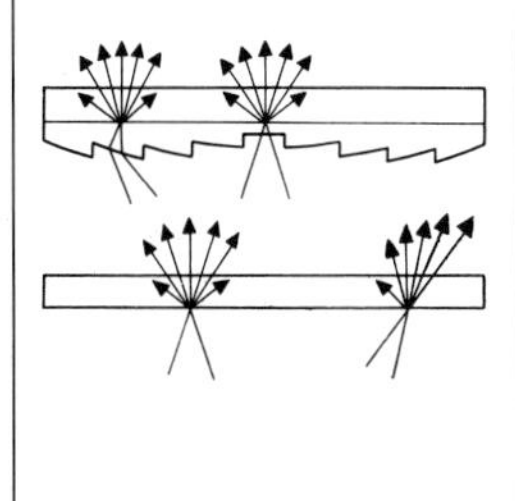

Télémètre à prismes croisés Il est parfois difficile de faire la mise au point sur verre dépoli, surtout en faible lumière. Ce dispositif, également appelé "stigmomètre", occupe la partie centrale du verre de visée, dans un logement creusé sous le verre. Il consiste en deux prismes qui sont croisés

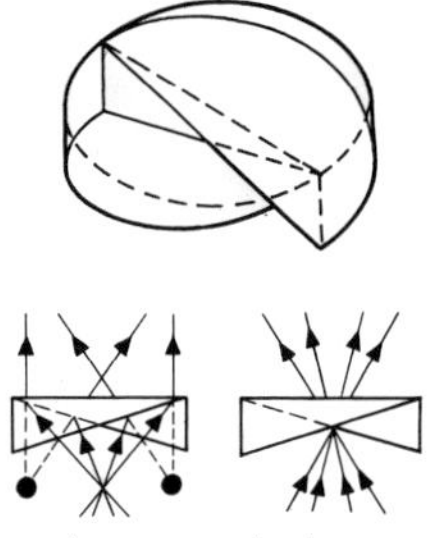

au niveau exact du plan image. Si l'image est parfaitement au point, l'image d'une ligne droite est continue sur cette zone. Si la mise au point est incorrecte, l'image de la ligne se forme sur les prismes de telle manière qu'elle est brisée et excentrée. Certains verres de visée comportent une plage ou une couronne de microprismes. L'image du sujet formée sur cette zone s'obscurcit si la mise au point est mauvaise.

Obturateur focal L'obturateur focal est formé de deux rideaux, l'un suivant l'autre, en formant une fente, laquelle, en défilant devant le film, détermine l'exposition. La largeur de la fente est réglée par la bague des vitesses. Pour les poses plus longues que 1/60 s, le départ du deuxième rideau est retardé, laissant le film découvert pour la durée requise.

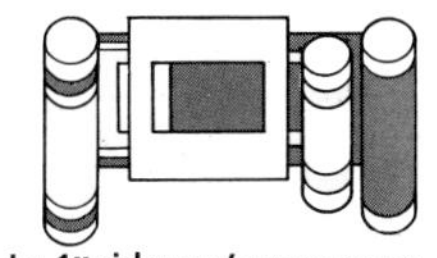

Le 1er rideau s'ouvre pour l'exposition.

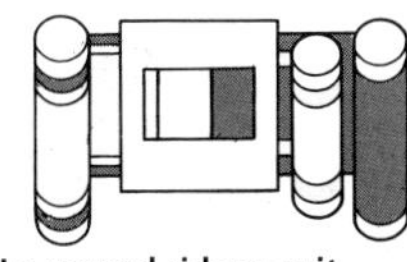

Le second rideau suit.

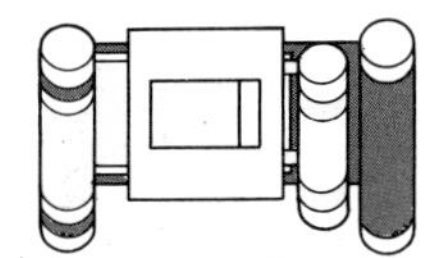

La largeur de la fente détermine l'exposition.

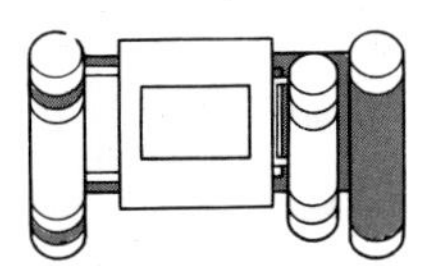

La pose est terminée : tout le film a reçu la même exposition.

Séquence d'exposition Quand vous appuyez sur le déclencheur, le miroir remonte, ce qui permet à la lumière d'atteindre le dos de l'appareil, sans passer par le viseur. Le diaphragme se ferme à l'ouverture présélectionnée et l'obturateur fonctionne. Puis le diaphragme s'ouvre à nouveau et le miroir reprend sa place.

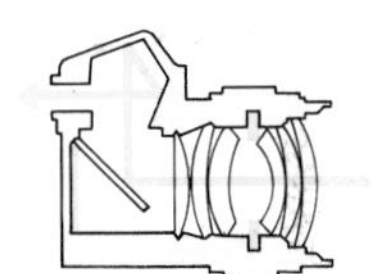

Trajet de la lumière dans le viseur.

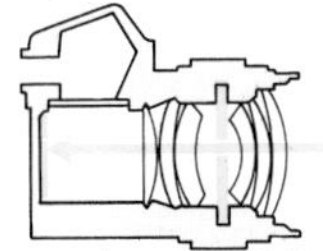

On appuie sur le déclencheur ; le miroir remonte ; le diaphragme se ferme.

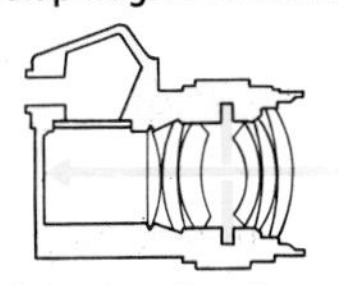

L'obturateur fonctionne.

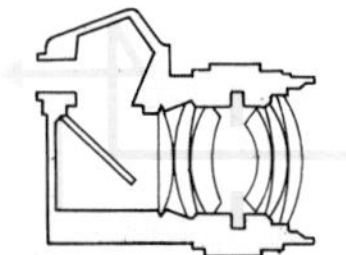

Le miroir revient en place, le diaphragme s'ouvre.

Reflex Mono-Objectif de Moyen Format

Ces appareils sont conçus pour l'emploi du film en bobine de 60 mm de large, 120 ou 220, ou du film perforé de 70 mm en grande longueur. La plupart d'entre eux sont de format image 6 x 6 cm, mais il existe aussi des modèles de format rectangulaire 4,5 x 6 et 6 x 7 cm. Le boîtier Hasselblad ci-dessous est l'élément de base d'un système très complet. Un tel appareil peut recevoir différents viseurs, dont un viseur prismatique incorporant un posemètre. L'équipement est plus encombrant et plus lourd, moins rapide d'emploi et plus onéreux qu'un reflex 24 x 36, même très perfectionné.

Pour et contre

Un des avantages les plus significatifs est le format de l'image : plus de quatre fois la surface d'un 24 x 36 mm. La majorité des modèles offre le magasin interchangeable permettant de passer du noir et blanc à la couleur, du film négatif au film inversible au cours d'une même séance de prise de vues ; l'emploi du film à traitement instantané est presque toujours possible. Les appareils dont les objectifs sont munis d'un obturateur central permettent d'utiliser le flash électronique à toutes les vitesses. Mais, surtout, le reflex moyen format permet à l'amateur d'accéder à la qualité dite "professionnelle" : cela grâce à la valeur technique des images obtenues.

Hasselblad 500 C/M

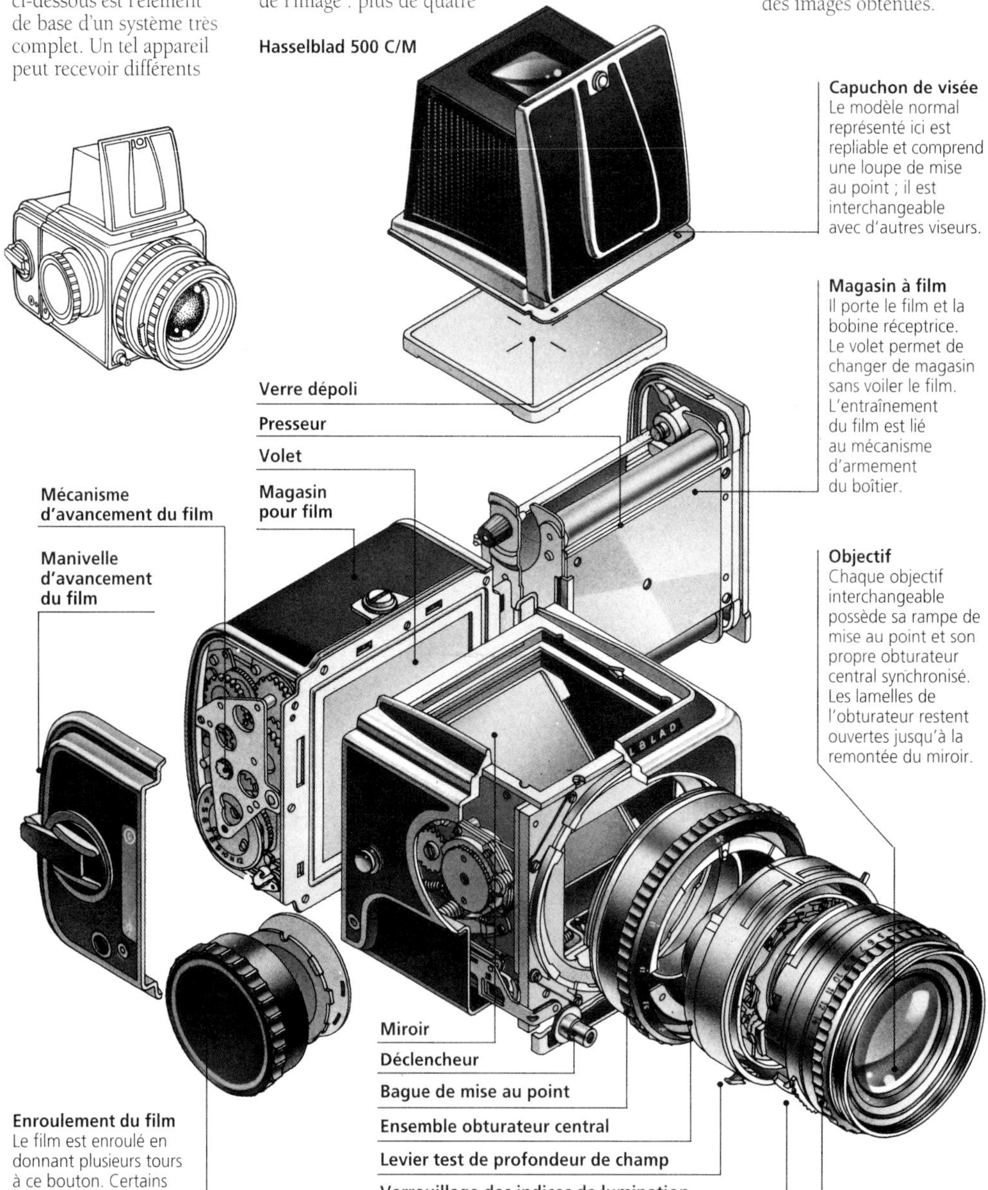

Capuchon de visée
Le modèle normal représenté ici est repliable et comprend une loupe de mise au point ; il est interchangeable avec d'autres viseurs.

Magasin à film
Il porte le film et la bobine réceptrice. Le volet permet de changer de magasin sans voiler le film. L'entraînement du film est lié au mécanisme d'armement du boîtier.

Objectif
Chaque objectif interchangeable possède sa rampe de mise au point et son propre obturateur central synchronisé. Les lamelles de l'obturateur restent ouvertes jusqu'à la remontée du miroir.

Verre dépoli

Presseur

Volet

Magasin pour film

Mécanisme d'avancement du film

Manivelle d'avancement du film

Miroir

Déclencheur

Bague de mise au point

Ensemble obturateur central

Levier test de profondeur de champ

Verrouillage des indices de lumination

Bague de réglage couples diaphragme/vitesses

Enroulement du film
Le film est enroulé en donnant plusieurs tours à ce bouton. Certains boîtiers sont équipés d'un moteur.

Reflex Bi-Objectifs

Il est d'une conception plus ancienne que le mono-objectif. Les modèles d'aujourd'hui sont de format 6 x 6 cm. Le corps du boîtier est divisé en deux chambres photographiques distinctes, munies chacune d'un objectif de même distance focale. La chambre supérieure sert à la visée, grâce à un miroir à 45° renvoyant l'image sur un verre dépoli. La chambre inférieure est munie d'un diaphragme et d'un obturateur central et sert pour la prise de vues.

Pour et contre
Le viseur donne une image aussi claire que celui d'un mono-objectif.
Le mécanisme est simplifié par rapport au reflex mono-objectif et le sujet reste visible dans le viseur au moment du déclenchement.
Néanmoins, l'image du viseur est inversée droite/gauche et la parallaxe peut provoquer des erreurs de cadrage, particulièrement pour les sujets proches

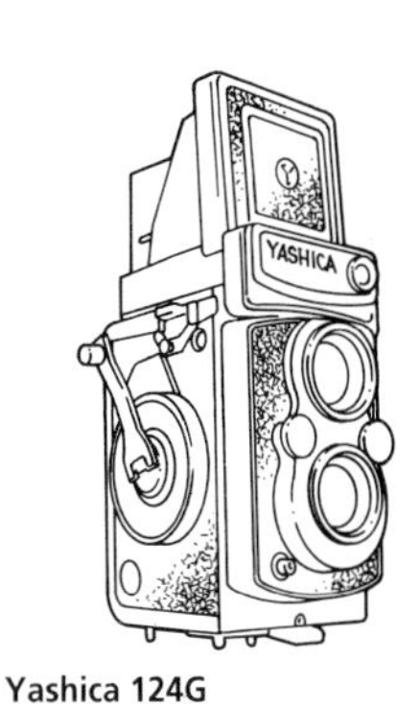

Yashica 124G

Modèles de format 4,5 x 6 cm Les reflex utilisant le film en bobine existent en plusieurs formats. Le format 4,5 x 6 cm permet de conserver au boîtier des dimensions et un poids réduits.
Le Mamiya 645, ci-dessous, ressemble à l'Hasselblad et il est doté d'une gamme analogue d'accessoires.

Mamiya 645

Modèles 6 x 7 cm Le Pentax 6 x 7, ci-dessous, ressemble à un gros reflex 24 x 36, avec la même disposition des commandes. Les Mamiya RB et RZ 67 disposent d'un dos tournant facilitant le cadrage en hauteur, notamment avec viseur capuchon.

Pentax 6 x 7

Modèles 6 x 6 à visée directe
Cet appareil 6 x 6 cm Mamiya bénéficie du grand format d'image, mais dans un boîtier plus compact et plus léger que les reflex de moyen format. L'obturateur donne une vitesse maximale de 1/500 s, avec synchro flash à toutes les vitesses. Un volet interne permet le changement d'objectif (de 50, 75 ou 150 mm) sans voiler le film.

Mamiya 6 x 6

La parallaxe et son contrôle
La correction automatique de la parallaxe pour les vues de près est assurée par un cadre ou un repère se déplaçant sous le verre de visée, en fonction de la distance de mise au point. Si l'image enregistrée doit être absolument semblable à l'image visée, opérer sur pied. Lorsque l'image est parfaitement cadrée et mise au point, élever l'appareil de la distance séparant les deux objectifs.

Viseur/verre de visée
Le verre de visée est entouré d'un capuchon métallique pliant, afin de protéger l'image de la lumière directe. Ce capuchon est muni d'une loupe. L'ensemble peut être remplacé par un viseur à pentaprisme.

Interchangeabilité des objectifs Peu de reflex à deux objectifs offrent cette possibilité ; chaque plaquette possède deux objectifs identiques : celui du bas est muni de l'obturateur central. Un volet escamotable protège le film lorsque l'on change d'objectif.

Gamme d'objectifs Le Mamiya C330, ci-dessous, a des couples d'objectifs de focales comprises entre 55 et 180 mm. Le Yashica 124G, ci-dessus, a un couple d'objectifs fixes de 80 mm de focale ; mais il existe des compléments optiques "grand angle" et "télé"

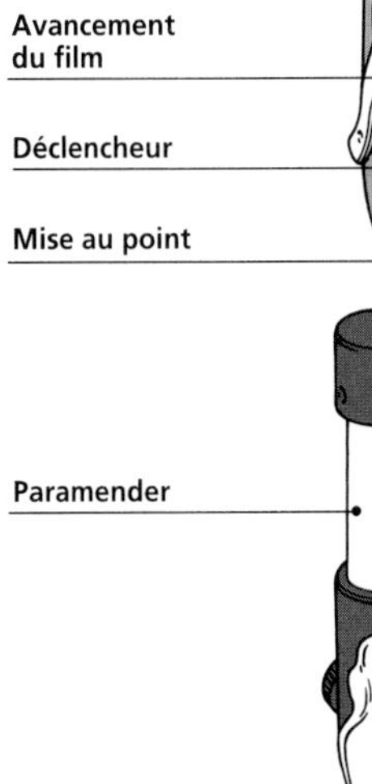

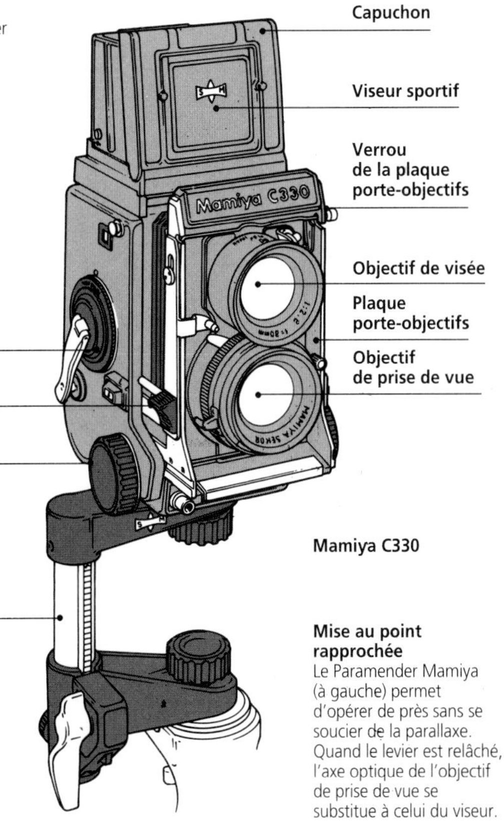

Mamiya C330

Mise au point rapprochée
Le Paramender Mamiya (à gauche) permet d'opérer de près sans se soucier de la parallaxe. Quand le levier est relâché, l'axe optique de l'objectif de prise de vue se substitue à celui du viseur.

Appareils-Systèmes

L'un des avantages du reflex perfectionné est qu'il est prévu pour recevoir une gamme très complète d'accessoires. Le boîtier est l'élément essentiel sur lequel se greffent, pour les applications particulières, des compléments optiques ou mécaniques interchangeables. Pour pouvoir tout faire, choisissez un boîtier offrant à cet égard la plus grande possibilité d'évolution. Vous disposez d'un choix complet d'objectifs, du fisheye au long téléobjectif. Les moteurs permettent de prendre les vues à une cadence pouvant atteindre 6 par seconde ; il vaut mieux l'utiliser avec un dos 250 ou 750 vues. Le déclenchement peut être télécommandé par fil ou par radio. Les bagues et soufflets-allonge permettent d'aborder les domaines du gros plan et de la macro-photographie. Le boîtier peut aussi s'adapter à un microscope pour atteindre des grossissements encore plus importants. Avec un appareil-système et l'accessoire approprié, on peut tout photographier : du grain de pollen à un cratère lunaire !

Objectifs

Une gamme rationnelle d'objectifs interchangeables comprend, par exemple, un grand-angulaire de 24 mm, la focale normale de 50 ou 55 mm et un moyen téléobjectif de 135 mm. Côté super-grand-angle, il peut y avoir un objectif fisheye de 6 ou 8 mm. Les longues focales sont de construction classique (téléobjectifs) ou parfois “à miroirs” (objectif catadioptrique), cette dernière formule permettant d'obtenir une très longue focale – 1 000 mm ou plus – sous une forme relativement compacte. La gamme des objectifs zooms est de plus en plus étendue chez tous les fabricants. **Voir** *Objectifs, pages 115-126.*

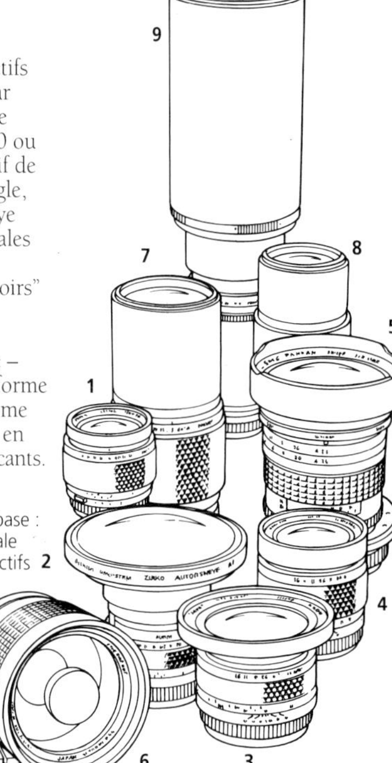

Gamme d'objectifs Éléments de base : un grand-angulaire, la focale normale et un moyen télé. cette série d'objectifs permet d'aborder la plupart des domaines de prise de vue.
Légendes
1 55 mm **2** Fisheye de 8 mm **3** 18 mm **4** 25 mm **5** 28 mm décentrable **6** 800 mm à miroirs **7** 200 mm **8** Zoom 75-150 mm **9** 600 mm.

Bagues et Soufflet-Allonge

Les accessoires ci-dessous s'intercalent entre objectif et boîtier, et permettent la photo à très courte distance. Les bagues-allonge de différentes épaisseurs s'utilisent séparément ou en combinaison. Le soufflet permet une variation continue de la distance objectif-film. Il existe généralement un support facilitant la copie des diapositives ou de très petits objets.

Accessoires pour photo rapprochée Le jeu de bagues-allonge – à gauche – s'utilise dans toutes les combinaisons. Le soufflet-allonge et le support "repro-dia" complètent l'équipement "macro".

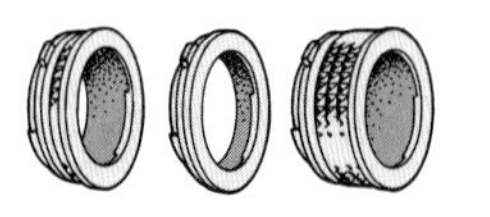

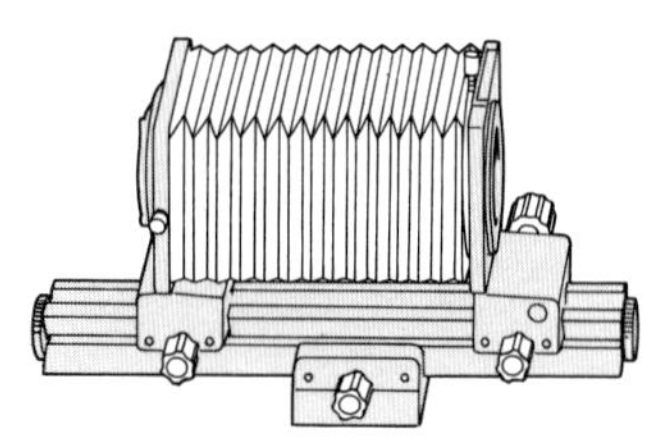

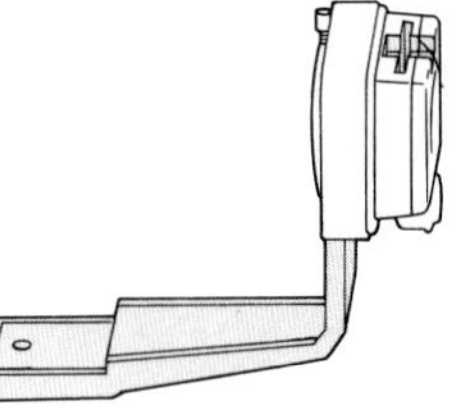

Reflex motorisés, dos Interchangeables

Tous les reflex “AF” (autofocus) incorporent un moteur assurant l'avancement automatique du film après chaque déclenchement, ainsi que son rembobinage quand toutes les vues sont prises. Un reflex non AF plus ancien peut généralement être équipé d'un moteur accessoire se fixant sous la semelle du boîtier.

Dos-dateur, dos de grande capacité Quelques reflex haut de gamme peuvent être équipés de dos interchangeables. Ci-contre, un dos dateur (en bas, à droite) ; un dos 250 vues (en bas, à gauche) ; un ensemble 750 vues pour applications scientifiques (au-dessus).

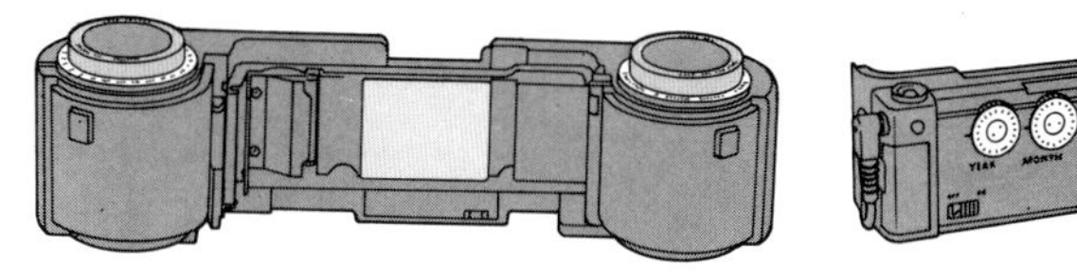

Viseurs

Les appareils-systèmes (surtout ceux de moyen format) offrent l'interchangeabilité des viseurs. Le viseur prisme-posemètre permet la mesure précise de l'exposition dans des conditions très diverses d'éclairage. Le viseur sportif permet de cadrer l'image à une certaine distance de l'œilleton. Le viseur-capuchon est muni d'une loupe escamotable. Le viseur-loupe possède un oculaire réglable en fonction de la vue de l'utilisateur.

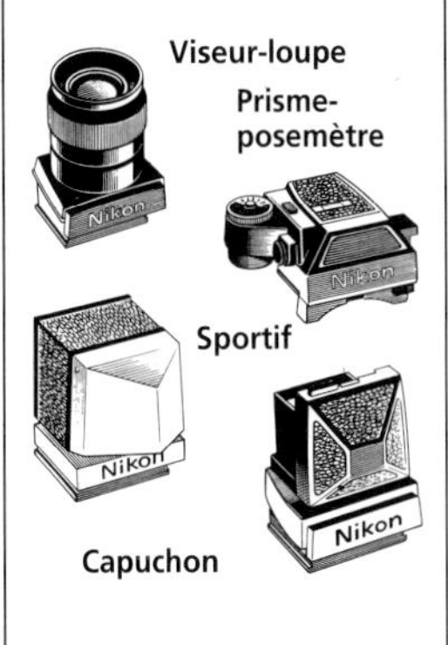

Flash annulaire

Le tube-éclair, en forme de couronne, se fixe autour de l'objectif normal ou macro. Il est relié par un câble à son bloc d'alimentation séparé. Il produit une lumière frontale quasiment sans ombre, convenant bien à la photo rapprochée.

Source flash indépendante Un cordon épais relie le tube-éclair à son bloc d'alimentation ; le cordon fin assure la synchronisation.

Autres formats

En plus d'un siècle de photographie d'amateur, différents formats de films ont été proposés par les fabricants et ont été adoptés un temps par certains modèles d'appareils. À l'exception des films en cartouches 135, en bobines 120/220 et du format APS, lancé en 1996, tous ont disparu. L'échec le plus retentissant au cours des dernières décennies fut celui du Photo-Disque (1982). À l'inverse, le format 110 (ci-dessous), lancé en 1972, a connu une telle réussite qu'il est encore possible de trouver du film en chargeur pour ce type d'appareil.

Appareil 110

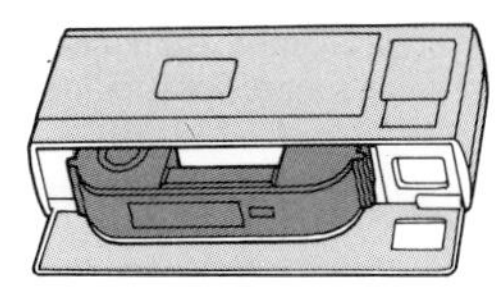

Chargeur 110 Le film négatif couleur destiné à l'appareil 110 est conditionné dans un chargeur en plastique qu'il suffit de placer dans l'appareil.

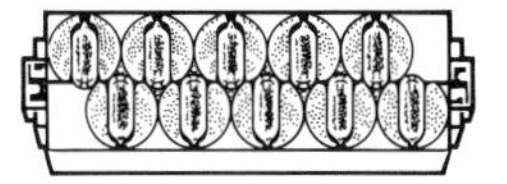

Flashes pour 110 Certains modèles 110 utilisaient le "flashbar" ci-dessus ou le "flashcube" magnésique ; d'autres incorporaient un petit flash électronique.

Appareil miniature

La plupart des petits appareils de poche ne permettent que l'instantané. Il existe néanmoins quelques rares modèles – encore plus petits – capables de donner des photos de bonne qualité. C'est le cas du Minox LX, ci-dessous, mesurant 108 mm de long pour un poids de 88 g. Son objectif de 15 mm de focale est assez performant pour permettre d'agrandir les minuscules négatifs (8 x 11 mm) en 13 x 18 ou 18 x 24 cm. L'ouverture reste fixée à f/3,5, mais l'obturateur peut donner en mode automatique toutes les vitesses comprises entre 8 s et 1/2 000 s. Lorsque le temps de pose excède 1/30 s, un voyant jaune du viseur signale le risque de bougé. Il utilise des films de 12 à 400 ISO en chargeur spécial. Pour avancer le film, il faut étendre puis repousser le boîtier. On peut incorporer à l'appareil un petit flash électronique spécifique.

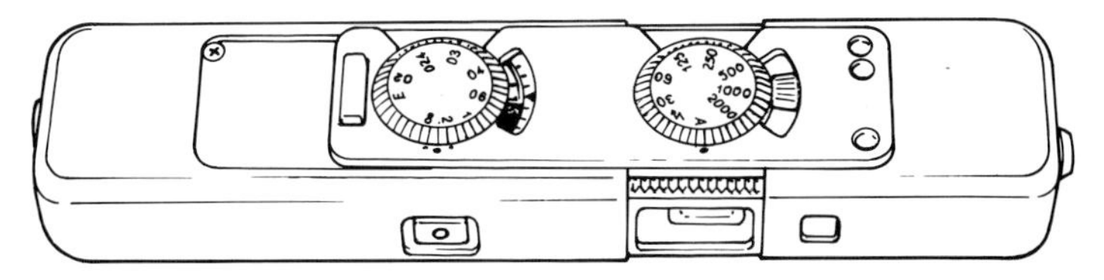

STRUCTURE D'UNE CHAMBRE GRAND FORMAT

Une chambre grand format comprend un objectif muni d'un diaphragme et d'un obturateur central commandé par un déclencheur souple ; un corps arrière avec verre dépoli (format le plus courant : 4 x 5"/10 x 12,5 cm), et un soufflet extensible formant la chambre noire. Pour opérer, il faut d'abord placer l'appareil sur un pied-support, afin de pouvoir cadrer et mettre au point l'image sur le verre dépoli où elle apparaît tête en bas. En extérieur, l'image n'est clairement visible que si l'on utilise un voile noir pour se protéger de la lumière directe du jour. Puis on diaphragme, afin d'obtenir une profondeur de champ suffisante et on referme l'obturateur. On peut maintenant remplacer le dépoli par un châssis contenant le plan-film (qui a été chargé dans l'obscurité complète). Après avoir fixé le châssis sur le dos de la chambre, on retire le volet, afin de découvrir le film face à l'objectif. On peut alors déclencher l'obturateur. La photo étant prise, la suite des opérations est inverse : remise en place du volet, extraction du châssis et – en chambre noire – déchargement du film avant son développement.

Pour et contre

La plupart des chambres sont du type monorail, c'est-à-dire construites à partir d'une colonne de base, sur laquelle coulissent des corps avant et arrière quasiment identiques, portant l'un l'objectif, l'autre le dos dépoli. Divers types de soufflets interchangeables permettent de modifier la longueur du tirage qui peut être atteint. Corps avant et corps arrière sont munis de mouvements de décentrements et de bascules, tandis que le dos interchangeable permet d'adopter un format plus grand ou plus petit. Chaque fabricant de chambre grand format offre un véritable "système" pouvant se modifier en fonction du problème à résoudre pour le photographe spécialisé dans un domaine.

La chambre peut recevoir des objectifs de focales très diverses et l'allongement du tirage facilite la réalisation des photo-macrographies en grand format, sans accessoires supplémentaires.

Il est parfois utile de traiter chaque cliché individuellement, ce qui n'est possible qu'avec des plans-films, dont il existe une grande variété.

Mais la caractéristique fondamentale de la chambre monorail, ce sont ses possibilités de mouvements : décentrements et bascules pour les deux corps. Le déplacement indépendant du film par rapport à l'axe optique de l'objectif permet en effet de contrôler et de modifier la perspective et la profondeur de champ, en fonction de la nature du sujet. Évidemment, les chambres de grand format sont plus encombrantes et plus longues à utiliser que les appareils de petit format. Le principe de la chambre folding (page de droite) la rend cependant plus rapide d'emploi, puisqu'il suffit de déplier l'abattant pour la mettre en batterie. Un viseur optique complémentaire permet l'utilisation à la main, pour le reportage par exemple.

Voir *Emploi de la chambre monorail, pages 220-221 ; Architecture, page 26 ; Traitement des plans-films, page 50.*

Chambre monorail
Le format le plus courant est le 4 x 5". On voit à droite une telle chambre, avec sa colonne ou rail, dont la longueur peut être modifiée en fonction du travail. Tous les éléments sont interchangeables. Noter les corps arrière, avant et central fixés au rail par des coulisseaux identiques. De même, les soufflets sont détachables. La chambre représentée est équipée pour l'emploi d'une longue focale ou pour la photomacrographie. Lorsqu'on utilise un objectif grand-angulaire, on supprime le corps central ; l'on fait appel à un soufflet "ballon".

Capuchon de visée avec miroir de renvoi *L'image est alors vue dans son sens normal.*

Porte-verre dépoli *Il recule pour laisser place au châssis.*

Châssis (à droite) Il en existe plusieurs sortes s'adaptant à une chambre 4 x 5" : le plus courant est le châssis double qui contient un film de chaque côté ; après une première vue, il suffit de le retourner. Le châssis Polaroid permet la photographie instantanée. Le châssis pour film-pack n'est plus utilisé en France ; quant au châssis pour films en bobine, il permet, par exemple, de faire 8 clichés 6 x 9 cm sur film 120.

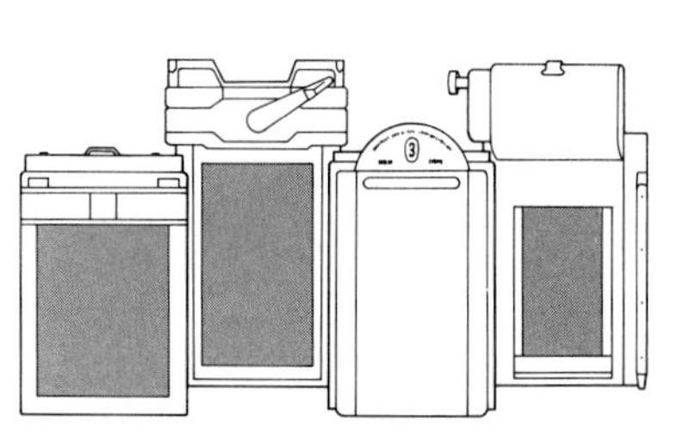

Chambres foldings
Deux grandes catégories : la chambre en bois (à droite), avec ses éléments de laiton, n'est plus fabriquée, mais reste très utilisable. Elle est pliante, mais nécessite toujours l'utilisation du pied-support.

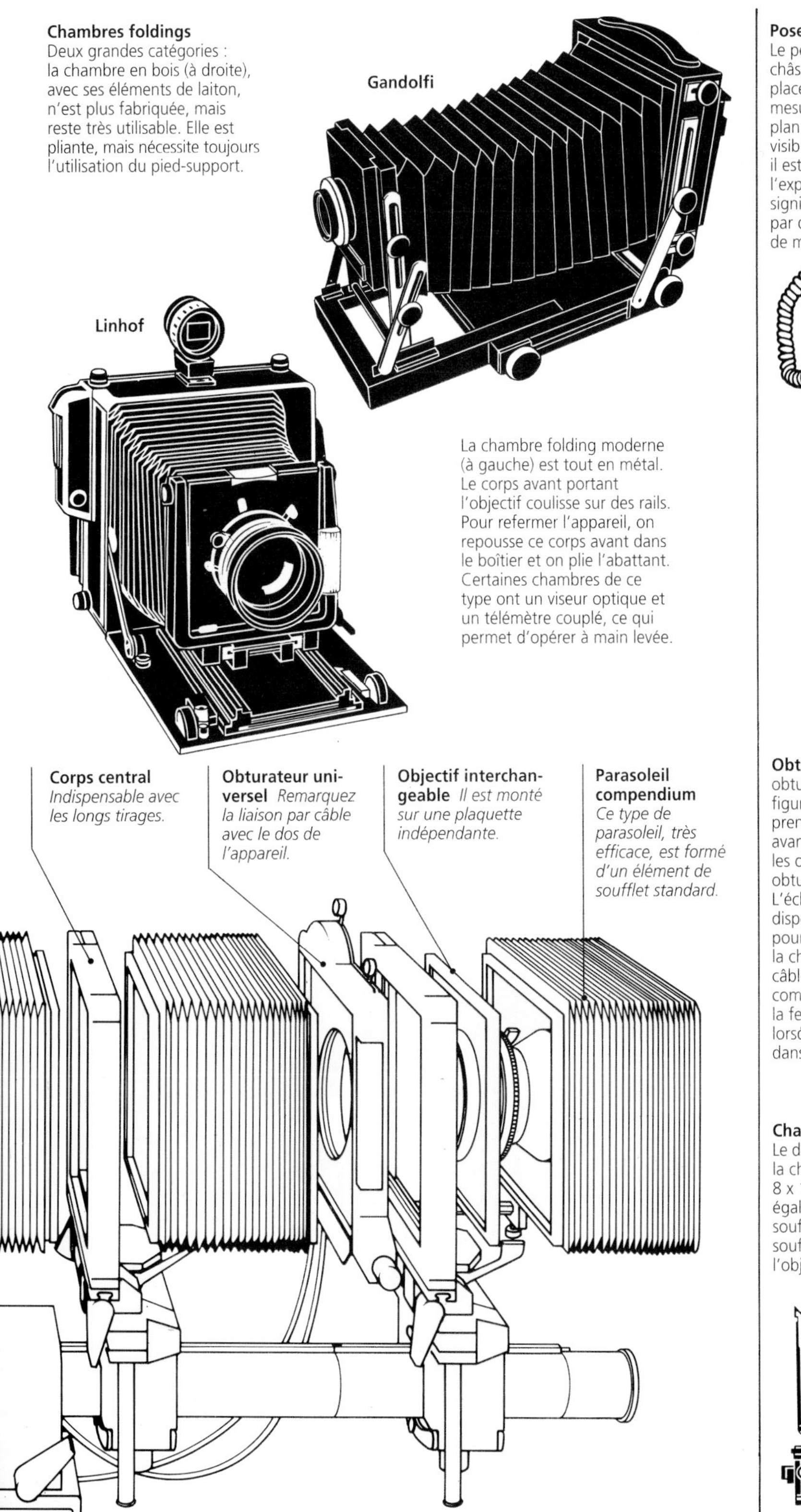

La chambre folding moderne (à gauche) est tout en métal. Le corps avant portant l'objectif coulisse sur des rails. Pour refermer l'appareil, on repousse ce corps avant dans le boîtier et on plie l'abattant. Certaines chambres de ce type ont un viseur optique et un télémètre couplé, ce qui permet d'opérer à main levée.

Corps central *Indispensable avec les longs tirages.*

Obturateur universel *Remarquez la liaison par câble avec le dos de l'appareil.*

Objectif interchangeable *Il est monté sur une plaquette indépendante.*

Parasoleil compendium *Ce type de parasoleil, très efficace, est formé d'un élément de soufflet standard.*

Posemètre à sonde mobile
Le posemètre a la forme d'un châssis et peut donc prendre place dans l'appareil pour mesurer l'exposition sur le plan focal. L'image restant visible sur le verre dépoli, il est possible de déterminer l'exposition pour les parties significatives de l'image, par déplacement de sonde de mesure.

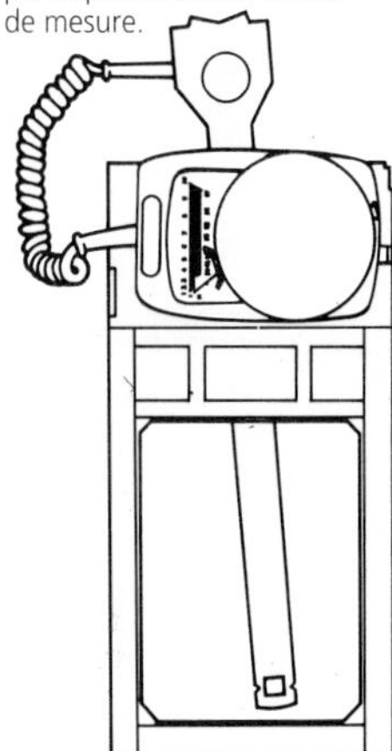

Obturateur universel Cet obturateur central (voir la figure de gauche) pouvant prendre place derrière le corps avant, on peut donc employer les objectifs non munis d'un obturateur, moins coûteux. L'échelle des vitesses disponibles est assez large pour être vue de l'arrière de la chambre. Une liaison par câble avec le corps arrière commande automatiquement la fermeture de l'obturateur lorsqu'on insère un châssis dans le dos de l'appareil.

Changement de format
Le dos-adaptateur a transformé la chambre 4 x 5" en chambre 8 x 10" (20 x 25 cm). Il a fallu également remplacer le soufflet standard par un soufflet conique et choisir l'objectif de focale appropriée.

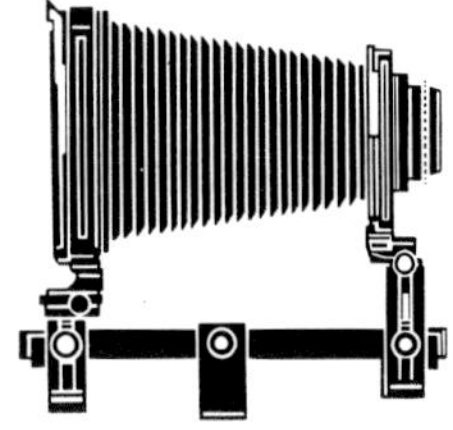

La Photo Instantanée

La photographie instantanée (PI) fut inventée en 1947 par le Dr Edwin Land. L'appareil PI donne une image couleur terminée en quelques minutes.

Pour ou contre

Principal avantage : vous pouvez vérifier immédiatement la qualité de l'image obtenue et en reprendre immédiatement une autre si nécessaire. Contre : le format de l'image est limité par la taille de l'appareil et chaque vue (unique) revient plus cher qu'avec le procédé traditionnel.
Voir *Films instantanés, page 44 ; Films pour photo couleur instantanée, page 68.*

Film "Intégral"

Les appareils PI courants utilisent le film intégral : le négatif et le positif sont contenus dans le même support définitif. Après le déclenchement, la vue individuelle est automatiquement éjectée hors de l'appareil en passant à travers un couple de rouleaux-presseurs. L'image apparaît progressivement en pleine lumière et se développe complètement en 4 minutes environ. Le système optique est conçu pour donner une image à l'endroit. L'appareil est entièrement automatique, mais avec possibilité de correction "plus clair/plus foncé". Les modèles les plus simples sont à mise au point fixe (sujet situé entre 1,25 m et l'infini) ; d'autres sont dotés d'un système autofocus fonctionnant aux ultrasons (sonar). Ce dispositif émet un signal qu'il reçoit en écho après réflexion sur le sujet : ce qui lui permet d'en connaître la distance et de régler la mise au point en conséquence. La mise au point d'un sujet placé derrière une grille ou une fenêtre peut poser problème. Les appareils Polaroid les plus évolués permettent cependant de débrayer l'autofocus au profit du réglage manuel de la mise au point.

Film à Séparation

Polaroid a cessé de fabriquer ce type d'appareils pour le grand public, mais continue à produire les films à séparation pour les anciens modèles, ainsi que pour les équipements et systèmes à usage professionnel, scientifique ou industriel. Après l'exposition dans l'appareil, deux languettes permettent d'extraire du dos un "sandwich" qui passe entre deux rouleaux-presseurs : ce qui initie le développement. Le temps de traitement étant écoulé (1 minute environ), on sépare les deux parties du film : la photo positive couleur (ou noir et blanc) et le négatif que l'on jette. Ce type de film existe dans quelques formats spécifiques qui sont compris entre 83 x 83 mm et 20 x 25 cm.

Usage Professionnel

Dans le studio du professionnel, le dos-adaptateur Polaroid (qui se monte sur la plupart des appareils de moyen ou grand format) permet de juger immédiatement de la qualité de l'éclairage, de la composition ou de l'exposition. Certains systèmes, conçus spécifiquement pour les gros plans, sont pourvus d'un flash annulaire permettant d'avoir un éclairage sans ombres.

Polaroid Supercolor 635CL
Ce modèle très simple, du type "visez et déclenchez", donne des images nettes de 1,25 m à l'infini.
Un complément optique incorporé se place devant l'objectif, permettant de photographier à courte distance, à partir de 0,60 m.
Le flash électronique intégré donne un éclair à chaque déclenchement, mais il n'est pleinement efficace que pour les sujets situés à moins de 4 mètres de l'appareil.

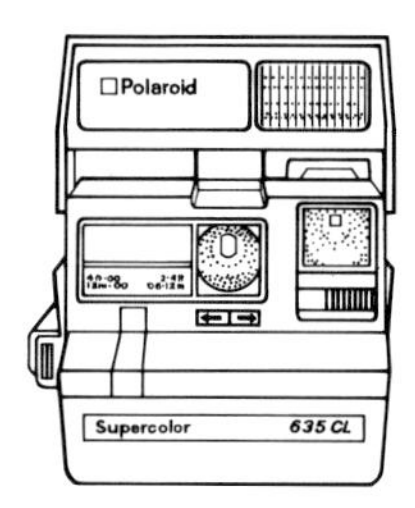

Polaroid Supercolor 635CL

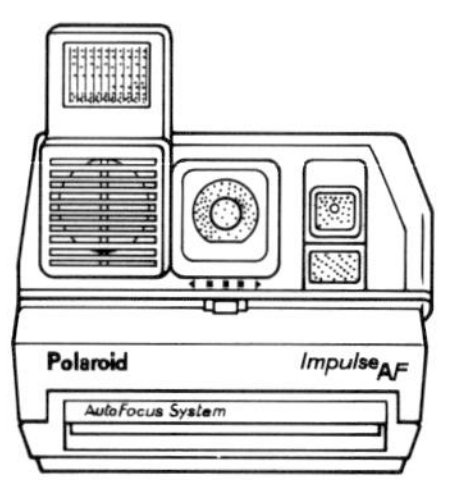

Polaroid Impulse AF

Polaroid Impulse Il en existe deux modèles : le Sonar AF (autofocus) et le Portrait.
Le premier assure la mise au point automatique à partir de 60 cm, le second, à focale fixe, à partir de 1,25 m. Tous deux sont dotés d'un flash électronique escamotable, efficace de la distance minimale de mise au point jusqu'à environ 4 mètres. Le modèle Impulse AF comporte de plus un retardateur.

Polaroid Image System
Ce modèle élaboré est utilisable à partir de 60 cm du sujet. Son microprocesseur intégré assure le réglage automatique des différents paramètres (ouverture, vitesse, mise au point, flash).
Il est pourvu du réglage "plus clair/plus foncé" et d'un retardateur 12 secondes.

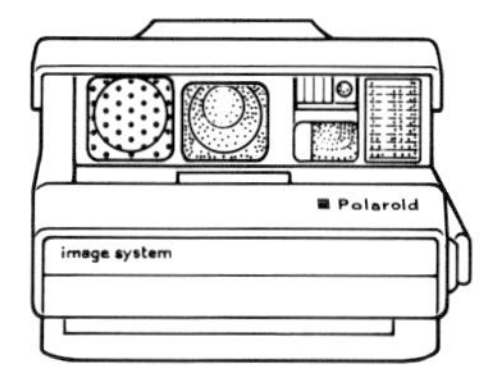

Polaroid Image System

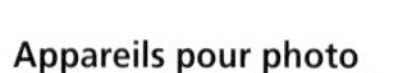

Appareils pour photo d'identité Divers modèles utilisant le film PI à séparation. Celui-ci – à quatre objectifs – donne simultanément quatre images identiques de format 4 x 5 cm. D'autres appareils spéciaux permettent la réalisation de "badges", associant le portrait de la personne avec des informations écrites.

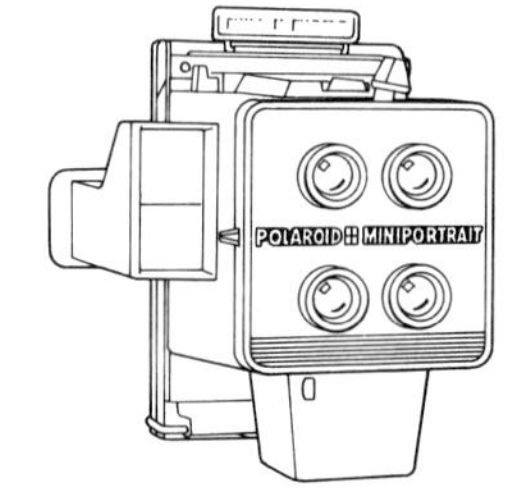

Appareil pour photo d'identité

Le Polaroid Image Pro

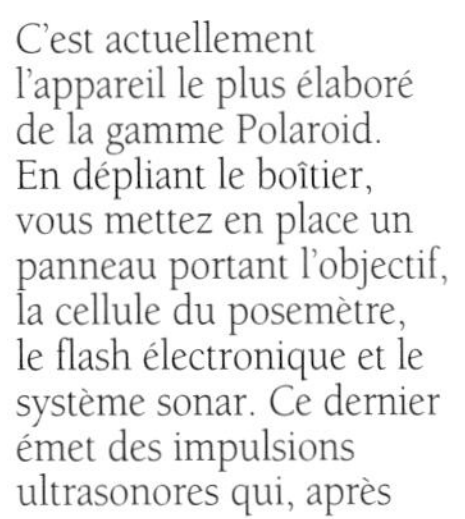

C'est actuellement l'appareil le plus élaboré de la gamme Polaroid. En dépliant le boîtier, vous mettez en place un panneau portant l'objectif, la cellule du posemètre, le flash électronique et le système sonar. Ce dernier émet des impulsions ultrasonores qui, après réflexion sur le sujet, permettent le calcul de sa distance et le réglage automatique de l'objectif.

Caractéristiques
Outre les fonctions générales de l'appareil Image System (page de gauche), ce modèle est doté du mode flash "fill-in" permettant de moduler l'intensité de l'éclair d'appoint nécessaire aux différentes conditions de prise de vue. Il incorpore également un dispositif de correction de contre-jour, un retardateur à délai réglable, la pose longue automatique de 1 seconde à 2 minutes, la surimpression de jusqu'à 5 vues sur le même film, enfin un intervallomètre réglable.

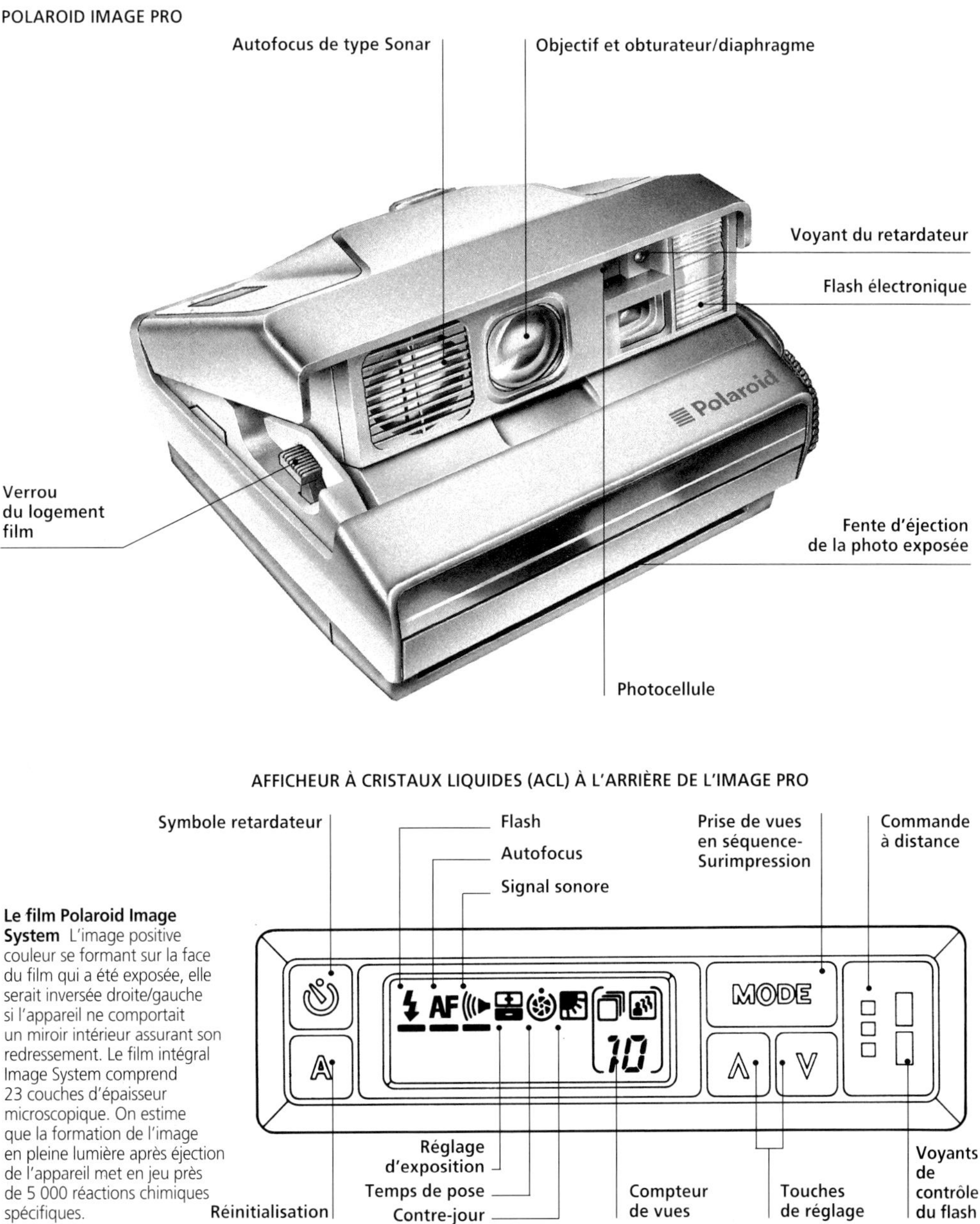

Le film Polaroid Image System L'image positive couleur se formant sur la face du film qui a été exposée, elle serait inversée droite/gauche si l'appareil ne comportait un miroir intérieur assurant son redressement. Le film intégral Image System comprend 23 couches d'épaisseur microscopique. On estime que la formation de l'image en pleine lumière après éjection de l'appareil met en jeu près de 5 000 réactions chimiques spécifiques.

Comment Choisir son Équipement

Il n'existe pas d'appareil universel, pouvant répondre à tous les besoins. Un principe aussi élaboré que celui du reflex 24 x 36 permet d'aborder de nombreux domaines, mais au prix d'une coûteuse gamme d'objectifs et d'accessoires. Néanmoins, il n'est pas certain que le système reflex soit toujours le mieux adapté au domaine que l'on veut traiter. Le format est un élément capital pour le choix d'un appareil : désire-t-on des diapositives à projeter sur un écran ou au contraire des négatifs à agrandir ? De plus, chaque photographe a ses propres critères de choix, déterminés pas ses méthodes de travail, l'encombrement et le poids tolérés, la disposition d'un laboratoire, etc. Nous vous présentons ci-dessous et à droite les matériels qui sont le mieux adaptés aux sujets les plus divers. Nous avons indiqué en traits noirs l'équipement idéal ; la solution de rechange est indiquée par la coloration bleue du dessin.

Architecture Les photographies de grands bâtiments demandent souvent l'emploi d'un objectif grand-angulaire et d'un appareil muni de mouvements. On peut photographier un bâtiment élevé sans laisser converger les verticales, si l'on peut décentrer l'objectif, sans incliner l'appareil.
La chambre monorail possède ce décentrement, ainsi que d'autres mouvements d'une grande ampleur, permettant de contrôler perspective et netteté de l'image. L'appareil doit être posé sur un pied très solide. Les autres accessoires sont : un capuchon ou un voile noir pour observer l'image au dépoli, des châssis, un posemètre, un déclencheur souple, un niveau d'eau pour contrôler l'horizontalité de l'appareil. Quelques filtres colorés sont également utiles. On doit disposer de l'objectif de focale normale et du grand-angle. Une alternative est d'utiliser un reflex 24 x 36 muni d'un objectif décentrable : l'équipement est plus léger, mais avec moins de possibilités.

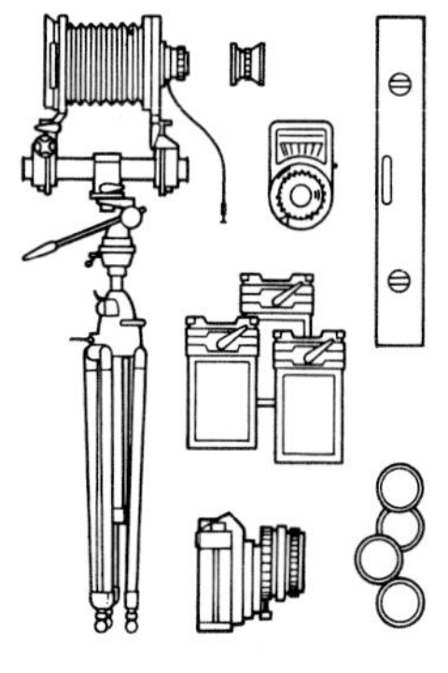

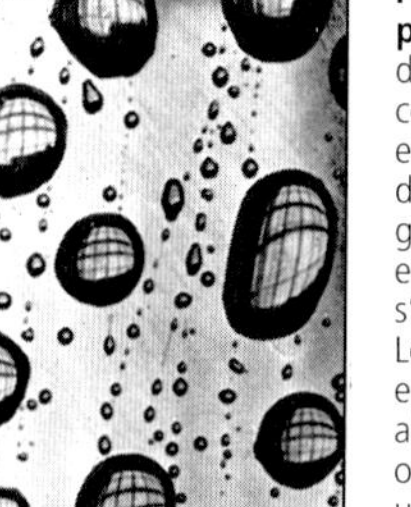

Photomacro- ou micrographique La photographie de très près demande la combinaison d'un long tirage et, de préférence, d'un objectif du type "macro". Pour les grossissements plus élevés encore, l'appareil doit pouvoir s'adapter à un microscope.
Le reflex 24 x 36 répond à ces exigences : avec un soufflet-allonge et les objectifs macro, on peut obtenir directement un grossissement voisin de trois fois. Un pied-support et un déclencheur souple sont essentiels. Le boîtier reflex se fixe au microscope par un adaptateur. Le système de visée permet le contrôle de l'image jusqu'au moment ultime du déclenchement.
L'alternative consiste à employer une chambre monorail, munie d'un objectif de très courte focale. La monorail s'adapte également à un microscope.

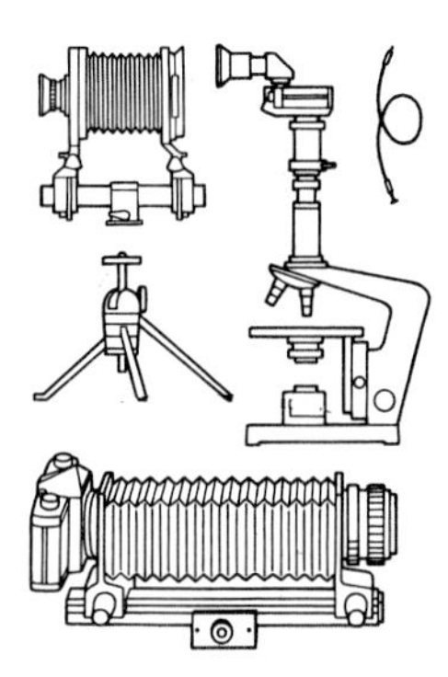

Sport et action La mobilité et la liberté de choisir le moment précis sont essentiels. On disposera d'un appareil rapide et simple, notamment en ce qui concerne cadrage et mise au point. Le viseur direct des appareils non reflex permet de voir le sujet avant qu'il n'entre dans le champ de l'image : très utile lorsqu'on effectue une prise de vue panoramique. La mise au point par stigmomètre est souvent plus rapide que le verre dépoli. Un objectif de longue focale, avec crosse d'épaule, ou un objectif à miroirs, plus léger et moins encombrant, sont de bonnes solutions. Le moteur permet de prendre rapidement une suite d'images sportives ou de reportage. Le flash électronique utilisé en intérieur arrête le mouvement. La plupart des appareils peuvent être utilisés, à condition de prérégler vitesse, diaphragme et distance et d'employer un viseur simplifié, à cadre par exemple.

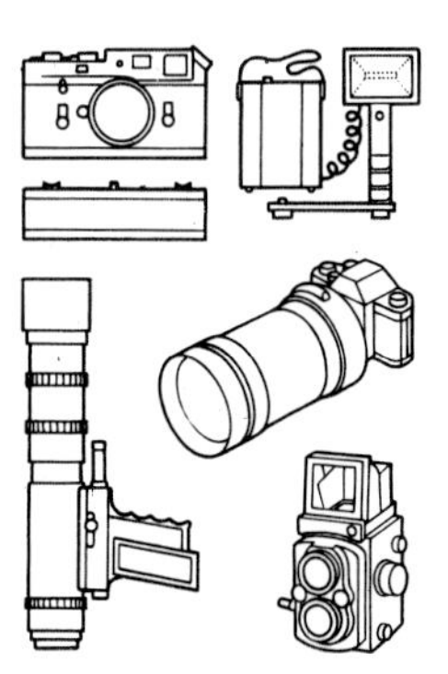

Personnages à l'intérieur Ce genre d'images combine les problèmes propres au portrait et aux vues d'intérieurs. Beaucoup d'appareils conviennent, mais un reflex muni d'un grand-angulaire permet de montrer l'environnement, même si le recul est limité. Une source de lumière complémentaire permet de réduire le contraste et d'améliorer l'éclairage déjà disponible. Le flash électronique a l'avantage d'être léger et compatible avec la lumière du jour, avec laquelle il se marie bien pour les images en couleur. Son utilisation demande une certaine habileté. Si le sujet est immobile, on peut pratiquer une pose longue, l'appareil étant sur pied et en se servant du déclencheur souple. On peut également utiliser un reflex de moyen format, pour obtenir une meilleure qualité d'image et, éventuellement, des lampes légères quartz-halogène.

Portrait Le reflex à deux objectifs est un bon choix pour le portrait, à l'intérieur ou à l'extérieur. Le format moyen donne des images sans granulation et la visée continue montre l'expression du modèle au moment précis du déclenchement. Pour être parfait, ce reflex doit permettre l'emploi des longues focales. N'oubliez pas que la parallaxe peut être très importante pour un gros plan ! Le flash électronique avec lampes pilotes est le meilleur système d'éclairage, pour le portrait d'enfants. Opérez cependant à la lumière du jour à chaque fois que cela est possible, quitte à ajouter des réflecteurs passifs pour adoucir les ombres. Pour les portaits "posés", travailler sur pied ; cependant, surtout en extérieur, on opère plus vite à main levée. L'alternative proposée est un reflex 24 x 36 ou autre appareil à bobines et, pour l'éclairage, celui des lampes à incandescence : floods ou spots.

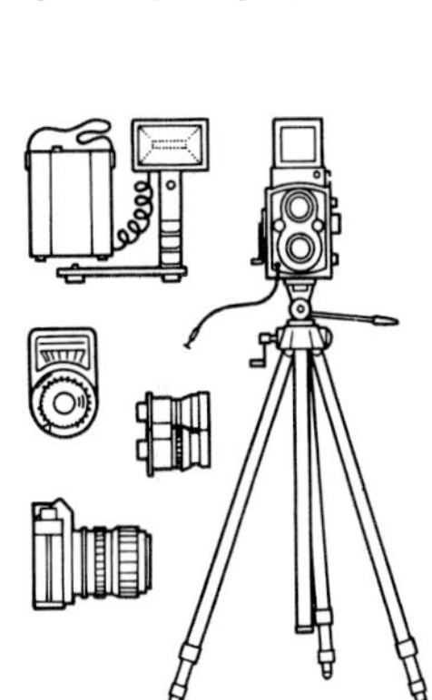

Vie sauvage Selon la nature du sujet, l'appareil peut être installé par avance, surmontant par exemple un nid d'oiseaux ou la tanière d'un renard : le déclenchement étant assuré à distance. Dans ce cas, un boîtier motorisé non reflex (plus silencieux), avec télécommande par câble, radio ou équivalent, constitue le système idéal. Pour les vues de nuit, l'éclairage sera assuré par une ou deux torches d'un flash électronique. Le matériel peut être fixé sur les branches d'un arbre et dissimulé par les feuillages. En d'autres occasions, c'est le photographe qui se dissimule dans une cache : travailler alors sur pied avec une longue focale, de préférence avec un reflex. Si l'objectif de longue focale est muni d'un dispositif de mise au point rapide, on peut opérer à la main, comme avec un fusil. D'une manière générale, il faut faire appel à un équipement léger, solide et peu bruyant.

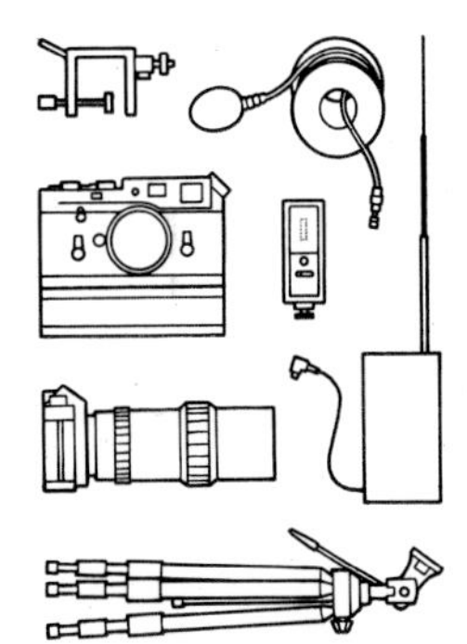

Photo sous-marine A priori, faire appel aux équipements conçus pour cet usage. Les objectifs pour photo sous-marine sont calculés pour donner une excellente image lorsque l'eau est en contact direct avec la lentille frontale. Le boîtier d'un appareil sous-marin est doté de bagues de commande et de leviers surdimensionnés pour en faciliter la manipulation. La quantité d'air contenue à l'intérieur du boîtier étanche est calculée pour donner une masse nulle à l'ensemble immergé. En eau profonde, l'éclairage est donné par une ou deux torches quartz-halogène alimentées par batterie. Plusieurs appareils 35 mm ou de moyen format peuvent s'utiliser dans un caisson étanche, avec une focale et une configuration de boîtier bien déterminées. On trouve également le sac en plastique avec hublot de verre, qui peut recevoir n'importe quel appareil non reflex ; mais il n'est utilisable que près de la surface.

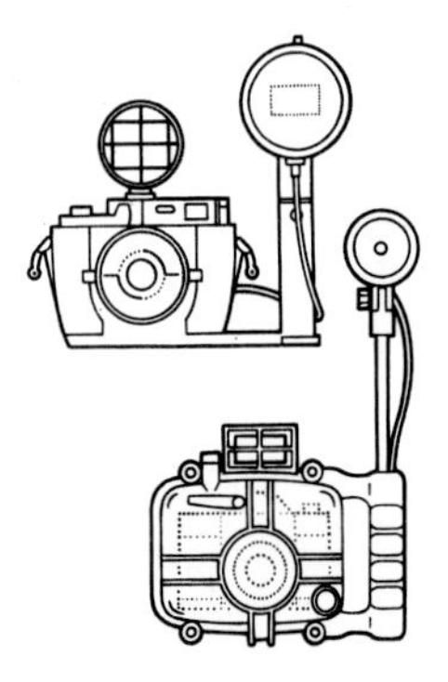

STRUCTURE DES OBJECTIFS

L'objectif est constitué de plusieurs lentilles de verre. Il existe deux sortes de lentilles : les convergentes, plus épaisses au centre que sur les bords et les divergentes, plus épaisses sur les bords qu'au centre. Une lentille convergente utilisée seule peut former une image réelle sur un film, mais de mauvaise qualité, avec des irisations colorées vers les bords et une netteté plus que douteuse. Néanmoins, en combinant une lentille divergente avec une lentille convergente de moindre puissance fabriquée dans un verre de type différent, on obtient une image de meilleure qualité. Le fabricant d'objectifs utilise les lentilles comme des éléments unitaires : en variant la nature et le nombre des lentilles, la qualité du verre et l'espacement entre deux groupes de lentilles, il produit un objectif complexe ayant une grande ouverture relative et donnant une bonne qualité d'image sur toute la surface du négatif. Corriger les aberrations par l'adjonction de nouvelles lentilles augmente le prix et le poids de l'objectif ; de plus, la multiplicité des lentilles favorise les réflexions parasites diminuant le contraste de l'image. Heureusement, il existe des traitements anti-reflet très efficaces, cela par le dépôt sous vide de substances transparentes sur les surfaces de chaque lentille.

Voir *Objectifs pour photo rapprochée, pages 106-113 ; Le très grand-angulaire, pages 114-117 ; La focale normale, pages 118-119 ; La longue focale, pages 120-123 ; Le zoom, pages 124-125.*

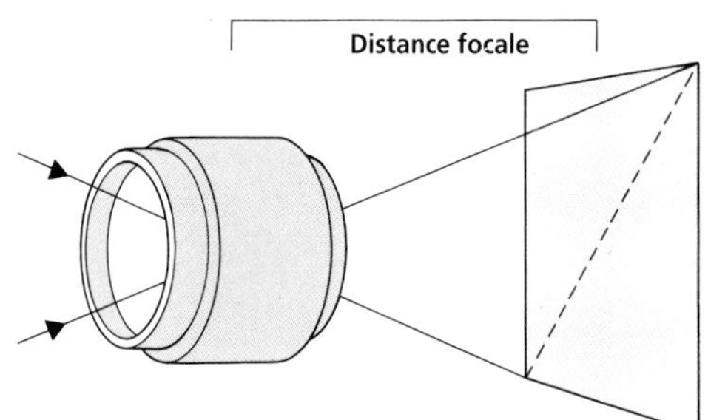

Distance focale L'objectif normal d'un appareil photographique a une distance focale dont la longueur est voisine de la diagonale du format, la distance focale étant l'espace séparant l'objectif du plan focal. Des objectifs ayant une focale plus courte que la normale (ou objectifs grands-angulaires), ou plus longue (longues focales vraies ou téléobjectifs), sont souvent substitués à l'objectif normal. Le grand-angulaire embrasse un champ plus étendu et permet une mise au point sur des objets proches, tandis que l'objectif de longue focale, au contraire, embrasse un champ moins étendu et ne permet la mise au point que sur des sujets relativement éloignés de l'appareil. Ces deux catégories d'objectifs ont généralement une ouverture de diaphragme maximale plus faible que l'objectif de focale normale. Pour une même ouverture de diaphragme, le grand-angulaire donne une profondeur de champ plus étendue et la longue focale une profondeur de champ moins étendue que l'objectif normal.

Voir *Plan focal, page 10 ; La focale normale, pages 118-119 ; Le très grand-angulaire, pages 114-117 ; La longue focale, pages 120-123.*

PRINCIPES OPTIQUES

Lorsqu'un rayon lumineux traverse obliquement un bloc de verre à faces non parallèles, un prisme par exemple, il change de direction. Une lentille convergente est comparable à un prisme, les rayons étant déviés en direction de l'axe optique, d'autant plus qu'ils sont inclinés sur cet axe. C'est de cette manière que la lentille convergente forme une image de chaque point du sujet : une image réelle, inversée, pouvant être reçue sur un film. Une lentille divergente dévie les rayons incidents en les éloignant de l'axe optique : il y a formation d'une image virtuelle. Lorsqu'on regarde un sujet à travers une lentille divergente, on voit une petite image à l'endroit. C'est pourquoi cette sorte de lentille sert pour les viseurs directs.

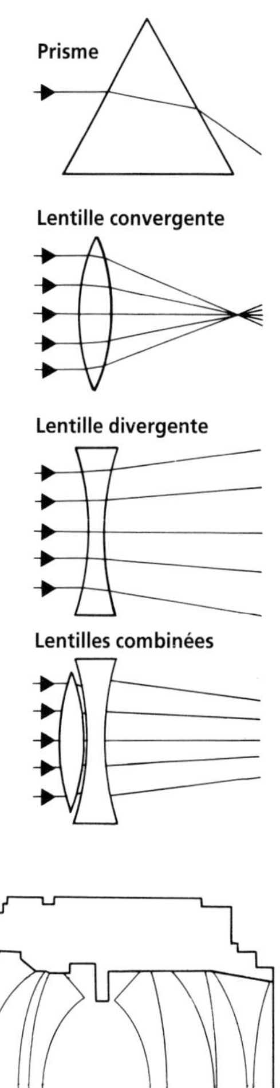

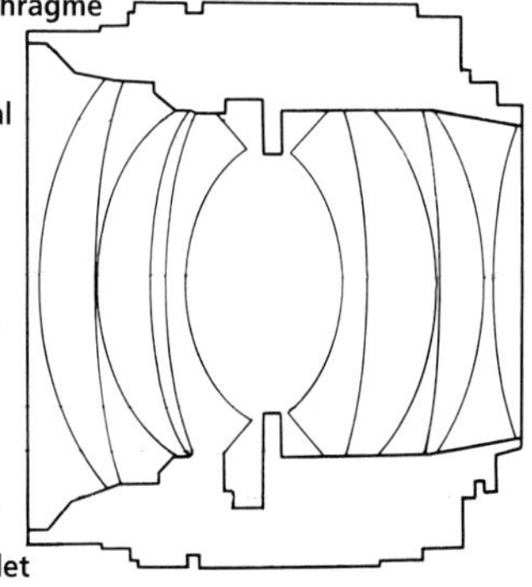

Structure interne de l'objectif Un objectif de haute qualité de focale normale, tel l'Olympus Zuiko, 50 mm, f/1,4 (schéma ci-dessus), résulte de calculs complexes et d'une réalisation optique et mécanique de grande précision. Le nombre de lentilles, leurs formes, leur espacement ainsi que la nature du verre employé pour chacune d'elles sont autant de facteurs calculés par ordinateur. Ensuite, chaque lentille est taillée, polie, puis traitée sous vide pour recevoir un dépôt de plusieurs couches minces, formant un revêtement antireflet. Les parties constituant la monture et le barillet sont usinées selon des tolérances très strictes. Lors de l'assemblage de l'objectif, chacune des lentilles doit être parfaitement centrée, correctement espacée et maintenue fermement dans le barillet. La rampe de mise au point doit être facile à manipuler. Enfin, et surtout, l'objectif doit se monter exactement sur l'appareil, avec ajustement précis des liaisons mécaniques ou électriques entre l'objectif et le boîtier.

Profondeur de foyer

Il existe des points, de part et d'autre du plan de mise au point, pour lesquels l'image est considérée comme nette. La distance séparant ces points est la profondeur de foyer. Si on regarde l'image d'un point très lumineux du sujet alors qu'elle n'est pas au point, ce point apparaît sous la forme d'un disque lumineux. Au fur et à mesure de la mise au point, le disque diminue de diamètre jusqu'à être assimilé à un point. Si on continue à déplacer la mise au point au-delà, le point sera à nouveau élargi en un disque d'un certain diamètre. Le point lumineux du sujet devient net lorsque son diamètre est égal au diamètre du cône de lumière projeté par l'objectif, et redevient flou dès que son diamètre est à nouveau plus grand que le cône de lumière. Donc, lorsqu'on ferme le diaphragme, la profondeur de foyer augmente.

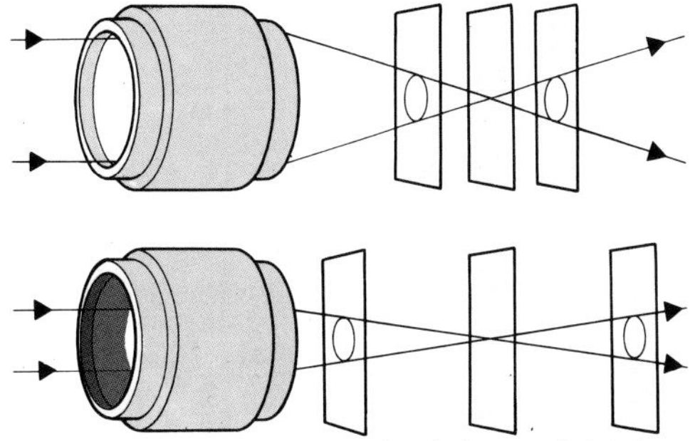

Latitude de mise au point Un point lumineux est net quand son diamètre est égal ou plus grand que le diamètre du cône de lumière projeté par l'objectif. Lorsque celui-ci est à sa plus grande ouverture (dessin du haut), la profondeur de foyer est limitée à une faible zone de part et d'autre du plan de mise au point. Lorsqu'il est diaphragmé (dessin du bas), le cône de lumière projeté est plus étroit et la profondeur de foyer considérablement augmentée.

Objectifs et formats

La surface de l'image nette projetée par un objectif donné est limitée à un cercle. Chaque objectif est donc calculé pour couvrir un format déterminé : le 50 mm d'un appareil de format 24 x 36 mm ne peut servir de grand-angulaire pour le format 6 x 6 cm : l'image aurait du vignetage vers les bords. Inversement, on peut employer l'objectif normal de 80 mm d'un appareil 6 x 6 comme longue focale pour un 24 x 36. Mais le surplus de surface couverte peut provoquer des réflexions internes dans la chambre noire de l'appareil, avec diminution du contraste de l'image.

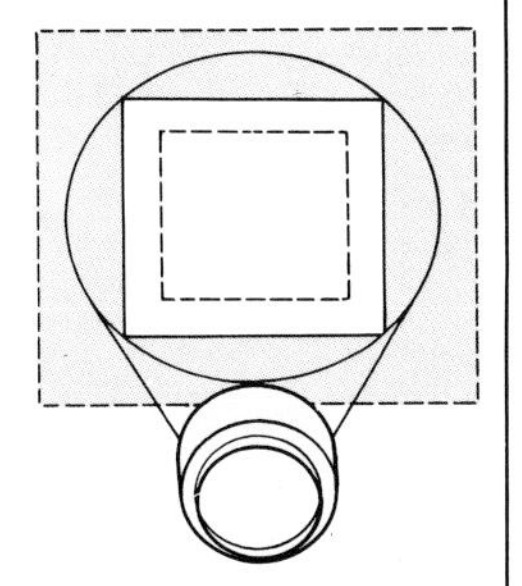

Couverture du format L'objectif ci-dessus, de focale 80 mm, est prévu pour couvrir le format 6 x 6 cm. Si on l'utilise sur une chambre de format 4 x 5" (10 x 12,5 cm), les coins de l'image sont vignetés. On peut en revanche employer cet objectif sur un 24 x 36 mm, mais on risque d'avoir une proportion importante de lumière parasite ; de plus, l'objectif pour le 6 x 6 est plus cher qu'un objectif de même focale prévu pour le 24 x 36.

Profondeur de champ

C'est la distance séparant le premier plan net du dernier plan net d'un sujet pour un réglage de mise au point déterminé. Si la mise au point est faite pour un portrait, disons 2,40 m, des objets placés à proximité de cette distance sont encore d'une netteté acceptable. La profondeur de champ s'étendra, par exemple, de 1,80 à 3,60 m. Elle augmente lorsqu'on ferme le diaphragme, ou si la mise au point est faite sur une distance éloignée, ou lorsque l'objectif est de courte distance focale. C'est pourquoi les appareils de petit format, à objectif normal de courte focale, donnent une profondeur de champ plus étendue que les objectifs de longue focale équipant les chambres de grand format. La profondeur de champ s'étend danvantage derrière le plan de mise au point que devant lui.

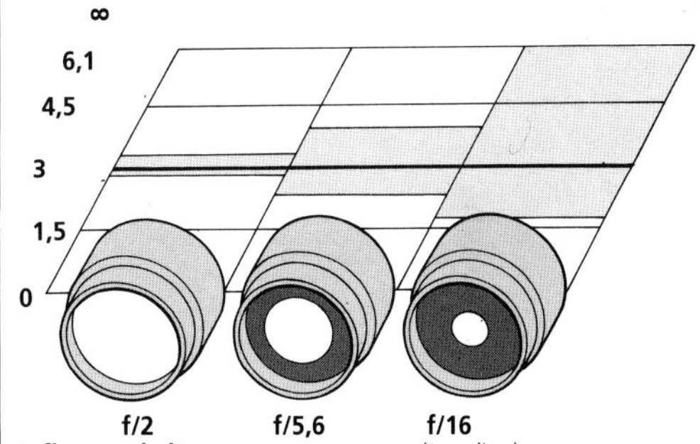

Influence de l'ouverture Sur le schéma ci-dessus, un objectif est mis au point sur 3 mètres. A la plus grande ouverture (f/2), la profondeur de champ s'étend de 2,70 m à 3,50 m seulement. Elle augmente au fur et à mesure que l'on diaphragme, pour aller, à f/16, de 1 m à l'infini. Sur beaucoup d'objectifs, une échelle indique l'étendue de la profondeur de champ en fonction de l'ouverture du diaphragme et de la distance de mise au point.

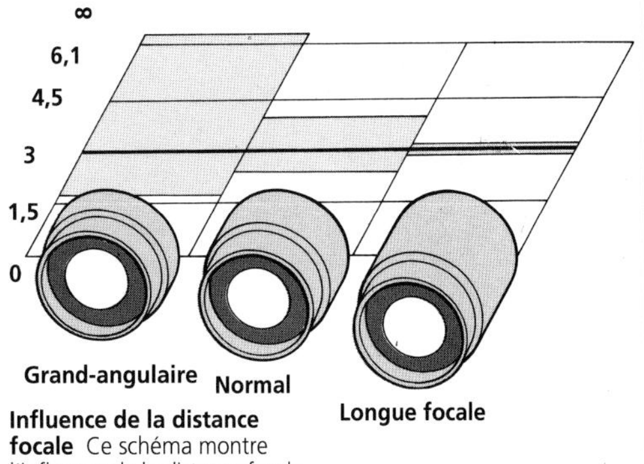

Influence de la distance focale Ce schéma montre l'influence de la distance focale sur la profondeur de champ. Les trois objectifs sont mis au point sur la même distance de 3 mètres, l'ouverture étant f/5,6. L'objectif normal de 50 mm donne une profondeur de champ allant de 1,80 m à 6,10 m ; avec le grand-angulaire de 28 mm, on a deux fois plus de profondeur de champ, et deux fois moins avec la longue focale de 135 mm.

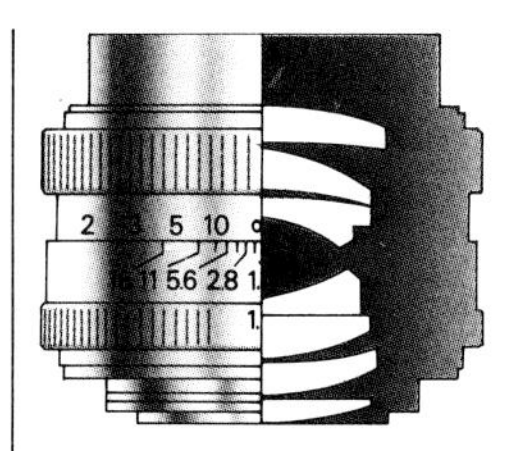

NORMAL

C'est l'élément de base de toute une série d'objectifs. Son ouverture maximale est généralement grande : f/2, f/1,8 ou davantage. L'objectif normal est composé de six ou huit lentilles.

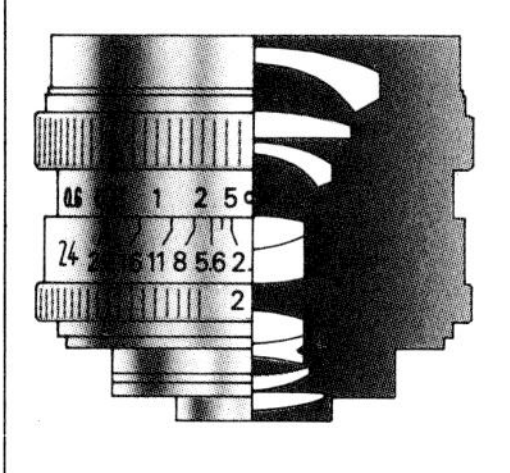

GRAND-ANGULAIRE

Un objectif de courte focale, couvrant un grand angle de champ. Pour les reflex, la formule est celle du téléobjectif inversé ou "rétrofocus" : on a une courte focale et un tirage mécanique suffisant.

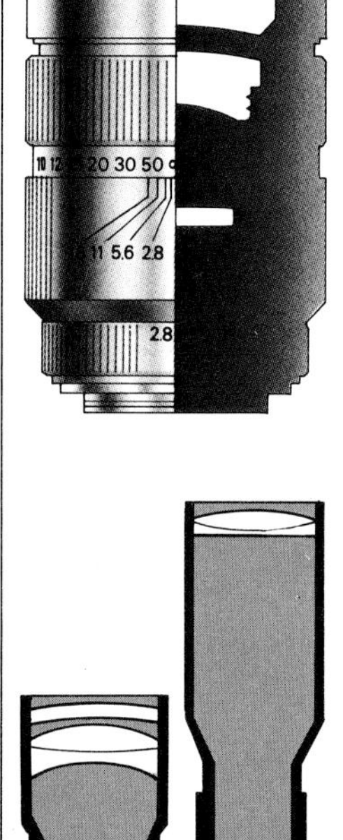

TÉLÉOBJECTIF

Un téléobjectif est une longue focale comportant un élément divergent à l'arrière. Ainsi, l'objectif a un tirage mécanique plus court que ne l'indique sa focale. De cette manière, un téléobjectif est moins encombrant qu'un objectif de longue focale conventionnel, tout en donnant le même grossissement.

LONGUE FOCALE

Un objectif de longue focale donne une excellente image, mais sur un champ peu étendu. Sa longue focale fait qu'il doit être monté au bout d'un long tube, afin d'être assez éloigné du film pour former une image nette. L'ouverture maximale est modeste : de l'ordre de f/5,6 ou f/8. La distance minimale de mise au point est rarement inférieure à 3 mètres.

Téléobjectif **Longue focale**

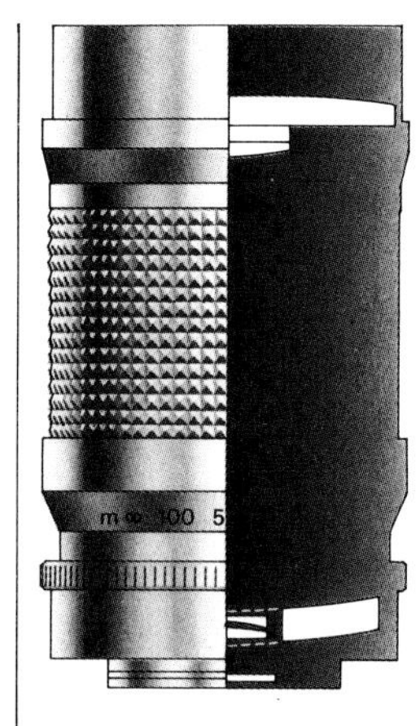

OBJECTIF À MIROIRS

Les objectifs de très longue focale – 500 mm et plus – sont si gros et si lourds que l'on doit les monter directement sur pied. Pour pallier cet inconvénient, les opticiens incorporent deux miroirs à l'objectif qui replient le faisceau lumineux à l'intérieur de la monture. L'objectif à miroirs est à la fois moins encombrant et plus léger que l'objectif classique de même focale.

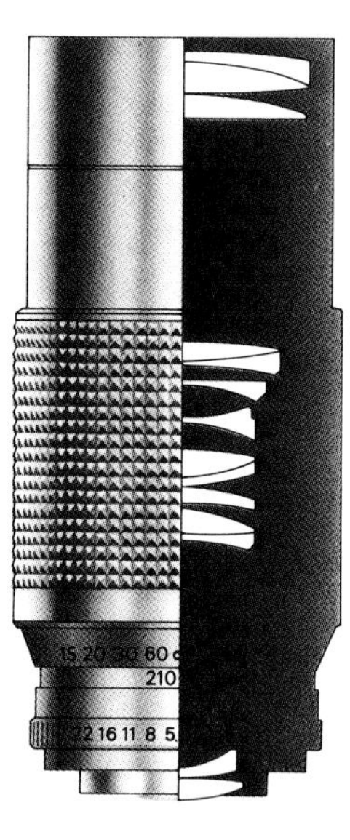

ZOOM

Un zoom est un objectif à focale variable : une bague supplémentaire permet de modifier la focale de manière continue : ce qui modifie en même temps le grossissement de l'image. Le zoom remplace donc avantageusement toute une série d'objectifs à focale fixe. Les possibilités des zooms augmentent rapidement, les gammes proches de 28 à 70 (de grand-angle à normal) et de 70 à 210 mm étant les plus usuelles. L'ouverture maximale dépasse rarement f/3,5 pour les premiers et f/4,5 pour les seconds.

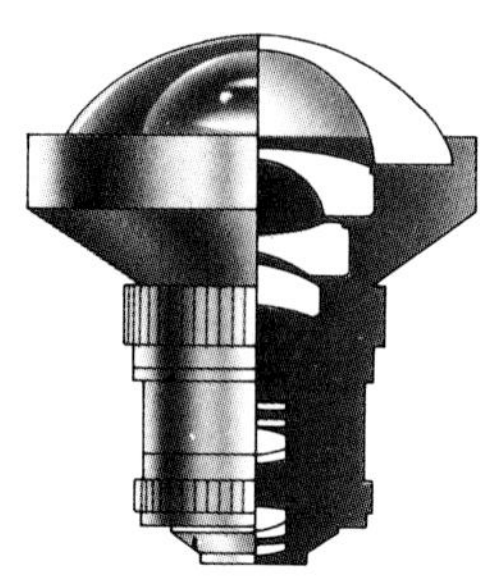

FISHEYE

La plupart des grands-angulaires donnent une perspective linéaire, les lignes droites étant rendues par des droites sur l'image. Le fisheye, au contraire, donne une perspective curviligne, rendant l'image semblable à celle qui est réfléchie par un miroir convexe. Les objectifs fisheye pour 24 x 36 ont une focale comprise entre 6 et 16 mm. Certains donnent une image couvrant tout le format ; d'autres, une image circulaire inscrite dans le format.

Objectifs Spéciaux

Les objectifs sont conçus pour donner une image de qualité optimale lorsqu'ils sont utilisés dans des conditions bien déterminées. Les objectifs de focale normale sont calculés pour des sujets placés à plusieurs fois la distance focale, en lumière visible et dans l'air. Il existe des objectifs spéciaux, par exemple corrigés pour travailler en ultraviolet (en plus du visible), ou donnant une image aux contours très adoucis (objectifs "soft focus").

Objectifs Autofocus

Les objectifs à mise au point automatique sont produits par les grands fabricants d'appareils reflex, et par des opticiens indépendants. Les gammes d'objectifs à focale fixe et de zooms sont très étendues.

Objectifs "Macro"

Ce sont des objectifs calculés pour donner la meilleure image avec des sujets placés très près (quelques centimètres). On peut cependant les utiliser pour les sujets éloignés, jusqu'à l'infini.

Objectifs à Mise au Point Interne

Dans un objectif de structure classique, la mise au point s'obtient par le déplacement conjoint de toutes les lentilles grâce à une monture hélicoïdale : ce qui fait varier la longueur totale de l'objectif. Ce mécanisme est relativement complexe et lourd. Le principe de mise au point interne ne requiert que le faible déplacement d'un ou plusieurs groupes de lentilles à l'intérieur du barillet qui reste fixe. Il accélère l'opération de mise au point et demande moins d'énergie, ce qui est très appréciable pour les objectifs autofocus de longue focale.

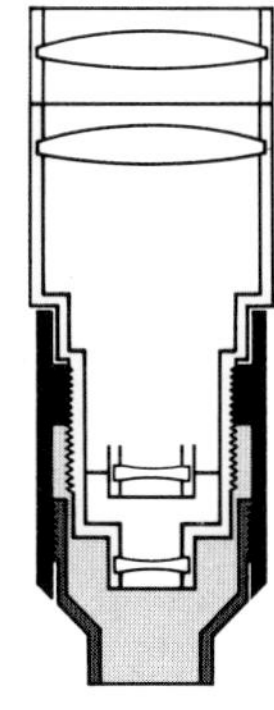

Classique

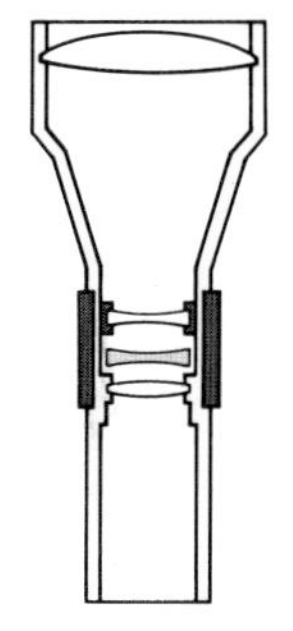

À mise au point interne

Design novateur Le principe de mise au point interne ne fait plus varier la longueur totale de l'objectif ni l'équilibre de l'ensemble objectif/boîtier. L'objectif est à la fois plus léger et plus maniable.

Compléments Optiques de l'Objectif

Filtre Starburst
Il s'agit d'un disque de verre moulé transparent portant des stries radiales ou croisées. Placé devant l'objectif, ce filtre donne une image sur laquelle chaque point très lumineux est "éclaté" en étoile.

Lentille adoucissante
Placée devant l'objectif, elle produit une image légèrement floue, semblable à celle obtenue avec l'objectif "soft focus" ci-dessus. Le disque de verre porte des cannelures concentriques qui diffusent une partie de la lumière en donnant un aspect "romantique" à l'image.

Filtre à flou variable
Le disque porte à sa périphérie des lamelles de plastique translucides que l'on peut faire entrer plus ou moins dans le faisceau grâce à une couronne de réglage, ce qui permet de contrôler le degré de flou désiré.

Diaphragme à flou
C'est un disque métallique portant un trou central de grand diamètre, entouré d'un nombre plus ou moins important de trous plus petits. On superpose ainsi une image plus ou moins floue à l'image nette donnée par le diaphragme central. Il s'utilise surtout avec un objectif de type "soft focus".

Bonnette convergente
Une lentille de faible puissance (de 0,5 à 3 dioptries) permettant – avec tout objectif – d'opérer de plus près que la distance minimale de mise au point normale.

Convertisseur téléobjectif
Il s'agit d'un bloc optique comprenant plusieurs lentilles que l'on fixe sur l'objectif de base dont il augmente la focale nominale. L'image obtenue est de moindre qualité.

Convertisseur fisheye
Le dispositif optique de large diamètre se place devant l'objectif normal qu'il transforme en fisheye ; l'image manque de netteté mais est parfois acceptable pour certains effets.

Dispositif anamorphoseur
Il contient une lentille cylindrique permettant de comprimer l'image selon l'une de ses dimensions, en fonction de l'orientation de l'anamorphoseur.

Parasoleil
Le parasoleil a pour fonction de protéger l'objectif des rayons obliques de lumière ne participant pas à la formation de l'image. C'est un accessoire indispensable dans la majorité des cas, mais ses dimensions doivent être adaptées à l'angle de champ embrassé par l'objectif considéré.

Filtre "spot"
Il permet d'obtenir une image centrale nette, environnée d'une zone circulaire plus ou moins floue, éventuellement colorée.

Posemètres Indépendants

Pour qu'une image soit correctement reproduite sur le film photographique, il faut que ce dernier ait reçu une quantité correcte d'énergie lumineuse. On ne peut faire confiance à l'œil pour apprécier la luminosité du sujet. En réalité, la possession d'un posemètre est indispensable pour tout photographe sérieux.
Les posemètres fonctionnent tous selon le même principe : convertir l'énergie lumineuse en courant électrique, lequel donne une valeur sur une échelle, valeur qui, reportée à son tour sur un disque calculateur, permet de connaître vitesse et diaphragme à utiliser, en fonction de la rapidité du film (exprimée en ASA ou en DIN).
Le posemètre indépendant est muni d'une cellule sensible placée derrière une fenêtre ménagée dans son boîtier. La mesure se fait habituellement en dirigeant la cellule vers le sujet. Votre posemètre peut être du type à cellule sélénium ne nécessitant pas de pile. La cellule produit un faible courant mesuré sur un galvanomètre. Les posemètres à cellule photorésistante au sulfure de cadmium (CdS) ou à phototransistor au silicium (Si) sont beaucoup plus sensibles à la lumière, mais ils nécessitent une petite pile, en circuit avec la cellule et le galvanomètre. Les posemètres mesurent la luminosité du sujet sous un angle comparable à l'angle de champ de l'objectif normal. La cellule peut être coiffée d'un dôme translucide pour mesurer la lumière incidente (au lieu de la lumière réfléchie) : la cellule étant alors dirigée du sujet vers l'objectif. Pour lire l'exposition, il faut d'abord afficher la sensibilité ISO du film dans une fenêtre.
Sur la plupart des modèles, l'aiguille du galvanomètre indique une valeur qu'il faut reporter sur un disque calculateur en face d'une flèche : cela a pour effet de donner toutes les combinaisons vitesse/ouverture correspondant à l'exposition correcte. Sur certains modèles, le galvanomètre est remplacé par des signaux lumineux ; sur d'autres modèles, encore, il faut mettre deux aiguilles en coïncidence pour obtenir l'ensemble des couples obturateur/diaphragme équivalents à l'exposition correcte.

Posemètres au sélénium Ils sont simples et ne nécessitent pas de pile. En revanche, leur sensibilité limitée demande une cellule de grande surface. De plus, la réponse est mauvaise en faible lumière : ce qui rend la lecture difficile et peu sûre. Ce type de posemètre est généralement muni de deux échelles : l'une correspond aux forts éclairements, avec mise en place d'un volet percé de trous devant la cellule ; l'autre, la cellule étant découverte, correspond aux bas niveaux d'éclairement.

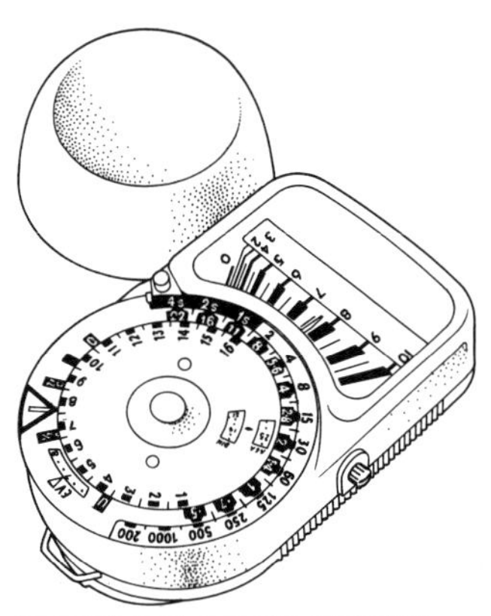

POSEMÈTRE À CELLULE SÉLÉNIUM

Posemètres spéciaux Certains photographes utilisent un posemètre à faible angle de champ ou "spotmètre". Après avoir affiché la sensibilité du film et la vitesse, on observe le sujet par un oculaire pour que s'affiche automatiquement l'ouverture correspondant à la plage visée. L'affichage est parfois digital par diodes. D'autres modèles permettent de mesurer successivement en lumière incidente et en lumière réfléchie, grâce à une tête porte-cellule pivotante. On peut fixer divers accessoires au posemètre : adaptation sur microscope, mesure sur le verre dépoli d'une chambre grand format ou sur le plateau d'un agrandisseur.

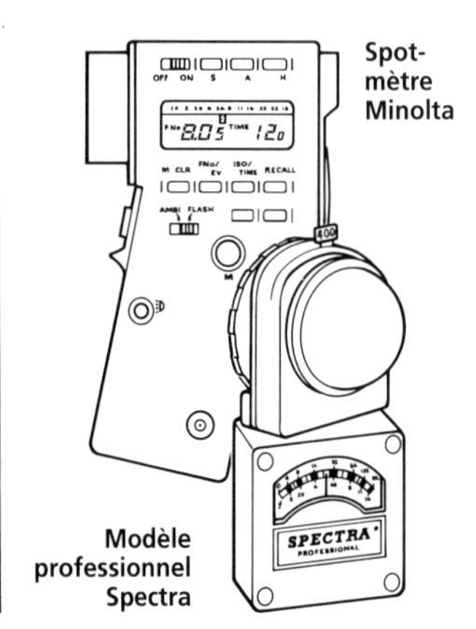

Posemètre au CdS Il ressemble au posemètre au sélénium, mais la cellule est plus petite. Il est muni d'une pile au mercure à changer chaque année (test permettant de contrôler l'état de la pile). Le posemètre au CdS est sensible aux bas niveaux d'éclairement. Mais son temps de réponse est assez long et il a une "mémoire". Il faut donc attendre quelques secondes avant de lire les indications données par l'aiguille. Une réponse un peu trop forte de la cellule pour le rouge peut donner des mesures erronées sur les sujets colorés vivement éclairés.

GOSSEN LUNASIX

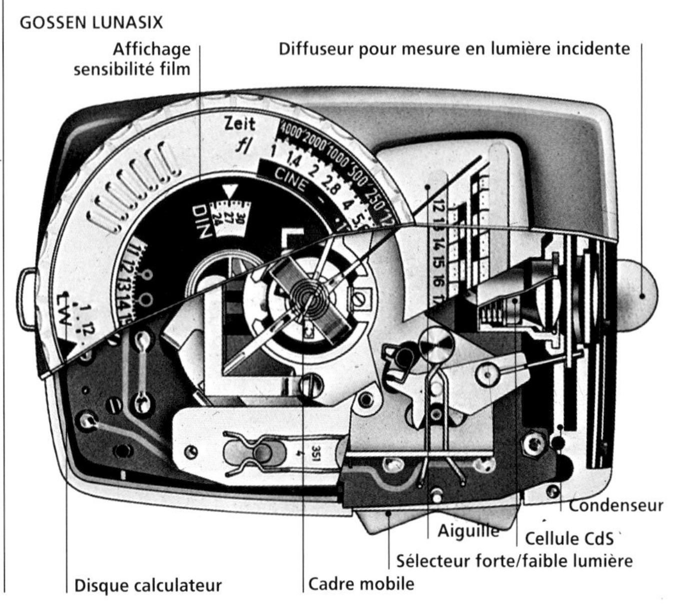

POSEMÈTRES INTÉGRÉS

Le plus simple des posemètres intégrés à l'appareil a une cellule extérieure et un galvanomètre dont il faut reporter les indications. Mais la majorité d'entre eux est couplée à l'un ou à l'autre des réglages : vitesse ou diaphragme. Bien souvent, la cellule est placée derrière l'objectif : il s'agit alors d'une cellule CdS ou, pour les modèles plus récents, Si. Les indications du posemètre sont reportées dans le viseur. Il existe plusieurs solutions techniques : réglage semi-automatique, avec lequel il faut faire coïncider une aiguille avec un repère (ou allumer une diode), soit en agissant sur la bague du diaphragme, soit sur le sélecteur des vitesses ; réglage automatique avec priorité, soit au diaphragme (vous choisissez une ouverture et l'automatisme sélectionne la vitesse correspondante), soit à l'obturateur (vous choisissez une vitesse et l'automatisme détermine l'ouverture de diaphragme correspondante). L'automatisme de l'exposition est idéal si vous voulez travailler très rapidement. Si vous avez le temps, vous aurez souvent intérêt à débrayer l'automatisme. Le grand avantage du posemètre intégré, avec cellule derrière l'objectif, est que la mesure est de la même précision quel que soit l'objectif utilisé, même si on utilise un soufflet ou des bagues-allonge, ou tout autre accessoire de l'objectif. Enfin, la mesure est plus rapide qu'avec le posemètre indépendant.
Voir *Détermination de l'exposition, page 132.*

Afficheur ACL Le posemètre incorporé à l'appareil indique au minimum l'exposition correcte. Le viseur des appareils perfectionnés affiche bon nombre d'autres informations, le plus souvent complétées par un écran à cristaux liquides (ACL) sur lequel apparaissent – sous forme de valeurs numériques et de pictogrammes – toutes les données nécessaires à l'emploi de l'appareil.

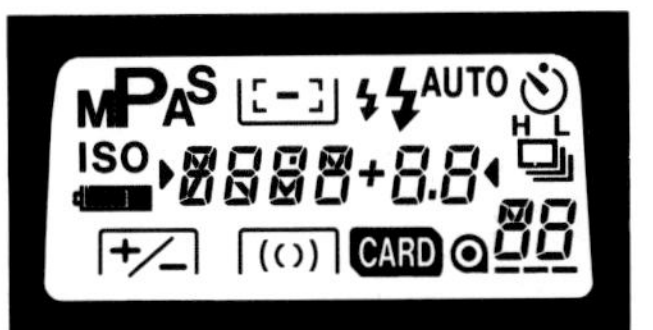

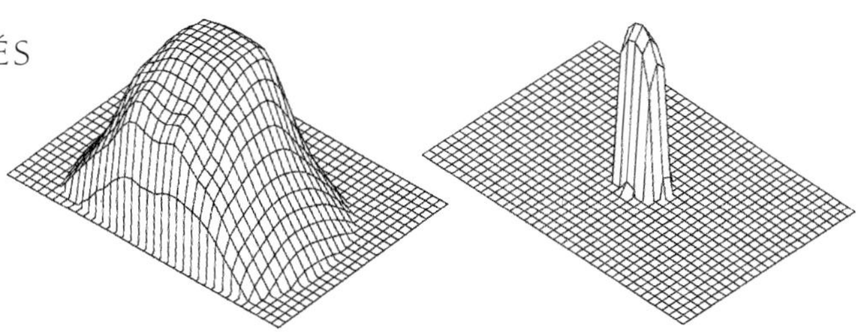

Mesure pondérée Les posemètres diffèrent par la manière dont ils effectuent la mesure sur l'ensemble de la scène. La mesure pondérée donne une grande importance à une large zone centrale de l'image.

Mesure sélective Le posemètre ne tient compte que d'une petite zone centrale matérialisée dans le viseur. Certains appareils permettent de sélectionner mesure globale ou mesure sélective.

Mesure multizone L'emploi d'une cellule segmentée (de 2 à 16 plages de mesure) permet au système de recueillir les valeurs lumineuses en différents points de l'image. Puis le microprocesseur traite ces informations afin de déterminer l'exposition automatique "idéale" pour la scène considérée.

FLASHMÈTRE

L'éclair du flash est trop bref pour un posemètre normal : le flashmètre mesure la luminosité du sujet durant la courte durée de l'éclair. Ressemblant à un posemètre, il comporte une cellule Si et un cadran gradué en valeurs de diaphragme sur lequel s'immobilise une aiguille après la mesure. Le cadran est souvent remplacé par un affichage "digital". La mesure se fait généralement en lumière incidente : la cellulle placée devant le sujet et dirigée vers l'appareil. Après avoir affiché la sensibilité du film sur le flashmètre, prendre la mesure en déclenchant l'éclair sur le bouton d'open flash du flashmètre ou du flash ; dans le premier cas, un cordon de synchronisation doit relier les deux instruments. L'ouverture à utiliser s'affiche instantanément sur le flashmètre. Un flashmètre est inutile si votre flash électronique est du type "à computer" : dans ce cas, le flash dose automatiquement la quantité de lumière en fonction du sujet, de son éloignement, de l'ouverture de diaphragme affichée sur l'appareil et de la sensibilité ISO du film. Toutes autres conditions étant égales (nature du sujet, ouverture, sensibilité du film), l'éclair est d'autant plus bref que le sujet est rapproché.
Voir *Techniques du flash, pages 96-103.*

THERMOCOLORIMÈTRE

Il mesure la température de couleur de la lumière. On le pointe vers la source de lumière et on appuie sur un bouton : il indique alors la TC de la source. Il n'est employé que par les photographes professionnels opérant dans des conditions difficiles d'éclairage. Vous n'en avez pas besoin si vous vous en tenez aux sources d'éclairage classiques.

EN STUDIO

Le terme "éclairage à incandescence" désigne les lampes électriques classiques et les lampes quartz-halogène. Ce principe d'éclairage est souple, car il permet d'obtenir des effets de lumière très variés, tout en contrôlant visuellement le résultat. Les matériels d'éclairage se divisent en deux catégories : les ambiances ayant un large réflecteur diffusant (les trois appareils de droite) et donnant une lumière douce et diffuse, et ceux utilisant une lampe compacte et un réflecteur poli, comme le spot ou le projecteur quartz-halogène (ci-dessous) donnant une lumière dure et des ombres à bords nets. Ces appareils reçoivent des accessoires : volets ou "snoot" en forme de tronc de cône, rétrécissant le faisceau de lumière projeté.
Voir *Qualité de l'éclairage, page 85.*

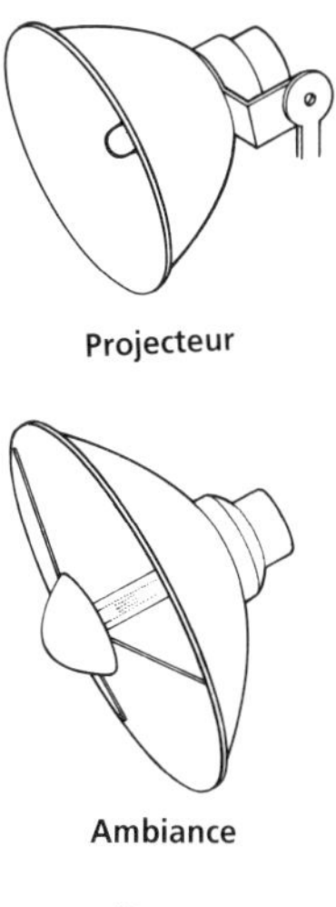

Projecteur

Ambiance

Parapluie

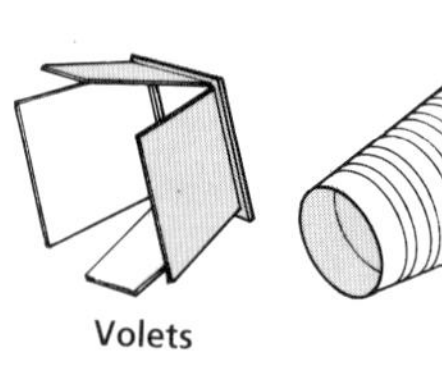

Volets

Snoot

Spot

QUARTZ-HALOGÈNE

Ce projecteur donne plus de lumière que les autres sources ponctuelles, la qualité de l'éclairage restant constante. La lampe doit être ventilée.

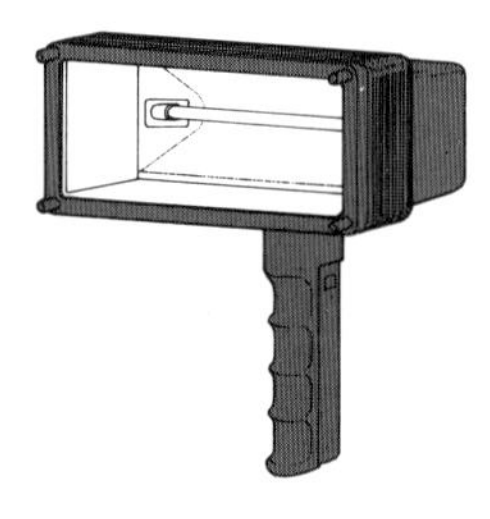

SUPPORTS DE PROJECTEURS

Un bon support permettra de placer la source à n'importe quel niveau, en assurant une bonne stabilité. On distingue le trépied, **1**, le pied à roulettes, **2**. Le support en porte-à-faux, **3**, éclaire le sujet de dessus ; le support à pince, **4**, s'accroche n'importe où.

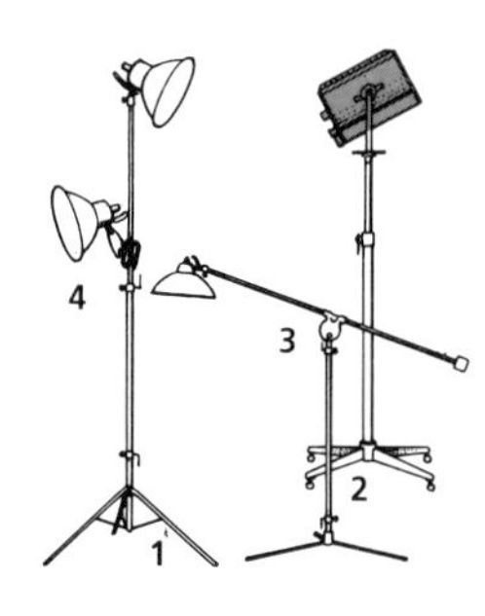

LAMPES

Pour usage photographique, les lampes les plus classiques sont : la photoflood, **1**, une lampe survoltée ne durant que deux heures ; la flood N° 2, **2**, dure plus longtemps, mais est plus chère ; la lampe à réflecteur incorporé, **3**, est pratique d'emploi ; la lampe tubulaire quartz-halogène, **4**, avec son filament compact, donne une lumière très dirigée.

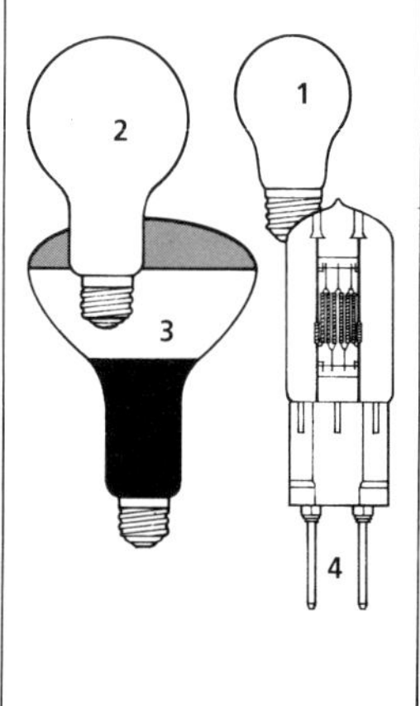

LAMPES-FLASH

Très puissante en un éclair assez bref pour stopper le mouvement. Connectée à l'appareil, elle est synchronisée avec l'obturateur pour que l'éclair parte au moment précis où l'obturateur est grand ouvert. Le flipflash comprend 8 ou 10 lampes. Les lampes-flash type "cube" comprennent 4 lampes : la mise à feu est assurée par percussion (magicube) ou par une pile de l'appareil (flashcube). Pour connaître le diaphragme à utiliser, diviser le nombre- guide de la lampe (indiqué par le fabricant) par la distance du sujet (en mètres).

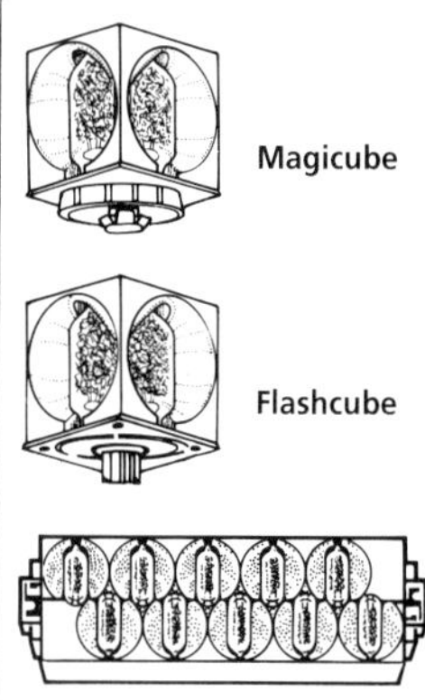

Magicube

Flashcube

Flipflash

LA SYNCHRONISATION DU FLASH

Les appareils simples sont généralement synchronisés pour une vitesse de 1/25 s environ. Certains appareils ont deux réglages : M et X. La synchronisation M s'emploie avec le flash à lampes dont l'allumage n'est pas instantané (schéma ci-dessous). Avec le contact M, l'éclair part environ 15 ms après le déclenchement, c'est-à-dire lorsque l'obturateur est grand ouvert. Avec le flash électronique, l'éclair est beaucoup plus court et il n'y a aucun retard à l'allumage. La synchronisation X provoque le départ de l'éclair au moment précis où l'obturateur est grand ouvert.

Contact M : lampe-flash

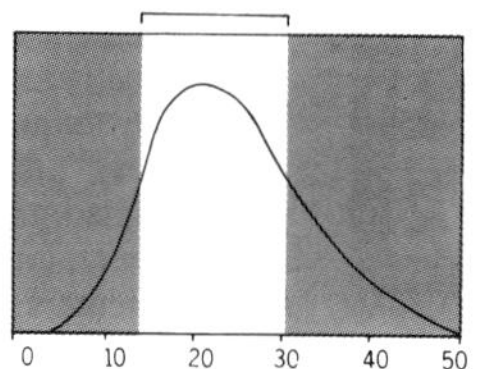

Contact X : flash électronique

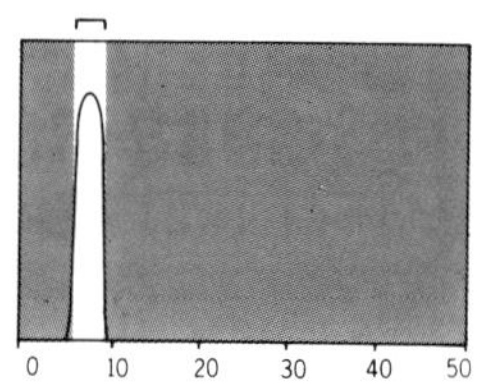

Flash électronique

Un flash électronique donne des milliers d'éclairs à partir de la même lampe emplie de xénon. Le circuit électrique est plus coûteux que pour les lampes à combustion, mais il y a peu d'entretien. La plupart des flashs de faible puissance utilisent des accus rechargeables ; d'autres peuvent être alimentés par le secteur électrique. La puissance d'un flash est largement en rapport avec son volume et son poids. Les flashes de moyenne puissance ont une alimentation séparée qui se porte à l'épaule. Les flashs de studio reposent à terre. Dans tous les cas, un cordon de synchronisation relie le flash au contact "X" de l'obturateur de l'appareil : ce contact fait partir l'éclair au moment où l'obturateur est grand ouvert.

FLASH ÉLECTRONIQUE

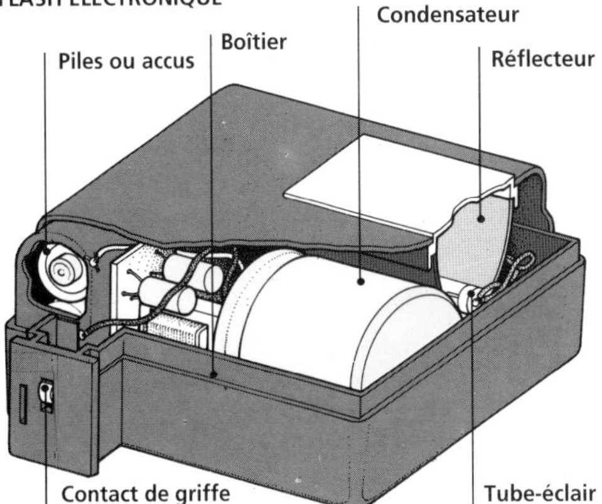

Flash de studio

Le courant électrique du secteur étant disponible, on obtient une puissance élevée et on fait appel à un éclairage complémentaire dit "pilote", à lampes incandescentes, permettant de vérifier l'éclairage donné par les lampes-éclair. Le flash de studio utilise plusieurs sources donnant une lumière diffuse ou une lumière dirigée. Parfois, un seul générateur alimente jusqu'à quatre torches, entre lesquelles l'énergie est répartie par un commutateur ; dans d'autres cas, il y a un générateur par torche. Le cordon de synchronisation n'est relié qu'au générateur le plus proche, le déclenchement des autres générateurs étant assuré par une photocellule dont chaque unité est munie.

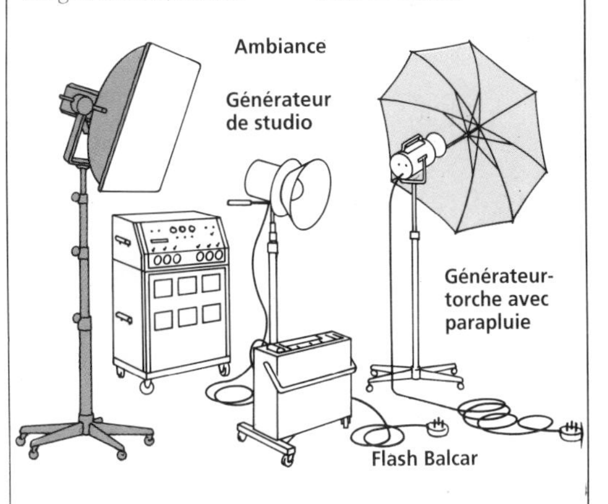

Flash automatique

Le flash automatique est équipé d'une photocellule très sensible, qui est dirigée vers le sujet. Affichez l'ouverture du diaphragme adéquate, laquelle est indiquée par le fabricant en fonction de la sensibilité ISO du film. Le flash étant fixé par son sabot sur la griffe synchronisée "X" du boîtier, le départ de l'éclair est provoqué par le déclenchement, mais sa durée est déterminée par la cellule : celle-ci interrompt l'éclair dès que le film a reçu la lumination nécessaire. L'éclair dure, par exemple, 1/30 000 s pour un sujet clair et situé à courte distance et 1/1 500 s quand le sujet est sombre et se trouve plus éloigné.

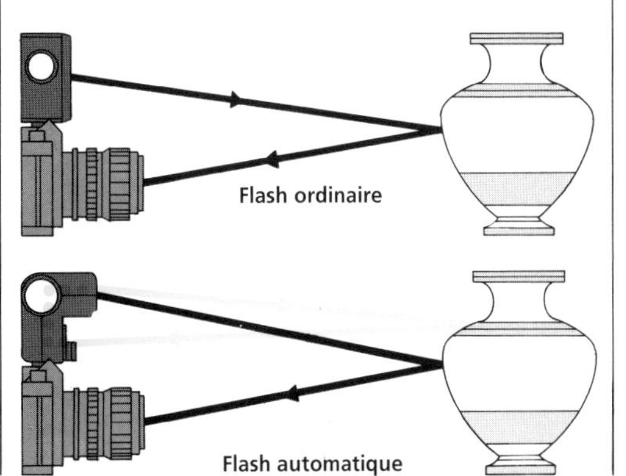

Flash spécifique

"Spécifique" signifie que le flash est spécialement conçu pour un modèle ou une série de boîtiers reflex du même fabricant. Dès qu'il est fixé à l'appareil, le flash s'interconnecte avec les circuits électroniques du boîtier et règle l'obturateur sur la vitesse de synchronisation "X". Le flash reçoit l'information de sensibilité ISO du film. Dès lors, les circuits de mesure de la lumière déterminent la durée de l'éclair en fonction du sujet (éloignement, densité, etc.). Avec certains boîtiers autofocus et en cas de faible lumière ambiante, le flash – ou le boîtier – émet un pré-éclair infrarouge sur le sujet, ce qui permet à la fois la mise au point et le dosage précis de l'intensité de l'éclair.

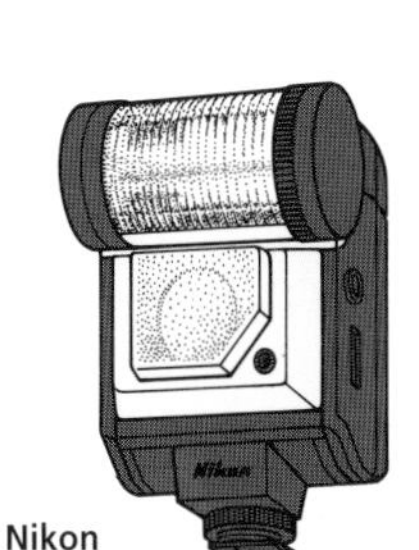

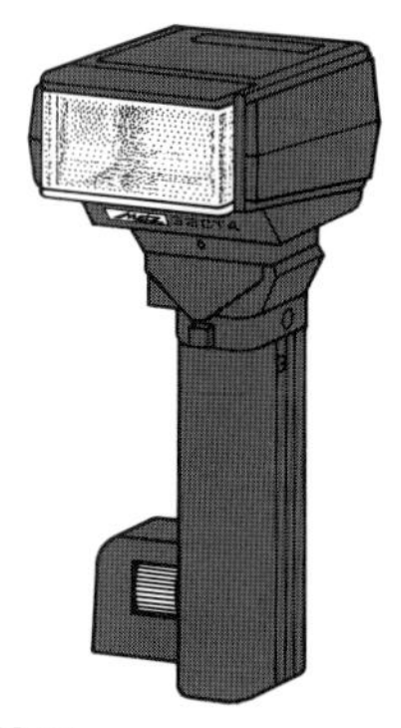

ÉQUIPEMENT (FORMAT 24 x 36)

Il faut l'appareil, les objectifs, le posemètre, le flash, ainsi que tout un lot d'accessoires, indispensables en extérieur. Les petits tout d'abord : parasoleil, déclencheur souple, filtres et porte-filtres, carte gris neutre pour la mesure au posemètre. Puis ce qui sert à fixer : punaises, papier adhésif, colle, pâte à modeler. Il faut également quelques outils : petit tournevis, tissu pour le nettoyage des objectifs, une vis de rechange pour le pied, fusibles pour le flash (et un film ultrarapide, si le flash tombe en panne !), pile de rechange pour le posemètre... Dressez une liste de tous ces accessoires à mettre dans le fourre-tout.

Protection de l'appareil et des films

Le sac de l'appareil ou le fourre-tout ne sont pas suffisants pour assurer une protection efficace : ne laissez pas votre équipement dans une voiture en plein soleil (il y règne une température très élevée en été). Pensez que le sable et la poussière ont des effets abrasifs très néfastes pour les pièces optiques et mécaniques ; il en va de même pour l'atmosphère saline du bord de mer. Lorsque vous avez à opérer dans une région humide, placez votre appareil dans un sac en plastique chaque fois que c'est possible. Si le matériel doit être stocké dans une atmosphère saturée d'humidité, pendant longtemps, mettez une certaine quantité de silicagel dans le sac plastique, afin d'absorber efficacement l'humidité en excès. Enfin, si vous devez passer une frontière dans un voyage par avion, enfermez vos films vierges ou exposés dans des sacs à l'épreuve des rayons X.

Légende

1 Sac fourre-tout **2** Liste du matériel **3** Trépied **4** Écrou de pied de rechange **5** Carte blanche et carte gris neutre **6** Bloc-notes et crayon **7** Pied de table **8** Déclencheur souple **9** Accessoires de nettoyage de l'appareil **10** Tournevis **11** Agrafeuse et agrafes **12** Bande adhésive **13** Pâte à modeler **14** Épingles **15** Ciseaux **16** Piles de rechange pour le posemètre **17** Support à serrage **18** Films **19** Filtres **20** Posemètre **21** Appareil reflex 24 x 36, avec objectif normal **22** Flash électronique **23** Bouchons d'objectif **24** Objectif grand-angulaire et son étui **25** Parasoleils **26** Téléobjectif et son étui **27** Téléobjectif de longue focale et son étui.

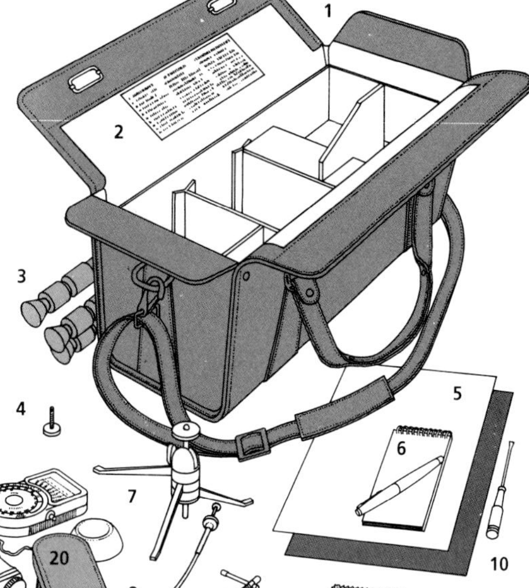

SAC TOUJOURS-PRÊT

Le sac toujours-prêt protège complètement l'appareil, mais permet cependant son emploi immédiat. Il doit être conçu pour un appareil déterminé, équipé de son objectif normal.Pour prendre une vue, il suffit généralement de détacher un bouton-pression :

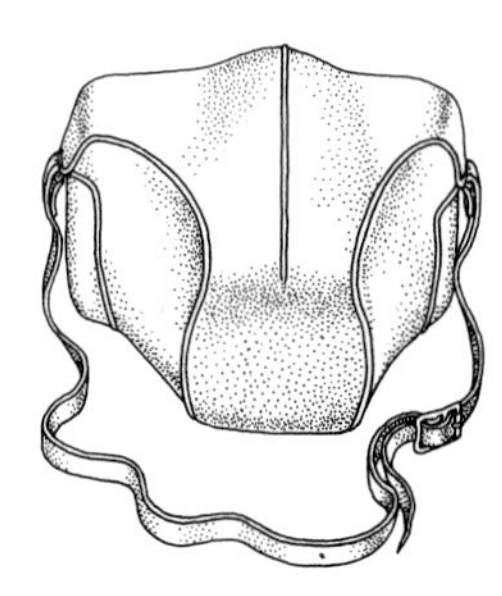

ce qui libère les parties antérieure et supérieure du sac.

MALLETTE SUR MESURE

Il existe des mallettes ou des sacs prévus spécialement pour le transport du matériel photographique, dont l'intérieur est constitué d'un bloc de mousse plastique. C'est au photographe lui-même de creuser dans ce bloc les logements protecteurs pour les éléments de son équipement.

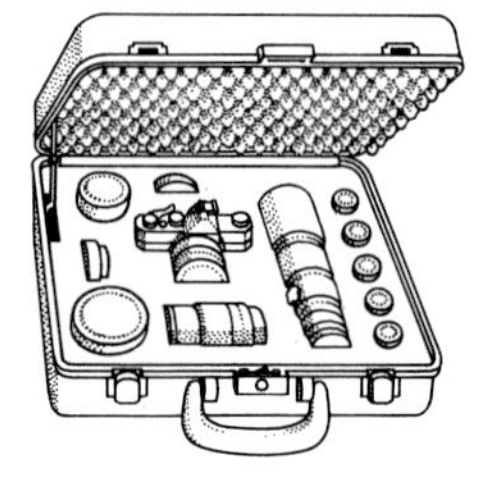

On peut préparer à l'avance d'autres blocs ménagés pour un autre ensemble de matériel.

PIEDS-SUPPORTS

Le support de l'appareil doit être solide, stable et permettre de jouer à la fois sur la hauteur et sur la direction de l'axe optique. S'il est utilisé en extérieur, il faut qu'il soit compact et léger. Le monopode n'est qu'un simple support permettant d'opérer jusqu'au 1/8 s. Le support à pince ou le pied de table sont utiles, si on sait où les fixer et poser. Les pieds télescopiques de grandes dimensions ont parfois une colonne centrale, permettant de changer aisément la hauteur du point de vue ; elle est réversible pour les vues au ras du sol.

Tête panoramique
Le pied tripode permet déjà de choisir la hauteur du point de vue ; mais il doit également être muni d'un dispositif pour incliner l'appareil dans toutes les directions : ce peut être une simple rotule ou, mieux, une plate-forme panoramique du genre utilisé pour le cinéma.
Voir *Photographie de nuit, pages 80-81.*

Pied de studio

Pied tripode pour chambre grand format

Pied standard

Pied léger

Monopode

Pied de table

DÉCLENCHEURS

Employer un déclencheur souple à chaque fois que la pose est longue et l'appareil posé sur un support. C'est un câble flexible qui se visse sur le bouton déclencheur ou à proximité immédiate de l'obturateur. Le piston du déclencheur peut être immobilisé lorsqu'il est enfoncé : ce qui permet les poses longues, l'obturateur étant réglé sur "B". Il existe des déclencheurs souples ayant de quelques centimètres à plusieurs mètres : ces derniers sont manœuvrés pneumatiquement par une poire à air. On utilise un déclencheur à double ou même à triple action quand plusieurs fonctions doivent être accomplies en même temps (cas de la photomacrographie avec soufflet-allonge).

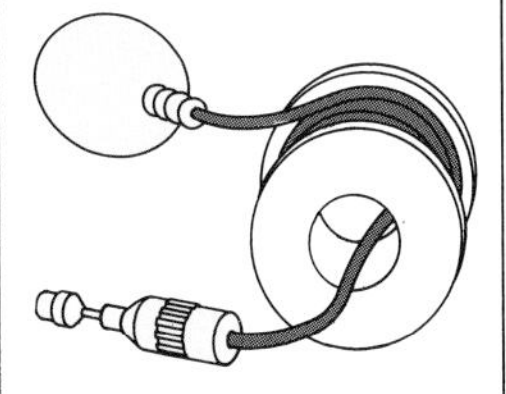

Déclencheur pneumatique

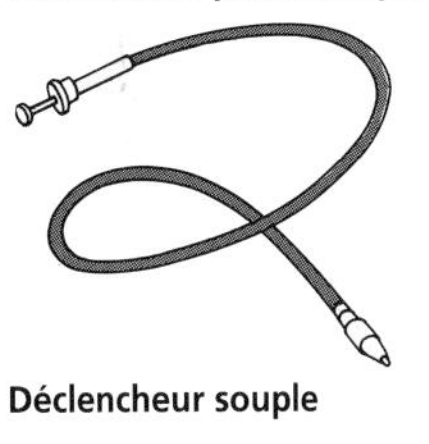

Déclencheur souple

Supports de grande hauteur Ils trouvent leur emploi en déplacement, quand il faudrait élever le point de vue. Il existe des pieds-échelles, permettant d'atteindre une hauteur de 4,50 m, particulièrement appréciés pour la photographie d'architecture. Le mât télescopique (ci-contre) permet d'élever l'appareil jusqu'à une hauteur de 12 mètres. La stabilité de l'ensemble est assurée par le poids de l'automobile. L'extension du mât est obtenue par une pompe à air. Le déclenchement est commandé depuis le sol.

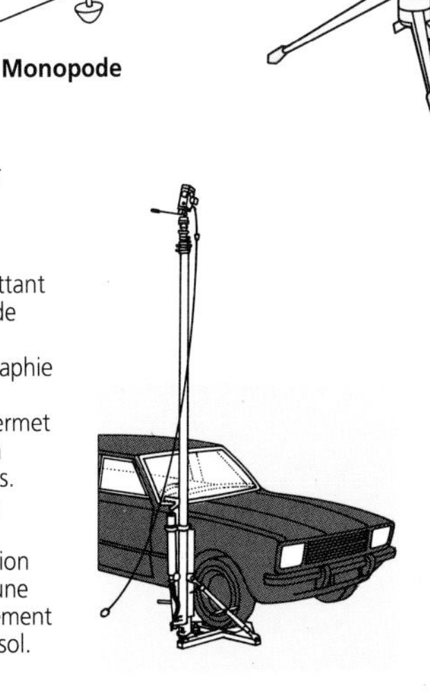

Pinces-supports C'est un accessoire léger et très utile, car elles évitent bien souvent de transporter un pied lourd et encombrant. Elles doivent être munies d'une rotule avec une vis pour la fixation de l'appareil. Pouvant s'accrocher au dos d'une chaise, au barreau d'une échelle ou à tout autre point d'attache, la pince-support trouve de nombreux emplois (tenir un réflecteur, supporter un fond, porter le sujet lui-même pour un gros plan, etc.).

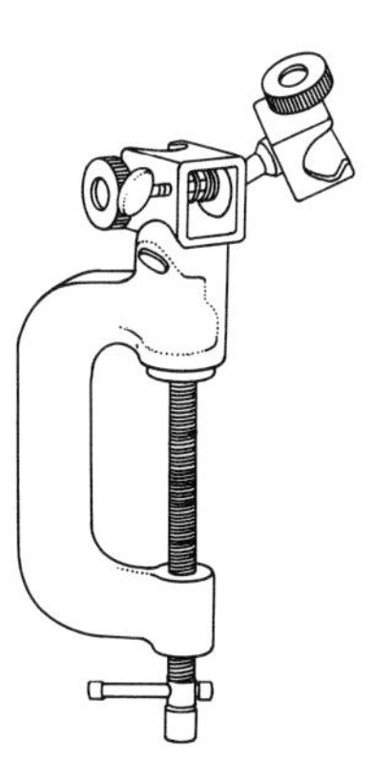

Constitution d'un Film

La photographie commence avec l'invention d'une substance assez sensible pour enregistrer l'image formée dans la chambre noire. L'agent sensible est un halogénure d'argent (sel formé par l'association de l'argent métallique et d'un halogène, comme le chlore ou le brome). Les cristaux de bromure d'argent exposés à la lumière se décomposent partiellement en libérant de petites particules noires d'argent métal. Il faudrait une énergie lumineuse considérable pour former directement une image ; mais, grâce au développement, il suffit, en fait, de libérer quelques atomes d'argent par cristal de bromure pour que l'effet de la lumière soit multiplié plusieurs millions de fois, lors de l'immersion du film dans un révélateur approprié. Puisque l'image est formée de particules d'argent engendrées par l'action de la lumière, le film développé est un négatif (les parties claires du sujet sont opaques ; les ombres sont transparentes). Le négatif est produit sur un support transparent : ce qui permet ultérieurement de le tirer sur papier à support opaque, pour donner une image positive noir et blanc. La préparation des films, en particulier le couchage d'une mince épaisseur d'émulsion sur le support, est délicate : la couche doit être uniforme pour que la sensibilité du film soit identique sur toute la surface et qu'il n'y ait pas de marques d'émulsionnage. L'émulsion doit adhérer à son support pour subir, sans dommage, des traitements chimiques. Le liant de l'émulsion de bromure d'argent est la gélatine. Certaines impuretés contenues dans la gélatine augmentent la rapidité initiale de l'émulsion, si elle a été soumise à une "maturation" (chauffage de plusieurs heures) en cours de préparation. L'émulsion est couchée sur le support : plastique polyester ou triacétate de cellulose. L'autre face est recouverte d'une couche anti-halo de teinte foncée. Le colorant de cette couche disparaît en cours de traitement : il d'absorbe la lumière en excès qui pourrait voiler le film après réflexion sur la face postérieure du support.

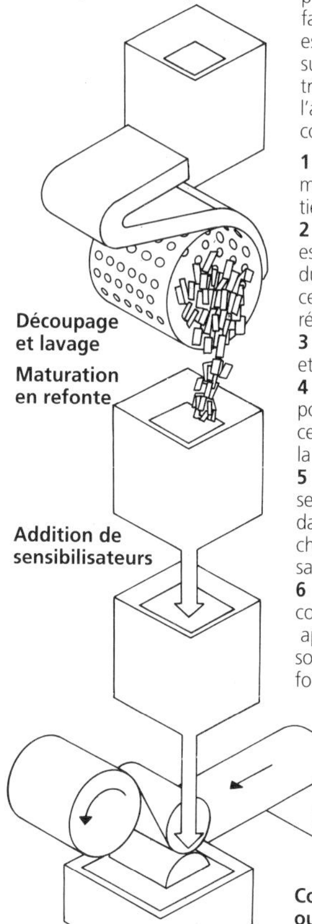

Fabrication de l'émulsion
Les émulsions pour film et pour papier sont préparées de façon identique ; la différence est que l'une est couchée sur support transparent de triacétate ou de plastique, l'autre sur papier. La fabrication comprend les étapes suivantes :

1 L'halogénure d'argent est mélangé avec de la gélatine tiède fondue.
2 L'émulsion ainsi constituée est mûrie par chauffage durant plusieurs heures : ce qui accroît la rapidité et réduit le contraste (maturation).
3 Elle est refroidie, découpée et lavée en eau froide.
4 Elle est réchauffée à nouveau pour la maturation en refonte : ce qui augmente encore la rapidité.
5 Des colorants spéciaux, dits sensibilisateurs, sont ajoutés dans l'émulsion encore chaude : ce qui lui donne sa sensibilité chromatique.
6 L'émulsion liquide est couchée sur le support approprié. Film ou papier sont séchés, découpés en formats et conditionnés.

Film noir et blanc

Couche anti-abrasion de gélatine vierge
Émulsion
Gélatine et cellulose
Support de triacétate
Couche anti-curling contenant le colorant anti-halo

Étapes du Traitement

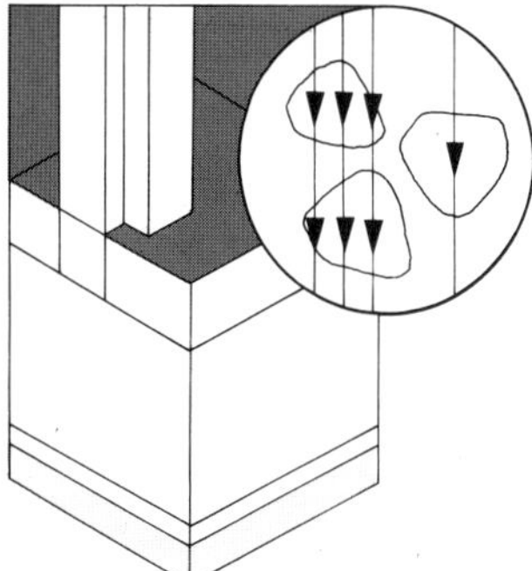

1 Exposition Quand on soumet un film à la lumière, il se forme quelques atomes d'argent métallique dans chacun des cristaux d'halogénure d'argent insolé. Il y a plusieurs millions de cristaux par centimètre carré de film. Le film n'a pas subi de changement visible : l'image formée est "latente" et servira de départ pour le développement ultérieur.

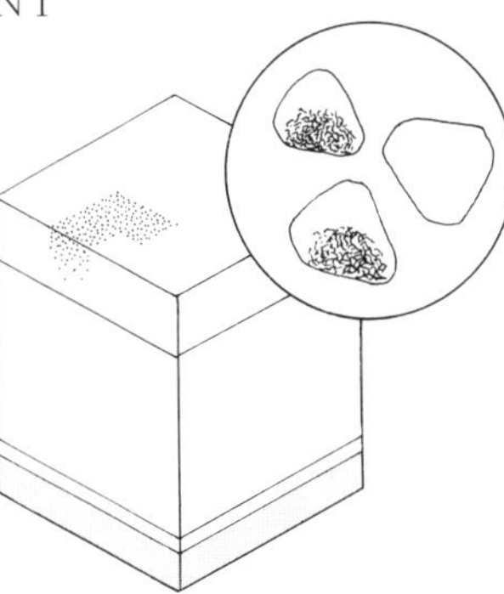

2 Début du développement Les réducteurs contenus dans le révélateur fournissent des électrons aux centres de développement constitués par l'image latente : cela favorise la production d'argent jusqu'à ce que des cristaux entiers soient réduits en argent métal. Le phénomène initial est amplifié environ dix millions de fois. Les hautes lumières commencent à apparaître.

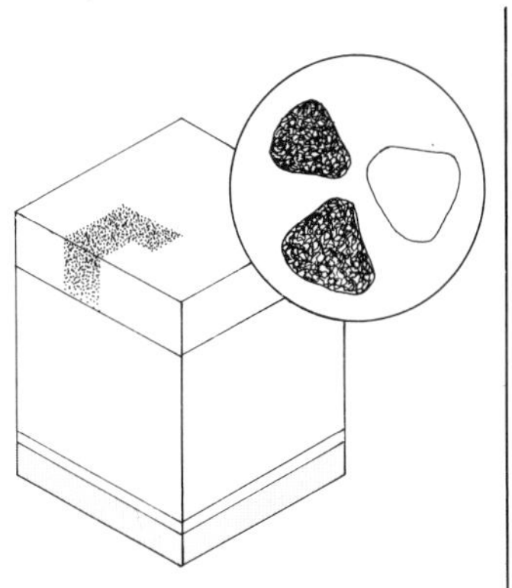

3 Fin du développement Au cours du développement, les détails apparaissent dans les valeurs moyennes et dans les ombres, tandis que les hautes lumières prennent de la densité. La durée du développement dépend de la nature du film, de la température, de la formule du révélateur et de l'agitation. Le film est rincé à l'eau ou soumis à un bain d'arrêt.

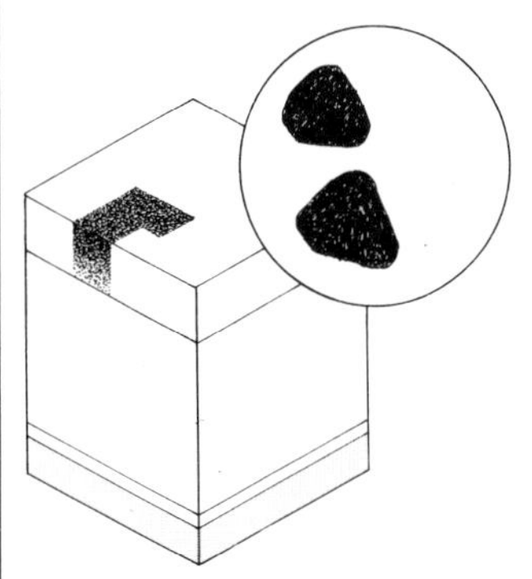

4 Fixage Si, à cette étape du traitement, on regardait le film à la lumière, on verrait une image négative noire, noyée dans la surface blanchâtre formée d'halogénures d'argent non réduits et toujours photosensibles. La solution d'hyposulfite (fixage) les transforme en sels incolores solubles dans l'eau.

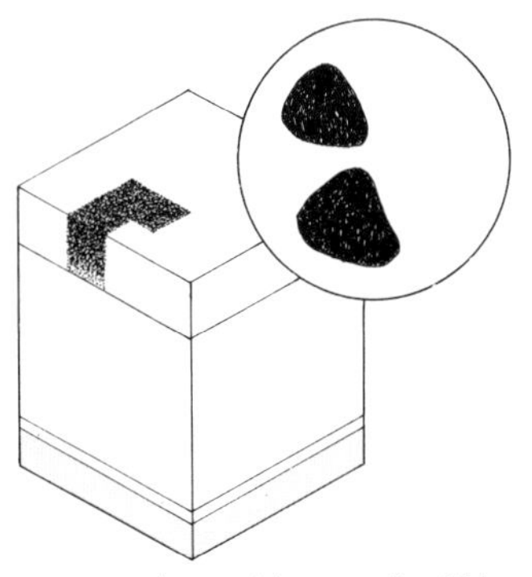

5 Lavage Il ne produit aucun effet visible, mais il n'en est pas moins important car toutes les substances encore présentes dans l'émulsion doivent être éliminées, pour assurer la stabilité de l'image. Le lavage du film est assuré soit en eau courante, soit en eau renouvelée, avec égouttages fréquents. L'eau doit être dépourvue de particules en suspension ; sinon, la filtrer.

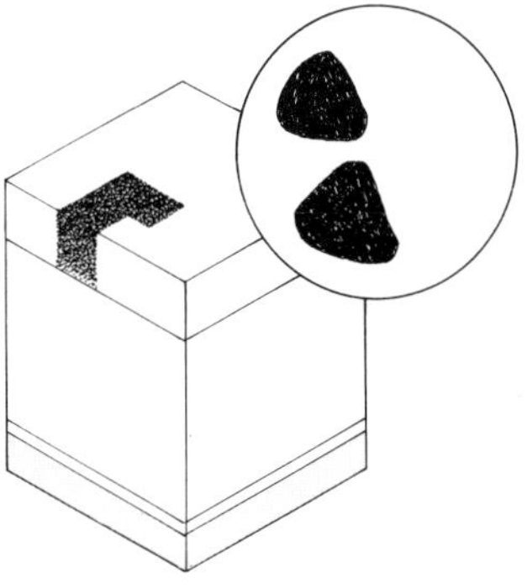

6 Séchage Il est important que le séchage soit très régulier et qu'il se fasse dans un local dépourvu de poussières. Pour améliorer la régularité du séchage, plongez vos films dans une solution très faible d'un agent mouillant, juste avant de les suspendre. Certains photographes essorent les films sortant du lavage avec une éponge spéciale.

Indices de Sensibilité

Différents systèmes étaient autrefois utilisés pour exprimer la sensibilité (ou "rapidité") des films. Ils sont tous remplacés aujourd'hui par le système ISO. Si votre appareil ancien est gradué en "ASA", sachez que ceux-ci ont la même valeur que les ISO. Comme le montre le tableau, la sensibilité double quand le nombre qui l'exprime est lui-même doublé.
Voir *Rapidité des films, pages 40-41.*

Valeur ISO	Sensibilité relative
50	0,5
100	1
200	2
400	4
800	8
1 600	16
3 200	32

Sensibilité Chromatique

L'émulsion ordinaire n'est sensible que de l'ultraviolet au violet-bleu, ainsi que les papiers et films de copie noir et blanc. Ils seront traités en lumière inactinique orange clair. Un film orthochromatique est sensible au violet-bleu et au rouge. Mais la plupart des films sont panchromatiques, c'est-à-dire sensibles à toutes les couleurs. A manipuler dans le noir.

Lent

Un film lent a une sensibilité comprise entre 25 et 64 ISO. Le film est dit lent parce que les grains de bromure d'argent de son émulsion sont exceptionnellement fins et que la couche est mince. Ces caractéristiques ont pour effet d'accroître la résolution. Certains films de copie sont très lents, mais ceux-là sont rarement panchromatiques.

Les images ci-dessous sont des portions agrandies de film 35 mm. Elles sont présentées grossies 20 fois, pour montrer comment décroît la résolution quand augmente la rapidité.

Moyenne Rapidité

Sont classés dans cette catégorie les films dont la rapidité est comprise, entre 100 et 200 ISO : ce sont les plus couramment utilisés, car ils représentent le compromis entre la rapidité (qui doit être suffisante pour la majorité des sujets) et la granulation (qui est proportionnelle à la rapidité). Les films de rapidité moyenne sont moins contrastés que les films lents et ils offrent une latitude de pose (un "droit à l'erreur" pour l'exposition) plus importante que la plupart des autres films. Ils peuvent être développés "grain fin" et sont donc recommandés pour le petit format, l'image supportant alors d'être fortement agrandie.

Rapide

La rapidité est comprise entre 400 et 1 000 ISO. La granulation devient apparente pour les agrandissements à partir d'un facteur x 8, par exemple sur un 20 x 25 cm tiré d'un 24 x 36 mm, surtout si le film a été "poussé" au développement. Le développement grain fin réduit cette granulation, mais avec une perte équivalente de la rapidité initiale du film. Si l'on accepte la granulation, les films rapides permettent de traiter de nombreux sujets peu éclairés sans éclairage complémentaire (atout majeur). Le contraste de l'émulsion est plus faible que pour les films plus lents : ce qui peut être considéré comme un avantage si l'exposition est correcte.
Voir *Lumière disponible, page 82 ; Variations de traitement du film, page 240.*

Ultrarapide

Les films les plus rapides ont une sensibilité de 1 600 à 3 200 ISO, que l'on peut pousser jusqu'à 6 400 ISO environ par un développement très énergique. Le facteur le plus significatif permettant cette augmentation de la sensibilité a été la mise au point d'émulsions à grains "T" (tabulaires). Grâce à leur plus large surface orientée vers la lumière, les grains T sont plus sensibles et ont moins tendance à s'agglomérer en amas ; de telle sorte que la granulation visible sur les agrandissements ne pose guère de problème.
Voir *Variations de traitement du film, page 240.*

Choisir un film lent

Lorsqu'on veut obtenir des agrandissements importants et très détaillés, il convient particulièrement bien pour les scènes inanimées (nature morte), comme ci-dessous. Mais ce film demande plus de lumière à lumination égale, ce qui conduit parfois à une pose longue et à l'emploi d'une grande ouverture du diaphragme. La conséquence en est soit l'impossibilité de prendre un sujet mobile sans qu'il soit bougé sur l'image, soit une faible profondeur de champ. Mais si la lumière est abondante, par exemple en plein soleil, vous restez parfaitement maître de contrôler à la fois la durée de la pose et la profondeur de champ, sans risquer la surexposition.
Voir *Profondeur de champ, page 29.*

Choisir un film de moyenne rapidité

Pour toutes les conditions normales de prise de vues. Il s'emploie couramment en studio, surtout en grand et moyen format. En extérieur, il convient parfaitement tant que la lumière naturelle est abondante ; mais, au fur et à mesure qu'elle décroît, vous pouvez vous trouver confronté au dilemme pose longue/grande ouverture du diaphragme. La granulation n'est pas notable pour les agrandissements de l'ordre de huit fois, par exemple une image 24 x 36 mm agrandie en 20 x 25 cm.
Voir *Techniques de studio, pages 214-239.*

Choisir un film rapide

Lorsque les conditions d'éclairage sont faibles ou mal connues, et que l'on ne cherche pas à obtenir des agrandissements très détaillés, ni de grandes dimensions. C'est, en particulier, le cas pour les photos sportives demandant un instantané rapide associé parfois à une faible ouverture du diaphragme, afin d'assurer une profondeur de champ suffisante. Mais attention : si l'éclairage naturel est très fort, vous serez obligé de choisir non seulement une vitesse rapide, mais également une petite ouverture : ce qui vous empêchera de contrôler l'étendue de la profondeur de champ.
Voir *Profondeur de champ, page 29.*

Choisir un film ultrarapide

A chaque fois que l'éclairage est défavorable et que vous ne voulez ou ne pouvez utiliser un flash ou une autre source d'appoint : intérieurs sombres, lieux publics, vues nocturnes, etc. La granulation peut être très apparente. Parfois, d'ailleurs, la granulation donne un aspect graphique à l'image ; cela justifie alors l'emploi du film ultrarapide en éclairage normal, avec un filtre gris neutre devant l'objectif, pour éviter la surexposition. Il est peu de cas où le film ultrarapide ne puisse donner une image lisible, aussi est-il recommandé d'en emporter toujours un ou deux avec soi afin de faire face à une panne de flash par exemple.

Films Spéciaux Noir et Blanc pour la Reproduction

"Reproduction" est le terme général utilisé pour désigner la copie photographique de graphiques, dessins, imprimés, photos, etc. Les films destinés à la reproduction peuvent être classés en deux grandes catégories. Les films pour demi-teintes, permettant de reproduire les diverses valeurs de gris d'un document dit "à modelé continu". L'absence de granulation est une caractéristique importante puisque le film est toujours lent ; la prise de vues étant faite en pose longue. Si les documents à reproduire sont polychromes, le film doit être panchromatique ; s'ils sont monochromes, une émulsion ordinaire ou orthochromatique est suffisante, avec l'avantage de pouvoir être manipulée et développée sous éclairage inactinique assez abondant.

La deuxième catégorie est celle des films "trait", dont le contraste naturel est très élevé. Ils ne peuvent donner que du blanc ou du noir, sans gris intermédiaire (que le document reproduit soit lui-même au trait ou à modelé continu). Les films "trait" doivent être développés dans un révélateur spécial, à haut contraste. Ces films également lents, dépourvus de granulation, sont généralement du type "ordinaire", bien qu'il existe quelques films panchromatiques dans cette catégorie. La plupart des films de reproduction n'existent qu'en plans-films. On trouve cependant du film "trait" en perforé de grande longueur 35 ou 16 mm pour l'exécution des microfilms (voir ci-dessous).

Film Contour

Il est composé de deux émulsions : l'une donne un positif direct, l'autre une image négative, avec un traitement normal. L'image composite sur le film contour reproduit les ombres et les hautes lumières par des valeurs sombres ; une seule valeur moyenne du sujet est traduite par des plages claires. Le film transforme une image à modelé continu en image trait.

Film Autoscreen

C'est un film lith spécial qui a été prévoilé derrière une trame très fine. Si on l'utilise pour reproduire une épreuve normale à modelé continu, on obtient un négatif formé de points comme les images obtenues par similigravure pour l'impression.

Voir *Écran de soie.*

Film Lith

Un film de très haut contraste, dont la couche émulsionnée est très mince, qui doit être développé dans un révélateur spécial dit "lith". L'image est nette, fine et contrastée, sans aucune demi-teinte. Il se traite sous éclairage rouge foncé inactinique.

Film Négatif Noir et Blanc à Développement Chromogène

Comme les films couleur, ce nouveau type de film noir et blanc est constitué par une émulsion aux halogénures d'argent incorporant des coupleurs de colorants : lors du développement chromogène, il se forme simultanément une image de colorants et une image argentique. Dans les deux cas, l'image argentique est éliminée par blanchiment/fixage. Cette formule donne au film négatif une latitude d'exposition très accrue par rapport à un négatif argentique. Il peut s'utiliser indifféremment avec des indices de sensibilité allant de 125 à 1 600 ISO, voire 3 200. La tolérance du film lui permet d'accepter des erreurs d'exposition ou des sujets trop contrastés pour le film classique. De plus, il a l'avantage d'avoir une granulation plus fine, à toutes les sensibilités, que les films noir et blanc conventionnels.

FILM INFRAROUGE

La sensibilité chromatique du "film infrarouge" est étendue à cette région du spectre invisible. Pour l'utiliser, il faut normalement placer devant l'objectif un filtre ne transmettant que les rayons infrarouges, en coupant la plus grande partie du spectre de la lumière visible. Lorsqu'on photographie un paysage ensoleillé de cette manière, le ciel bleu devient noir alors que les verdures sont d'un blanc neigeux (photo ci-dessous) ; la brume atmosphérique est en grande partie éliminée. Notons que le film infrarouge peut également être employé sans lumière visible, par exemple avec une source obscure de rayonnement infrarouge (fer à repasser) ou encore une lampe flash placée derrière un filtre arrêtant le visible. Cette méthode est utilisée pour étudier le comportement des animaux dans l'obscurité. La photographie infrarouge connaît plusieurs applications dans le domaine médical (maladies de la peau).

ÉMULSIONS NUCLÉAIRES

Pour la détection des traces des particules nucléaires, on utilise une émulsion spéciale à très forte concentration d'halogénure d'argent à grains très fins. On emploie soit un bloc épais d'émulsion, soit une pile de couches d'émulsion formant une épaisseur équivalente. Lorsqu'il est exposé à une source intense de rayonnement, le bloc sensible enregistre le passage des particules sous forme de traces développables : traces produites par la collision des particules avec les atomes de l'émulsion. On a ainsi une représentation tridimensionnelle dans toute l'épaisseur de l'émulsion.

FILM INVERSIBLE

La plupart des films lents noir et blanc peuvent donner une diapositive directe par traitement spécial par "inversion", au lieu du développement négatif normal. Il existe une émulsion conçue pour cet usage, qui a l'avantage de donner une image positive transparente de bon contraste pour projection de grande qualité.

FILM RADIO

Les films destinés à l'exposition aux rayons X ont un support plastique couché, sur ses deux faces, d'une émulsion aux halogénures d'argent. Ce type d'émulsion est sensible aussi bien à la lumière visible qu'aux ultraviolets et aux rayons X. En radiographie industrielle, le film radiographique est placé en contact avec une mince feuille de plomb dite "écran renforçateur". Pour l'usage médical, qui n'accepte que de faibles doses de rayons X, on emploie un "écran protecteur". Les films sont traités dans un révélateur énergique.

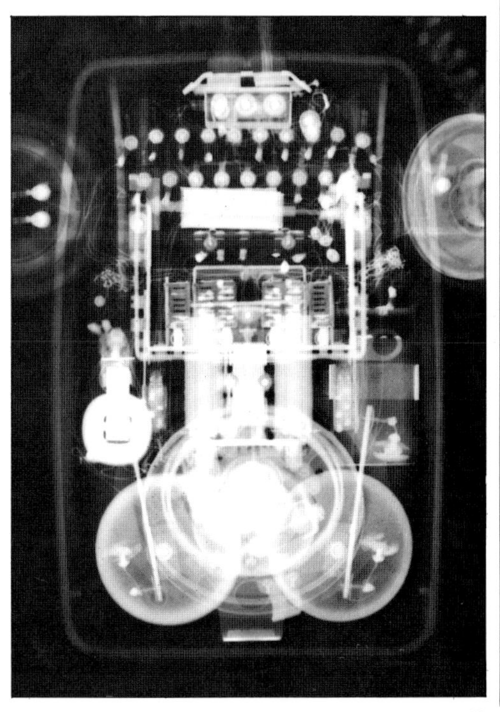

Image radiographique
Le tube émetteur de rayons X génère des radiations de longueurs d'onde assez courtes pour traverser la plupart des éléments (sauf les plus lourds comme le plomb) et former des ombres sur le film sensible. Le poste téléphonique – ci-contre – a été placé sur un film radiographique doublé d'une feuille de plomb.

FILMS INSTANTANÉS

Ils donnent une image en moins d'une minute. L'émulsion impressionnée est mise en contact avec un support récepteur. Entre les deux est étalée une mince couche d'un réactif visqueux. Une image négative noir et blanc est développée en quelques secondes, cependant qu'un solvant de l'halogénure d'argent favorise le transfert de l'argent des régions non impressionnées vers le support récepteur ; cela donne une épreuve positive. Le négatif est séparé du positif et le négatif papier est jeté. Si le négatif est sur support film, il peut être traité et lavé comme un négatif conventionnel. Ce procédé permet le contrôle instantané de la qualité d'une prise de vues : éclairage, composition et exposition.

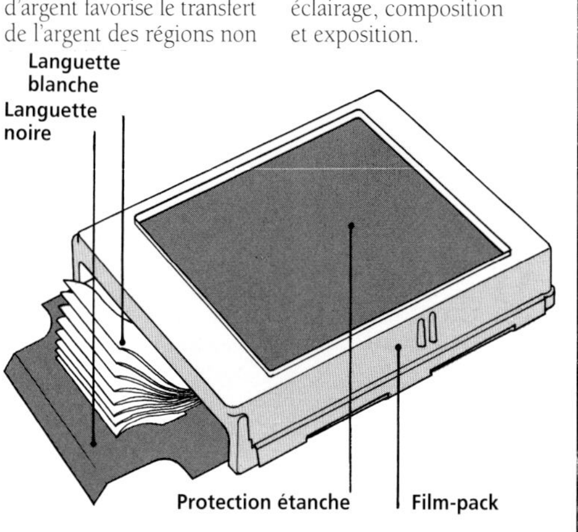

Principe du film-pack Il est placé dans l'appareil et la feuille opaque de protection est retirée, découvrant le premier film sensible face à l'objectif. Après exposition, tirer une languette qui entraîne le film exposé dans l'arrière du chargeur, en face d'un support récepteur. Une seconde languette, plus large, apparaît. En tirant cette languette, on extrait le sandwich à travers les rouleaux qui font éclater la gousse contenant le réactif de traitement.

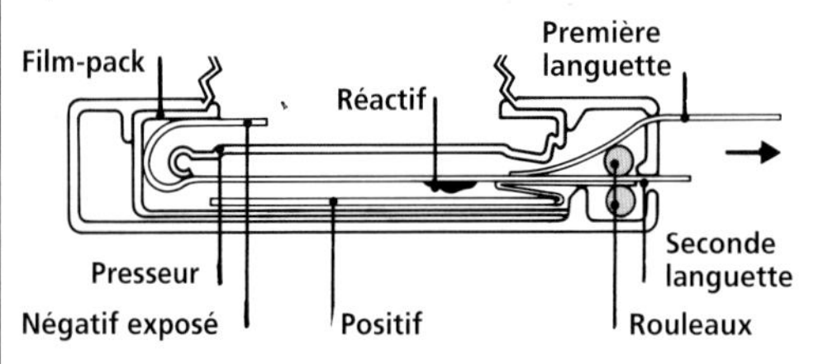

Tirer la première languette Après exposition, tirer la première languette (blanche) : cela a pour effet d'entraîner le film exposé à l'arrière du pack, où il est mis en face du support (positif) récepteur.

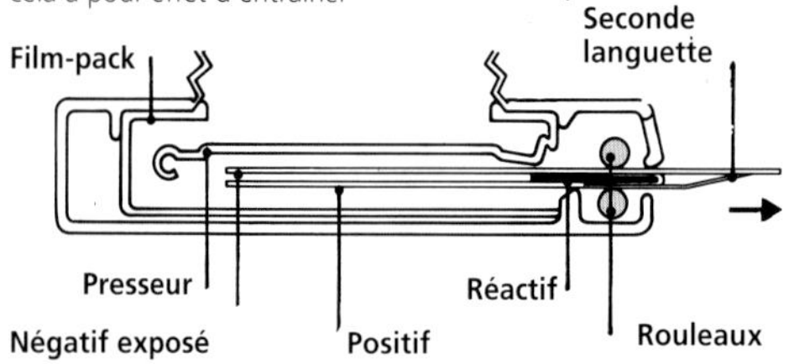

Tirer la seconde languette On extrait ainsi le sandwich négatif plus positif, en le pressant à travers les deux rouleaux : le réactif alcalin active le développement du négatif, obtenu en quelques secondes.

Le traitement instantané
1 Après chargement de l'appareil, retirer la feuille de protection. Composer l'image dans le viseur et appuyer sur le déclencheur.

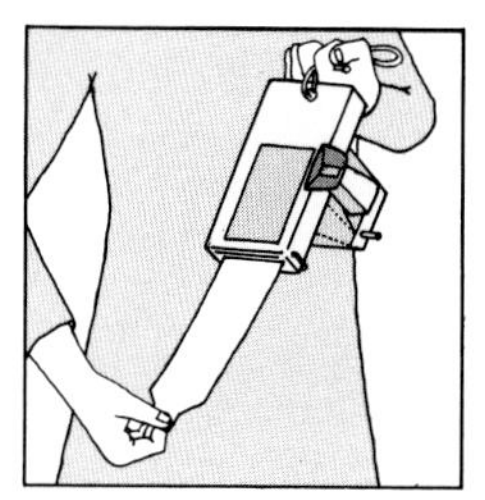

2 Tirer la première languette pour entraîner le négatif exposé dans l'arrière du pack, en face du papier récepteur.

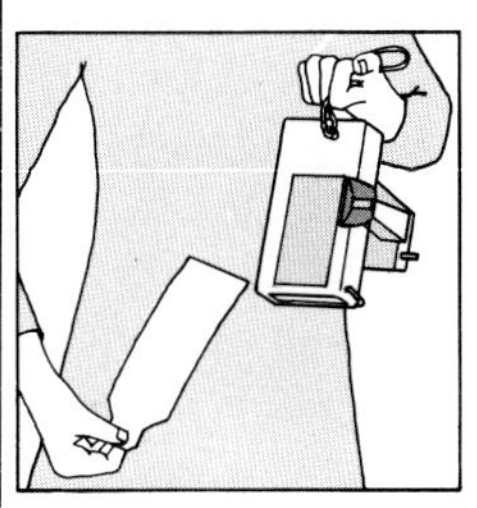

3 Tirer immédiatement la seconde languette, ce qui extrait l'ensemble "négatif + positif" de l'appareil. Le traitement instantané commence aussitôt.

4 Le temps de traitement étant écoulé, séparer les deux éléments. Les produits résiduels sont absorbés par une couche externe du positif : il reste une image positive.

Différents films instantanés La gamme comprend un film ultrarapide (3 000 ASA) et une émulsion plus lente et plus contrastée ; ces deux films sont à négatif perdu. Un troisième film instantané, de rapidité moyenne (125 ASA), comprend un négatif sur support plastique qui peut être récupéré : après séparation du positif, immerger le négatif dans une solution à 12 % de sulfite de sodium, afin d'éliminer les produits chimiques résiduels ; puis laver et sécher. Le négatif ainsi traité se conserve bien. Sa granulation est très faible, permettant de forts agrandissements. Il est important de se rappeler que la température joue un grand rôle avec tous les films instantanés : le traitement est ralenti en dessous de 20 °C. Par temps froid, on place le sandwich, dès son extraction, entre deux plaques de métal réchauffé par la température corporelle.

Adaptateurs pour films instantanés La plupart des appareils de grand et moyen format peuvent utiliser les films instantanés, grâce à l'emploi de dos et adaptateurs spéciaux. Ci-dessous, vous voyez, à droite, un adaptateur utilisable avec les chambres de format 4 x 5" (10 x 12,5 cm). A gauche, celui prévu pour les appareils Hasselblad. Il en existe d'autres, pouvant s'adapter par exemple à un oscillographe. Chaque châssis est muni d'un jeu de rouleaux-presseurs qui doivent toujours être maintenus propres.

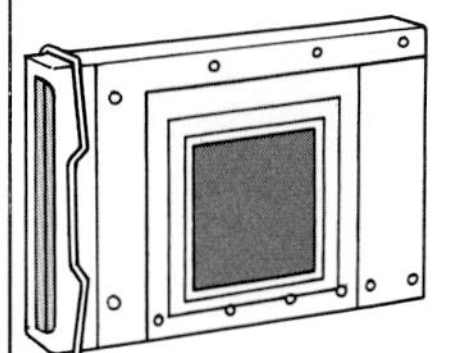

Dos Hasselblad

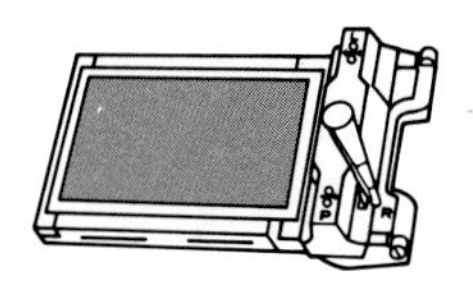

Dos pour chambre grand format

FORMATS

Les plans-films sont fournis en boîtes de 10 ou 25 films. Les films en bobines 120 et 220 sont assez répandus. Il existe un film de 70 mm de large, perforé, sans papier protecteur. Ces films en rouleaux donnent tous des images dont une dimension est 6 cm, l'autre étant 4,5, 6 ou 7 cm. Le film 127 est quasiment abandonné. Le chargeur 126 donne 12 ou 20 vues 28 x 28 mm sur film de 35 mm de large, avec une seule perforation par vue. Le film 35 mm perforé est conditionné en chargeurs de 20 ou 36 poses. Enfin, la cartouche de film APS (code IX-240) contient 25 vues de format initial 16,7 x 30,2 mm.

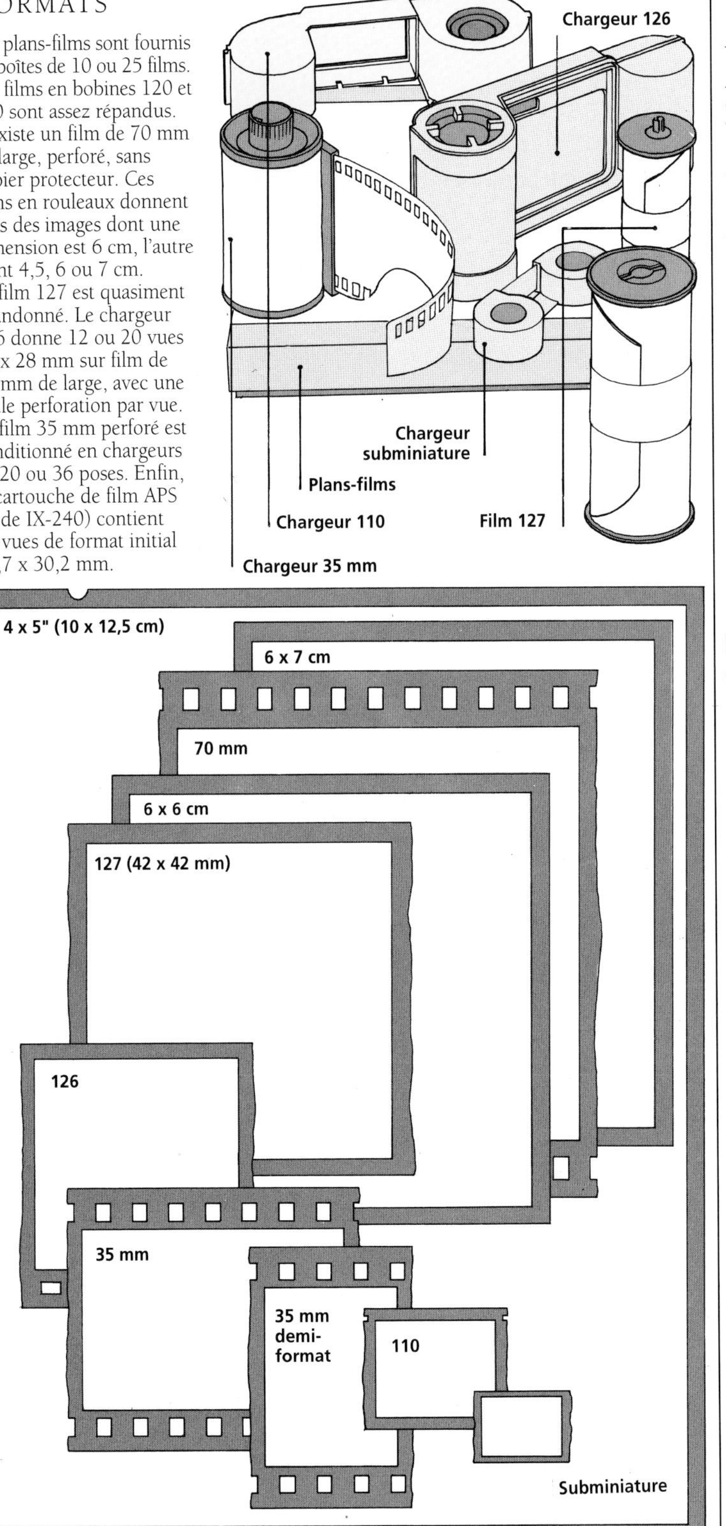

FILM 35 MM AU MÈTRE

A la place des chargeurs de film 35 mm, procurez-vous du film au mètre (boîte de 10-15 mètres) et constituez vous-même des chargeurs de 20 ou 36 vues. Ci-dessous, comment utiliser le chargeur-magasin pour film en vrac : méthode économique, mais risque de rayures (réutilisation de chargeurs endommagés).

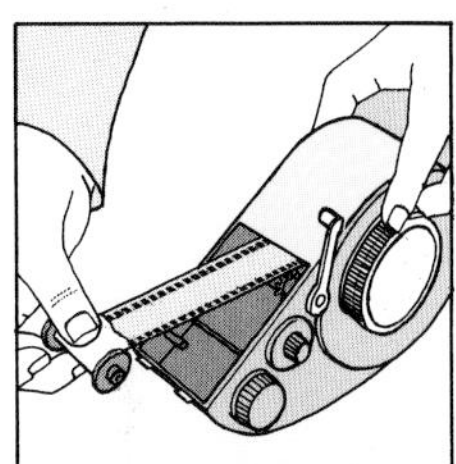

1 Dans l'obscurité, déroulez 8 cm de film, replacez le couvercle. Fixez le film au moyeu de la bobine avec un morceau d'adhésif.

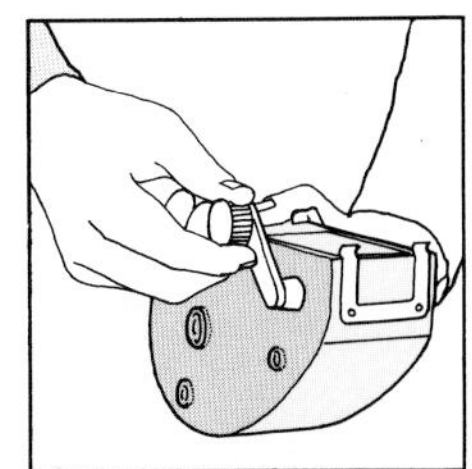

2 Introduisez la bobine dans le chargeur, refermez le compartiment. Allumez et mettez le compteur à zéro. Bobinez le film à la longueur désirée, plus deux vues supplémentaires.

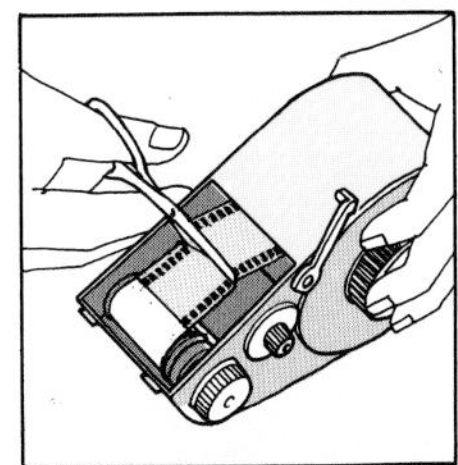

3 Retirez la porte du compartiment étanche. Coupez l'extrémité du film à 4 cm du chargeur, retirez celui-ci. Découpez l'extrémité du film en forme de languette.

Traitement des Films Noir et Blanc

Lors du traitement des films, il est essentiel d'assurer une action uniforme des solutions chimiques sur l'émulsion : cela pendant une durée et à une température bien déterminées. L'ordre du passage dans les solutions est primordial : développement, fixage, lavage, etc. Vous n'avez pas besoin d'un laboratoire pour développer vos bobines ou vos films 35 mm : n'importe quelle pièce pouvant être complètement obscurcie quelques minutes ou même un manchon de chargement sont suffisants pour introduire le film à développer dans une cuve pour traitement en plein jour, toutes les autres opérations pouvant être conduites sous un éclairage normal. Il est préférable de disposer à proximité de l'eau froide courante et d'eau chaude.
La cuve étanche contient une spirale destinée à maintenir le film durant le traitement : les spires du film sont assez éloignées pour permettre une libre circulation des solutions actives. Lorsque le film est enroulé sur la spirale et que celle-ci est à l'intérieur de la cuve refermée, les solutions peuvent être introduites et extraites de la cuve par une ouverture étanche à la lumière.
L'important est de toujours veiller à ce que la cuve et la spirale soient parfaitement sèches et propres pour le chargement, sinon vous risquez d'avoir des taches et des problèmes pour introduire le film dans la spirale. Préparez soigneusement les flacons contenant les solutions chimiques, dans l'ordre de leur emploi. Vous pouvez les laisser tremper dans un récipient plat contenant de l'eau portée à la température de traitement (bain-marie). La température habituelle de traitement est 20 °C.

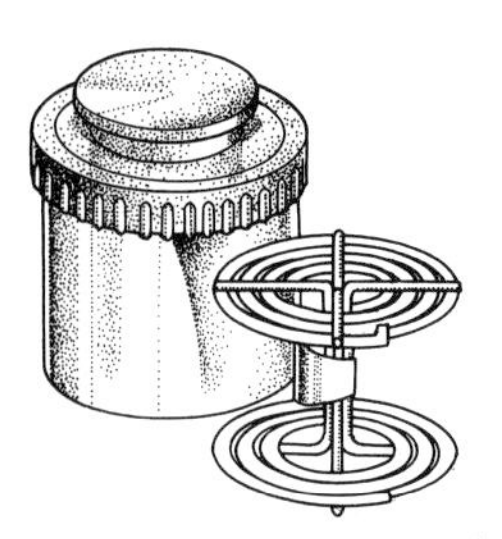

Cuve en acier et spirale pour film 120/220

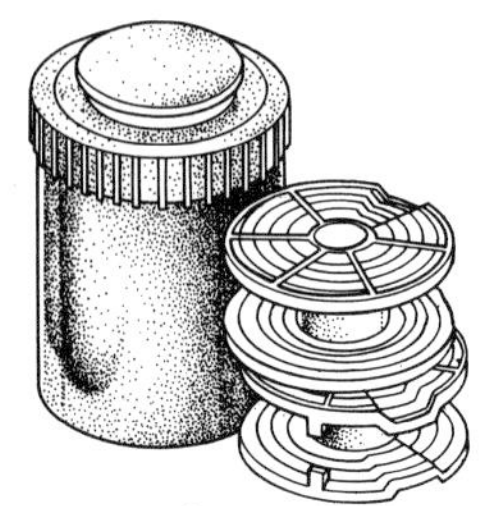

Cuve en plastique pour deux films 35 mm

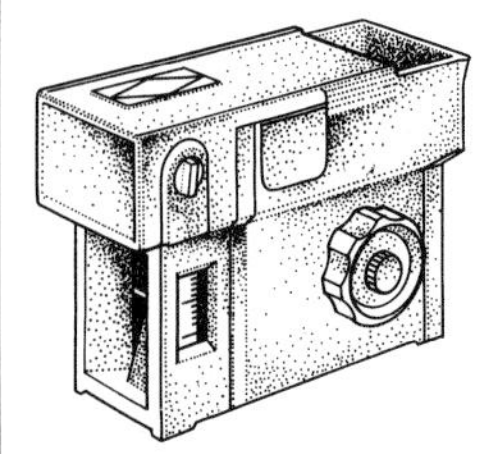

Cuve pour chargement en plein jour

Cuves

Elles existent en acier inoxydable ou en plastique. L'écartement d'une spirale en plastique peut être modifié pour accepter différentes largeurs de films. La spirale en acier est plus facile à entretenir, mais le chargement est plus difficile. L'agitation de la spirale dans la cuve se fait avec une tige tournante passant par le trou du couvercle ; d'autres cuves doivent être retournées ou balancées pour renouveler des solutions à la surface du film.

Chargement en plein jour
Certaines cuves permettent le chargement en plein jour ; le chargeur est placé dans un compartiment, puis la languette du film attachée au centre de la spirale. Fermer le couvercle, tourner la manivelle pour bobiner le film dans la spirale. Puis couper l'extrémité avec un coupe-film commandé extérieurement.

Cuves pour plans-films
Les plans-films ne peuvent être développés qu'en chambre noire : chaque film est fixé sur un cadre. L'ensemble des cadres chargés est introduit en même temps dans les solutions de traitement.

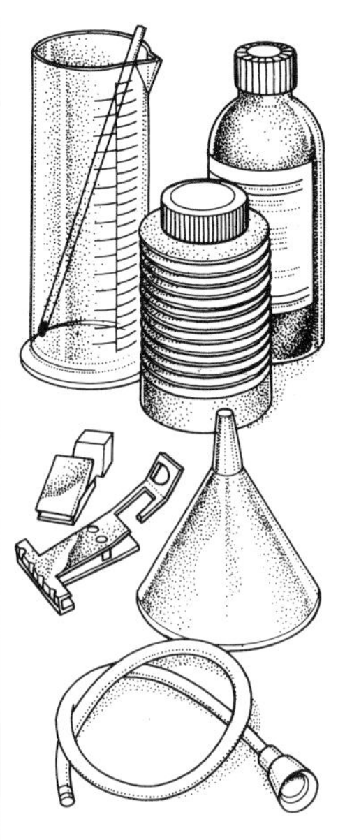

Autres Accessoires Nécessaires

Vous devez posséder un chronomètre pour mesurer la durée de chaque opération, un verre gradué et un entonnoir pour verser les solutions dans leurs flacons. Le compte-temps le mieux adapté est celui qui sonne lorsque la durée affichée est écoulée (de 3 minutes à 1 heure). Les divers récipients peuvent être en verre, en Inox ou en plastique. Le plastique transparent a le mérite d'être bon marché et de permettre de voir le niveau des solutions. Un tuyau souple permet de relier directement la cuve étanche au robinet de l'évier ou du lavabo pour les lavages. Si l'eau est chargée en particules, vous pouvez intercaler un filtre entre le robinet et la cuve. Enfin, il faut des pinces (dont certaines lestées) pour suspendre les films à sécher.

Préparation des Bains

On utilise des révélateurs tout préparés, sous forme soit de poudre, soit de liquide concentré à diluer dans l'ordre prescrit dans de l'eau ne dépassant pas 50 °C. Versez doucement le produit en agitant constamment, dans un volume d'eau inférieur au volume définitif ; complétez le volume après dissolution complète. Dans le cas où il y a plusieurs produits chimiques à dissoudre (révélateur préparé à partir des constituants), les introduire l'un après l'autre dans l'ordre prescrit. Les fixateurs existent tout préparés, mais il est plus économique de les préparer à partir de leurs constituants. Les cristaux d'hyposulfite ne se dissolvent bien que dans l'eau chaude (60 °C). Les révélateurs neufs se conservent six mois en flacons bien bouchés.

Choix d'une Formule de Révélateur

Chaque formule a ses caractéristiques : grain fin, augmentation de la rapidité, grand contraste. En général, les révélateurs spéciaux se conservent mal et on les jette après chaque emploi. Mais les révélateurs grain fin courants ont une bonne durée de vie ; on peut les réutiliser, à condition de procéder à un "renforcement" par l'apport d'une certaine quantité de solution neuve après chaque développement.

Révélateurs grain fin Ils sont généralement lents, donnent un faible contraste. Le principe d'action est d'empêcher la formation d'amas de grains d'argent et même d'en réduire le diamètre.

Révélateurs "grande acutance" Ils forment une image à la surface de l'émulsion : ce qui réduit la perte de détails due à la diffusion de la lumière à l'intérieur de la couche.

Révélateurs à grande énergie Les révélateurs énergiques ont une action rapide. Ils permettent d'augmenter la rapidité initiale du film par un facteur 2 ou 3, mais avec une augmentation très forte de la granulation.

Révélateurs grand contraste Ils sont très énergiques et sont employés pour les films "trait" et lith. Les demi-teintes sont quasiment supprimées.

Révélateurs MQ et PQ Ce sont les révélateurs classiques réalisant le compromis entre l'énergie et la granulation. Les formules MQ (génol-hydroquinone) ou PQ (phénidon-hydroquinone) s'emploient aussi bien pour les films que pour les papiers.

Bains d'arrêt Ces solutions faiblement acides ont pour but de stopper immédiatement l'action du révélateur. Un bain d'arrêt est indispensable avec les révélateurs très énergiques, alors qu'un rinçage à l'eau froide est suffisant pour les révélateurs courants.

Fixateurs Il en existe deux sortes : à l'hyposulfite de sodium ou, formule plus rapide, à l'hyposulfite d'ammonium. La solution de fixage contient également un acide faible et un agent tannant ayant pour effet de durcir et protéger l'émulsion au cours du lavage et du séchage.

Indication importante Veillez à diluer avec de grandes quantités d'eau les solutions usées que vous versez à l'égout : la plupart sont légèrement corrosives et relativement polluantes.

Révélateur et Film

Le choix d'une formule de révélateur dépend du type de film traité. Il est inutile de choisir un film rapide à forte granulation, puis de le développer dans un révélateur grain fin ! Le mieux est de choisir le révélateur recommandé par le fabricant. Néanmoins, il est des cas où l'on sait d'avance que le film est sous-exposé ou surexposé et l'on peut alors intervenir par le choix d'un traitement correctif. Pour la sous-exposition, on utilisera un révélateur énergique ; pour la surexposition, un grain fin qui diminue la rapidité initiale du film. Pour l'usage courant, choisissez une formule polyvalente, donnant une légère réduction de la granulation et qui soit de bonne conservation.

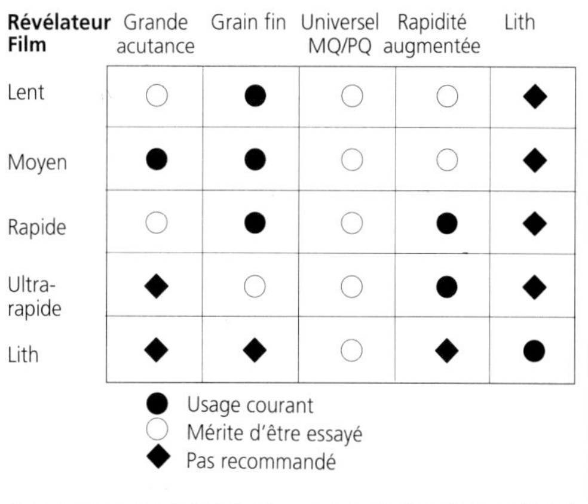

Révélateur / Film	Grande acutance	Grain fin	Universel MQ/PQ	Rapidité augmentée	Lith
Lent	○	●	○	○	◆
Moyen	●	●	○	○	◆
Rapide	○	●	○	●	◆
Ultra-rapide	◆	○	○	●	◆
Lith	◆	◆	○	◆	●

● Usage courant
○ Mérite d'être essayé
◆ Pas recommandé

Préparation du révélateur
Travaillez dans une pièce bien ventilée et faites attention à ne pas répandre de produits chimiques pouvant souiller les films et papiers sensibles. Mélangez les solutions dans un récipient en verre, en plastique ou en Inox à l'aide d'un agitateur. Suivez les recommandations du fabricant, notamment en ce qui concerne l'ordre de dissolution des produits. Pour emploi immédiat, utilisez de l'eau à 20 °C.

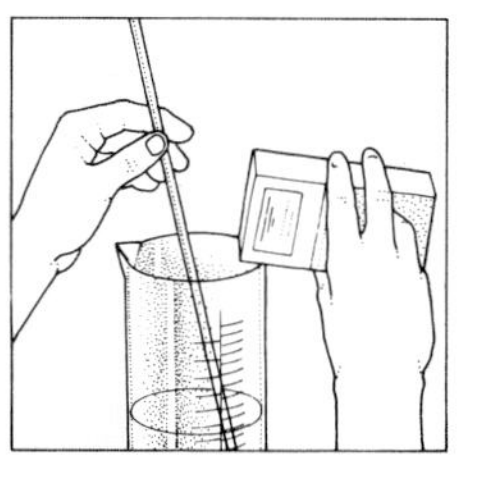

1 *Versez la poudre doucement, en agitant. Ne laissez pas le produit s'accumuler et se solidifier au fond. Évitez de trop aérer la solution.*

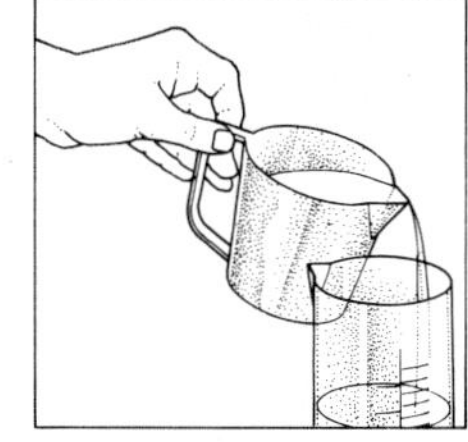

2 *Même si la solution est trouble, si le produit est bien dissous, vous ajouterez le produit suivant. En fin de dissolution, complétez le volume par de l'eau.*

3 *Le flacon de stockage doit être rempli de révélateur. Une étiquette indique la nature et la date. Laissez la solution reposer 12 heures.*

CHARGEMENT DE LA CUVE

Le chargement de la spirale demande une habitude car il se fait dans le noir. Ne pas plier le film, ni mettre les doigts sur l'émulsion. Veiller à ce que deux spires successives du film ne se touchent pas. Les spirales en Inox se chargent généralement à partir du centre, de telle sorte que le film ne peut s'y enrouler qu'incurvé, du centre vers les bords. Les spirales en plastique se chargent au contraire par l'extérieur dans un mouvement de va-et-vient. Avant d'utiliser une cuve pour la première fois, exercez-vous en plein jour avec un film voilé ; recommencez les yeux fermés, puis dans l'obscurité.

Film 35 mm en chargeur

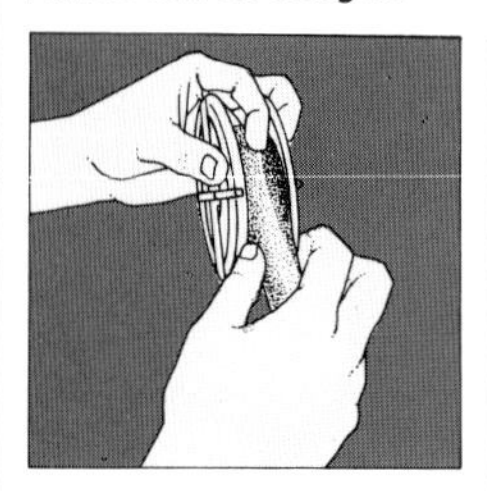

1 *Coupez la languette du film. Attachez le film à la pince de la spirale. Éteignez la lumière.*

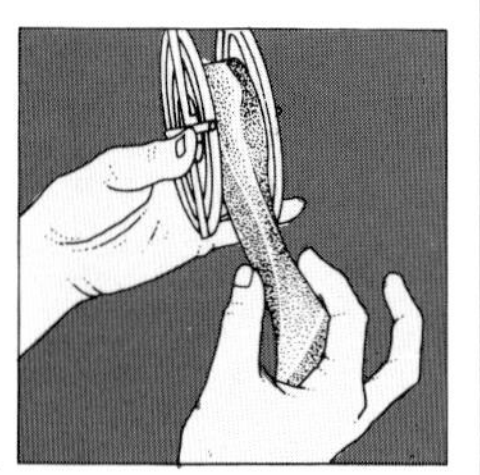

2 *Incurvez légèrement le film entre le pouce et l'index. Faites tourner la spirale avec l'autre main afin de bobiner le film sortant du chargeur dans les spires.*

3 *Coupez l'autre extrémité du film et vérifiez qu'elle est bien introduite dans la spirale. Placez la spirale dans le corps de la cuve que vous fermez. Vous pouvez allumer.*

Film en bobine

1 *Éteignez la lumière ; détachez le papier protecteur du film et déroulez-le sur plusieurs centimètres pour saisir l'extrémité du film. Introduisez le bout du film dans la fente d'entrée de la spirale.*

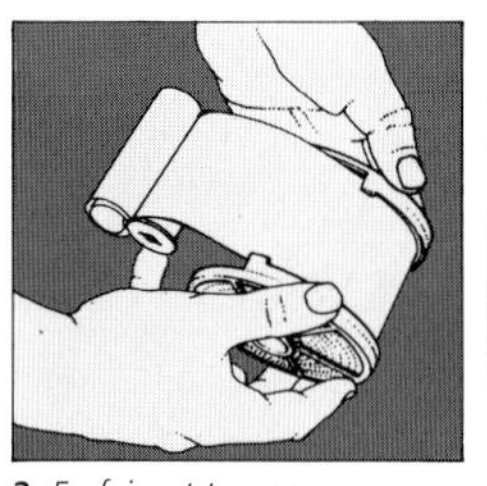

2 *En faisant tourner alternativement chaque joue de la spirale, faites entrer le film dans les spires. Laissez le papier se dérouler librement à l'extérieur.*

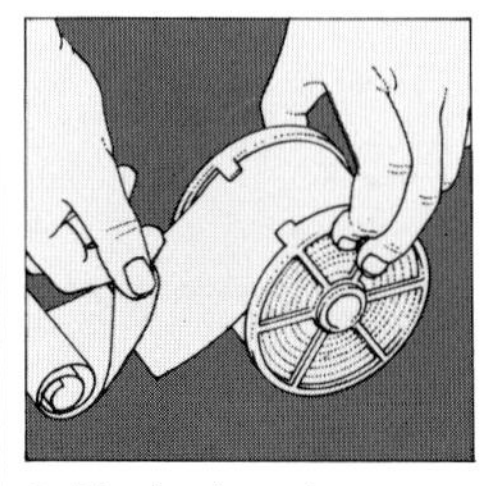

3 *Détachez le papier protecteur et vérifiez que l'extrémité du film est bien introduite dans la spirale. Placez la spirale chargée dans le corps de la cuve. Mettez le couvercle et allumez.*

CHARGEUR POUR SPIRALES

Ce dispositif facilite le chargement des spirales métalliques. L'appareil étant posé sur la table, faire passer l'extrémité du film dans le guide, puis l'attacher au centre de la spirale. Pour faire entrer le film, il suffit de tourner lentement une petite manivelle.

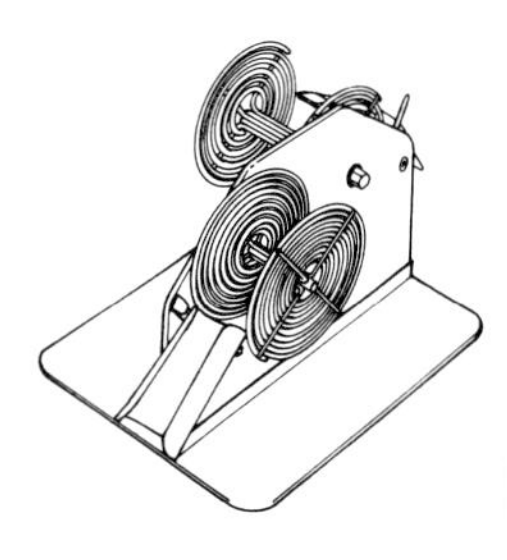

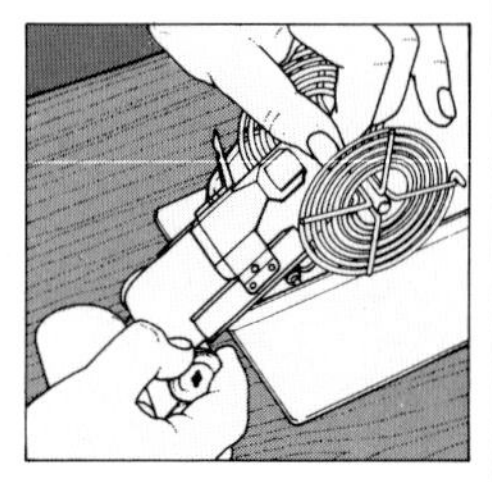

1 *Dans l'obscurité totale, alignez le chargeur pour le type de film concerné. Celui-ci peut servir pour le 35 mm et pour le film 120/220.*

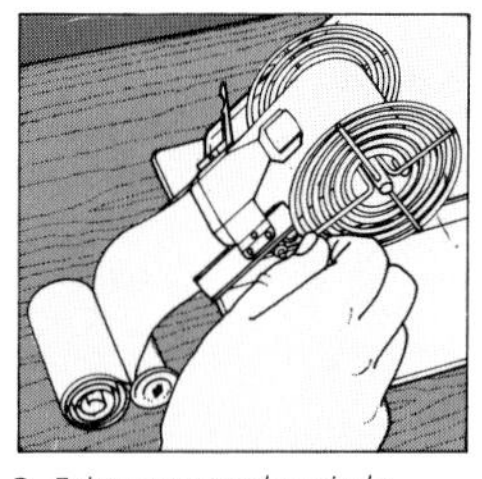

2 *Déroulez le papier protecteur et introduisez le film dans le guide incurvé ; accrochez-le au centre de la spirale.*

3 *Faites tourner la spirale pour introduire le film dans les spires.*

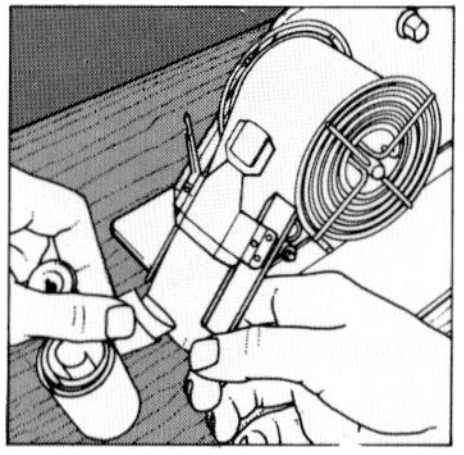

4 *Lorsque le film est presque entièrement introduit, détachez le papier et finissez le chargement. Enlevez la spirale du chargeur.*

MANCHON DE CHARGEMENT

Ce manchon est étanche à la lumière. Placez-y la cuve et son couvercle, la spirale et le film. En introduisant les deux mains dans ce dernier, vous pouvez charger la spirale et fermer la cuve sans risque de voile.

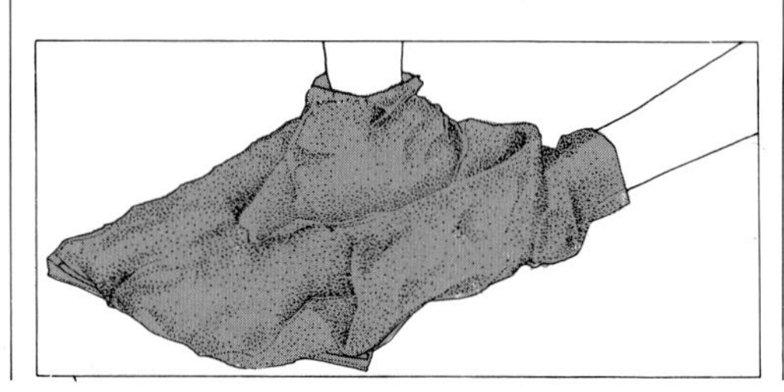

TRAITEMENT

N'oubliez pas que le traitement d'un film est une opération délicate : vous ne voyez pas ce qui se passe dans la cuve et toute erreur peut être fatale aux 36 vues irremplaçables d'un chargeur. Préparez tout, par avance, sans laisser place à l'improvisation. Rappelez-vous l'ordre des opérations, concentrez-vous sur ce que vous faites, en surveillant durée, température et agitation. Même si vous avez une certaine expérience, ne vous laissez pas distraire à partir du moment où le traitement est commencé et tant que le film n'est pas en sûreté, en train de sécher. Si vous réutilisez un révélateur, vous aurez intérêt à plonger d'abord le film dans de l'eau à la température de traitement : cela permet d'éviter de contaminer le révélateur par le colorant de l'anti-halo.

1 *Tous les bains sont portés à la température de traitement (20 °C) en utilisant comme ici un bain-marie. Cette méthode peut être appliquée à la cuve elle-même.*

2 *Versez rapidement le révélateur et tapotez la cuve pour déloger les bulles d'air. Démarrez le compte-temps.*

3 *Agitez la cuve selon les indications du fabricant, soit par basculement, soit avec un agitateur tournant. Agitez sans arrêt les 15 premières secondes, puis toutes les 30 secondes.*

4 *A la fin du temps de développement, reversez le révélateur dans son flacon en utilisant l'entonnoir.*

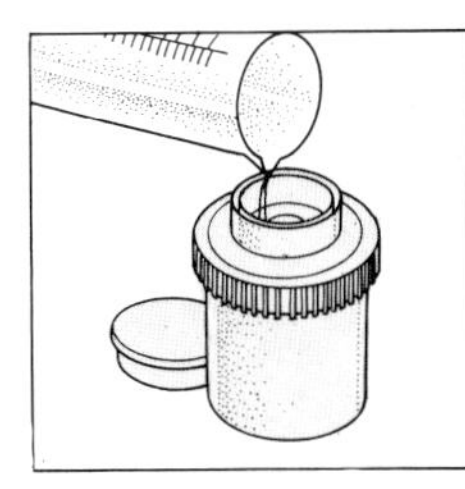

5 *Versez le bain d'arrêt, agitez et laissez agir de 30 à 60 secondes. Videz l'arrêt et versez le fixateur dans la cuve. Agitez sans arrêt les 15 premières secondes, puis toutes les minutes.*

6 *Après un séjour d'au moins une minute dans le fixage, le film n'est plus sensible à la lumière. Le temps de fixage étant écoulé, reversez le fixateur dans son flacon.*

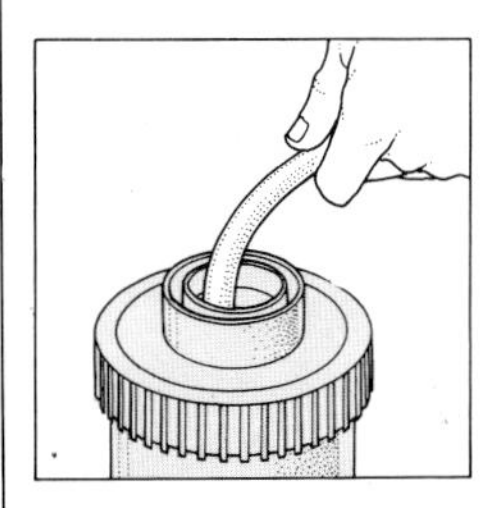

7 *Introduisez l'extrémité du tuyau d'eau dans la cuve. A la fin du lavage (30 minutes au moins), mettez quelques gouttes d'agent mouillant dans l'eau, ce qui facilite le séchage.*

8 *Attachez une pince à l'extrémité du film. Déroulez doucement le film et fixez une pince à l'autre bout. Laissez sécher dans une pièce inoccupée (de préférence la nuit).*

9 *Dès que le film est complètement sec, coupez le film en bandes de longueur standard et protégez-les dans des pochettes prévues à cet effet.*

TEMPS ET TEMPÉRATURE

La qualité du développement dépend de la température du révélateur et de l'agitation du film dans la solution. Dans de faibles limites, une température un peu basse peut être compensée par une augmentation de la durée, et inversement. Néanmoins, en dessous de 15 °C, un révélateur comme l'hydroquinone cesse d'agir et le résultat est mauvais. Au-dessus de 24 °C, le film est ramolli et risque d'être physiquement endommagé. La plupart des révélateurs sont conçus pour donner le meilleur développement à 20 °C. A 15 °C, le temps de développement doit être doublé.

ÉPUISEMENT DU RÉVÉLATEUR

La durée de vie du révélateur dépend de la manière dont il est conservé et de la nature des films traités. Si le révélateur est soigneusement remis en flacon, bien bouché après chaque traitement (ou si la cuve est munie d'un couvercle flotteur), on peut considérer que le révélateur d'usage général peut servir plusieurs fois, à condition d'augmenter le temps de développement en fonction du nombre de films traités.

TRAITEMENT DES PLANS-FILMS

Ils peuvent être traités dans des cuves (ci-contre). On peut les développer en cuvettes plates, jusqu'à 6 en même temps. Avant le développement, passez les films dans de l'eau à 20 °C ; lorsqu'ils sont uniformément mouillés, développez en faisant passer constamment le film du dessous sur le dessus. Faites de même pour les solutions suivantes.

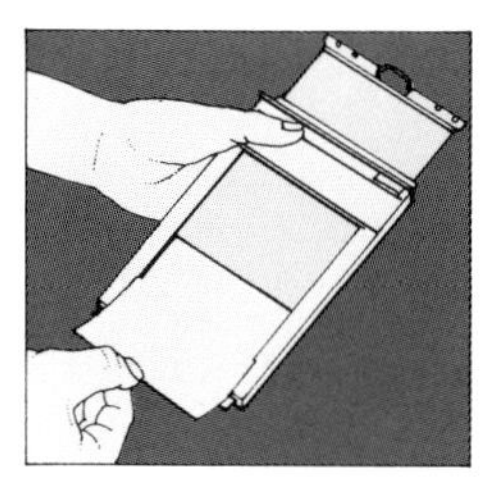

1 *Retirez chaque plan-film de son châssis, dans l'obscurité complète.*

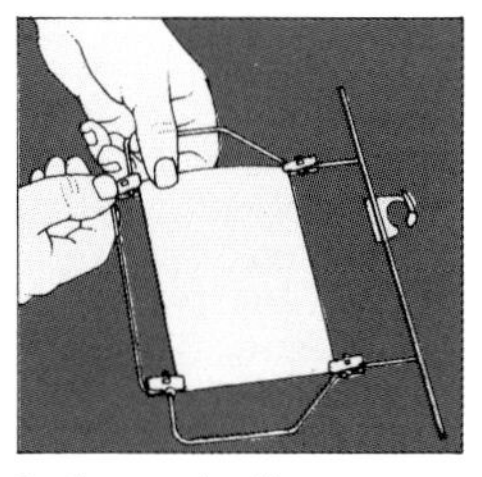

2 *Chaque plan-film est ensuite fixé aux quatre coins dans un cadre spécial. L'ensemble des cadres prend place dans un porte-cadres.*

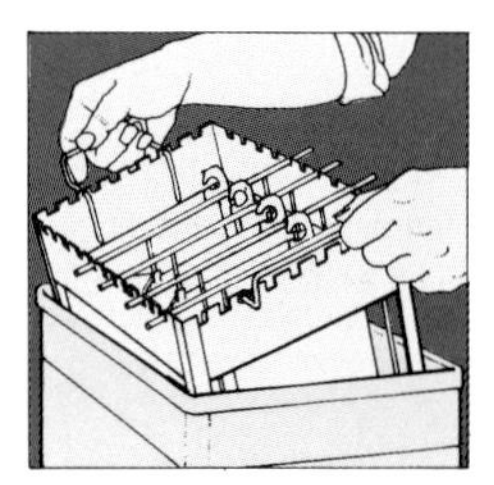

3 *Introduisez doucement l'ensemble dans la cuve de révélateur. Pour l'agitation, sortir l'ensemble du bain, l'incliner à 45 ° et laisser égoutter 3 à 4 secondes.*

TRAITEMENT DES FILMS INVERSIBLES

Toutes les cuves étanches peuvent servir, mais il vaut mieux disposer d'une spirale en plastique transparent, afin de procéder sans problème à la pose d'inversion en plaçant la spirale dans un bol blanc, sous une lampe électrique, comme montré ci-dessous. Ainsi, le film est voilé uniformément sans risque d'être endommagé.

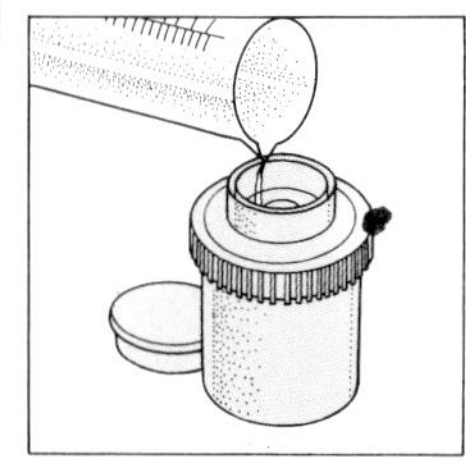

1 *Le développement s'effectue dans un révélateur concentré contenant un faible solvant de l'argent. Cela donne une image négative contrastée.*

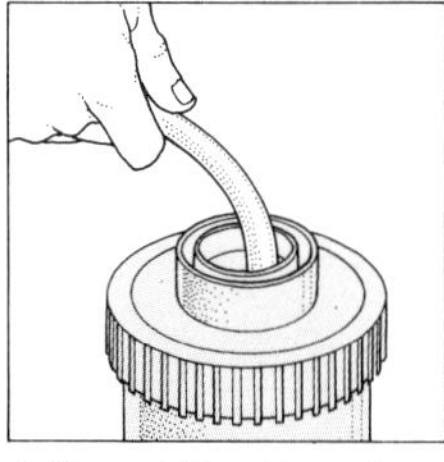

2 *Rincez et blanchissez dans une solution de bichromate de potassium et d'acide sulfurique qui dissout l'argent réduit sans agir sur l'halogénure non développé.*

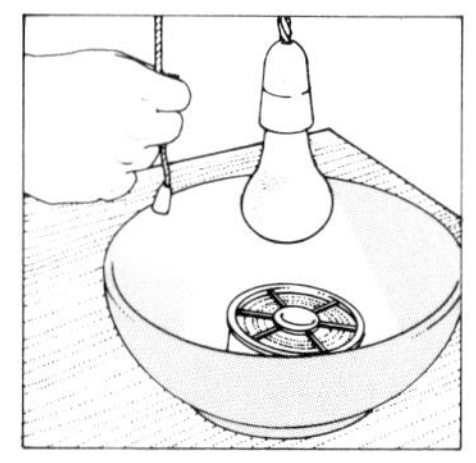

3 *Enlevez les taches de blanchiment dans une solution clarifiante de sulfite et d'hydroxyde de sodium. Exposez le film à une lumière puissante.*

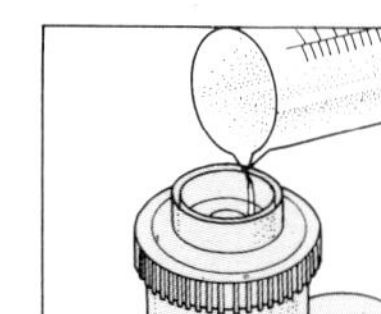

4 *Développez dans un révélateur MQ, pour faire apparaître l'image positive, à partir des halogénures résiduels. Fixez et lavez normalement.*

TRAITEMENT DU FILM EN MONOBAIN

C'est une solution chimique assurant à la fois le développement et le fixage d'un film noir et blanc. Le monobain est formé du mélange d'un révélateur PQ énergique et d'un fixateur à longue période d'induction : le fixage ne commence donc que lorsque le développement est suffisamment avancé. L'équilibre chimique du monobain est très critique, mais il est facile d'emploi. Les facteurs temps et température sont de peu d'importance.

Traitement monobain dans le chargeur

Vous pouvez même traiter un film 35 mm dans son chargeur : une tasse à café et une tige de bois fendue à son extrémité suffiront !

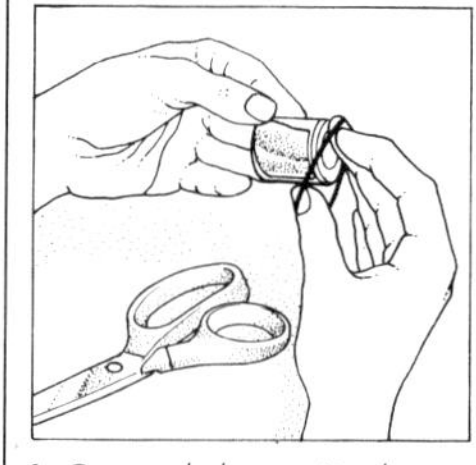

1 *Coupez la languette du film et enroulez environ 3 centimètres de film autour du chargeur. Maintenez avec un élastique.*

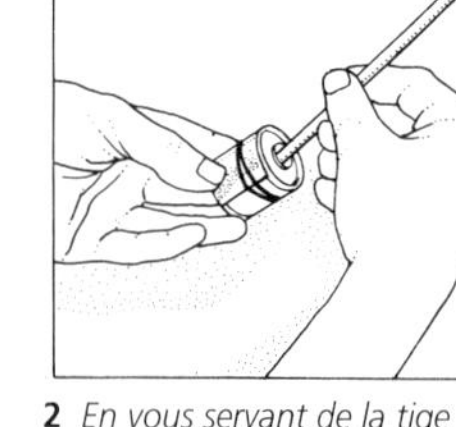

2 *En vous servant de la tige fendue, tournez, pour desserrer le film, la bobine en sens inverse des aiguilles d'une montre.*

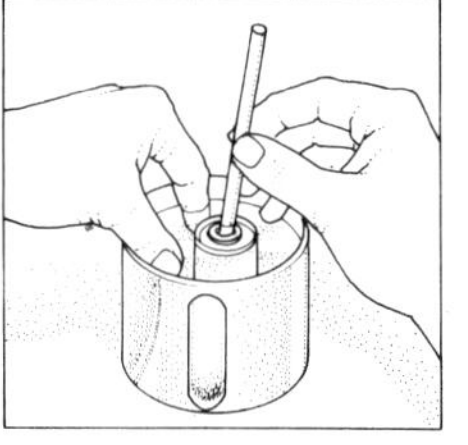

3 *Plongez le chargeur dans la tasse à café contenant le monobain. Faites tourner la bobine dans les deux sens, jusqu'à la fin du traitement.*

4 *Retirez le film de son chargeur, puis lavez 5 minutes.*

Le Papier Photographique

Il porte une émulsion semblable à celle d'un film, mais beaucoup plus lente, sensible seulement aux radiations violet-bleu du spectre. La plupart des papiers ont une émulsion au bromure d'argent (d'où leur nom de "papier bromure"), couchée sur un support papier, plastifié, plastique translucide, tissu ou même plaque d'aluminium. C'est le surfaçage du support qui détermine la texture de l'image : brillant, mat, texturé, etc. Les papiers courants se trouvent en trois "grades" (leur contraste) ou plus, adaptés aux contrastes des négatifs à tirer. Il existe aussi le papier multigrade, dont le contraste varie selon le filtre coloré utilisé dans l'agrandisseur. Les papiers doivent être stockés à l'abri de la chaleur et de l'humidité : dans les meilleures conditions, ils se conservent deux à trois ans. Manipulez le papier avec précaution en évitant les traces de doigts. Rangez le papier sensible à bonne distance des zones "humides" du laboratoire.

Voir *Agrandissement, page 60.*

Papier Plastifié

Les deux supports habituels pour les papiers sont : le papier de fibre de bois baryté, afin de lui donner une grande blancheur (ci-dessous), et le support plastifié par des couches d'une résine de synthèse, d'où son nom de RC (pour "resin coated") ou PE (de polyéthylène), représenté ci-dessous à droite. La différence entre ces deux supports est que le papier plastifié est quasiment imperméable. Cela implique qu'un moindre volume de solution est emporté par la feuille lorsqu'on la transporte d'un bain à l'autre et que les durées de lavage et de séchage sont très réduites. Le papier plastifié sèche à l'air chaud, sans s'incurver, et prend une belle surface brillante sans emploi d'une glaceuse.

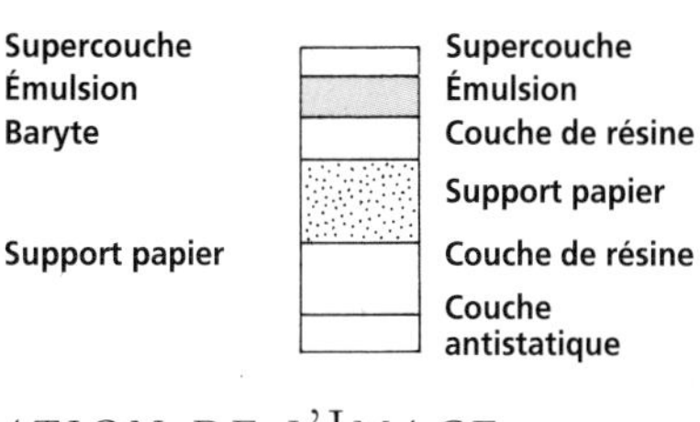

Texture et Épaisseur

Les papiers photographiques se présentent suivant des surfaces variées (velours, grain soie, mat, semi-mat, etc.). Le choix est ici une affaire de goût personnel et de ce que vous pouvez trouver chez votre détaillant ! Souvenez-vous cependant qu'un papier mat – qui diffuse la lumière dans toutes les directions – ne peut donner des noirs aussi profonds qu'un papier brillant glacé ; ce dernier, au contraire, étant réfléchissant comme un miroir, est capable de traduire toutes les nuances de gris, du blanc pur au noir profond, à condition qu'il ne réfléchisse pas directement une source de lumière. Le papier sensible existe en plusieurs épaisseurs : essentiellement le support papier et le support cartoline, plus résistant, préférable pour les cartes postales et les agrandissements de grandes dimensions.

Tonalité de l'Image

Le papier bromure développé "à fond" donne une image noir gris neutre. En revanche, les papiers ayant une émulsion au chlorobromure d'argent donnent une image aux tonalités chaudes. Le papier au chlorobromure se développe plus vite que le papier au bromure : par l'emploi d'un révélateur spécial "ton chaud" (ou en sous-développant quelque peu), on peut accentuer la tonalité chaude de l'image obtenue ; c'est ainsi que le papier du type chlorobromure est plus "souple" que le papier bromure et qu'il permet, dans une certaine mesure, d'obtenir des tonalités diverses, soit en faisant varier la durée de développement, soit par une formule de révélateur appropriée. Il existe bien d'autres méthodes permettant de modifier la tonalité et la couleur de l'image : développement contrôlé d'un papier lith ou virage d'une image argentique noir et blanc.

Voir *Papier lith, page 261.*

Formation de l'Image

Après exposition, la surface du papier est toujours immaculée. Puis l'image commence à apparaître dans le révélateur, les ombres d'abord, ensuite les demi-teintes, enfin les zones les plus claires. Le développement est terminé lorsque les ombres sont d'un noir profond et les parties les plus claires (hautes lumières) encore presque blanches. Les bains de rinçage ou d'arrêt stoppent le développement et préviennent la pollution du bain de fixage. Dans ce dernier, les halogénures non développés sont transformés en sels argentiques solubles qui ne seront totalement éliminés que par l'étape suivante du lavage. Au final reste l'image formée de grains d'argent.

En haut : l'image apparaît
Au centre : elle devient plus dense
En bas : image développée

LABORATOIRE POUR TIRAGE NOIR ET BLANC

Le tirage des agrandissements implique l'emploi de papiers sensibles et un traitement en cuvettes : la chambre noire est donc indispensable. Le laboratoire peut être provisoire (salle de bains), ou il peut s'agir d'une pièce aménagée en permanence. Les caractéristiques essentielles d'un laboratoire bien conçu sont : étanchéité à la lumière, installation d'eau et électricité et ventilation suffisante. La meilleure façon de vérifier la bonne étanchéité du local à la lumière extérieure consiste à rester une dizaine de minutes dans le noir : le moindre passage de lumière apparaît aux yeux habitués à l'obscurité et il ne reste qu'à obturer les interstices avec du mastic ou du papier adhésif opaque. Divisez votre laboratoire en deux zones bien distinctes : zone sèche (agrandisseur, papier, négatifs, prises de courant) et zone humide (cuvettes, produits chimiques, eau chaude et froide). Cette précaution est essentielle pour faire un travail de qualité, sans risquer de contaminer le matériel et les surfaces sensibles de produits chimiques. Prenez l'habitude de vous laver les mains et de les sécher soigneusement après chaque phase humide des opérations.
Voir *Disposition du laboratoire, pages 62-63.*

Plan de travail sec Suspendez au mur tout ce qui peut l'être, afin de dégager la surface. Vérifiez que l'agrandisseur est bien stable. Mais ne le fixez pas : vous aurez peut-être besoin de le déplacer ou de le tourner pour un agrandissement géant projeté au sol.

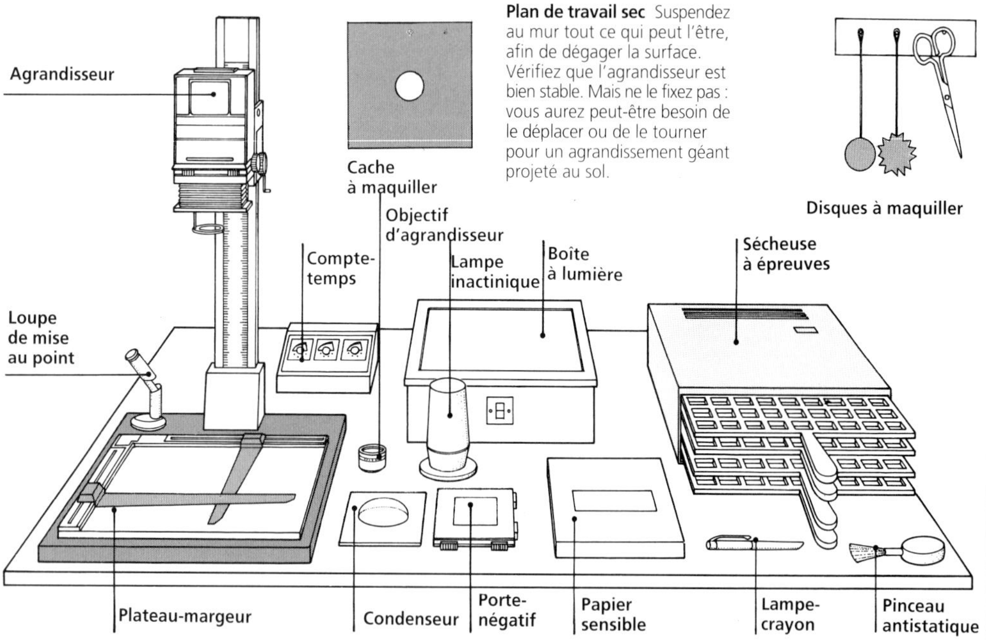

Agrandisseur
Cache à maquiller
Objectif d'agrandisseur
Compte-temps
Lampe inactinique
Boîte à lumière
Sécheuse à épreuves
Disques à maquiller
Loupe de mise au point
Plateau-margeur
Condenseur
Porte-négatif
Papier sensible
Lampe-crayon
Pinceau antistatique

Plan de travail humide Disposez les ustensiles dans l'ordre des opérations : ici, de droite à gauche. Les pinces sont de différentes couleurs pour éviter la contamination.

Lanterne inactinique
Laveuse à épreuves
Pendule murale
Bain de fixage
Bain d'arrêt
Révélateur
Fixateur
Arrêt
Évier
Gants
Thermomètre et verre gradué
Éponge
Ferricyanure de potassium
Agent mouillant
Révélateur

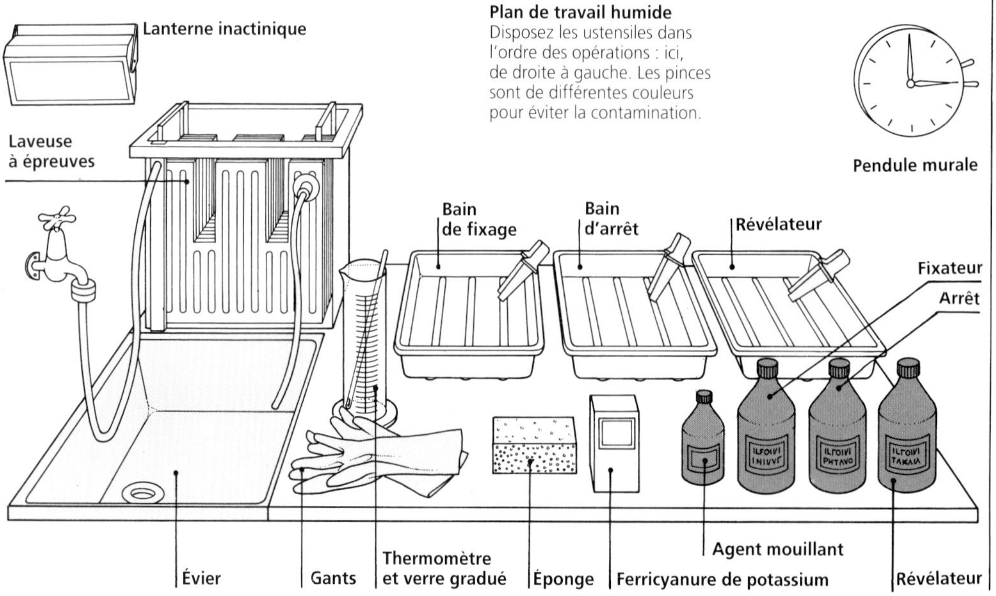

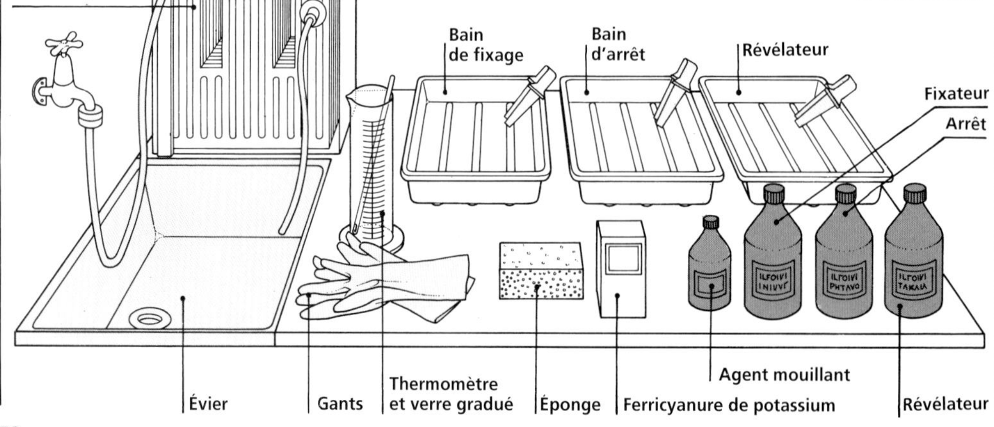

ÉCLAIRAGE INACTINIQUE

Veillez à ce qu'il corresponde bien à la sensibilité chromatique du papier à traiter. La lumière doit être répartie sur toute la surface de travail. Quelles que soient les indications, il faut contrôler l'efficacité d'une lanterne ou d'une simple ampoule de 25 watts teinte en rouge orangé.

Lanterne murale

Lanterne de table

Lanterne à filtres interchangeables Il s'agit d'une boîte à lumière en forme de bol, avec lampe de 25 watts ; les filtres inactiniques sont interchangeables.

VÉRIFICATION DE L'INACTINISME

En procédant à ce contrôle, souvenez-vous que les émulsions sont plus sensibles au voile lorsqu'elles portent déjà une image latente. Dans l'obscurité, impressionnez une feuille de papier sensible sous l'agrandisseur, en donnant une exposition moitié de la normale. Posez quelques pièces de monnaie sur la surface sensible. Allumez l'éclairage inactinique pendant 5 minutes. Traitez la feuille : si les contour des pièces est visible, c'est que votre éclairage n'est pas "de sécurité" ; il voile le papier avec un temps d'exposition trop court.

TIRAGE CONTACT

Le négatif est directement mis en contact étroit avec le papier sensible. En disposant parallèlement les bandes de négatifs pour former une "planche", il est possible de tirer toutes les images d'un film 35 mm ou 120 sur une seule feuille de papier 20 x 25 ou 24 x 30 cm. Si vous le pouvez, faites une planche contact de tous vos clichés : cela vous permettra de choisir ceux qui méritent d'être agrandis et de prévoir les recadrages éventuels. La collection de planches contact est la meilleure façon d'archiver les photographies et de les retrouver longtemps après la prise de vues. Les films portent des numéros de bord, facilitant le repérage des négatifs individuels.

Classement des négatifs Écrire en noir sur les bords du cliché à l'encre de Chine.

Matériel pour tirage contact Le plus économique est une simple plaque de verre, dont le poids suffit à appliquer les négatifs en bandes sur le papier. L'exposition se fait à la lumière blanche d'une lampe de faible puissance ou dans le faisceau projeté par l'agrandisseur. On trouve dans le commerce une tireuse pour planches contact (ci-contre). Les bandes négatives se glissent dans des rainures du volet transparent qui est fortement appliqué sur le papier sensible.

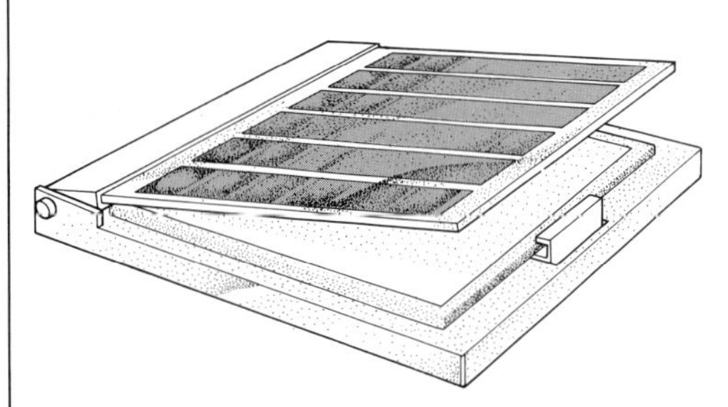

Châssis pour tirage contact

1 *Réglez l'agrandisseur pour qu'il projette un faisceau de lumière de dimensions suffisantes sur le plateau. Fermez le diaphragme de 1 ou 2 divisions.*

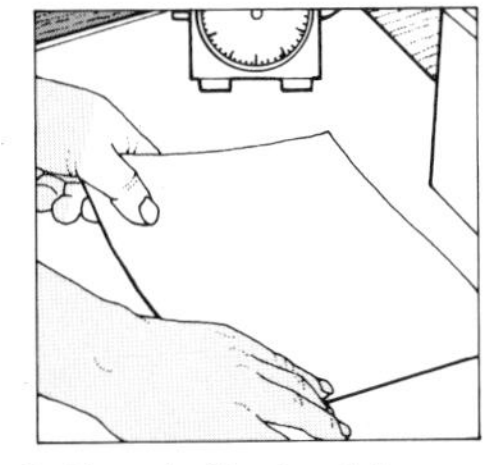

2 *Placez le filtre inactinique sous l'objectif de l'agrandisseur. Posez une feuille de papier, émulsion dessus, dans la zone d'éclairement.*

3 *Étalez chaque bande négative sur le papier sensible. Vérifiez que le côté mat des négatifs est en contact avec le papier et que les images sont bien orientées.*

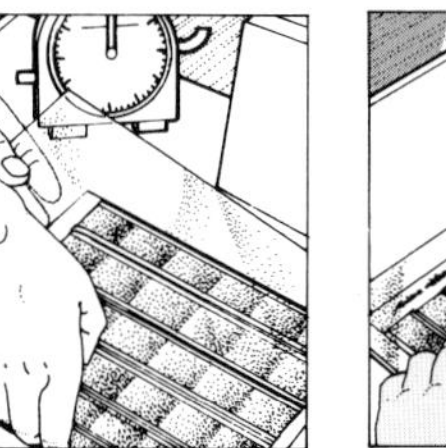

4 *Posez une plaque de verre bien propre sur les négatifs, sans les déplacer ni laisser d'empreintes digitales.*

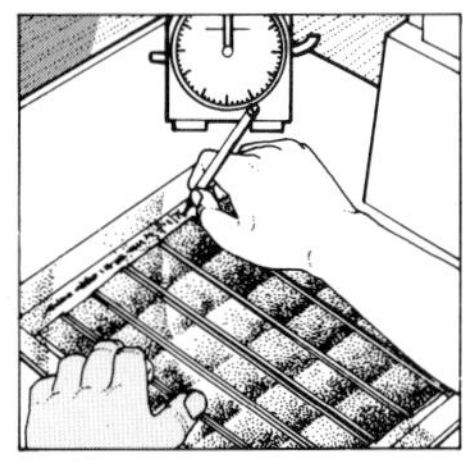

5 *Si vos négatifs ne sont pas déjà référencés, écrivez sur le verre avec un stylo feutre. Cette marque apparaîtra sur le bord du papier, en blanc sur fond noir.*

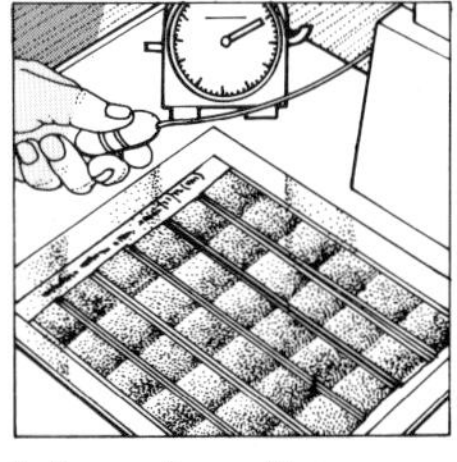

6 *Donnez l'exposition nécessaire en lumière blanche. La durée de la pose est affaire d'expérience et d'essais préliminaires.*

Choix d'un Agrandisseur

L'agrandisseur est en somme une lanterne de projection verticale, permettant d'agrandir les petits négatifs donnés par les appareils modernes. L'image projetée peut être recadrée et il est également possible d'éclaircir ou d'assombrir certaines parties de l'image (maquillage). Un bon agrandisseur doit assurer une excellente répartition de la lumière pour tous les rapports d'agrandissement ; l'objectif doit former une image "piquée" des fins détails des négatifs, même à sa plus grande ouverture. En pensant à l'avenir, demandez-vous s'il ne serait pas préférable d'acheter un agrandisseur acceptant tous les formats jusqu'au 6 x 6 cm par exemple, plutôt que de choisir d'emblée un modèle n'acceptant que le 24 x 36 mm. Les agrandisseurs simples sont évidemment moins chers à l'achat, mais un modèle plus perfectionné dure plus longtemps et offre plus de possibilités, comme de pouvoir être ultérieurement adapté au tirage couleur. La tête pivotante est avantageuse en ce qu'elle permet de projeter sur un mur ou sur le sol pour les agrandissements de grandes dimensions. La colonne inclinée a l'avantage de donner un agrandissement moins encombrant.

Agrandisseurs automatiques

Il n'y a pas de mise au point à faire, quel que soit le rapport désiré. Ils sont plus chers, mais plus rapides d'emploi qu'un agrandisseur classique.

Agrandisseurs grand format

Un agrandisseur acceptant les négatifs 4 x 5" par exemple est un équipement professionnel : aussi bien par le prix que par les possibilités qu'il donne de modifier la géométrie de l'image grâce à des mouvements comparables à ceux de la chambre monorail ou folding.

Voir *Techniques spéciales de laboratoire, pages 240-265 ; Principe de Scheimpflug, page 253.*

Sources de lumière Les agrandisseurs grand format disposent généralement de deux systèmes d'éclairage interchangeables : soit le principe classique de tous les agrandisseurs, utilisant l'association lampe tungstène/condensateur, soit l'éclairage par tubes fluorescents, donnant une lumière très douce, favorable aux portraits professionnels dont il minimise les traces de retouche.

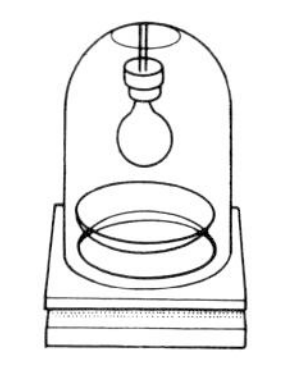

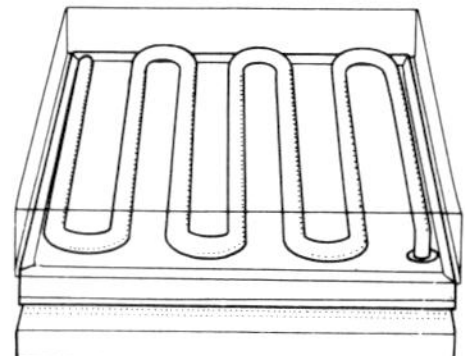

Loupe de mise au point Elle se pose sur le plateau et comporte un miroir renvoyant une faible partie de l'image sur un écran, que l'on examine à travers un oculaire grossissant.

Plateau-margeur Le plateau est muni de réglettes mobiles permettant de choisir le format de l'image projetée et la largeur des marges blanches. Le papier sensible est ainsi parfaitement positionné sur le plan de mise au point.

Compte-pose Le compte-pose électrique, branché entre la prise de courant et la lampe de l'agrandisseur, est idéal. Il comporte un commutateur d'allumage de la lampe et un cadran réglable de 1 à 60 s. Pour l'exposition, il suffit d'afficher la pose désirée et d'appuyer sur le bouton.

Colonne

Tête couleur

M 670 Colour

Porte-négatif

Objectif et filtre inactinique

Loupe de mise au point

Compte-pose

Plateau-margeur

Embase

Objectifs d'agrandissement Il est préférable d'employer un objectif conçu pour cet usage ; il est formé de plusieurs lentilles et est calculé pour donner une excellente image lorsque le sujet (ici le film à agrandir) est à faible distance. La distance focale doit être un peu plus longue que la focale "normale" de prise de vues pour le format : 65 mm pour le 24 x 36 mm ; 100 mm pour le 6 x 6 cm, par exemple. L'objectif est conçu pour résister à la chaleur dégagée par la lampe et concentrée

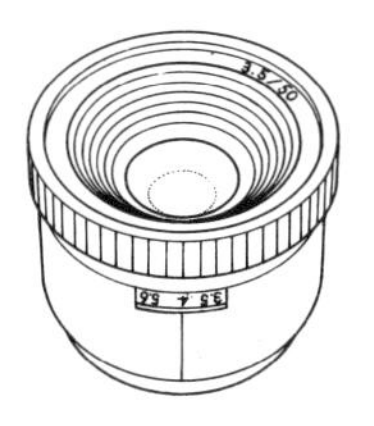

par le condenseur. Naturellement, il n'y a pas d'obturateur, mais le diaphragme est indispensable. Ce diaphragme est souvent "cranté" : ce qui permet de le régler sans lire la valeur de l'ouverture. Pour certains objectifs, la valeur du diaphragme s'affiche en chiffres lumineux éclairés par une partie de la lumière dérivée de la lampe de l'agrandisseur. L'ouverture est parfois indiquée : x 2, x 4, etc., pour rappeler que l'exposition est doublée ou diminuée de moitié, d'une valeur d'ouverture à l'autre.

Tête d'agrandisseur à contraste variable Elle incorpore une série de filtres que l'on introduit dans le faisceau de lumière afin de faire varier le contraste du papier type multigrade en fonction des caractéristiques des négatifs. **Voir** *Papier, page 51.*

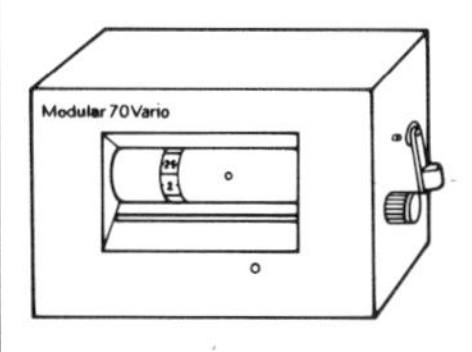

Tête Vario Contrast Modular 70 Durst

Porte-négatif Ils sont généralement constitués de deux plaques de métal dont les ouvertures correspondent aux dimensions utiles du format considéré. Il en existe différents modèles que l'on peut ramener à deux principaux : avec ou sans verre. Les verres ont l'avantage

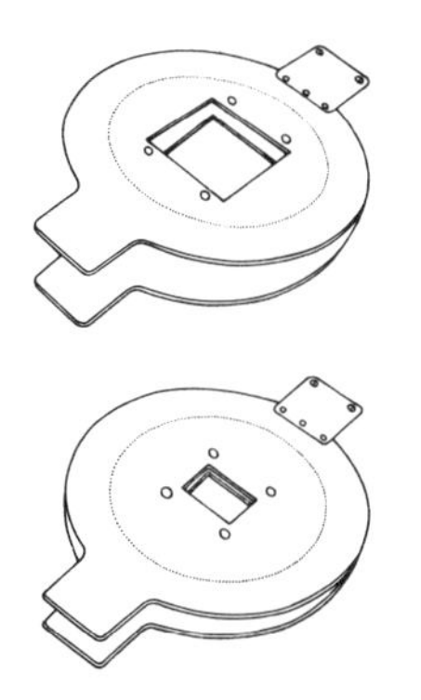

d'assurer une meilleure planéité du négatif, mais l'inconvénient d'ajouter quatre surfaces de verre qu'il faut entretenir et débarrasser de la poussière. Pour les négatifs de petit format, le porte-négatif sans verre est d'un usage courant, surtout s'il est conçu pour maintenir fermement le cliché par ses bords extrêmes. Certains porte-négatif sont pourvus d'un système de margeur permettant de sélectionner la portion du cliché à agrandir, tout en supprimant une partie de la lumière parasite.

Changement de format Pour passer d'un négatif 24 x 36 mm à un négatif 6 x 6 cm par exemple, il y a trois réglages à faire : d'abord changer d'objectif (du 65 au 100 mm), ce qui permet d'avoir approximativement le même format d'épreuve avec un grossissement plus faible. Ensuite, prendre un porte-négatif pour le nouveau format. Enfin, selon le modèle d'agrandisseur, il faut soit changer une partie du condenseur, soit modifier le réglage de la lampe dont le globe dépoli doit être focalisé par le condenseur sur le négatif. En effet, ce dernier doit toujours être éclairé très uniformément.

Posemètre électronique d'agrandissement

En dépit de la facilité de réalisation des bandes d'essai (voir page suivante), les posemètres d'agrandissement sont assez répandus. Il en existe trois sortes : posemètre de prise de vues muni d'un adaptateur-sonde pour lecture sur le plateau de l'agrandisseur ; posemètre spécial comme l'analyseur couleur ; ou encore le "margeur électronique", qui combine les rôles de plateau-margeur (en maintenant le papier) et de posemètre. Ces appareils tiennent compte de la quantité de lumière éclairant le papier sensible, laquelle dépend de l'intensité de la lampe, de l'ouverture, de la densité du cliché, du rapport d'agrandissement. Ils doivent être étalonnés, par des essais préliminaires, en fonction de la rapidité du papier sensible.

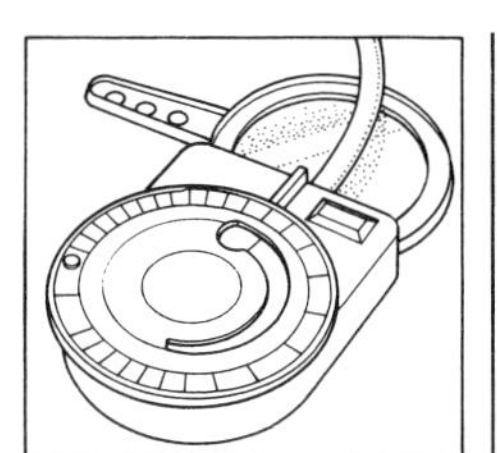

Posemètre d'agrandissement Ce modèle muni d'une sonde permet de faire une mesure sélective sur l'image projetée sur le plateau. Choisir une valeur moyenne.

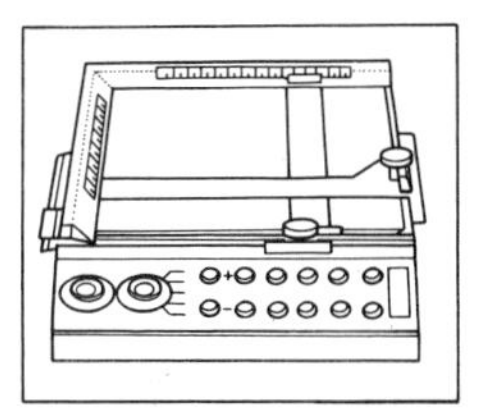

Margeur électronique La mesure concerne l'ensemble de l'image projetée et détermine automatiquement la pose. Elle se fait parfois par transparence, avec arrêt automatique de l'exposition.

Si la mesure est globale, elle n'est juste que pour un négatif comme celui-ci, ayant une répartition égale des ombres et des lumières.

Ce négatif comporte une large zone sombre (le fond) qui fausserait le résultat d'une mesure globale ; la pose doit être mesurée sur la partie essentielle : le visage.

Un posemètre assurant une mesure sélective au niveau de l'image doit être positionné avec précision sur la plage devant être traduite par une valeur moyenne de gris : ici, le visage.

Une autre méthode de mesure sélective consiste à prendre successivement la mesure sur la partie la plus sombre, puis sur la plus claire, et de choisir la valeur moyenne entre les deux.

Évaluation du Négatif

Ayant choisi un négatif dont le contenu vous satisfait, vérifiez-le soigneusement avant de le placer dans le porte-négatif de votre agrandisseur. S'il est légèrement poussiéreux, essuyez-le avec un chiffon antistatique ou époussetez-le avec un pinceau. Sur le plan technique, contrôlez qu'il est assez détaillé dans les ombres et dans les lumières. Tentez de déterminer quelle gradation de papier lui conviendra le mieux. Ensuite, après avoir vérifié que le négatif est absolument plat dans le porte-négatif, allumez l'agrandisseur et assurez-vous (l'objectif étant à pleine ouverture) que l'image est parfaitement nette.

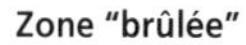

Zone d'ombres très denses *Le manque de détails est ici sans importance, car cette zone ne comporte pas d'informations utiles.*

Zone "brûlée" *Les parties ensoleillées de l'extérieur sont très surexposées et ne comporteront quasiment aucun détail sur l'image. Mais c'est sans conséquence grave pour la signification.*

Premier détail important dans les ombres *Il faut que le négatif porte quelques détails dans le visage de la fillette.*

Premier détail important dans les hautes lumières *La végétation et l'escalier extérieurs sont assez détaillés : on comprend qu'il s'agit d'un jardin.*

Exposition normale ; développement normal
Le négatif idéal doit révéler des détails dans les régions les plus claires correspondant aux ombres du sujet ; de même, les hautes lumières du sujet (les plages les plus denses du négatif) ne doivent pas être complètement opaques. Dans ces conditions, l'exposition de l'agrandissement est un compromis. Bien souvent, en effet, un ciel lumineux ou une ombre très profonde seront rendus sans aucun détail, parce que ces valeurs extrêmes sont en dehors des valeurs moyennes que le papier peut traduire normalement. Dans ces cas, un blanc pur ou un noir "bouché" sont acceptables. Rappelez-vous que le négatif doit sembler manquer un peu de contraste pour se tirer agréablement : si le sujet est contrasté par nature, il peut être utile de sous-développer quelque peu le négatif.

Négatif surexposé
La surexposition apporte des détails dans les ombres du sujet, parfois de manière exagérée ; les hautes lumières sont trop claires et sans précision. Poser davantage lors du tirage n'apporte rien, car c'est l'image même du négatif qui est comme "brûlée" par la surexposition et ne comporte donc aucun détail significatif.

Négatif sous-exposé
La sous-exposition augmente les détails dans les valeurs claires du sujet et les fait perdre dans les ombres. Vous pouvez constater, ci-dessus, que les parties ombrées sont devenues vides, sans aucun détail. En revanche, les hautes lumières sont très détaillées, puisque même le jardin à l'extérieur est bien reconnaissable.

Réalisation d'une Bande d'Essai

L'idée est simple : donner des expositions différentes sur une même bande de papier sensible, afin de déterminer la meilleure. Faites cet essai sur une partie représentative du négatif, comportant hautes lumières comme ombres et surtout la valeur moyenne caractéristique du sujet.

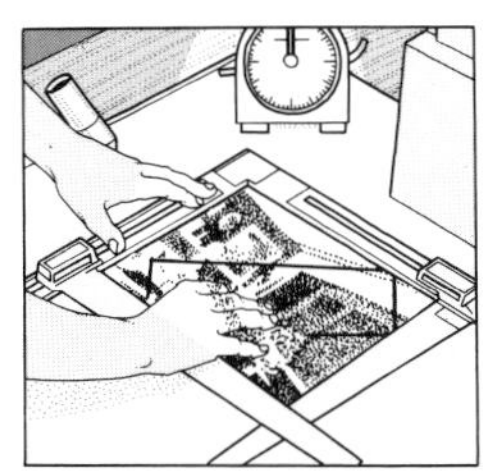

1 *Découpez une feuille de papier bromure en bandes assez larges pour permettre quatre expositions successives. Placez la bande sur une partie caractéristique de l'image.*

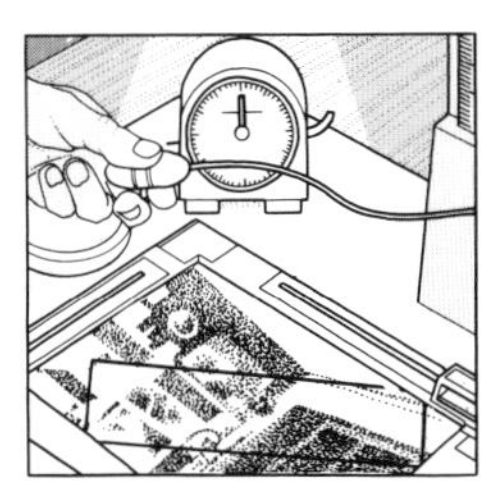

2 *Faites pivoter le filtre inactinique et donnez une pose générale de 5 secondes.*

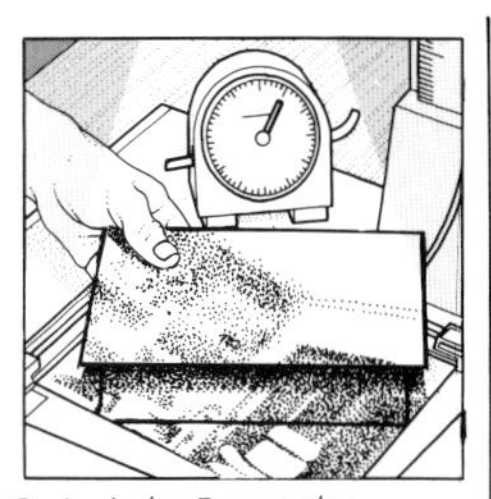

3 *Après les 5 secondes de pose, placez un carton opaque à 2 centimètres au-dessus du papier sensible, en cachant un quart de la surface. Maintenez 5 secondes.*

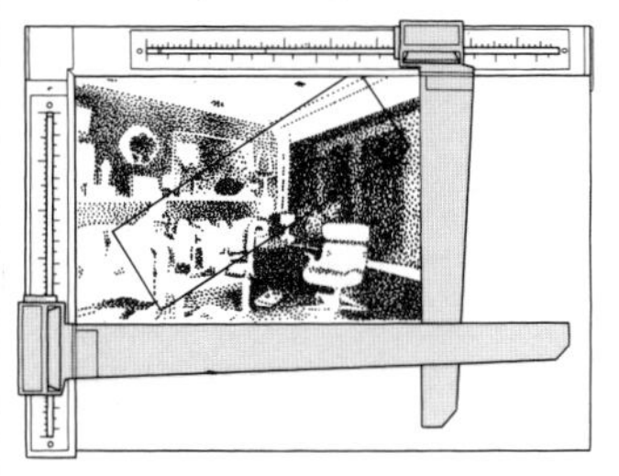

Positionnement de la bande Prenez une moitié ou un quart de feuille pour la bande d'essai.

4 *Maintenant, avancez le cache de carton pour cacher la moitié du papier. Maintenez-le 10 secondes.*

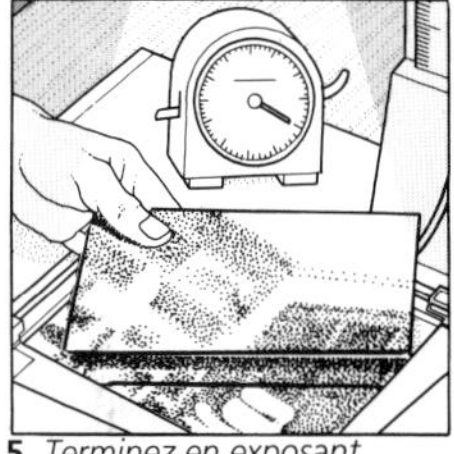

5 *Terminez en exposant le dernier quart du papier pour une durée de 20 secondes. Coupez la lumière de l'agrandisseur et développez l'essai.*

Zones d'exposition Les zones d'exposition étant faites dans la longueur de la bande, nous pouvons évaluer les différentes poses pour une gamme étendue de valeurs du négatif. Il faut s'efforcer de placer l'essai correct vers le milieu de la bande ; ce qui permet d'apprécier les valeurs de correction devant être données par maquillage, aussi bien pour les ombres (à retenir) que pour les lumières (à faire venir).

Pose de 5 s *Tout est trop clair, même pour les ombres qui sont grises.*

Pose de 10 s *Les ombres manquent encore de détails ; l'ensemble de l'image est grisâtre.*

Pose de 20 s *Cette pose est le meilleur compromis. Les ombres sont maintenant complètes et détaillées.*

Pose de 40 s *Surexposition très prononcée : l'ensemble est trop dense ; même dans les hautes lumières du sujet.*

Une Gamme de Gris

C'est un film formé de huit zones allant du transparent au noir presque complet. Si l'on place cette gamme sur une portion de feuille sensible sur le margeur de l'agrandisseur et que l'on donne une pose unique (de 60 secondes par exemple), on obtient un essai correspondant à toute une gamme d'expositions.

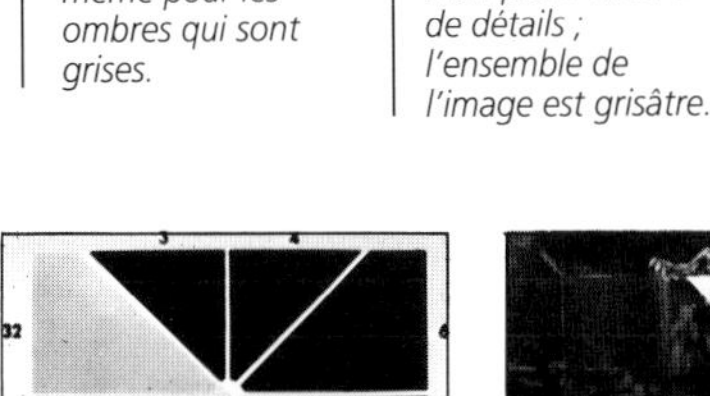

Essai sous gamme de gris Celui-ci a été obtenu par une exposition unique de 60 secondes : une des plages correspond à la bonne pose.

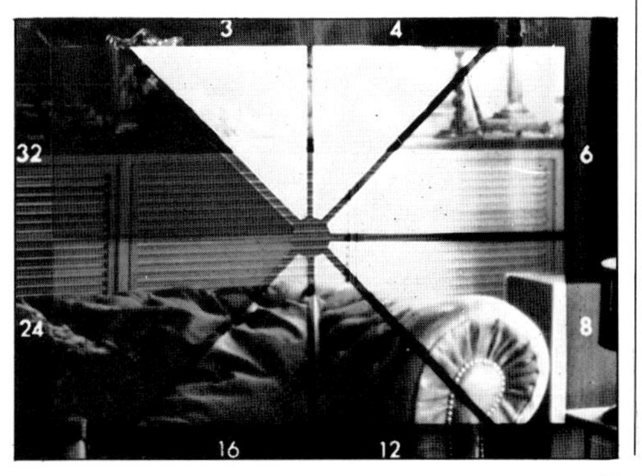

AGRANDISSEMENT

Grâce à vos essais, vous savez maintenant quelle est la pose convenable et si la gradation du papier est la bonne. Mais pour savoir sur quelles régions de l'image vous devrez intervenir, il est indispensable de faire une première "grande" épreuve du négatif complet, en prenant pour base la bande la plus agréable de l'essai.

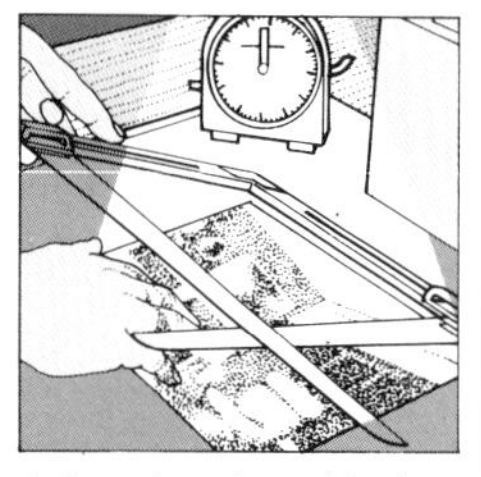

1 *Levez le cadre mobile du plateau-margeur et posez une feuille de papier sensible, côté brillant dessus. Veillez à ce qu'il soit bien plat.*

2 *Donnez la pose déterminée par les essais préliminaires. Utilisez le compte-pose de préférence au filtre inactinique, qui peut faire bouger l'agrandisseur.*

3 *Sortez la feuille du margeur pour le traitement : développez, fixez, lavez en suivant le processus étudié pour les épreuves contact.*

ÉVALUATION DE L'ÉPREUVE

L'agrandissement est jugé dès que le fixage est suffisant : trop clair ou trop sombre ? En vous souvenant que la densité générale est proportionnelle à la durée de la pose, tentez d'évaluer les modifications à apporter à ce facteur ; la gradation du papier est-elle bien choisie ? l'image serait-elle plus agréable sur un papier plus doux ou plus dur ? Vérifiez la netteté, sur les bords comme au centre : si le grain du négatif est visible sur l'image positive, c'est que la mise au point est bonne. S'il y a des piqûres blanches sur l'image, elles sont sans doute dues à des poussières sur le négatif ou sur le condenseur. Enfin, c'est sur la première "grande" épreuve que vous pouvez évaluer l'importance du maquillage à donner à certaines parties de l'image.

Zone claire sans détails Cette zone du négatif contient des détails qui ne sont pas traduits par la pose adoptée pour l'intérieur de la pièce. Il sera nécessaire de "faire venir" des détails de l'extérieur du jardin, en promenant un cache percé d'un trou pendant une durée de pose supplémentaire. Attention à ne pas déborder de la zone à maquiller : sinon, cette intervention sera trop visible.

Ombres et valeurs sombres *En retenant un peu ces parties de l'image durant la pose principale, vous pouvez y faire venir des détails intéressants. Vous pouvez vous servir de la main (ou d'un disque) pendant environ 1 quart de la pose totale.*

Marques de séchage ou taches sur le négatif *Elles produisent une tache blanche sur le positif. Sortez le négatif du porte-cliché et examinez-le soigneusement. Une tache sur le dos du cliché peut parfois s'éliminer par léger frottage à sec. Quant aux marques de séchage, elles vous obligeront sans doute à retoucher soigneusement chaque agrandissement.*

Voir Retouche des épreuves, pages 268-269.

Piqûres blanches provoquées par la poussière *La poussière a pu se déposer sur le papier sensible en cours d'exposition, mais elle est plus probablement présente sur le négatif, sur les verres du porte-négatif ou du condenseur. Il est possible de repiquer les agrandissements, mais, avant de procéder au tirage définitif, faites tout ce qu'il faut pour éliminer les poussières qui peuvent l'être : un nettoyage général de l'agrandisseur et un époussetage délicat du négatif vous épargneront une bonne partie du repiquage fastidieux des épreuves.*

Maquillage à l'agrandissement

Certaines zones de l'image peuvent être éclaircies en empêchant la lumière d'agir pendant une partie de la pose. Vous pouvez vous servir de la main, d'un morceau de carton découpé ou d'un disque porté par une tige métallique. Si, au contraire, une zone doit être augmentée de densité, vous utiliserez un carton portant une ouverture de la forme désirée pour "faire venir" quelques détails dans cette zone, en lui donnant une pose supplémentaire (figure de droite).

Pour retenir *Vous pouvez utiliser la main ou un cache découpé dans un carton ; remuez légèrement la main ou le cache pendant la durée du maquillage afin de dégrader les contours.*

Pour retenir une zone centrale *Constituez un cache de la forme de la zone à retenir, que vous fixerez à l'extrémité d'un fil métallique. Donnez un léger mouvement durant la pose.*

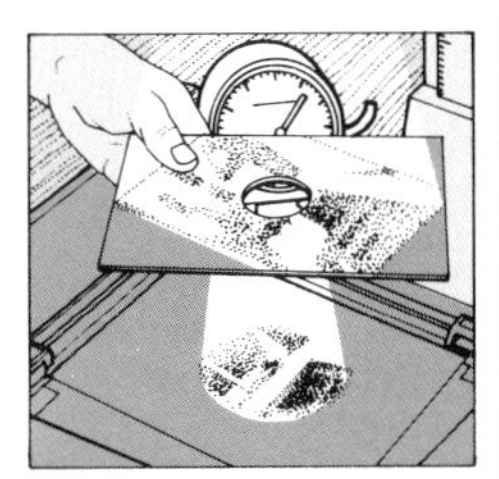

Pour faire venir une zone centrale *Faites une ouverture dans un carton. Après la pose générale, donnez une pose supplémentaire en promenant l'ouverture au-dessus de la zone à détailler.*

Zone "retenue" Sur la photographie de droite, les parties trop denses de l'image ont été retenues avec le disque opaque pendant environ un quart de l'exposition totale. Beaucoup de détails ont ainsi été apportés dans les ombres, mais sans que ce maquillage soit véritablement apparent. Un maquillage plus poussé aurait sans doute été trop visible.

Apparition de détails dans les zones claires En utilisant un carton opaque portant une ouverture circulaire, nous avons donné sur les parties de l'image correspondant au jardin éclairé par la lumière directe du jour une pose supplémentaire double environ de la pose initiale. Il fallait veiller à ne pas exagérer pour que le maquillage reste vraisemblable : en particulier, ces parties devaient rester plus claires que l'intérieur de la pièce.

LAVAGE

Le lavage n'apporte aucune modification visible à l'image, mais il est indispensable pour l'élimination des produits chimiques résiduels accumulés dans l'émulsion et le support. Un lavage insuffisant provoquerait des taches et une destruction plus ou moins rapide de l'image. On trouve des cuves de lavage munies d'un siphon, qu'il suffit de relier à un robinet et de poser sur un évier. Vous pouvez également laver vos épreuves en les faisant passer toutes les 5 minutes dans une autre cuvette pleine d'eau propre, non sans les égoutter lors de chaque transvasement. Dans tous les cas, empêchez les épreuves de s'accumuler dans le fond de la cuve ou de flotter à la surface de l'eau. Le papier plastifié se lave en 5 minutes (30 minutes pour le papier non plastifié).

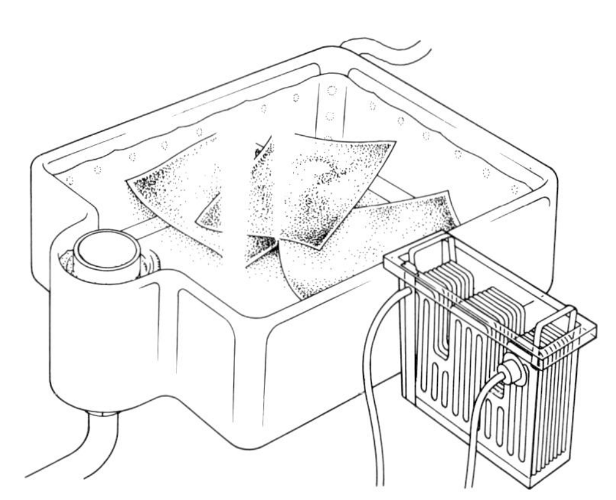

Cuves de lavage La cuve à siphon fonctionne comme une citerne automatique : l'eau pénètre dans la cuve par un tuyau portant une multitude de trous qui envoient des jets d'eau sous pression dans toutes les directions. Lorsque le niveau d'eau a presque atteint le haut de la cuve, le siphon s'amorce, la cuve se vide et le cycle recommence. Les laveuses d'épreuves ressemblent aux cuves pour traitement des plans-films, mais sont munies de compartiments où l'on place séparément les épreuves. Un flot d'eau continu passe sur les deux surfaces des épreuves, ce qui assure un excellent lavage. Il existe des laveuses spéciales pour papiers plastifiés qui tiennent compte du fait que seule l'émulsion contient des substances chimiques à éliminer : il s'agit souvent d'une cuvette plate portant des supports pour six épreuves placées horizontalement. Le temps de lavage est réduit à 2 minutes pour le papier RC et 15 à 20 minutes pour le support classique.

Bacs et laveuses en cascade N'importe quel bac peut être adapté au lavage des épreuves en constituant un siphon en tube perforé (dessin de gauche). Le siphon doit être assez haut pour contenir une masse d'eau suffisante. L'eau de lavage est distribuée par un tuyau percé de petits trous placé dans le fond de la cuve. Les laveuses en cascade ont plusieurs bacs ou cuvettes : trois en général, l'eau propre arrivant par la cuvette supérieure. Ainsi, les cuvettes inférieures reçoivent de l'eau déjà polluée. On met les épreuves sortant du fixage dans le bac du bas et on

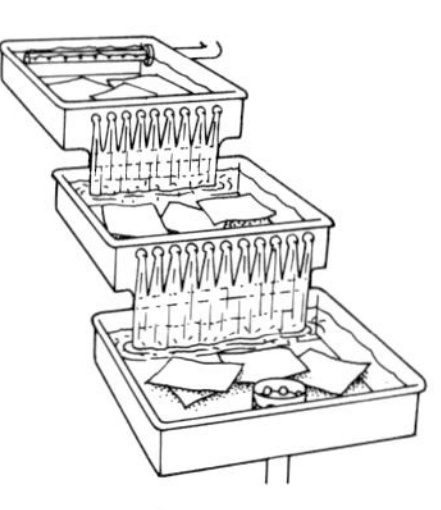

les remonte d'un étage à chaque apport de nouvelles épreuves. Les photographies à sécher sont prélevées dans le bac supérieur.

SÉCHAGE ET GLAÇAGE

Lorsque le lavage est terminé, les épreuves peuvent être séchées. L'excès d'eau est essoré. Les papiers plastifiés sont séchés à l'air chaud ou en air ambiant. Notons que ces papiers RC ou PE glacent naturellement, s'ils sont du genre "brillant". Les épreuves sur support conventionnel doivent être séchées ou glacées (papiers brillants) sur une glaceuse, plate ou rotative. Un papier non plastifié (brillant) acquiert une finition semi-brillant, si on le laisse sécher à l'air ambiant. Pour le glaçage, l'épreuve bien essorée est fortement appliquée par une toile tendue contre une plaque chromée, laquelle est chauffée jusqu'à séchage complet.

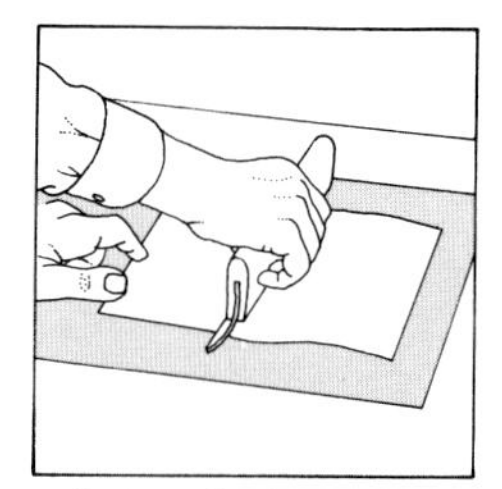

Technique du glaçage
1 *Les épreuves à glacer sont appliquées fortement, émulsion contre métal, sur la plaque chromée. Utiliser une raclette ou un rouleau essoreur pour éliminer les bulles d'air.*

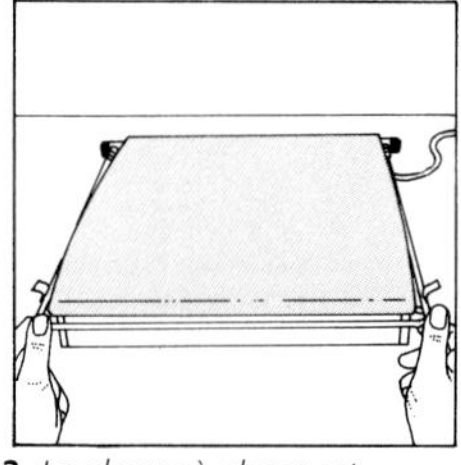

2 *La plaque à glacer est placée dans la glaceuse où elle est maintenue par un voile de tissu tendu. Assurez-vous que les épreuves sont glacées avant d'ouvrir la machine et de les récupérer.*

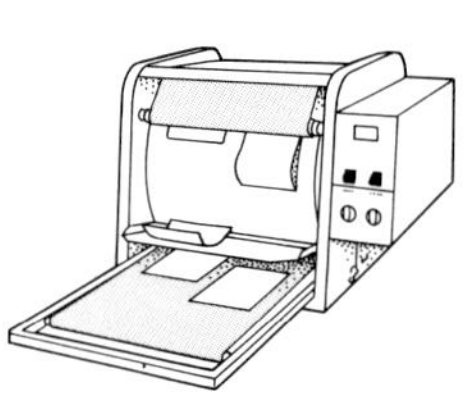

Glaceuse rotative Cette machine essore, sèche et glace les épreuves brillantes tirées sur papier non plastifié. Les épreuves humides sont placées sur le tapis, émulsion en haut. Ce tapis entraîne les épreuves entre deux rouleaux essoreurs, puis les applique contre le cylindre chromé, chauffé intérieurement par des résistances électriques. Le séchage s'effectue durant la rotation du cylindre entraîné par un moteur électrique : les photos glacées tombent d'elles-mêmes dans un panier de réception. Les papiers plastifiés ne pouvant être séchés ou glacés de cette manière, les glaceuses rotatives sont appelées à disparaître des ateliers photographiques professionnels.

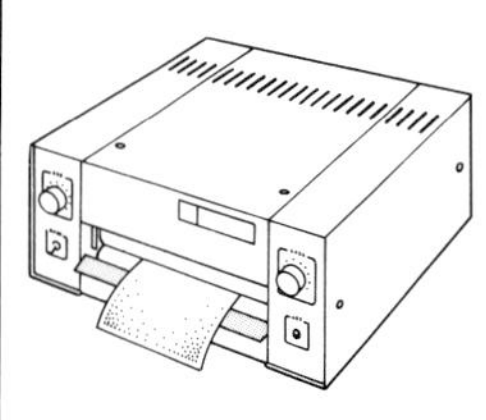

Sécheuse à air pour papier plastifié Elle contient des résistances chauffant l'air pulsé par un ventilateur. Les épreuves, entraînées par un tapis convoyeur, sont séchées ou glacées en 30 secondes.

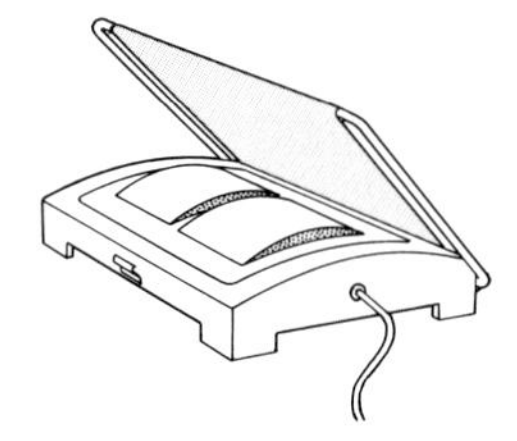

Glaceuse plate C'est une table chauffante par résistances électriques, avec une face incurvée et un volet rabattant en tissu tendu. La plaque chromée prend place sous le tissu. Il faut 10 minutes pour glacer ou sécher.

Agrandissements géants

Les images de plusieurs mètres carrés ont un impact très fort car on les regarde à une distance inférieure à la distance normale (c'est-à-dire : distance focale x par facteur d'agrandissement), le spectateur se trouvant ainsi quasiment dans l'image. Pour faire un agrandissement géant, il vous faut un agrandisseur capable de projeter une image de grandes dimensions à partir d'un petit négatif. Les agrandisseurs dont la tête pivote de 90° sur la colonne sont parfaits, puisqu'ils permettent de projeter sur un mur, donc avec un recul suffisant. Le laboratoire doit également avoir une longueur suffisante. Utiliser plutôt le papier "plastifié" se froissant moins que le papier classique.

Papier sensible en rouleaux
Pour faire un agrandissement géant, disposer de papier en rouleaux (76, 122 et 135 cm de large, sur 5 ou 10 m de long). L'exposition est faite en une seule fois, en juxtaposant autant de lés de papier qu'il est nécessaire pour couvrir le format, mais en laissant une bande de recouvrement de 2 cm environ entre deux lés. Les lés sont fixés au mur par des punaises ou du papier adhésif. Le traitement de bandes se fait dans une cuve ou un bac de longueur un peu plus grande que la largeur du rouleau de papier.

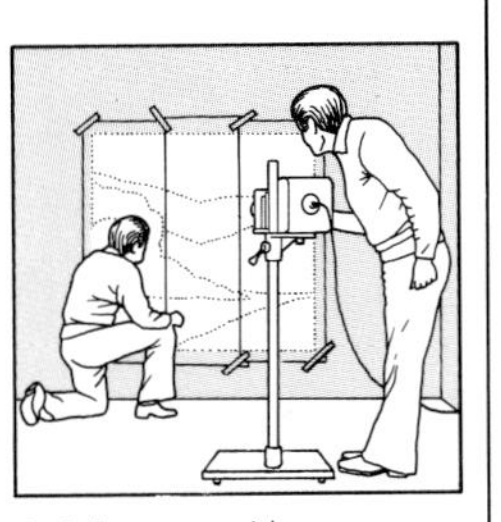

1 *Faites-vous aider pour la mise au point de l'image peu lumineuse. Faites les essais sur un grand morceau de papier. Fixez autant de lés de papier que nécessaire pour couvrir le format.*

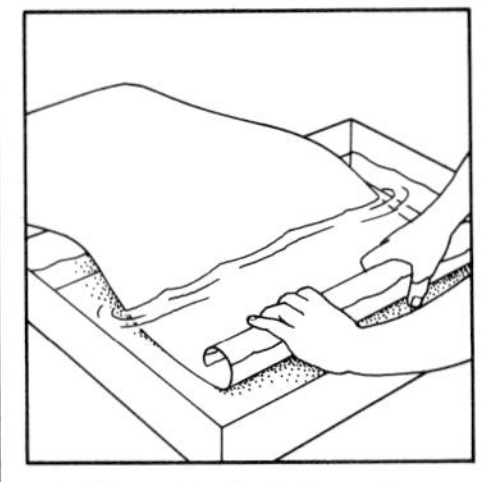

2 *Diluez le révélateur d'une partie d'eau, doublez le temps de développement. Le traitement se fait en déroulant chaque lé, émulsion à l'intérieur ; une fois au bout, enrouler dans l'autre sens.*

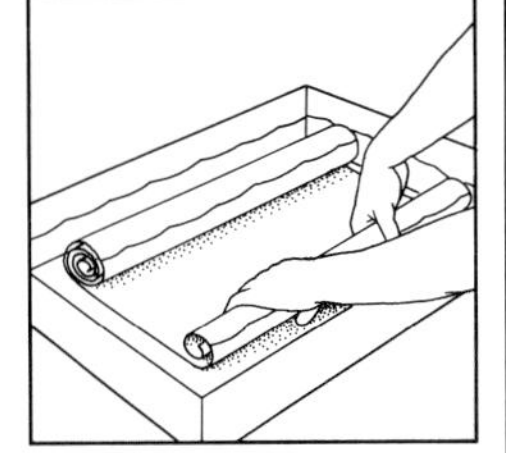

3 *Cette méthode vous permet de voir l'image se former lentement et de la contrôler à chaque déroulage.*

4 *Lorsque l'épreuve est développée, sortez le rouleau après l'avoir égoutté, plongez-le dans le récipient contenant la solution de fixage acide. Enroulez et déroulez trois ou quatre fois.*

5 *Après un lavage soigné, séchez les bandes émulsion dessus sur des journaux. Le papier plastifié est suspendu. Le collage sur contreplaqué se fait comme pour du papier peint.*

Machines de traitement

Il existe un grand nombre de machines destinées au traitement automatique du papier noir et blanc. Elles permettent de se dispenser d'un véritable laboratoire "humide". Deux principaux types de machines travaillent de façon très différente.

Traitement du papier plastifié
Le support de ces papiers est imperméabilisé par deux minces couches de résine synthétique ou de polyéthylène : les diverses solutions ne pénètrent que dans l'émulsion sensible, sans s'accumuler dans le support ; cela permet un traitement rapide et à plus haute température, avec grande économie de solutions chimiques de traitement et d'eau de lavage. Une machine de traitement pour papier RC entraîne (par des rouleaux) les feuilles exposées dans un révélateur chauffé à 40 °C, où elles sont développées en 18 secondes. Le fixage s'effectue dans un fixateur rapide et le lavage par jets d'eau tiède sur la surface. Le traitement complet, séchage par air chaud compris, dure environ 2 minutes.

Procédé par stabilisation
Il existe des papiers bromure dit "à stabilisation", prévus pour un traitement très rapide, avec une machine peu coûteuse. Ce type de papier contient le développateur dans l'émulsion même : ce qui permet d'assurer le développement en quelques secondes par immersion de la feuille impressionnée dans une solution fortement alcaline. Puis l'image est fixée (ou plutôt stabilisée). La photographie sort semi-humide de la machine au bout de 15 secondes : elle ne se conservera que quelques mois.

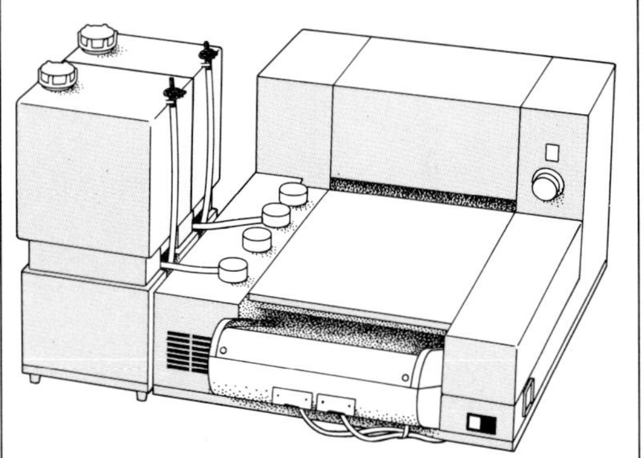

Machine de traitement pour papier plastifié
La machine représentée ci-dessus (Agfa) assure le traitement automatique du papier plastifié noir et blanc. Elle est installée au laboratoire, posée sur une table et reliée aux installations d'eau et d'électricité. Chaque feuille de papier exposée est introduite dans la fente d'entrée où elle est prise par une paire de rouleaux motorisés. Un détecteur infrarouge détermine la quantité correspondante de révélateur – prélevée dans un réservoir – nécessaire pour le développement de la feuille. Le papier se développe en passant par d'autres rouleaux d'entraînement qui déposent un flux laminaire de solution active. Puis la feuille, rapidement rincée dans un jet d'eau tiède, est soumise – par l'intermédiaire d'autres couples de rouleaux – à un fixateur rapide et au lavage final. Le dernier couple de rouleaux dépose l'épreuve développée dans la sécheuse à air chaud située à l'arrière de la machine. La taille des épreuves est limitée par la largeur des rouleaux transporteurs.

Plan d'un Laboratoire

Les films noir et blanc ou couleur peuvent être développés n'importe où, pourvu que l'on puisse charger la cuve à l'abri de la lumière. Mais le laboratoire devient nécessaire si vous faites vos travaux vous-même, sans dépendre des services professionnels. Le laboratoire s'aménage dans un débarras, dans une pièce inoccupée ou sous l'escalier, c'est-à-dire sans faire appel à la cuisine ni à la salle de bains. Néanmoins, s'il n'y a pas l'eau courante, vous devez laver vos films et vos épreuves ailleurs. L'idéal est de disposer d'un local ne servant qu'à cela, surtout si l'eau courante chaude et froide y est disponible. Dans un véritable laboratoire, vous pouvez travailler longtemps sans déranger le reste de la famille ; de plus, vous n'êtes pas obligé de tout ranger après chaque séance de travail. Si vous avez le choix du local, voici comment orienter votre décision :

1 La pièce est-elle facile à obscurcir complètement, tout en conservant une ventilation suffisante ?

2 Vous est-il possible de séparer nettement la partie "sèche" de la partie "humide" du laboratoire ?

3 L'installation de distribution électrique est-elle suffisante et sûre ? Il est évident que cette installation doit être parfaite dans un local où coexistent des appareils électriques et des canalisations d'eau, où l'on travaille, de plus, dans une quasi-obscurité : les dangers d'électrocution sont réels dans un local qui ne serait pas parfaitement isolé.

Sous un Escalier

Un réduit aménagé sous un escalier peut faire un laboratoire : le problème étant l'étanchéité à la lumière et une bonne ventilation. Établissez les plans de travail en contre-plaqué de préférence, recouvert de plastique le rendant imperméable et facile à nettoyer. Placez l'agrandisseur là où la hauteur disponible est la plus grande, en gardant les parties adjacentes pour les opérations "sèches". Le plan "humide" de travail peut être placé sous la partie inclinée de l'escalier, quitte à travailler assis, avec un seau d'eau à portée pour le rinçage des mains. Chaque fois qu'un lot suffisant d'épreuves est fixé, placez-le dans un seau pour le lavage à l'extérieur du laboratoire, dans un évier ou une baignoire. L'intérieur du laboratoire doit être peint en blanc mat si possible. Ainsi, le local semble plus grand et la lumière inactinique se répand uniformément. Prévoir une ventilation, comme le dispositif à chicanes installé sur la porte ci-dessous. Les volets d'aération doivent être peints en noir (ainsi que le chambranle de la porte) pour empêcher la lumière extérieure d'entrer. Couvrez le sol d'un lino. L'installation électrique sera réduite au strict nécessaire, pour des raisons de sécurité. Les interrupteurs sont posés au plafond et commandés par des cordons. Installez l'interrupteur de la lumière blanche pour qu'il ne puisse être confondu avec celui commandant l'éclairage inactinique ou l'agrandisseur.

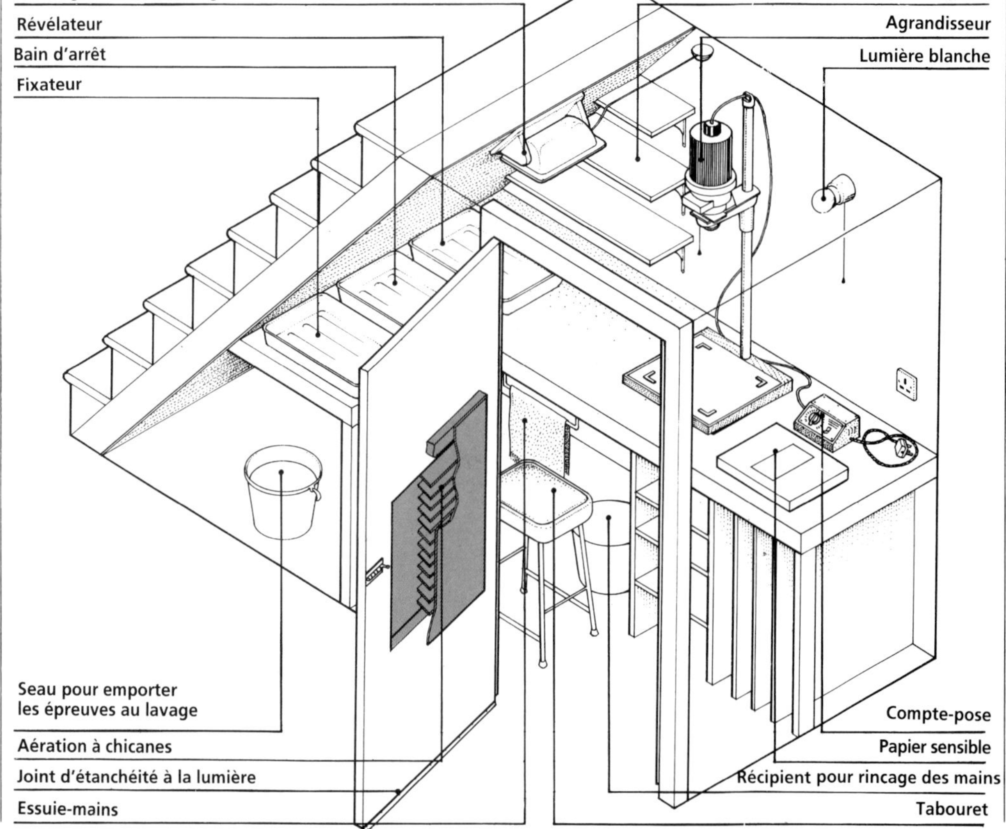

Un Laboratoire Permanent Bien Installé

Si vous pouvez disposer d'une pièce réservée à cet usage, autant l'installer parfaitement pour y accomplir tous les travaux de laboratoire et de finition. Établissez les plans du local pour que chaque plan de travail soit bien isolé, mais en épargnant les pas inutiles. Par exemple, l'agrandisseur est en face des cuvettes de traitement et, en se tournant d'un demi-tour, on traite un essai. Les opérations pouvant se faire à la lumière sont regroupées près de la fenêtre que l'on peut ouvrir pour aérer la pièce. Néanmoins, un ventilateur extracteur et une entrée d'air à chicanes ont été prévus pour assurer une bonne ventilation lorsque la fenêtre et la porte sont fermées. Disposez d'un évier assez profond pour laver facilement les cuvettes et ustensiles et contenir la laveuse à épreuves. On trouve des cuvettes en plastique de toutes dimensions qui font un excellent usage et sont faciles à entretenir. La paillasse supportant les cuvettes de traitement peut être constituée d'une table en bois faite "sur mesure", recouverte de feuilles plastiques thermosoudées ou collées. La porte peut être remplacée, si on a de la place, par une entrée libre à chicane, peinte intérieurement en noir mat.

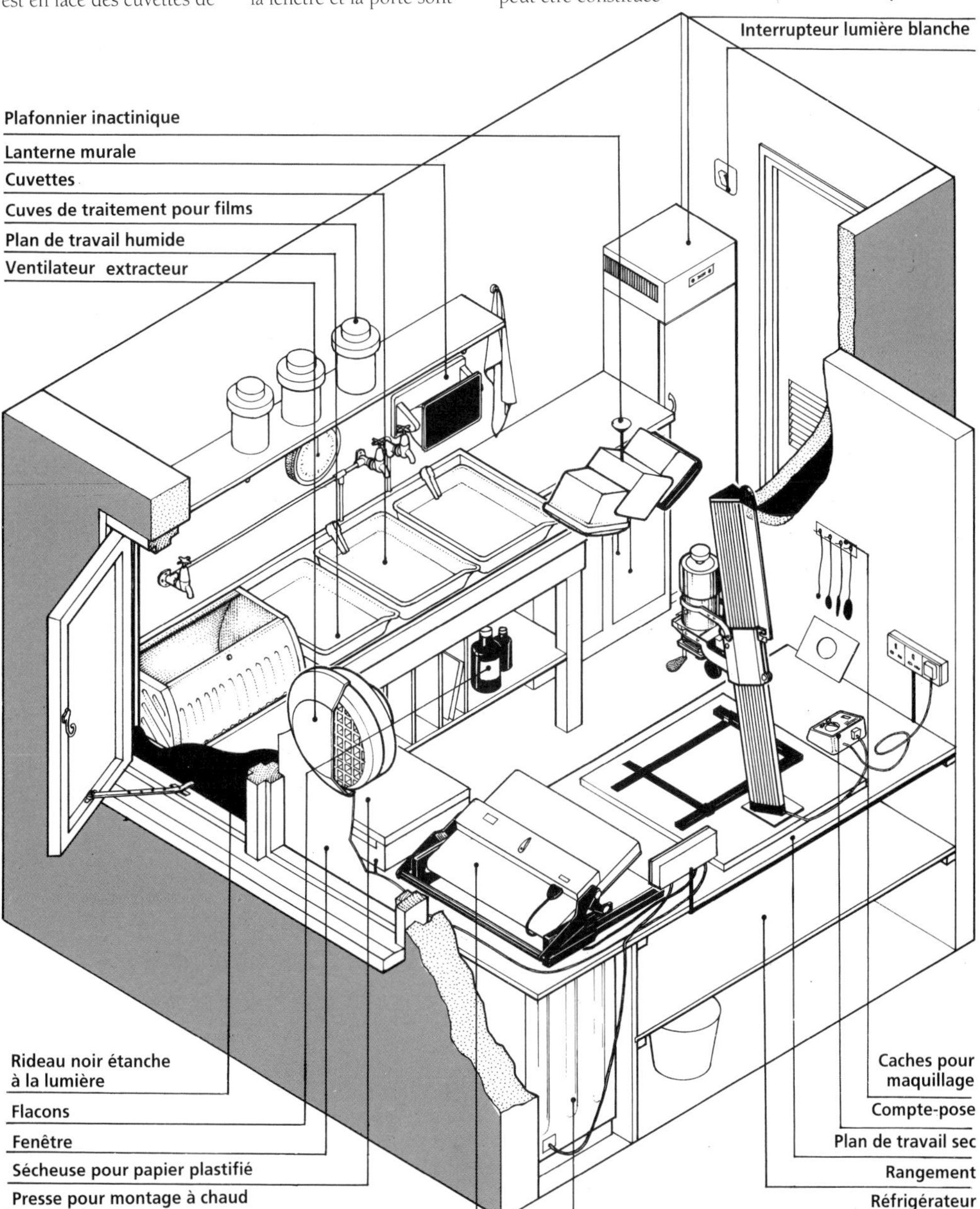

Les Composants de la Couleur

Trois facteurs contribuent à notre vision colorée du monde : les sources de lumière blanche, comme le soleil ou les lampes à incandescence ; les matières qui réfléchissent certaines radiations de la lumière blanche et en absorbent d'autres, ce qui leur donne leur coloration ; la capacité de l'œil humain de répondre à certaines radiations sous forme d'impressions colorées. La plupart des sources de lumière blanche (comme le soleil) sont composées de radiations de différentes longueurs d'onde. Lorsque la lumière frappe un objet, seules les radiations correspondant à la couleur de cet objet sont réfléchies (ou transmises si l'objet est transparent). Cela est facile à démontrer en éclairant une rose rouge par un projecteur, puis en plaçant un filtre bleu foncé dans le faisceau lumineux : la rose devient noire, parce qu'elle n'est plus éclairée que par les radiations qu'elle ne peut réfléchir. Le troisième facteur, l'œil humain, joue également son rôle : par exemple, les récepteurs sensibles de la rétine ne répondent qu'aux radiations comprises entre 400 et 700 nanomètres, c'est-à-dire à la zone du spectre comprise entre le violet-bleu et le rouge. Les radiations extérieures à cette bande du spectre – l'ultraviolet et l'infrarouge – ne sont pas visibles par notre œil (encore que certains insectes, par exemple, y soient sensibles). Enfin, la capacité de l'œil de voir les couleurs dépend de la quantité de lumière disponible : les couleurs semblent toujours plus brillantes en vive lumière et s'affadissent dans la pénombre ; dans la quasi-obscurité, on ne voit plus que des valeurs de gris.

Dispersion de la lumière

Ce que nous considérons comme "lumière blanche" résulte en fait du mélange de radiations de différentes longueurs d'onde. En faisant tomber un mince faisceau de lumière blanche sur un prisme de verre, on disperse le faisceau en ses différentes radiations, cela parce que les radiations de courtes longueurs d'onde sont plus réfractées que les autres. Le spectre est étalé en bandes colorées allant du violet-bleu au rouge profond. Inversement, un autre prisme peut réunir ces différentes radiations pour reconstituer la lumière blanche. Si l'on retire une bande de radiations colorées avant de reformer le faisceau, celui-ci sera non plus blanc, mais teinté de la couleur complémentaire à celle qui a été enlevée.

Synthèse additive ou soustractive des couleurs

Les couleurs peuvent résulter de l'addition ou de la soustraction de différentes radiations de la lumière : un mélange à peu près égal de toutes les radiations visibles donne de la lumière blanche. Mais il suffit de prendre les trois régions principales du spectre, c'est-à-dire le bleu, le vert et le rouge, et de les mélanger en différentes proportions, pour pouvoir reproduire toutes les teintes intermédiaires. Cette constatation est importante parce qu'elle signifie qu'un film couleur n'a besoin que de trois couches respectivement sensibles à ces trois lumières primaires pour être capable de reproduire toutes les couleurs. Mais, si l'on peut former les couleurs en additionnant des lumières colorées primaires, on peut également soustraire certaines proportions de radiations à la lumière blanche pour parvenir à cette synthèse des couleurs. Par exemple, pour soustraire le bleu, il vous suffit de placer un filtre jaune dans le faisceau de lumière, parce que ce filtre laisse passer la lumière rouge et la lumière verte. Pour soustraire la lumière verte, il vous faut un filtre magenta, et un filtre violet-bleu (ou cyan) pour soustraire le rouge. Ainsi peut-on dire que le jaune, le magenta et le cyan sont respectivement les teintes complémentaires du bleu, du vert et du rouge. La compréhension de cette interrelation est fondamentale pour la prise de vues et le tirage couleur.

Longueur d'onde

La lumière visible n'est qu'une infime partie du spectre des ondes électromagnétiques, qui s'étend des rayons gamma aux ondes longues de la radio. Toutes ces radiations énergétiques se caractérisent par leur longueur d'onde (la distance entre deux crêtes de l'onde) et leurs propriétés. Notre œil est normalement sensible aux longueurs d'onde comprises entre 400 et 700 nanomètres ; les films photographiques noir et blanc ou couleur habituels sont un peu sensibles au proche ultraviolet (à partir de 350 nm environ). Un nanomètre (nm) vaut un millionième de millimètre.

Nature du Film Couleur

Un film couleur est constitué de trois émulsions noir et blanc superposées. La première couche n'est sensible qu'aux radiations violet-bleu ; la deuxième, qu'aux vertes, et la troisième, qu'aux radiations rouges. Ainsi, les parties bleues du sujet ne s'enregistrent que sur la première couche ; les parties vertes, sur la deuxième ; les rouges, sur la troisième. Les autres couleurs impressionnent à la fois deux ou trois couches du film. Le jaune, par exemple, impressionnera les couches du vert et du rouge mais non celle du bleu. Dans les débuts de la photographie en couleur, il fallait faire trois clichés noir et blanc successifs, en plaçant devant l'objectif le filtre "de sélection" correspondant. Il fallait ensuite teindre et recombiner les trois positifs pour reconstituer les teintes du sujet original. Aujourd'hui, ce processus complexe est grandement simplifié grâce au film couleur à trois émulsions superposées. Cependant, il faut savoir que les films couleur sont équilibrés pour une source de lumière bien particulière : une notion à laquelle l'œil humain n'est pas très sensible. Si nous acceptons et reconnaissons les couleurs délicates d'un visage aussi bien à la lumière du jour que sous une lampe à incandescence, il n'en va pas de même pour le film couleur inversible, qui ne donnera des couleurs acceptables (sur le plan de la justesse des teintes) que s'il a été équilibré pour cette lumière particulière. C'est pourquoi les films inversibles existent sous deux sortes : pour lumière du jour ou pour lumière artificielle.

Le spectre visible La lumière blanche est un mélange de radiations de différentes couleurs. Un faisceau de lumière passant à travers un prisme est dispersé en un spectre coloré.

Nanomètres 400

450

500

550

600

650

700

La longueur d'onde de la lumière
Pour la mesurer, on utilise une unité très petite : le nanomètre. Le spectre visible (ci-dessus) va de 400 à 700 nm. Les radiations de plus courtes et de plus grandes longueurs d'onde sont invisibles.

Synthèse additive des couleurs
Toutes les couleurs peuvent être synthétisées par le mélange en proportions variées de deux ou trois des lumières primaires. La superposition des trois primaires redonne la lumière blanche.

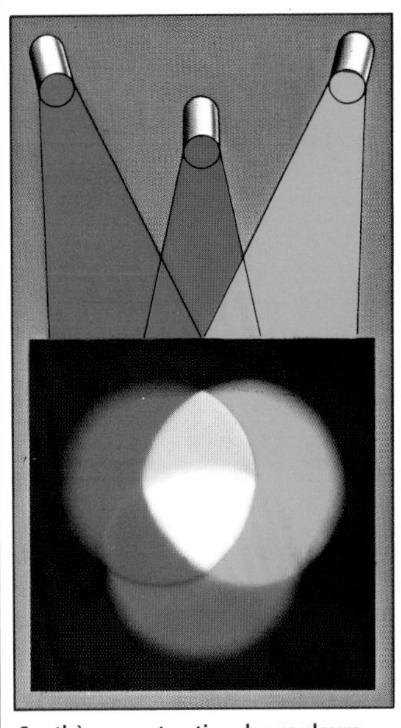

Synthèse soustractive des couleurs
Trois filtres de couleurs complémentaires, vus devant une source de lumière blanche, soustraient chacun une certaine quantité de lumière primaire. Lorsqu'on superpose deux filtres, il ne reste qu'une couleur primaire. Les trois filtres superposés donnent le noir.

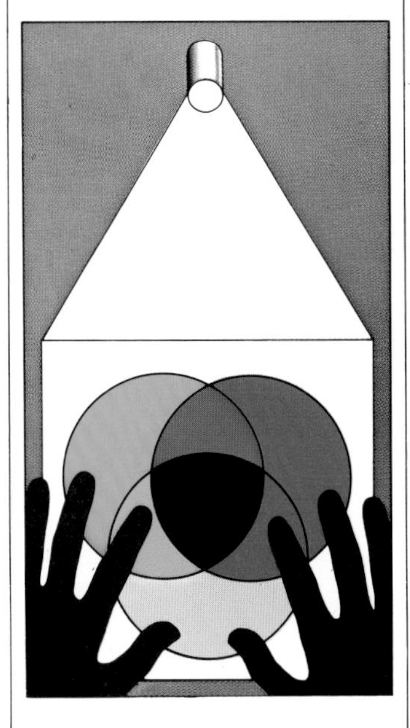

Constitution du Film Couleur

La plupart des films couleur sont constitués de trois émulsions superposées, sensibles chacune à un tiers du spectre visible. La couche supérieure, **1**, n'est sensible qu'au violet-bleu, la deuxième, orthochromatique, est sensible au violet-bleu et au vert, **3** ; la troisième est une émulsion rapide panchromatique, **4**. Une couche filtrante jaune, placée sous la première, et détruite lors du traitement, arrête les radiations violet-bleu en excès pouvant affecter les deux autres couches, **2**. La fabrication d'un film couleur, avec le couchage de plusieurs émulsions et autres intercouches sur un même support, est une opération délicate.

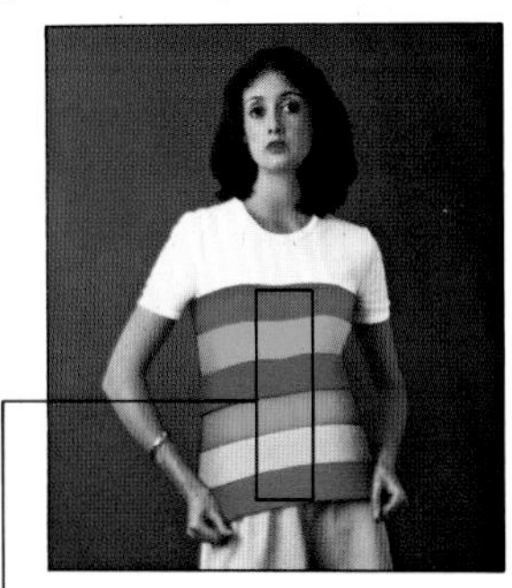

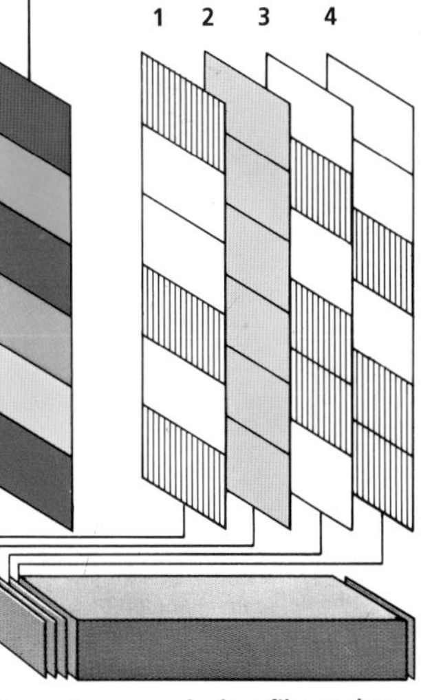

Coupe transversale d'un film couleur
La coupe (ci-dessus) montre la disposition des trois couches sensibles par rapport au support du film. Le film a 0,17 mm d'épaisseur, dont 0,015 mm pour les émulsions.

Les Films Couleur et leur Traitement

Les films couleur classiques sont de deux sortes : les films négatifs destinés à être agrandis pour donner des épreuves sur papier couleur et les films inver-sibles, conduisant à des diapositives pour projection. Ces films sont disponibles dans une gamme de sensibilité comparable aux films noir et blanc : de 25 à 3 200 ISO.

La plupart d'entre eux sont équilibrés pour la lumière du jour, mais, parmi les films inversibles, il y en a qui sont équilibrés pour la lumière artificielle. Les schémas de ces pages relatent les diverses étapes du traitement des films négatifs et inversibles couleur.

Développement chromogène La première étape du traitement d'un film négatif couleur est le développement chromogène figuré ci-dessous : chacune des trois couches exposées est réduite en argent métallique, mais les produits d'oxydation du révélateur s'associent avec des coupleurs contenus dans les émulsions pour former les colorants ; colorant jaune pour la couche sensible au bleu, colorant magenta pour la couche sensible au vert et colorant cyan pour la couche sensible au rouge. Il y a donc formation simultanée de colorants dans chacune des trois couches du film.

Film négatif

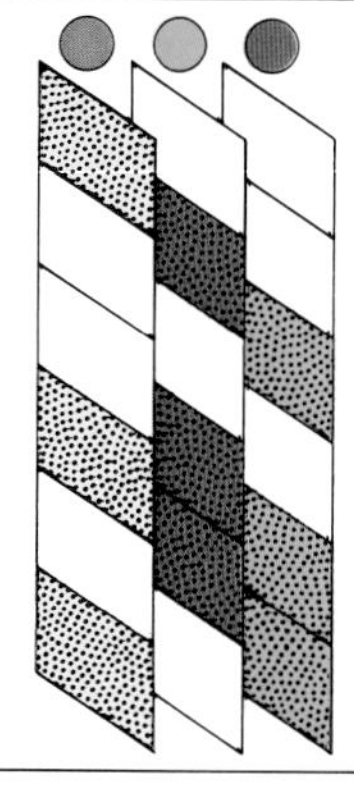

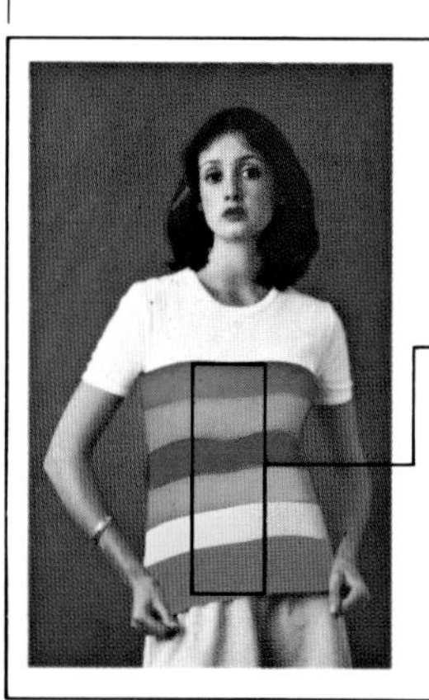

Exposition du Film Couleur

Imaginez que notre sujet soit une demoiselle portant une chemisette polychrome. Chaque couleur peut être définie comme composée de certaines proportions de bleu, de vert et de rouge : c'est exactement ce qui se passe lorsqu'on impressionne le film couleur, qu'il soit négatif ou inversible ; la première couche n'est impressionnée que par les composantes bleues du sujet ; la couche centrale n'est sensible qu'aux parties vertes (ou aux couleurs qui contiennent des radiations vertes) ; enfin, la couche inférieure est impressionnée par les radiations rouges.

Film inversible

Par contre, les traitements sont différents selon que les films sont négatifs ou inversibles. Il y a également des variantes de traitement selon la marque du film.

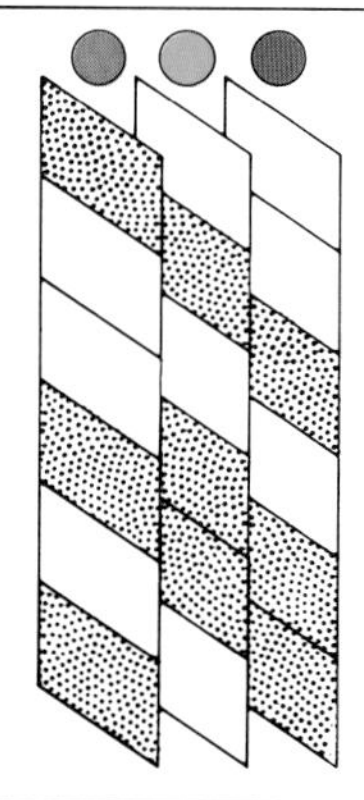

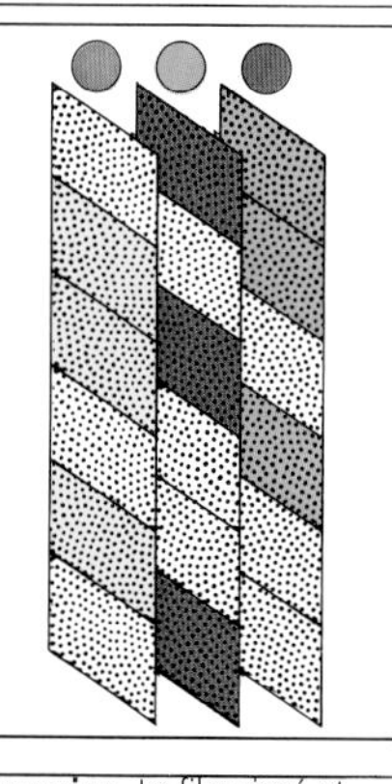

Développement noir et blanc La première étape du traitement d'un film inversible est un développement noir et blanc classique. Dans chaque couche se forme une image argentique négative. Cependant, cette étape est importante, parce qu'elle détermine la quantité d'halogénures résiduels qui seront utilisés pour former l'image positive couleur.

Inversion Le film rincé et tanné (ci-dessus) est uniformément voilé en exposant la spirale à la vive lumière d'une lampe à incandescence. Parfois, l'inversion est provoquée chimiquement par des substances introduites dans le révélateur chromogène.

Développement chromogène Le révélateur chromogène réduit les halogénures résiduels en argent métallique ; en même temps se forment dans chacune des trois couches les colorants jaune, magenta et cyan. A cette étape, le film est opaque.

Blanchiment et fixage
Les images colorées sont cachées sous les images argentiques noires dans chacune des trois couches. L'étape suivante (ci-dessous) consiste donc à blanchir et à éliminer l'argent métallique, sans affecter les colorants, tout en dissolvant les parties non exposées de l'émulsion. Il reste à laver et à sécher le film.

Le négatif final Comme on le voit ci-dessous, le négatif terminé est en couleurs complémentaires : le rouge est cyan ; le bleu est jaune et le blanc est noir. Constatez qu'un voile orangé recouvre les parties claires du négatif : il a pour but de réduire le contraste et d'améliorer le rendu des couleurs des épreuves positives finales.

Papier Couleur

La constitution du papier couleur est analogue à celle des films, mais il n'y a pas de couche filtrante jaune intermédiaire et les trois couches sont sensibles à des bandes plus étroites de radiations bleues, vertes et rouges. Parfois, l'image cyan est formée dans la première couche (au lieu de la dernière pour les films) : ce qui augmente la netteté apparente de l'image.

Exposition et traitement des papiers couleur
Ils doivent être manipulés et traités dans l'obscurité complète. L'exposition se fait généralement par agrandissement, non sans avoir procédé à des essais pour régler l'exposition et l'équilibre des couleurs. Ce dernier est obtenu en filtrant la lumière blanche de l'agrandisseur, par interposition de filtres colorés (jaune, magenta ou cyan) de la densité requise. On peut également donner trois poses successives sous trois filtres primaires : bleu, vert et rouge. Le papier sensible couleur est ensuite traité : développement chromogène, blanchiment-fixage, lavage final, l'étape de la stabilisation n'étant plus nécessaire. Le résultat est une image positive couleur sur support opaque.

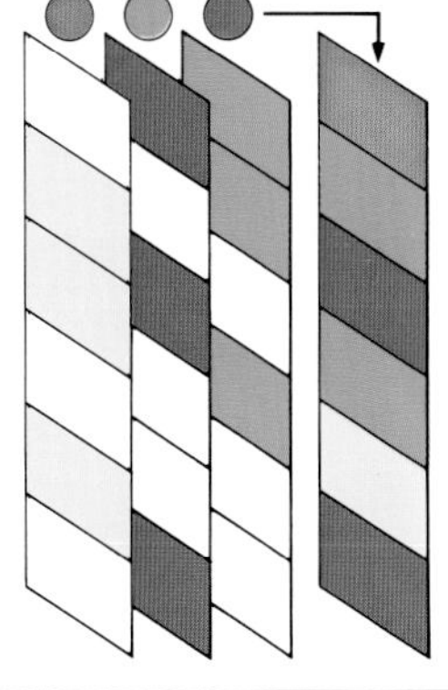

Manipulation de l'Image

Le procédé négatif/positif se prête bien à des interventions permettant une très libre interprétation de l'image. Par exemple, il est possible (comme en noir et blanc) de modifier les valeurs locales par un maquillage bien conduit. On peut également faire venir des "fausses" couleurs en interposant des filtres durant l'exposition. Autres possibilités : faire venir des couleurs à partir d'un négatif noir et blanc ; utiliser une diapositive couleur à la place d'un négatif couleur : ce qui donne des épreuves aux teintes complémentaires, etc. Nous y reviendrons.
Voir *Maquillage à l'agrandissement, page 59 ; Variations dans les traitements, page 240 ; Photogrammes, pages 264-265.*

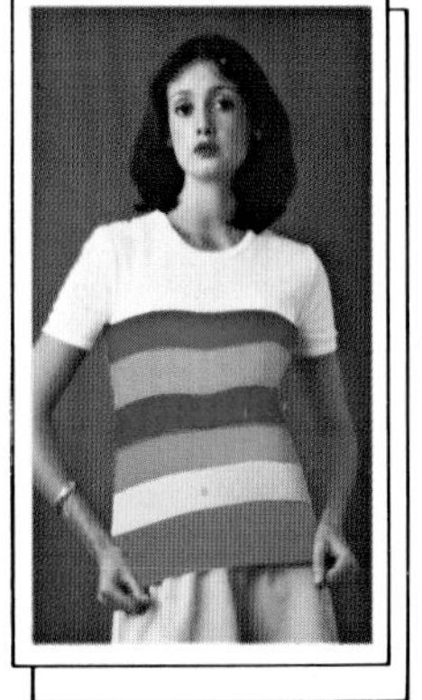

Blanchiment et fixage
Le film est ensuite soumis au bain de blanchiment, qui dissout l'image négative formée dans le premier développement et celle (positive) formée lors du développement chromogène. Comme on le voit ci-dessus, il ne reste dans l'émulsion que les colorants formant une image couleur positive. Le film est ensuite fixé, lavé, stabilisé et séché.

La diapositive finale
L'image positive reproduit les couleurs originales du sujet. Vous voyez que toutes les couleurs de la chemisette ont été parfaitement reproduites, cela en soustrayant des quantités variées de bleu, de vert et de rouge à la lumière blanche. La plupart des films inversibles peuvent être "poussés" en rapidité : cela par une augmentation du temps dans le premier développement.

Épreuve finale Les épreuves couleur sur papier sont tirées la plupart du temps sur support plastifié, brillant, grain satiné ou semi-mat. Toutes ces surfaces peuvent éventuellement être retouchées. Conserver les agrandissements couleur dans des albums, car les couleurs se dégradent lentement lorsqu'elles sont exposées à la forte lumière du jour.
Voir *Retouches des épreuves, page 268.*

Films Couleur

En dehors des films pour photographie instantanée, les films couleur se trouvent dans tous les formats habituels : plan-film, 35 et 16 mm. Ils se différencient des films noir et blanc par plusieurs caractéristiques. Tout d'abord, il faut les classer en films négatifs et en films inversibles ; ensuite, ils sont prévus pour deux sortes d'éclairage : lumière du jour et lumière artificielle (3 200 K). Notons aussi que leur sensibilité est généralement plus faible que celle des films noir et blanc, bien que plusieurs films permettent d'atteindre 1 600 ou 3 200 ISO avec un peu de granulation apparente. Enfin, il existe quelques films couleur spéciaux : pour fausses couleurs, pour photomicrographie ou encore travaux de reproduction.

Films Négatifs

De 25 à 3 200 ISO, ils sont généralement équilibrés pour la lumière du jour. Mais les dominantes que l'on obtiendrait sous d'autres sources de lumière se corrigent par la filtration lors du tirage. Quelques films à usage professionnel existent en deux versions : "S" pour les poses inférieures à 1/10 s et "L" pour celles comprises entre 1/60 s et 60 s. Vous pouvez développer vos films négatifs couleur vous-même.

Films Inversibles

Leur sensibilité va de 25 ISO (Kodachrome) à 1 600 ISO ou plus. La plupart peuvent être traités par l'utilisateur : seul le Kodachrome ne peut être développé que par Kodak dans ses laboratoires. Il est généralement possible de "pousser" ces films au traitement, ce qui double ou même quadruple leur sensibilité nominale.

Film Infrarouge

L'Ektachrome IR est sensible au bleu, au vert et à l'infrarouge : l'herbe verte est reproduite en magenta, le rouge en jaune. Il y a d'autres transformations de couleurs donnant des résultats inhabituels.

Films pour Photo Couleur Instantanée

Il existe deux types de films instantanés Polaroid donnant une image positive opaque : à séparation ou intégral. Le film à séparation ne sert plus aujourd'hui qu'aux professionnels et existe en différents formats jusqu'au 20 x 25 cm (image 178 x 203 mm). Les deux types de films sont à auto-développement ; la durée de développement est de 1 à 4 minutes.

Système Polaroid Autoprocess

Polaroid produit également des films en cartouche 135 pour diapositives "instantanées". Ils existent en trois types : Polachrome CS (40 ISO), équilibré pour la lumière du jour et le flash ; Polapan CT (125 ISO), un film noir et blanc panchromatique, et le Polagraph HC (400 ISO), film à haut contraste, idéal pour les documents graphiques "au trait". Pour les traiter, vous devez disposer de la développeuse "Autoprocessor" Polaroid présentée ci-dessus. Elle mesure 23 cm de long et permet d'obtenir les diapositives terminées en 4 minutes environ.

Traitement des diapositives instantanées

1 *Chaque boîte de film contient en outre une gousse de réactif chimique et une bande de transfert en pack. Introduire cette dernière dans la machine et accrocher son amorce sur la bobine réceptrice.*

2 *Introduire la cartouche de film exposé et accrocher son amorce. Vérifier que les deux amorces sont bien attachées à la bobine.*

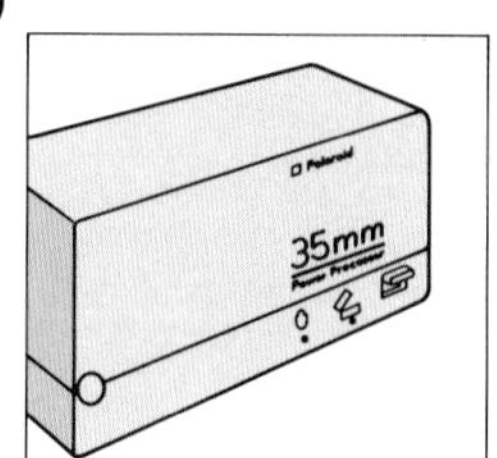

3 *La fermeture du couvercle fait éclater la gousse de réactif qui s'étale le long de la bande de transfert. En s'enroulant, le film est pressé contre la bande imprégnée de réactif.*

4 *Après quelques minutes, le film est rebobiné dans sa cartouche et l'on peut ouvrir la machine. Jeter le pack de transfert. Les diapositives terminées sont découpées, puis montées sous cache.*

Traitement Négatif Couleur

Le traitement n'est pas difficile si vous surveillez durées et températures. Vous pouvez employer la même cuve que pour le noir et blanc, mais quelques flacons supplémentaires sont nécessaires.
Le traitement C-41 pour Kodacolor est un bon exemple. Suivez les indications du fabricant pour la préparation des bains, et utilisez le bain-marie pour les maintenir à la température du traitement. Vérifiez que l'eau de lavage est à la température indiquée. À la fin de chaque étape, laissez égoutter 10 secondes. Après l'étape du blanchiment, vous pouvez continuer le traitement, la cuve étant ouverte.

Jugement des négatifs

Les négatifs couleur sont difficiles à évaluer, parce que le masque orangé leur donne un surplus de densité et que les teintes complémentaires ne peuvent être vraiment interprétées que lors du tirage du premier essai. Pour l'exposition, regardez si les ombres du sujet (parties claires du négatif) sont assez détaillées. Il vaut mieux un peu de surexposition que de la sous-exposition. Sinon, appliquez les mêmes critères que pour le noir et blanc. Le négatif du dessus est correctement exposé ; celui en dessous est sous-exposé de deux diaphragmes.

Exposition correcte

Sous-exposé de 2 diaph.

Traitement C-41 pour Kodacolor II

	°C	Durée
1 Développement chromogène	37,8 ± 0,2	3 min 15 s
2 Blanchiment	24-40	6 min 30 s
3 Lavage	24-40	3 min 15 s
4 Fixage	24-40	6 min 30 s
5 Lavage	24-40	3 min 15 s
6 Stabilisant	24-40	1 min 30 s
7 Séchage		

Traitement des Films Inversibles

On peut traiter soi-même les films pour lesquels les coupleurs sont incorporés à l'émulsion : soit tous les films sauf le Kodachrome. Procurez-vous le kit de traitement correspondant à votre film. Préparez les solutions avec les mêmes précautions que pour le traitement négatif.
Le traitement inversible demande des étapes supplémentaires : en résumé, le film est d'abord développé en négatif noir et blanc, puis les halogénures non impressionnés sont voilés. Voile obtenu par voie chimique ; quelquefois sous forte lumière blanche. On procède ensuite à un développement chromogène. L'argent métallique est éliminé par le blanchiment, puis le film est fixé. Il ne reste qu'une image positive formée de colorants.

1 *Le premier développement est l'étape la plus délicate. La température doit être exacte à 0,25 °C près. Les solutions doivent être à la bonne température, surveillez le chronomètre pour les durées.*

2 *Selon les traitements, il est parfois nécessaire de voiler le film à la lumière. Placez la spirale dans un bol blanc empli d'eau et exposez sous lampe flood la durée demandée.*

3 *Le développement chromogène et les étapes suivantes peuvent se dérouler en pleine lumière. Évitez de contaminer une solution avec une autre.*

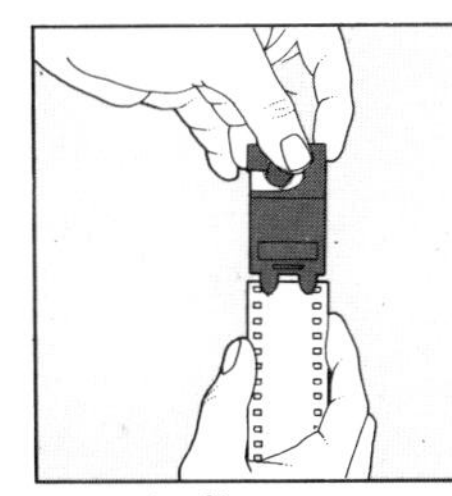

4 *Certains films, comme l'Ektachrome, gardent un voile opalescent tant qu'ils ne sont pas secs : attendez la fin du séchage pour juger vos diapositives.*

Tirage Couleur Négatif/Positif

La grande différence avec le tirage noir et blanc, c'est qu'il faut, ici, filtrer la lumière au moment de l'exposition afin d'obtenir des teintes exactes sur les positifs couleur. De plus, on dispose d'une très faible latitude pour le traitement (durée, température, agitation). Enfin, il n'y a qu'une seule gradation de papier. Deux méthodes de tirage : filtration additive ou soustractive.

Tirage soustractif

On utilise des filtres jaune, magenta et cyan, chacun en sept densités croissantes, pour contrôler la quantité de bleu, de vert et de rouge qui sera formée dans chacune des trois couches du papier couleur. Si vous désirez ajouter du vert par exemple, il faut ajouter un filtre magenta de la densité appropriée. Ces filtres de tirage peuvent être placés dans le tiroir à filtres de l'agrandisseur, ou bien on utilise une tête couleur à filtres dichroïques intégrés.

Tirage additif

On ne se sert avec cette méthode que de trois filtres, très saturés, bleu, vert et rouge, que l'on utilise successivement en trois poses. La durée de chaque pose, sous chacun des trois filtres, permet de doser la quantité de colorant complémentaire libéré dans chaque couche du papier. En réduisant les durées de pose en rouge et en bleu, par rapport à la pose avec filtre vert, vous augmentez la quantité de teinte verte de l'image positive. La méthode additive est plus facile à mettre en œuvre, mais elle est complexe à maîtriser et il n'est pas possible de maquiller les agrandissements pour améliorer une région de l'image.

Le Laboratoire de Tirage Couleur

Le matériel d'agrandissement noir et blanc doit être complété pour la couleur. Tout d'abord l'agrandisseur doit permettre la filtration couleur : la solution la plus onéreuse, mais la meilleure, est la tête couleur, bien que le simple tiroir à filtres (placé entre la lampe et le porte négatif) ou le porte-filtre (additif) sous l'objectif soient des solutions tout à fait valables. Que l'agrandisseur ne laisse pas fuir de la lumière blanche : cela risquerait de voiler le papier, qui est, lui, panchromatique. Il faut s'habituer tout de suite à opérer dans l'obscurité totale. Cela vous conduira sans doute à simplifier la disposition des différents éléments du laboratoire, en supprimant tous ceux qui ne sont pas indispensables. En revanche, prévoyez une lampe de forte puissance pour l'examen des essais et des épreuves, la source étant de qualité "lumière du jour", par exemple un tube fluorescent placé au-dessus du plan de travail "humide" ou dans une autre pièce. Le travail en cuvettes plates n'est pas facile dans le noir complet : utilisez plutôt un tambour étanche, qui, une fois chargé, permet de travailler en pleine lumière. Vous aurez besoin de récipients gradués ainsi que des flacons pour stocker les bains nécessaires. Employez la méthode du bain-marie, déjà décrite, pour maintenir les différentes solutions à la température requise. Si vous avez beaucoup de tirages couleur à faire, l'achat d'un analyseur couleur s'avérera "rentable" par l'économie de papier et de bains qu'il permet, en facilitant considérablement la détermination de la pose et de la filtration.

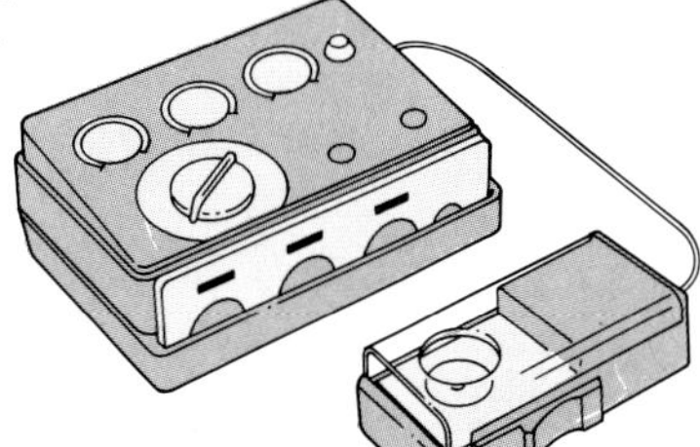

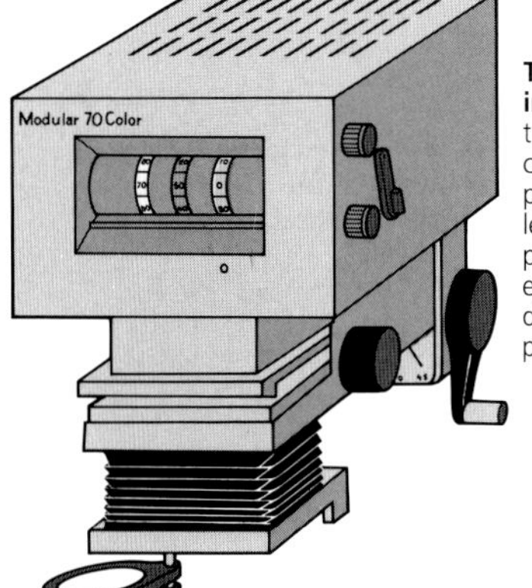

Tête couleur à filtres incorporés Elle contient trois filtres, jaune, magenta et cyan, qui sont plus ou moins partiellement introduits dans le faisceau de lumière blanche par une commande à boutons et cadrans gradués. Il suffit d'afficher la valeur désirée pour chacun.

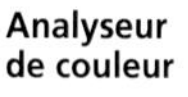

Analyseur de couleur Cet instrument (ci-dessus) est assez semblable à un posemètre à sonde indépendante. Cette sonde est généralement utilisée au niveau du margeur, permettant de mesurer les zones significatives. D'autres font les mesures sur l'image globale. L'analyseur donne directement les valeurs de filtration et d'exposition à afficher.

Produits chimiques Ayez un récipient particulier pour chaque solution (ci-dessus). Portez des gants en caoutchouc pour les manipuler. Attention de ne pas contaminer une solution par une autre (rincez le thermomètre avant de le plonger dans un autre bain).

Tiroir à filtres Il se trouve entre la lampe et le négatif et l'on peut y placer un ensemble de filtres. Vous devez disposer d'un jeu comprenant une vingtaine de filtres.

Tambour de traitement

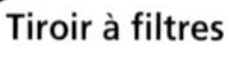

Filtres

Tambour de traitement Après son chargement, il est fermé par un couvercle, mais on peut verser les solutions et les extraire en plein jour. L'agitation est parfois assurée par un moteur ; sinon, le tambour est roulé sur une table.

Tirage soustractif

Le tirage couleur permet une appréciation visuelle des teintes ; et, après obtention d'un essai satisfaisant, on peut tirer autant d'épreuves identiques qu'on le désire. Le maquillage est possible comme en noir et blanc. Projetez l'image normalement et affichez sur la tête couleur ou préparez les filtres recommandés par le fabricant du papier. Sur une demi-feuille de papier, exposez trois ou quatre bandes d'essais, avec différentes expositions. Après traitement, la bande bien exposée présentera une dominante colorée que l'on éliminera avec un filtre de teinte complémentaire. L'exposition doit être modifiée en fonction de ce nouveau filtrage. Refaites alors une autre série d'essais en variant quelque peu l'exposition. N'oubliez pas de noter les valeurs d'exposition et de filtrage. Après deux ou trois séries d'essais, vous serez assez près des conditions idéales pour faire une première épreuve au format définitif.
Voir *Réalisation des essais, page 57 ; Maquillage à l'agrandissement, page 59.*

Système à mosaïque

Il nécessite un diffuseur placé sous l'objectif, une matrice à mosaïque de filtres et une échelle de gris. La zone de l'essai venant en gris neutre permet de déterminer l'exposition et la filtration.

Négatif
Dans l'agrandisseur.

Diffuseur
Sous l'objectif pour mélanger l'image.

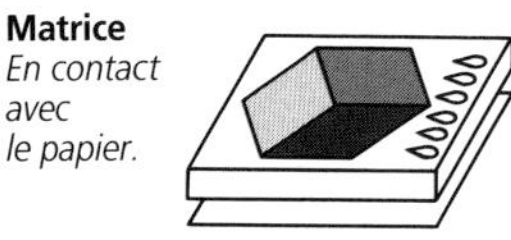

Matrice
En contact avec le papier.

Filtration
L'échelle de gris placée sur l'essai traité permet de déterminer la filtration.

Exposition
L'exposition correcte est donnée par une plage centrale qui doit être juste visible.

Densité neutre

Lorsque les trois couleurs (jaune, magenta, cyan) sont simultanément présentes dans le filtrage, on ajoute une densité neutre augmentant inutilement l'exposition. Simplifiez le filtrage en soustrayant – à chacune des trois couleurs – la valeur du filtre de plus faible valeur : il ne reste plus que deux couleurs dans le filtrage.

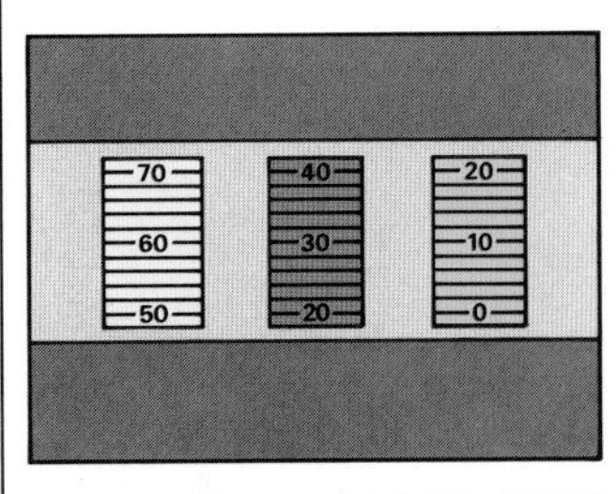

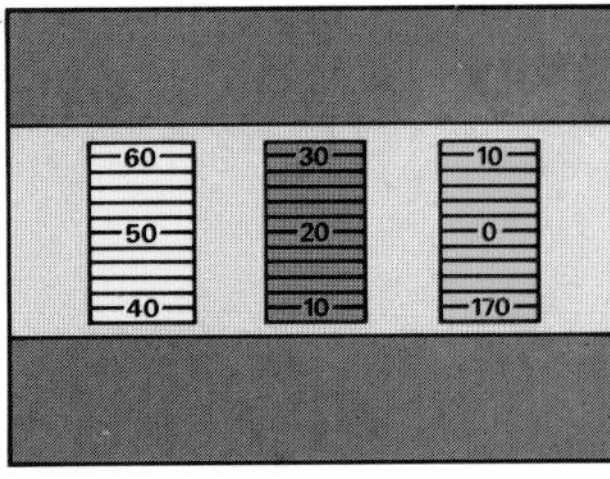

La méthode soustractive
1 *Projetez l'image et faites la mise au point. Fermez le diaphragme d'une division. Masquez le margeur en vue des bandes d'essais.*

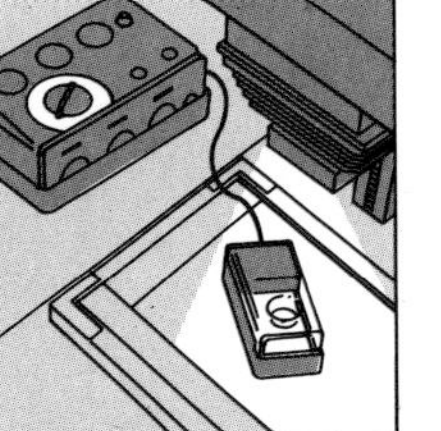

2 *Déterminez la filtration nécessaire avec l'analyseur couleur, ou en fonction des indications du fabricant. Affichez-la ; estimez les poses à donner à l'essai.*

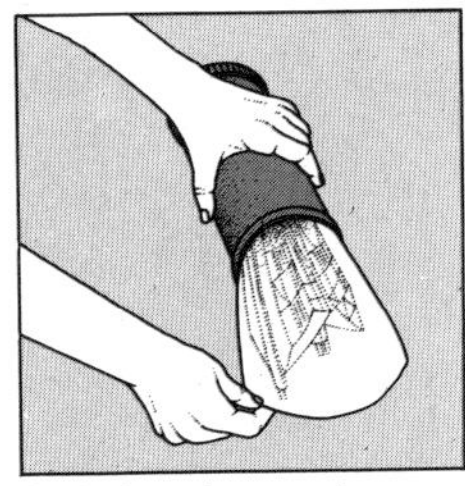

3 *Après traitement, jugez votre essai en lumière blanche. Pour déterminer la valeur dominante à neutraliser, regardez l'essai à travers différents filtres.*

4 *Ajoutez à la filtration les filtres de couleur complémentaire, mais de valeur moitié en densité. Éliminez la densité neutre. Calculez l'exposition. Faites un autre essai.*

Les essais

Les bandes d'essais, ci-contre, montrent comment on parvient à la filtration correcte, en soustrayant progressivement la dominante indésirable de l'essai réalisé sans filtre (le plus à gauche). Les valeurs de filtration sont indiquées au-dessus et les temps de pose sur le côté de chaque essai. Notez que, puisqu'on augmente les valeurs de filtration, on doit aussi augmenter la pose.

0Y 0M 0C — **75Y 50M** — **100Y 80M** — **130Y 80M**

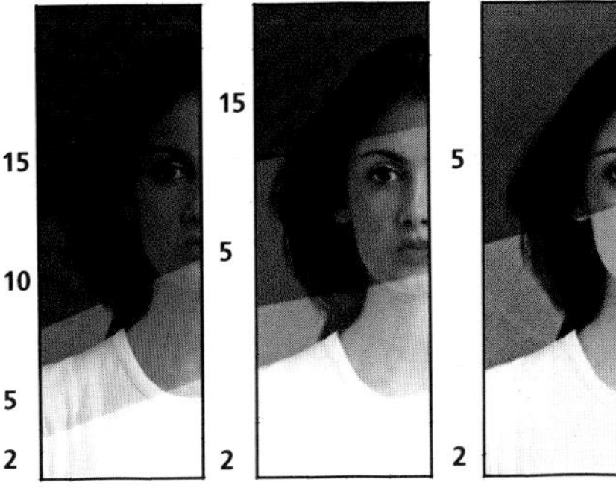

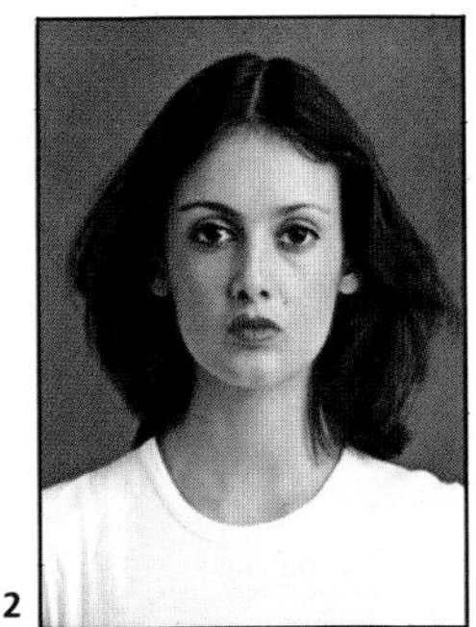

Tirage additif

Vous pouvez employer un agrandisseur normal, avec quelques accessoires. Trois filtres colorés : bleu, rouge et vert, saturés, et un porte-filtres placé sous l'objectif. Le modèle rotatif convient, mais vous devez pouvoir repérer dans le noir le filtre en place.
Le problème, en tirage additif, est de déterminer le temps d'exposition sous chaque filtre donnant à la fois la densité correcte et le bon équilibre des couleurs. Pour y parvenir : des essais, système mosaïque, analyseur couleur ou recommandations du fabricant. Dans tous les cas, il est nécessaire de faire un essai, de l'examiner, avant de tirer l'agrandissement définitif. Pour supprimer une dominante colorée, on peut soit augmenter l'exposition sous le filtre de même couleur, soit diminuer la pose sous les filtres complémentaires à la teinte dominante. Pour changer la densité, diminuer ou augmenter proportionnellement les trois poses individuelles.

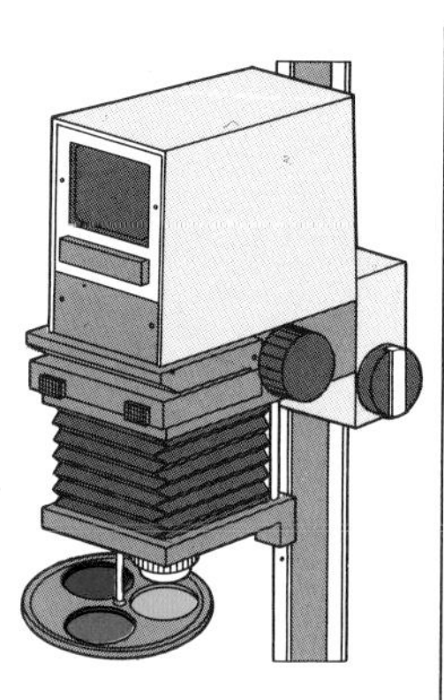

Disposition des filtres *Les agrandisseurs couleur ont un porte-filtres rotatif, un tiroir à filtres (ci-dessous) ou une tête couleur à 3 filtres dichroïques.*

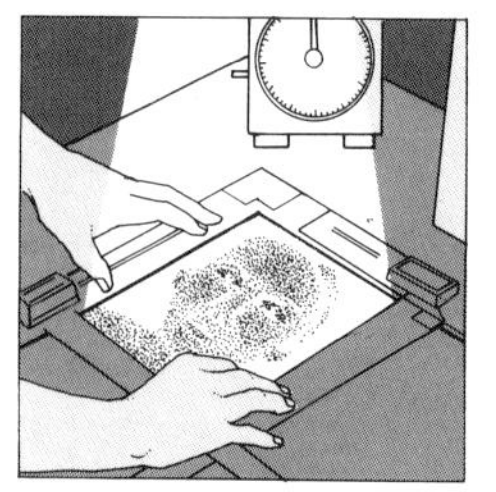

Série d'essais en damier
1 *Agrandissez l'image à la dimension finale ; margez une surface significative de 8 x 8 cm ; prenez vos notes ou servez-vous de l'analyseur couleur.*

2 *Supposons que les durées de pose soient : 20, 20 et 10 secondes, respectivement pour le rouge, le vert et le bleu. Placez le filtre bleu et, dans l'obscurité, donnez une pose générale de 10 secondes.*

3 *Dans l'obscurité, sans toucher au papier d'essai, remplacez le filtre bleu par le vert. Avec un carton opaque, donnez des poses sous filtre vert, en bandes de largeur égale, de 10, 20 et 40 secondes.*

4 *Remplacez le filtre vert par le filtre rouge et donnez encore trois bandes d'exposition, de 10, 20 et 40 secondes, mais à angle droit par rapport aux précédentes. Traitez le bout d'essai et examinez-le.*

Comment juger les essais

Un essai en damier, comme décrit ci-dessus, montre sur un seul morceau de papier le résultat de neuf combinaisons de poses. On pourrait faire une autre série d'essais en modifiant l'exposition sous filtre bleu. Ici, l'essai correct se trouve dans le carré du milieu. Pour l'épreuve définitive, il faudra donc exposer 10 secondes en bleu, 20 secondes en vert et 20 secondes en rouge. Si l'image est trop claire ou trop sombre, il suffit de modifier proportionnellement chaque pose élémentaire : pour diminuer l'exposition de 30 %, les poses élémentaires deviendraient respectivement : 7, 13 et 13 secondes.

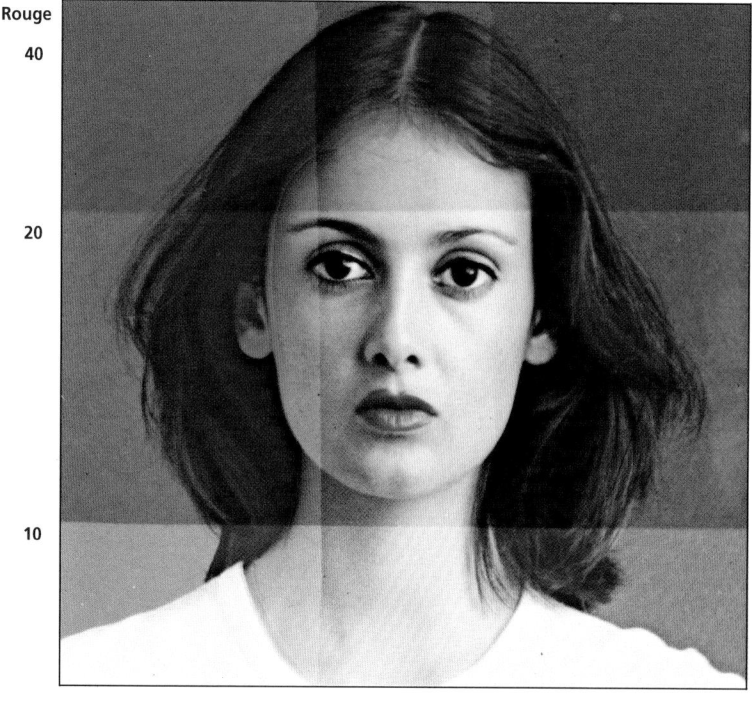

TRAITEMENT DU PAPIER COULEUR

Quel que soit le procédé adopté pour le tirage couleur, on assurera un traitement très régulier pour que les résultats soient constants. Employez les produits de traitement correspondant à la marque de papier utilisée. Ces papiers sont généralement plastifiés et se traitent à température assez élevée, (30 à 40 °C), mais les durées d'immersion dans les bains sont courtes.
Le traitement en tambour étanche est pratique. Prévoir un prétrempage du papier en eau tiède : ce qui réchauffe à la fois l'épreuve et le tambour, sans perte de chaleur ultérieure ; les autres solutions étant bien entendu à la température correcte (bain-marie).
Avec une machine de traitement à rouleaux, procédez ainsi : versez les solutions (révélateur, blanchiment/fixage, arrêt) et portez-les à la température requise. Dans l'obscurité, introduisez la feuille exposée : guidée par les rouleaux, elle est mise successivement au contact des solutions chimiques pour ressortir 7 minutes plus tard.
Il reste à la stabiliser et à la faire sécher.
Voir *Film couleur : principes de base, page 64.*

Procédé Ektaflex. Films et papier spéciaux Kodak. Un seul bain "activateur" dans la développeuse. Durée du traitement : 12 minutes. Le film exposé sous l'agrandisseur est placé dans la développeuse. Après immersion dans l'activateur, il est mis en contact avec le papier récepteur ; le "sandwich" est laminé entre deux rouleaux. Après 6 à 8 minutes de traitement en pleine lumière, on sépare le film (à jeter) de l'épreuve couleur sur papier.

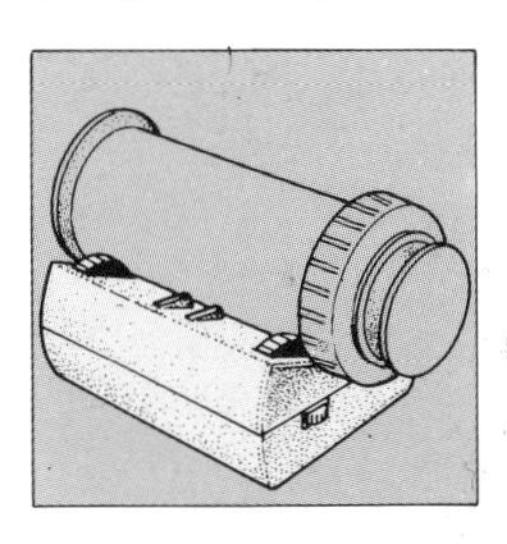

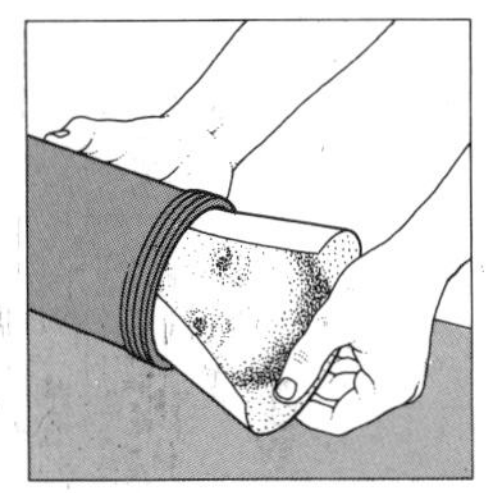

Emploi d'un tambour de traitement

1 *Dans le noir, incurvez la feuille, émulsion à l'intérieur, et placez-la dans le tambour. Fermez la cuve. Allumez la lumière blanche et mettez vos gants.*

2 *Les bains seront à la bonne température. Versez l'eau de prétrempage et agitez en faisant rouler le tambour. La durée requise étant écoulée, remplacez l'eau par le révélateur.*

3 *Continuez le traitement par le blanchiment/fixage, lavage et stabilisation. Ci-dessus, l'agitation est assurée par un moteur. Jetez les solutions usées avec précaution.*

4 *En fin de traitement, sortez l'épreuve du tambour. Essorez doucement la surface du papier et faites sécher à l'air chaud. Nettoyez le matériel.*

TIRAGE SUR PAPIER COULEUR À PARTIR DE DIAPOSITIVES

Deux méthodes : réalisation d'un internégatif sur film (par tirage ou par reproduction avec l'appareil) ; l'internégatif est tiré ensuite comme un négatif couleur normal ; ou l'on fait appel à un papier inversible (Ektachrome RC de Kodak ou Ilfochrome A).
L'exposition du papier inversible se fait sous l'agrandisseur, en additif, ou en soustractif. Ici, une augmentation de l'exposition globale apporte une diminution de la densité de l'image ; l'influence des filtres est inversée par rapport au tirage à partir d'un négatif couleur.
Le traitement du papier inversible est similaire à celui des films inversibles.

Ilfochrome
Ce papier contient des colorants dans l'émulsion. L'image est très brillante. Le traitement décolore les régions exposées et ne nécessite que trois étapes successives en 12 minutes.

Diapositive

Couches de colorant

Sensible au bleu, colorant jaune
Sensible au vert, colorant magenta
Sensible au rouge, colorant cyan

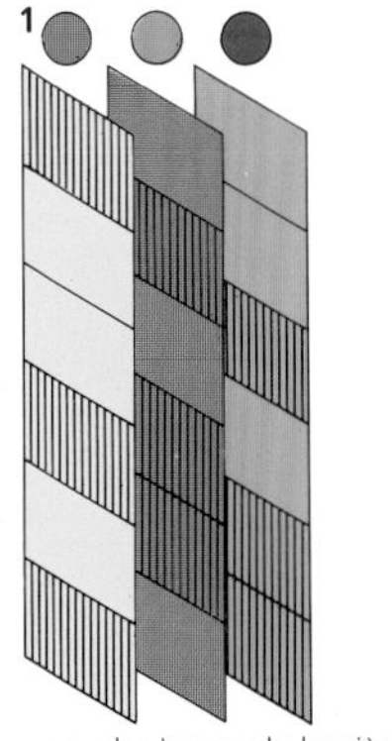

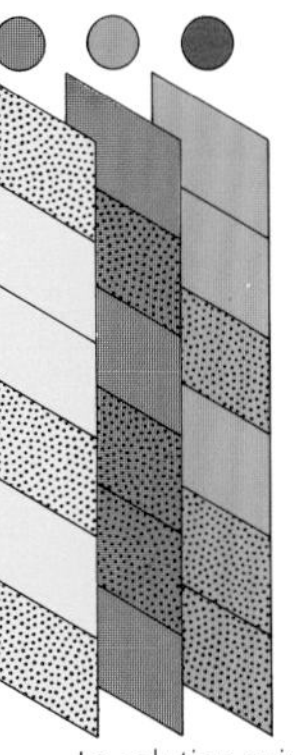

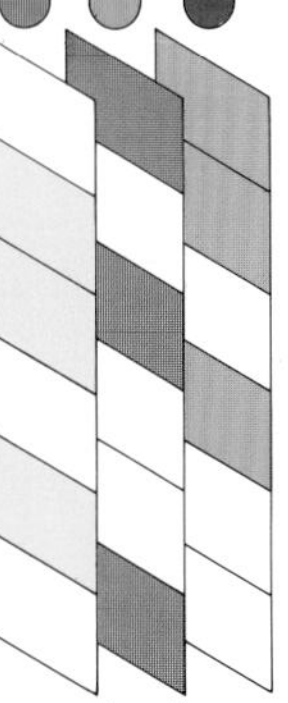

Épreuve

Le procédé Ilfochrome
Lorsque le papier est exposé à partir d'une diapositive, les couleurs sont enregistrées par les couches complémentaires du papier. La lumière bleue impressionne la couche jaune ; la lumière cyan, les couches jaune et magenta, etc. Un révélateur noir et blanc forme une image argentique dans les parties exposées de chacune des trois couches, **2**. La solution suivante est le blanchiment qui décolore les colorants et l'image argentique, **3**. Après fixage, tous les halogénures d'argent non impressionnés sont dissous. L'image finale n'est donc constituée que de colorants.

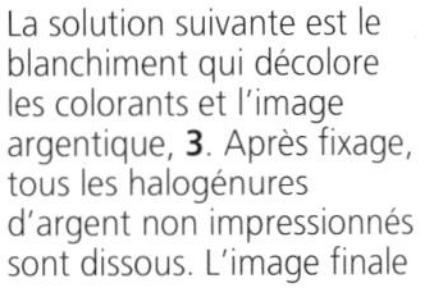

Le Soleil Vu au Grand-Angulaire

Vous pouvez diminuer le diamètre apparent du soleil en remplaçant la focale normale par un grand-angulaire. Cela a pour effet de donner plus d'importance au premier plan. La grande brillance du soleil (photo ci-dessous) a demandé l'adoption d'une petite ouverture du diaphragme, de telle manière que le sol manque totalement de détails. Notez que les nuages eux-mêmes commencent à s'assombrir par comparaison avec la flamboyance du soleil.
Voir *Le grand-angulaire, pages 116-117 ; Détermination de l'exposition, page 132.*

Leica R, 28 mm, Ektachrome (100), 1/250 s, f/16

Attention ! *Évitez de regarder le soleil de midi à travers le viseur de votre appareil reflex. Par ailleurs, il ne faut jamais laisser un appareil à obturateur focal et télémètre couplé pointé vers le soleil et mis au point sur l'infini : l'objectif formant loupe brûlerait les rideaux de l'obturateur.*

Brume et Brouillard

La brume ou le brouillard sont souvent présents à l'aube ou au crépuscule. La lumière diffuse, associée à une légère sous-exposition, transforme les éléments en silhouettes plus ou moins estompées. J'ai pris cette vue du port de Sydney en fin d'après-midi. Bien que le soleil fût encore assez fort, le brouillard était assez épais pour que je puisse l'inclure dans le cadrage.

Leica R, 55 mm, Ektachrome (100), 1/250 s, f/11

SOLEIL MASQUÉ

La visée reflex permet un cadrage très précis, comme le montre cette photo. Le bord du disque solaire effleure exactement l'œil de l'homme, en produisant cette explosion lumineuse. Par ailleurs, une image parasite du diaphragme pose une boucle d'oreilles sur le personnage. Pour obtenir un cadrage aussi précis, il est essentiel de faire la mise au point et la composition à l'ouverture réelle du diaphragme.
Voir *Silhouettes, page 135 ; Silhouette en couleur, page 150.*

Pentax, 55 mm, Kodachrome (100), 1/125 s, f/8

SOLEIL DERRIÈRE LES NUAGES

C'est souvent aux heures extrêmes du jour que les nuages prennent leurs formes les plus dramatiques et qu'ils sont le mieux éclairés. D'une manière générale, faire la mesure sur une partie claire du ciel : ce qui sous-exposera les nuages, tout en permettant aux rayons du soleil d'apparaître comme de brillants traits lumineux. L'image ci-dessous a été prise juste après que le soleil eut disparu derrière les nuages masquant l'horizon. Ce genre de coucher de soleil dans les nuages est visuellement intéressant. Il est très important de ne pas surexposer, sous peine de perdre les délicates nuances de tonalités et de teintes.
Voir *Le temps qu'il fait, page 142 ; Détermination de l'exposition, page 132.*

Leica R, 135 mm, Ektachrome (100), 1/250 s, f/11

LE SOLEIL RÉFLÉCHI

L'eau, la glace ou toute surface brillante produisent des reflets spectaculaires lorsqu'on les photographie contre le soleil. Ce dernier peut ne pas être contenu dans le cadrage : le parasoleil est alors une impérieuse nécessité pour empêcher le voile de l'image. Si le soleil avait été inclus dans la photo ci-dessous, le ciel aurait été "brûlé" et le contraste de l'image aurait beaucoup diminué.

Olympus OM-1, 135 mm, Ektachrome (100), 1/500 s, f/11

Reflets Parasites

Toute image contenant une source brillante de lumière sera vraisemblablement affectée de réflexions parasites de la source. Le phénomène est plus important avec les objectifs anciens dont les lentilles n'étaient pas traitées. Malgré l'excellent traitement des objectifs modernes, l'inclusion directe du soleil brillant dans la composition apporte toujours une sorte d'éclatement de celui-ci dans l'image, avec des rais lumineux plus ou moins prononcés, en fonction du degré de surexposition et de l'ouverture du diaphragme. Vous pouvez tirer parti de ce phénomène pour renforcer la signification de l'image. Avec une grande ouverture, la tache parasite est étendue, alors qu'on obtient une image étoilée avec un petit diaphragme. En haut : large reflet donné par un objectif de longue focale avec une ouverture relativement grande. L'exposition a été déterminée sur la partie la plus brillante du ciel. Pour l'image ci-contre, j'ai délibérément inclus le soleil dans le cadrage pour un violent contre-jour, qui silhouette les éléments de la composition. Le choix d'une petite ouverture (f/22) provoque cette image étoilée du soleil.
Voir *Objectifs : catégories et fonctions, pages 30-31.*

A droite : **Nikon,** 200 mm, Agfa CT-18, 1/500 s, f/8
Ci-dessous : **Nikon,** 28 mm, Kodachrome II, 1/250 s, f/22

Images Parasites du Diaphragme

Lorsque l'image du soleil est éloignée du centre, même, dans certain cas, quand elle est en dehors du cadrage, les images parasites prennent la forme polygonale des lamelles du diaphragme. Le nombre des images est proportionnel au nombre de lentilles, et elles se colorent parfois de la teinte de la couche individuelle antireflet de la lentille, comme sur la photo ci-dessus. Une fois encore, vous ne pouvez exploiter ce phénomène dans un but créatif qu'avec le reflex mono-objectif. Le nombre des images parasites augmente encore lorsque, comme pour l'image ci-contre, des gouttelettes d'eau se sont répandues sur la lentille antérieure de l'objectif. Ici, l'image "éclatée" du soleil et les nombreux reflets parasites traduisent bien la turbulence de l'océan. L'objectif étant à sa plus petite ouverture, une pose de 1/125 s donne juste assez de bougé pour évoquer le mouvement des vagues.
Voir *Teintes sourdes, pages 152-153.*

Leica R, 55 mm, Ektachrome (200), 1/250 s, f/16

Variations de l'exposition

Les possibilités offertes par l'inclusion directe du disque solaire dans l'image sont résumées dans la séquence illustrant cette page. Les six photographies ont été prises en moins de deux minutes. Le seul facteur variable a été la durée de la pose ; la première vue étant posée environ sept fois plus que la dernière. Cette suite d'images a également l'intérêt de montrer l'importance du choix de la plage de mesure de l'exposition : celle-ci doit être faite sélectivement sur la partie significative elle-même ou sur un objet de luminance analogue. Avec un sujet aussi contrasté que celui-ci, les autres parties de l'image sont forcément sous- ou surexposées.

Voir *Détermination de l'exposition : photo noir et blanc, page 132 ; Détermination de l'exposition : photo en couleur, page 145 ; Techniques de laboratoire, page 135 ; Contrôle du mouvement, pages 161-163.*

Toutes les images : **Leica R,** 135 mm, Ektachrome (100), différentes vitesses, f/16.

Au 1/15 s, ce paysage au soleil couchant prend l'aspect brillant du plein soleil. L'exposition est déterminée sur l'herbe du pré.

Au 1/60 s, la couleur et les détails du premier plan commencent à disparaître. L'église est encore détaillée et le ciel se colore plus vivement.

Au 1/125 s, tout l'avant-plan est uniformément sombre et le soleil se détache sur un ciel richement teinté. L'exposition est mesurée sur le ciel seulement.

Au 1/250 s, les éléments commencent à disparaître dans l'ombre en restant silhouettés sur le ciel. Mesure globale sur le ciel.

Au 1/500 s, il ne reste que des silhouettes se profilant sur le ciel. On distingue les effets de la brume atmosphérique sur le disque solaire.

Au 1/1000 s, les contours sont quasiment invisibles et le ciel a perdu sa couleur. En noir et blanc, une telle image pourrait passer pour un clair de lune.

CHOISIR L'HEURE

Au cours de la journée, la lumière solaire change en puissance, direction, hauteur et couleur. Ces modifications influent sur l'aspect d'un paysage. Les photos de ce moulin à eau ont été prises au cours de la même journée d'hiver. Le bâtiment fait face au nord-est. Voyez à quel point l'heure du jour est importante !

7 h (ci-contre) La brume du petit matin noie le bâtiment, ne laissant visibles que le bord de la rivière et la branche d'arbre du premier plan. Bien que le soleil levant soit rougeâtre, cette teinte chaude a été complètement neutralisée par le brouillard bleuâtre.

8 h Le brouillard est dissipé ; il reste un voile bleuâtre. Les taches rosées de soleil direct éclairent le bâtiment à travers les branches. La lumière diffuse et le voile atmosphérique donnent des teintes pastel. (Ci-dessus.)

10 h Le voile atmosphérique a disparu (ci-dessus, à droite). Le soleil est plus haut à l'horizon : la lumière est dure (ciel sans nuages) ; ce qui donne une image contrastée, de teintes moins subtiles. Les constructions sont mises en relief.

12 h 30 Le soleil ayant atteint sa plus grande hauteur dans le ciel, l'arbre ne projette plus son ombre sur la façade, dont la texture est soulignée par la lumière rasante. Un peu de brume est revenue, estompant les lointains. (ci-contre.)

14 h 30 La photo ci-dessus montre un changement radical. Le soleil s'est déplacé, de telle sorte qu'il n'éclaire plus les bâtiments qui se silhouettent sur le ciel clair. Les teintes sont légèrement plus chaudes.

15 h 30 (ci-dessus, à droite) A cette heure, en hiver, le soleil est déjà bas sur l'horizon. Les masses du sol contrastent avec le ciel et l'eau. La qualité délicate de l'éclairage donne une gamme de teintes nuancées dans les ombres du tableau.

16 h 30 En fin d'après-midi (à droite), le ciel a encore changé, se colorant de teintes roses qui affectent l'ensemble des éléments.

17 h Au crépuscule, ci-dessous, les riches colorations du ciel se réfléchissent dans l'eau. Le moulin se confond presque avec son environnement monochrome. Les contours sont soulignés.

Toutes les images : **Leica R,** 35 mm, Ektachrome (100), de 1/15 à 1/125 s, f/11

Photographie au Crépuscule

Le meilleur moment pour prendre une photo de nuit, c'est au crépuscule, lorsque le ciel est encore légèrement éclairé. Selon le moment de la prise de vues et l'exposition donnée, on obtient des effets différents : ce que vous pouvez vérifier sur les deux vues de gauche prises lorsque l'horizon était encore parfaitement visible sur le ciel plus clair. Celle du haut a été posée pour les rues et les maisons brillamment éclairées : à 3 s, f/11, tous les autres éléments du paysage disparaissent dans ce qui semble être une nuit profonde, le ciel étant assez sous-exposé pour se confondre avec le sol. L'image du bas a été huit fois plus exposée, afin de faire venir tous les détails dans le ciel : la plupart des bâtiments et des rues sont maintenant surexposés. Néanmoins, l'image a bien l'atmosphère d'une vue prise au début du crépuscule.

Leica R, 35 mm, Ektachrome (64)
En haut, à gauche : 3 s, f/11
A gauche : 25 s, f/11

Sources Inhabituelles

Les images couleur de gauche ont été prises avec l'éclairage public des lampes à mercure ou à sodium. La lumière émise par ces sources est quasiment monochromatique, et les photos prises sous leur éclairage le sont également. En revanche, pour le paysage ci-dessous, le ciel était encore assez lumineux pour donner quelques couleurs au premier et à l'arrière plan. Pour reproduire un tel effet, prendre la mesure sur le bâtiment et attendre que la nuit soit tombée pour que l'environnement soit sous-exposé de deux divisions de diaphragme.

Pentax, 55 mm, Ektachrome (64)
lumière du jour – A gauche : 4 s, f/5,6
En bas, à gauche : 3 s, f/8
Ci-dessous : 5 s, f/8

Clair de lune

Face au disque lunaire, vous obtiendrez un fort contraste, comme lorsque vous photographiez face au soleil. Le résultat en est souvent le silhouettage des éléments sur le ciel, sans autre détail. Pour donner de la profondeur et de l'intérêt à l'image, cherchez à introduire une surface réfléchissante au premier plan : pavé mouillé, carrosserie de voiture, etc.

Voir *Grand contraste, page 134 ; Face au soleil, pages 74-77.*

Mesure de l'exposition la nuit

Pour déterminer l'exposition des vues de nuit, il faut un posemètre indépendant extrêmement sensible, à cellule CdS ou Si. Vous l'utiliserez comme pour une mesure diurne. S'il paraît incapable de répondre à la faible luminosité du paysage, essayez de prendre la mesure sur une feuille de papier blanc et multipliez le temps de pose par six. Une autre manière – moins précise – de pallier un manque de sensibilité d'un posemètre est de pointer directement la cellule sans diffuseur de l'instrument en direction de la lune. La valeur d'exposition trouvée doit être multipliée par vingt. Autre méthode : un paysage sous un brillant clair de lune reçoit à peu près cinq mille fois moins de lumière que s'il était éclairé par le plein soleil : si vous estimez devoir poser 1/1 000 s, f/11, en plein soleil, posez alors 5 s au clair de lune.

Hasselblad, 150 mm, film TRI-X, 5 s, f/11

PHOTOGRAPHIE EN LUMIÈRE DISPONIBLE

Photographier en intérieur, en ne se servant que de la lumière disponible, vous permet de capter le "climat" d'une scène, avec un réalisme que ne permet pas l'emploi du flash. Vous êtes plus libre de vos mouvements et vous pouvez éventuellement opérer à l'insu des personnes présentes. Il y a quelques problèmes techniques si la lumière disponible est faible, contrastée ou mal répartie. Essayez toujours de trouver le point de vue le plus favorable par rapport à la direction de l'éclairage. N'oubliez pas qu'en appuyant l'appareil sur un mur ou autre support stable il devient possible d'employer des poses relativement longues. Les murs clairs, les tables recouvertes de journaux, ou autres réflecteurs, réduisent le contraste. Habituez-vous à utiliser les films ultrarapides et même "poussés" en rapidité, et procurez-vous un posemètre vraiment sensible. Si vous êtes malgré tout obligé d'ajouter une ou deux sources supplémentaires de lumière, placez-les le plus près possible des sources déjà existantes : de cette manière, vous ne modifierez pas la qualité particulière de l'éclairage qui contribue tant à l'atmosphère de ce genre de scène.

En bas, à gauche : **Pentax** 35 mm, Tri-X, 1/30 s, f/2,8
En bas, à droite : **Rolleiflex** grand-angle, Tri-X, 1/5 s, f/5,6
Ci-dessous, **Leica**, 21 mm, Tri-X, 1/15 s, f/4

ÉCLAIRAGE DE LA PIÈCE

L'éclairage normal d'une pièce donne des images qui sont plus contrastées qu'à l'œil nu. Si vous tournez le dos à la seule fenêtre éclairant un local, celui-ci apparaît plus largement éclairé et vous pouvez tirer parti du reflet sur le mur brillant d'en face (ci-dessous, à gauche). Pour le portrait, le seul éclairage est une lampe domestique avec abat-jour, alors que l'atelier du tatoueur est éclairé par des tubes fluorescents et des lampes de 100 watts. Muni d'un grand-angle, l'appareil a été appuyé contre un mur pour avoir une pose de 1/15 s à f/4.

ÉCLAIRAGE À LA BOUGIE

L'éclairage donné par des bougies, en extérieur, est un cas limite, étant donné la faible intensité et le fort contraste de cette source de lumière. Pour cette image, j'ai placé les cierges pour qu'ils s'éclairent l'un l'autre, tout en illuminant le visage de la femme de manière intéressante. J'ai pris la mesure en lumière réfléchie avec un pose-mètre à cellule CdS. Prise de vue à main levée, le dos appuyé contre un poteau.

Rolleiflex, Royal-X Pan (poussé à 3 000 ISO), 1/15 s, f/4

FILM "POUSSÉ"

Une manière de résoudre le problème du manque de lumière est de "pousser" le film : ce qui permet une sous-exposition volontaire qui sera compensée par l'augmentation de la durée de développement. Les films rapides comme le Tri-X et le HP5 se prêtent mieux à ce traitement que les films plus lents, bien que l'accroissement de rapidité ainsi obtenu s'accompagne d'une augmentation du contraste. C'est pourquoi les sujets éclairés en lumière diffuse conviennent mieux que les sujets éclairés par une lumière dure. Ces derniers donnent des négatifs si contrastés qu'ils sont intirables. L'image de droite est l'agrandissement, au rapport x 10, d'une partie de négatif pris sur film Recording, de rapidité initiale 1 250 ISO, mais poussé ici à 3 000 ISO par un accroissement de 30 % de la durée du développement. La plupart des films rapides et ultrarapides peuvent voir leur rapidité ainsi multipliée par trois ou quatre.

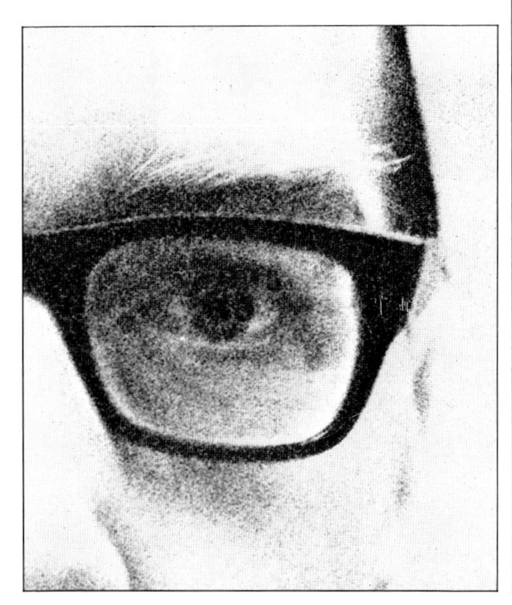

La Direction

Les deux bases de l'éclairage sont la direction et la qualité de la lumière : la direction change l'aspect et le volume des objets en soulignant certaines surfaces ou détails. Pour les six photographies de la maquette d'église, je n'ai employé qu'une seule lampe flood montée en réflecteur. La même démonstration serait valable en extérieur. **1**, la lampe était juste au-dessus de l'appareil : toutes les surfaces visibles sont éclairées, mais il y a une perte générale du relief.
2, la lampe a été déplacée vers la gauche pour qu'elle soit tangente au mur à deux fenêtres.
Le bâtiment a retrouvé son volume tridimensionnel, bien que toutes les surfaces visibles soient détaillées.

1

2

3, la lampe est sur le côté, à 90° par rapport à l'axe optique. Le long mur et le toit sont dans l'ombre et il y a un très grand contraste entre les parties éclairées et les parties à l'ombre. **4** montre ce que l'on obtient en plaçant la lampe en semi-contre-jour. Le mur de l'entrée principale et le côté du clocher sont mis en valeur ; toutes les autres surfaces sont complètement noyées dans l'ombre. **5**, la lampe est dirigée sur l'appareil : quelques détails ont été apportés à l'ensemble de la maquette par la lumière réfléchie sur les murs du studio. Jusqu'à présent, la lampe était restée à la même hauteur au-dessus du sol. **6**, la lampe est plus bas, cachée par la maquette. On a un effet de "coucher de soleil".

3

Pour les six photographies :
Hasselblad, 80 mm, Plus-X, 1/10 s, f/8

4

5

6

QUALITÉ DE L'ÉCLAIRAGE

Le terme "qualité" de la lumière s'applique à la douceur ou à la dureté de l'éclairage, quelles que soient sa direction ou sa puissance lumineuse. Les deux images ont été éclairées par des sources différentes, mais ayant la même disposition par rapport aux fruits : pour la photo du haut, une source dure et concentrée ; pour celle du bas, une source douce et diffuse. Toute la surface ponctuelle donne une lumière "dure" (spot, bougie, lampe de poche). La forme et la texture sont soulignées, avec un fort contraste (la partie ombrée des fruits est presque noyée dans le fond sombre). La photo du bas, éclairée indirectement par une large ambiance, montre le volume des formes aussi bien que le détail de la matière. La séparation des valeurs de gris se fait dans les parties éclairées comme dans les parties ombrées. On retrouve les mêmes variations de qualité en extérieur, selon l'état de nébulosité présenté par le ciel.

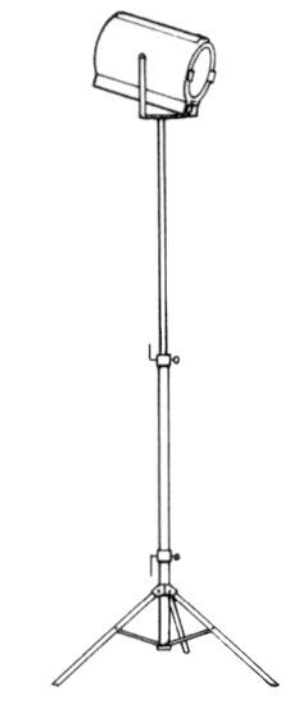

Éclairage dur Les poires sont éclairées par un petit spot placé à 90° de l'axe optique.

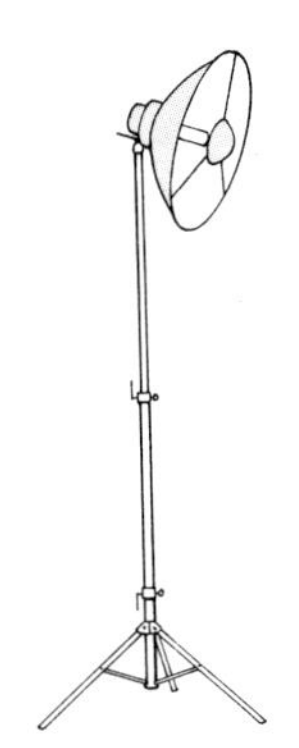

Éclairage diffus Le spot a été remplacé par une large ambiance (environ 90 cm de diamètre).

Les deux photographies :
Linhof, 100 mm, Plus-X, 75 s, f/11

Éclairage Simple en Studio

Les principes de l'éclairage en studio découlent de l'éclairage naturel du monde extérieur. Nous sommes habitués à voir les paysages, les choses et les gens sous l'éclairage principal d'un soleil unique, provenant d'un point situé au-dessus de l'horizon. Un éclairage complexe et inhabituel donne un résultat théâtral et artificiel s'opposant à une représentation réaliste. Il est certains cas où la lumière est le sujet même de la photographie, mais, dans la majorité des cas, l'éclairage est au service de l'image, soulignant les qualités intrinsèques du sujet. En le faisant, il peut insister sur certaines particularités et en dissimuler d'autres, séparer les éléments ou les réunir, exagérer des différences ou montrer des similitudes. La meilleure manière d'apprendre à maîtriser l'éclairage, c'est la nature morte en studio, parce que tous les facteurs sont sous votre contrôle et que vous pouvez modifier l'un d'eux sans influencer les autres. Le point essentiel dont il faut se souvenir, c'est que le film photographique est moins capable que l'œil d'enregistrer des détails à la fois dans les lumières et dans les ombres d'une scène. Plus généralement, cela veut dire que vous pouvez éclairer votre sujet d'une manière moins contrastée que ce qui passerait pour correct à l'œil. C'est le procédé photographique qui augmentera le contraste initial pour donner à l'image finale l'aspect que vous avez désiré lui donner.

Lumière Directe

Une seule lampe – un spot par exemple – placée bas et sur le côté du sujet produit des ombres dures et sombres, exagérant les reliefs. C'est l'effet obtenu en extérieur, lorsque le soleil est bas sur l'horizon. Les lignes formées par le contour des ombres deviennent des éléments forts de la composition. Le spot, ici, était à la même hauteur que les poupées et presque tangent au mur du fond.

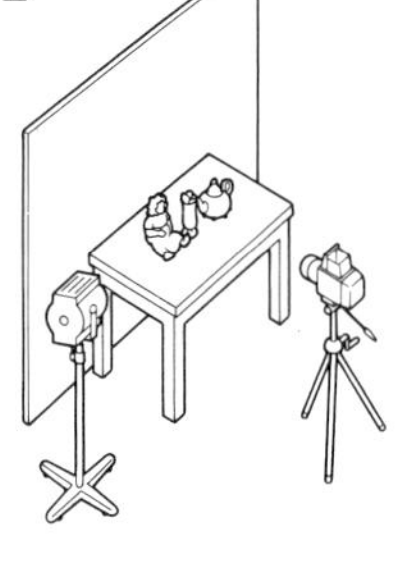

Emploi d'un Réflecteur

Un simple projecteur en position haute illumine fortement le sujet et le fond. En plaçant un grand réflecteur blanc près de l'appareil, une partie de la lumière directe est réfléchie dans les zones d'ombre, mais sans former de nouvelles ombres. Les formes et les volumes sont soulignés, mais l'éclairage reste contrasté.

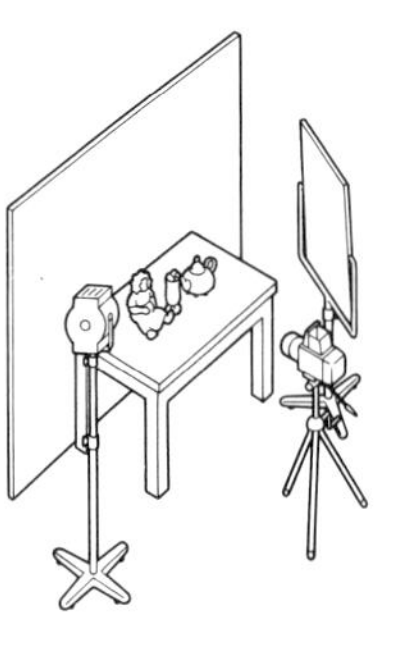

Lumière Indirecte

Au lieu de diriger directement la lampe vers le sujet, on lui fait illuminer une grande surface réfléchissante blanche qui éclaire à son tour le sujet, mais avec une lumière uniforme et très diffuse. Il y a peu d'ombres et leurs contours sont très adoucis, même s'il y a – comme ici – une direction dominante de la lumière. L'image finale est très détaillée sans être exagérément plate.

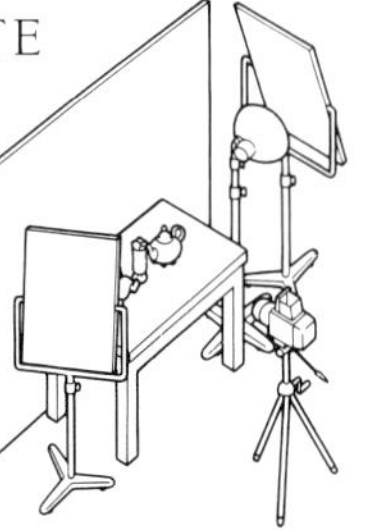

Éclairage Principal et Secondaire

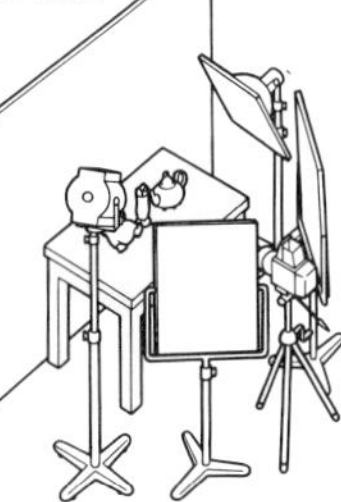

Lorsque vous utilisez deux lampes, placez-les l'une après l'autre, en décidant d'abord laquelle sera "principale" : ce peut être un spot éclairant le sujet obliquement, dessinant fortement les volumes et le relief.
La deuxième source, diffuse ou indirecte, ne sert qu'à éclaircir les ombres formées par la source principale.

Lumière Directe et Indirecte

Au lieu d'un spot, on peut employer une source diffuse pour fournir l'éclairage principal : on aura un modelé plus délicat. La deuxième lampe, convenablement réfléchie, diffusera une lumière douce sur l'ensemble de la composition. Si la source principale est de face, l'apparence générale risque d'être un peu plate, tout au moins en noir et blanc.

Éclairage par Zones Séparées

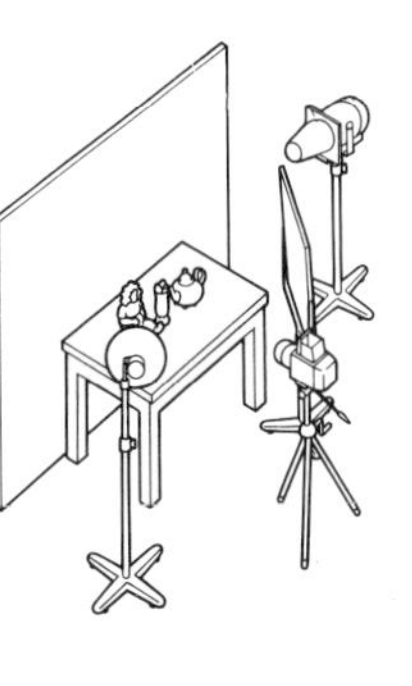

Avec deux lampes, on peut éclairer des parties différentes du sujet ; par exemple, on peut éclairer le sujet principal avec une lampe et un réflecteur et utiliser la deuxième source pour éclairer séparément le fond. Ici, la lumière principale est une ambiance placée à gauche, avec un réflecteur à droite. La tache sur le fond est donnée par un spot coiffé d'un "snoot".

Effets sur le Fond

En augmentant la distance entre le sujet et le fond, on parvient à d'intéressants "effets" d'éclairage sur le fond. Par exemple, deux spots peuvent projeter des dessins géométriques, tandis que le sujet est éclairé séparément par une lumière frontale très diffuse. Ici, c'est une large surface blanche, sous l'objectif, qui réfléchit assez de lumière pour donner cet éclairage doux.

ÉCLAIRAGE MULTIPLE

Lorsqu'on dispose de nombreux projecteurs, il est tentant de les utiliser tous ; il faut toujours employer le plus petit nombre de lampes possible, en construisant l'éclairage lampe par lampe, afin de bien suivre l'effet donné par chacune. On doit parfois multiplier le nombre de sources, pour augmenter la quantité de lumière éclairant la scène, ou si le sujet est étalé en profondeur, pour illuminer séparément le premier, le second et l'arrière-plan. C'est en donnant à chacun le bon dosage de lumière que l'on fait ressortir les points forts de l'image.

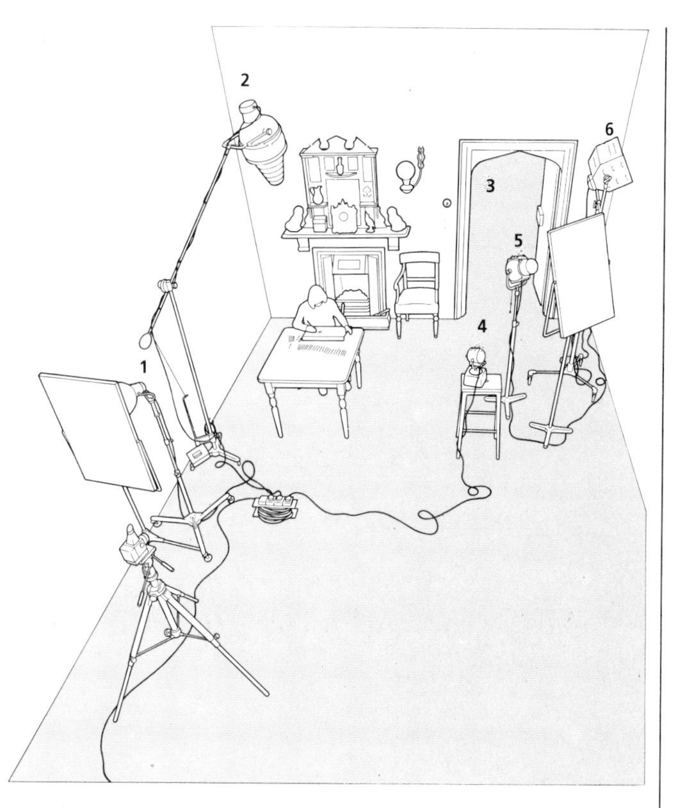

Éclairage donné par la seule lampe murale, 1/2 s, f/11

Contrôle de l'éclairage
Une pièce agréable à l'œil peut décevoir en photographie, parce que le procédé augmente le contraste et souligne les inégalités d'éclairage. C'était le cas pour la pièce en haut, à gauche. La pose correcte pour le mur du fond donne une image où l'on ne voit guère que celui-ci. Avec une pose plus longue, on aurait eu quelques détails pour les autres parties du local, mais avec une surexposition insupportable de la lampe et du mur du fond. On a donc utilisé des lampes supplémentaires pour éclairer la scène, tout en laissant la prééminence à la lampe murale du fond, qui semble toujours être la source unique de lumière. Les six lampes ont été placées successivement : ambiances et spots, certaines en éclairage indirect, d'autres pour donner une tache lumineuse sur une surface donnée. L'image finale, à gauche, semble naturelle.

Hasselblad, 50 mm, Plus-X, 1/4 s, f/11

Construction de l'Éclairage

En élaborant un éclairage du genre de celui-ci, demandez-vous quel sera le rôle de chaque lampe. Installez chaque projecteur l'un après l'autre en éteignant les autres, afin de bien voir l'effet produit. Puis jugez du résultat global – tous les projecteurs étant allumés – pour apprécier la luminosité et la formation des ombres : ce qui demandera sans doute des modifications de position et de concentration, car les sources de lumière s'influencent mutuellement.

La scène doit être jugée depuis l'appareil. La première lampe donne un éclairage frontal très diffus : la lampe **1** éclaire la scène par réflexion sur une grande surface blanche et la distance a été ajustée pour donner une luminosité correspondant à une ouverture de f/8. En effet, la lampe murale donnant f/11, il fallait s'assurer qu'elle resterait dominante (rapport d'éclairement 2/1). La lampe **2**, très verticale et assez concentrée (emploi du snoot), éclaire la petite fille. L'ambiance **3**, dans l'autre pièce, donne un éclairement correspondant à f/11 sur la porte. Un petit spot, **4**, éclaire les crayons et donne du relief à la table. Il a fallu ajouter la lampe **5** qui forme des ombres simulant celles produites par la lampe murale. Enfin, l'ambiance **6** dirigée contre le mur a pour but de compléter l'illumination générale de la pièce donnée par l'éclairage diffus **1**.

1 *Éclairage donné par la lampe frontale (à gauche), donnant une lumière diffusée sur l'ensemble. Le manque de lumière à droite de l'image sera compensé par la lampe* **6**. *(A gauche.)*

2 *Une lampe suspendue au-dessus de la fillette est soigneusement masquée pour former une tache lumineuse précisément localisée. Notez comment le visage est éclairé par la lumière réfléchie par le papier à dessin.*

3 *Une ambiance, placée dans la pièce voisine, éclaire la porte et donne quelques détails. (A gauche.)*

4 *Un spot miniature, placé sur une chaise, forme un faisceau concentré sur la table, mettant en relief les crayons.*

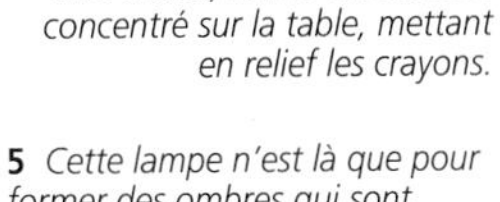

5 *Cette lampe n'est là que pour former des ombres qui sont censées être produites par la lampe murale, laquelle, trop éclairée, n'en formait plus.*

6 *La touche finale est apportée par la lampe 6, une ambiance, qui donne une meilleure séparation des plans. (A droite.)*

Pour les six images : **Hasselblad,** 50 mm, Plus-X, 1/2 s, f/8

Positionnement des Lampes

L'éclairage d'un visage est chose délicate. La direction de la lumière principale a une influence sur les volumes et sur la ressemblance. Cela apparaît clairement sur les photos de droite faites avec le cas extrême d'un unique spot donnant une lumière très concentrée, donc très contrastée. Voyez comme ce visage change d'aspect, jusqu'à paraître plus rond ou plus ovale. D'une manière générale, un éclairage aussi dur n'est pas flatteur pour un visage, dont il accuse les traits. Néanmoins, cette jeune fille a un visage symétrique qui s'accommode bien avec l'éclairage frontal utilisé pour la photo **1**.

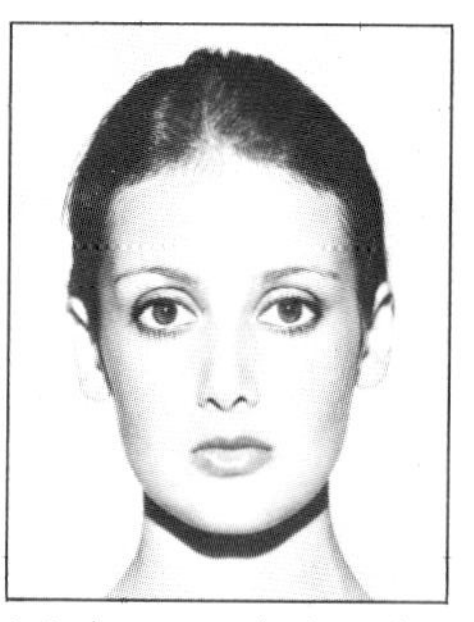

1 *La lampe est placée environ 30 cm au-dessus de l'appareil : presque aucun modelé.*

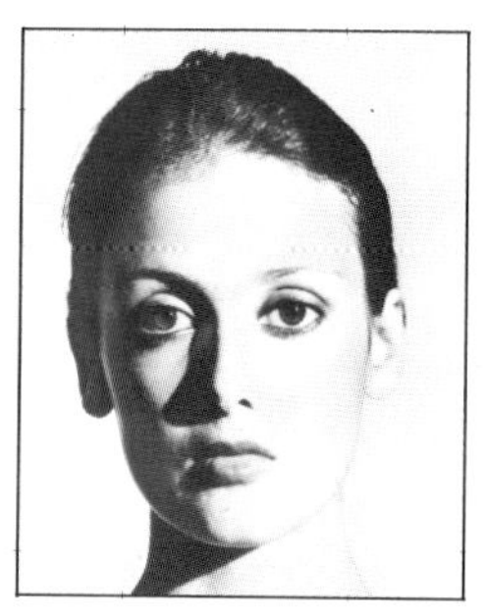

2 *La lampe est placée à 45° de l'axe optique : meilleur modelé, mais ombre disgracieuse du nez.*

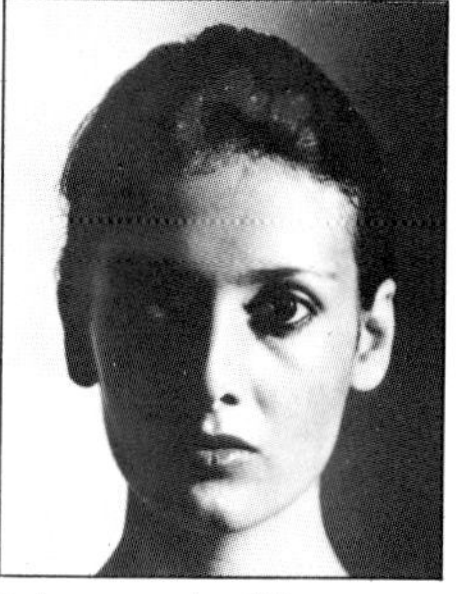

3 *Lampe sur le côté : une moitié du visage est dans l'ombre ; sur l'autre : exagération de la texture de la peau.*

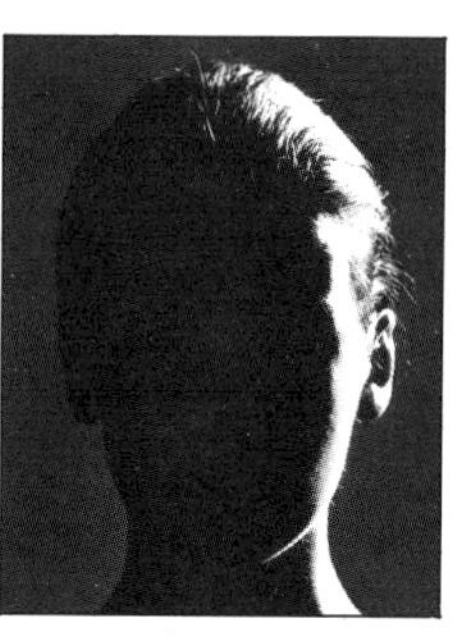

4 *Lampe placée en semi-contre-jour : le visage n'est plus reconnaissable.*

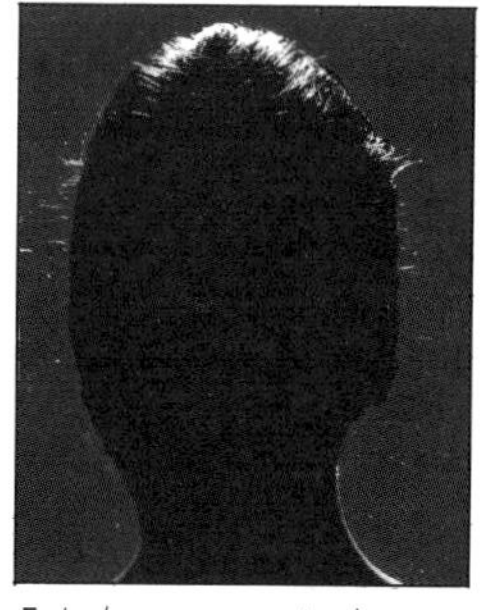

5 *La lampe en contre-jour au-dessus du modèle produit un liseré lumineux sur les cheveux et le cou.*

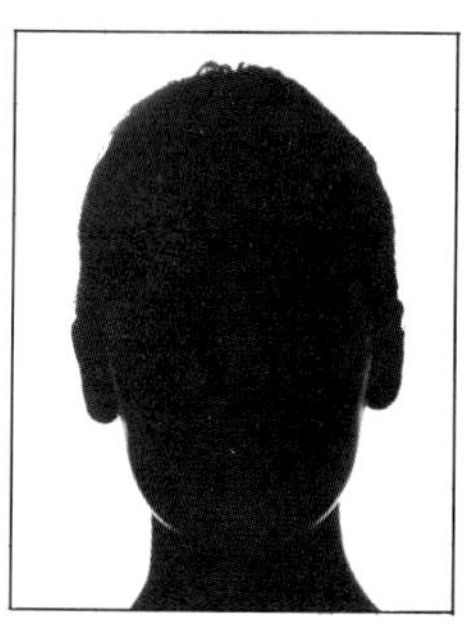

6 *Ici, la lampe a été dirigée vers le fond blanc qu'elle éclaire vivement.*

Hasselblad, 150 mm, Plus-X, 1/30 s, f/8

Effet Dramatique

Un éclairage contrasté peut faire "vivre" un portrait, mais il donne une exagération parfois caricaturale aux reliefs du visage et souligne les accidents de la peau, avec la perte de certains détails. Ce que vous noyez dans l'ombre est souvent aussi important que ce que vous mettez en lumière. Pour la petite image de gauche, le modèle a été éclairé de face avec de la lumière très diffuse. Le contraste est faible, l'image est grisâtre et le personnage se détache mal sur le fond. Pour la photo centrale, la source non diffuse est située dans l'axe, mais éclaire le visage par en dessous. Le jeu d'ombre et de lumière est mieux équilibré, les cheveux sont plus détaillés, le fond étant presque noir. Pour la photo de droite, le projecteur est placé obliquement, laissant une bonne partie à droite du visage du sujet dans l'ombre. Cette image est de loin celle qui engendre le climat le plus "dramatique".

Pentax HP5, 1/60 s, f11

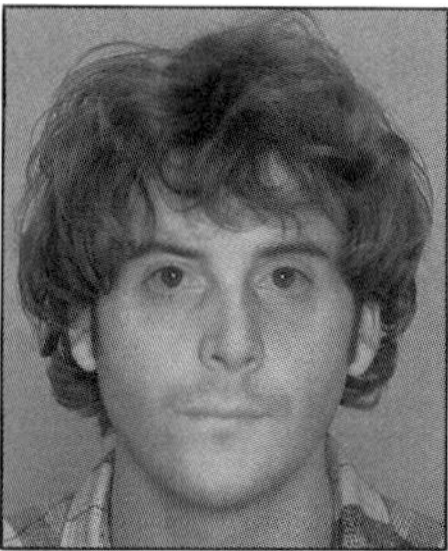

Le visage ci-dessus est éclairé de face par une source diffuse. Une source non diffuse a été placée en dessous pour l'image centrale. Deux projecteurs, de côté et en dessous, ont été utilisés pour la photo de droite.

PROFILS

Le profil est un aspect du portrait qui n'est pas très exploité. Comme les deux images ci-contre le montrent, l'éclairage joue un rôle primordial : celle de gauche est faite devant un fond sombre avec un éclairage latéral diffus, les cheveux se noient dans l'ombre. La vue de droite est prise devant un fond moyennement éclairé, pour donner un gris intermédiaire entre les parties claires et les parties ombrées du visage.

Les deux images : **Hasselblad**, 150 mm, FP4, 1/15 s, f/16

SILHOUETTES

Faire une silhouette est le moyen le plus efficace pour mettre l'accent sur la forme : cela en raison de sa simplicité et de sa grande économie de détails. C'est également amusant à faire. L'expression et le caractère sont résumés par les seuls contours de la bouche, du nez ou du menton. Lorsque cela est nécessaire, on peut apporter une touche de lumière sur un point particulier, l'ensemble restant cependant soumis à la silhouette.

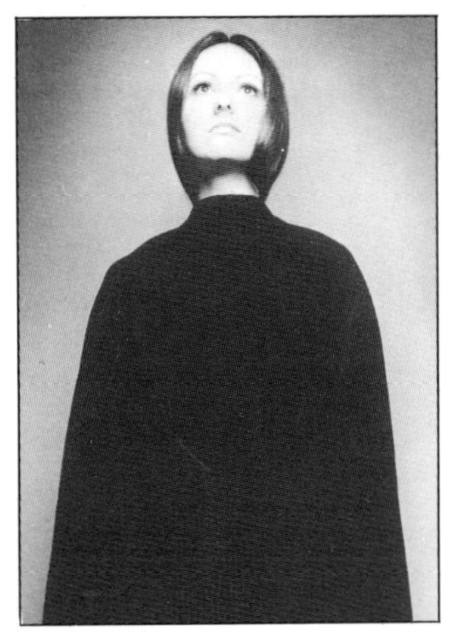

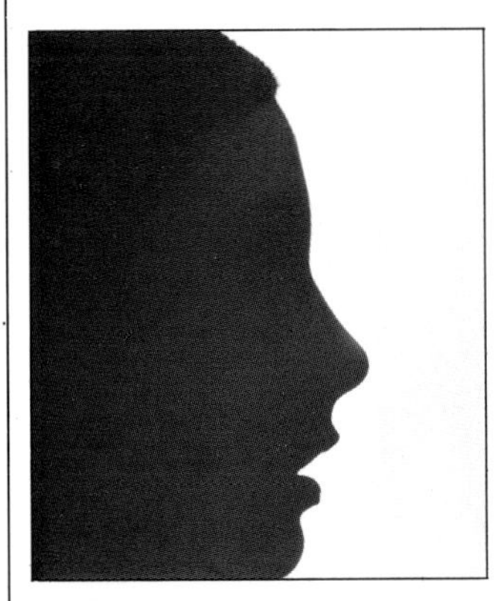

Emploi d'un fond blanc C'est la façon la plus efficace d'obtenir une silhouette : vous placez votre sujet à quelque distance du fond blanc vivement éclairé, en utilisant deux lampes ou plus. Faites attention de ne pas éclairer directement le sujet. Évitez toute surface réfléchissante voisine de l'appareil qui pourrait diffuser de la lumière sur le modèle. La position de la tête est également très importante : une rotation infime suffit à modifier radicalement le profil. Prenez la mesure sur le fond blanc et tirez le cliché sur papier dur.

Hasselblad, 150 mm, Plus-X, 1/60 s, f/16

Éclairage d'un détail particulier Au lieu de ne conserver que la seule silhouette, on mettra une partie du personnage en valeur par une tache de lumière localisée. Évitez les ombres dures s'opposant trop à la masse de la silhouette. Pour l'image ci-dessus, j'avais le choix entre une véritable silhouette de profil, ou, comme ici, l'emploi d'un éclairage supplémentaire pour illuminer le visage. Deux lampes d'ambiance éclairent le fond blanc alors qu'un spot, très au-dessus de l'appareil, ne place une tache lumineuse que sur le seul visage.

Mamiya C330, 80 mm, FP4, 1/30 s, f/11

Ombres projetées Une autre façon de fabriquer des silhouettes est de projeter l'ombre du sujet sur un écran translucide : cela donne des contours plus développés que par l'autre méthode ; de plus, celle-ci est plus facile à mettre en œuvre, surtout si on ne dispose que d'une seule lampe. Pour la photo de l'enfant, j'ai simplement placé celui-ci derrière un écran de papier calque ; à l'autre extrémité de la pièce, un projecteur semi-dirigé formait l'ombre sur l'écran. Comme pour toutes les silhouettes, la mesure de l'exposition est prise pour le fond blanc.

Hasselblad, 150 mm, Plus-X, 1/125 s, f/16

Comment Éclairer un Vaste Intérieur

Beaucoup de grandes salles sont mal éclairées. Si vous posez suffisamment longtemps pour avoir des détails dans les ombres, les fenêtres sont surexposées. Il faut donc apporter une lumière d'appoint pour réduire ce contraste à une valeur raisonnable, sans détruire l'illusion que la salle est éclairée de manière naturelle. Il est parfois suffisant d'allumer toutes les lampes existantes et/ou d'ouvrir portes et fenêtres. Si l'éclairage d'appoint s'avère indispensable et qu'il n'y a pas de personnages, on doit opérer sur pied, diaphragmer l'objectif et poser longtemps. Durant la période d'exposition, éclairer successivement les différentes zones de la salle avec des éclairs de flash ou en promenant une lampe quartz-halogène ayant si possible une alimentation par batteries. Il faut que la source d'appoint ne soit jamais dirigée vers l'objectif. S'il s'agit d'une lampe à incandescence, il faut la remuer sans arrêt : "peindre" avec la lumière.

Linhof, 135 mm, Plus-X. Ci-dessus : 6 s, f/22. Ci-dessous : 24 s, f/32

Peindre avec la lumière
La photo ci-dessus est exposée correctement pour les fenêtres. Pour celle du dessous, l'exposition a été augmentée et, durant la pose, le photographe a promené une lampe à alimentation autonome, à partir de trois emplacements figurés sur le dessin. Il était habillé en sombre et se déplaçait continuellement, pour que sa silhouette ne s'imprime pas sur le film.

Photographie dans les Musées

Il vous faut demander une autorisation d'opérer dans les musées, surtout si vous désirez utiliser un éclairage d'appoint. Les problèmes généralement rencontrés sont : mauvaise répartition de l'éclairage, arrière-plans indésirables et reflets parasites sur les surfaces brillantes. Si la lumière est insuffisante, on peut poser longtemps, mais sur pied. Il faut souvent réduire le contraste excessif donné par un spot ou par la lumière oblique du jour ; la solution la plus simple consiste à employer une feuille ou un rouleau de papier blanc servant à réfléchir un peu de lumière vers les ombres. Contrairement à l'emploi du flash, cette méthode permet d'apprécier très exactement la répartition des ombres et des lumières. Si l'objet à photographier est placé dans une vitrine ou derrière des parois de verre, votre premier geste sera de nettoyer une petite surface du verre et de placer l'appareil le plus près possible de cette surface. Choisissez l'angle de prise de vue qui évite les reflets et élimine les sources lumineuses directes. Un fond confus ou mal approprié peut s'éliminer en tendant un voile noir derrière l'objet. Pour éviter les plis, demandez à un assistant de faire bouger le fond durant toute la durée de la pose.
Voir *Équilibre du flash et de la lumière du jour, pages 98-100.*

Monorail 4 x 5", 150 mm, Plus-X, 10 s, f/32

Lumière du jour réfléchie dans les ombres Ces gisants ont été photographiés dans un musée, d'un point de vue très plongeant. La lumière diffuse d'un ciel couvert filtre par une fenêtre située à gauche. Les ombres étant trop fortes, on a suspendu une grande surface de papier sur la droite qui a joué le rôle de réflecteur.

Photographie au Théâtre

Trois cas peuvent se présenter : prises de vues en cours de représentation publique normale, lors d'une répétition ou une séance spécialement réservée aux photographies. Dans le premier cas, vous devez vous contenter de la lumière disponible et opérer de votre place : de toute manière, demandez une autorisation préalable. Essayez de louer une place légèrement en surplomb par rapport à la scène : le premier rang du premier balcon est idéal. Il est indispensable de voir une première fois le spectacle afin de noter les scènes les plus intéressantes, surtout du point de vue du photographe. La lumière de scène varie considérablement ; essayez d'éviter celles qui sont trop contrastées ou trop faibles. Pour déterminer l'exposition, le spotmètre ou le posemètre intégré à l'appareil sont les meilleurs instruments. L'affichage de la mesure par diodes luminescentes est efficace dans l'obscurité de la salle. Réglez l'exposition sur les parties éclairées plutôt que sur les ombres, les visages étant les parties essentielles de la scène. Il vous faudra probablement employer une longue focale et opérer entre 1/30 et 1/125 s à f/3,5 avec un film ultrarapide. Si vous devez "pousser" la rapidité du film, rappelez-vous que cela a pour effet d'augmenter encore le contraste. S'il vous est permis d'opérer durant une générale, le travail vous sera beaucoup plus facile puisque vous pourrez vous déplacer et même demander un adoucissement de l'éclairage. En montant sur scène, il vous devient possible de composer des groupes de personnages (les acteurs savent poser !) et de compléter l'éclairage par des réflecteurs ou une faible lumière d'appoint, dans le but surtout de réduire le contraste. Enfin, les circonstances permettent quelquefois d'organiser une véritable séance de portrait : c'est le cas pour les deux images de droite réalisées avec l'appoint d'une large ambiance et d'un panneau réflecteur blanc.

Rolleiflex, Tri-X, 1/30 s, f/11

Masquage de la Lumière

Le plus grand avantage du travail en studio, c'est qu'il permet un contrôle précis de l'éclairage. Vous pouvez introduire des masques, filtres ou caches dans le faisceau lumineux pour produire des effets variés. L'image ci-dessous est éclairée par une seule ambiance dont le faisceau a été étranglé par un "snoot" conique. La jeune femme portait un chandail clair, rendu parfaitement noir par la localisation précise du faisceau. En contrôlant la largeur du faisceau lumineux, vous pouvez également projeter une tache de lumière sur un fond, par exemple pour mettre l'accent sur une partie moins éclairée d'un objet ou d'un visage.
Voir *Éclairage multiple, page 88.*

Lumière bien focalisée Pour le portrait ci-dessus, j'ai construit un snoot en carton noir que j'ai placé sur le projecteur. L'ensemble a été dirigé sur le visage d'un point assez élevé. La fille était assise à 2 mètres d'un fond noir ne recevant aucun autre éclairage. La mesure de l'exposition a été prise sur le visage seul.

Hasselblad, 150 mm, Tri-X, 1/15 s, f/8

Éclairage Frisant

L'éclairage frisant, provenant d'un semi-contre-jour, permet de souligner un contour significatif par une ligne de lumière brillante, contrastant généralement avec un fond sombre. Au studio, cet effet est obtenu en employant une lampe dirigée – comme un spot – placée à 45° derrière et au-dessus du sujet. Utilisez des volets ou un snoot pour protéger l'objectif des rayons directs et utilisez le parasoleil. Il est généralement recommandé d'apporter un peu d'éclairage au reste du visage, avec une douce lumière frontale, qui ne donne pas d'ombre, et d'intensité beaucoup plus faible que la lumière frisante. Un rapport d'éclairement de 4 à 1 est souvent satisfaisant pour une image en noir et blanc.
Voir *Matériel d'éclairage, pages 34-35.*

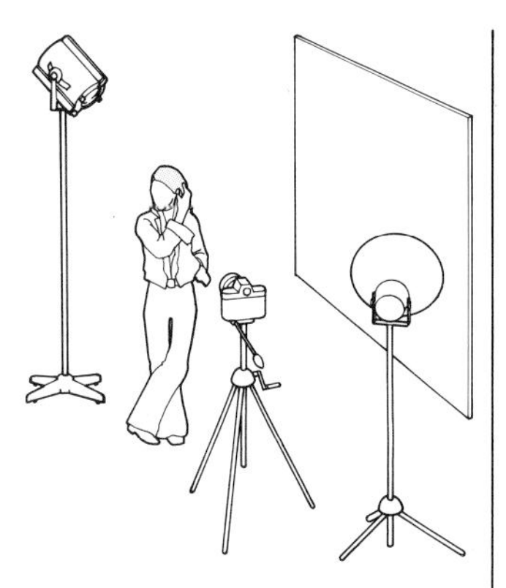

Effet en lumière frisante
Pour éclairer le portrait ci-dessous, un spot de 1 000 watts a été placé environ 90 cm plus haut que la tête du modèle, et derrière lui. Les ombres sont éclaircies avec une lampe de 500 watts, réfléchie par un mur blanc.

Lumière frisante avec une seule source Un effet similaire à celui-ci peut être obtenu avec une seule source de lumière. Placez un grand réflecteur blanc du côté ombre de l'éclairage, juste à la limite du cadrage. Cela donnera quelques détails dans les ombres du visage. En extérieur, c'est évidemment le soleil qui donne la lumière frisante et l'on peut faire appel à un réflecteur naturel ou artificiel.
Voir *Face au soleil, pages 74-77.*

Pentax, 135 mm, Plus-X, 1/60 s, f/5,6

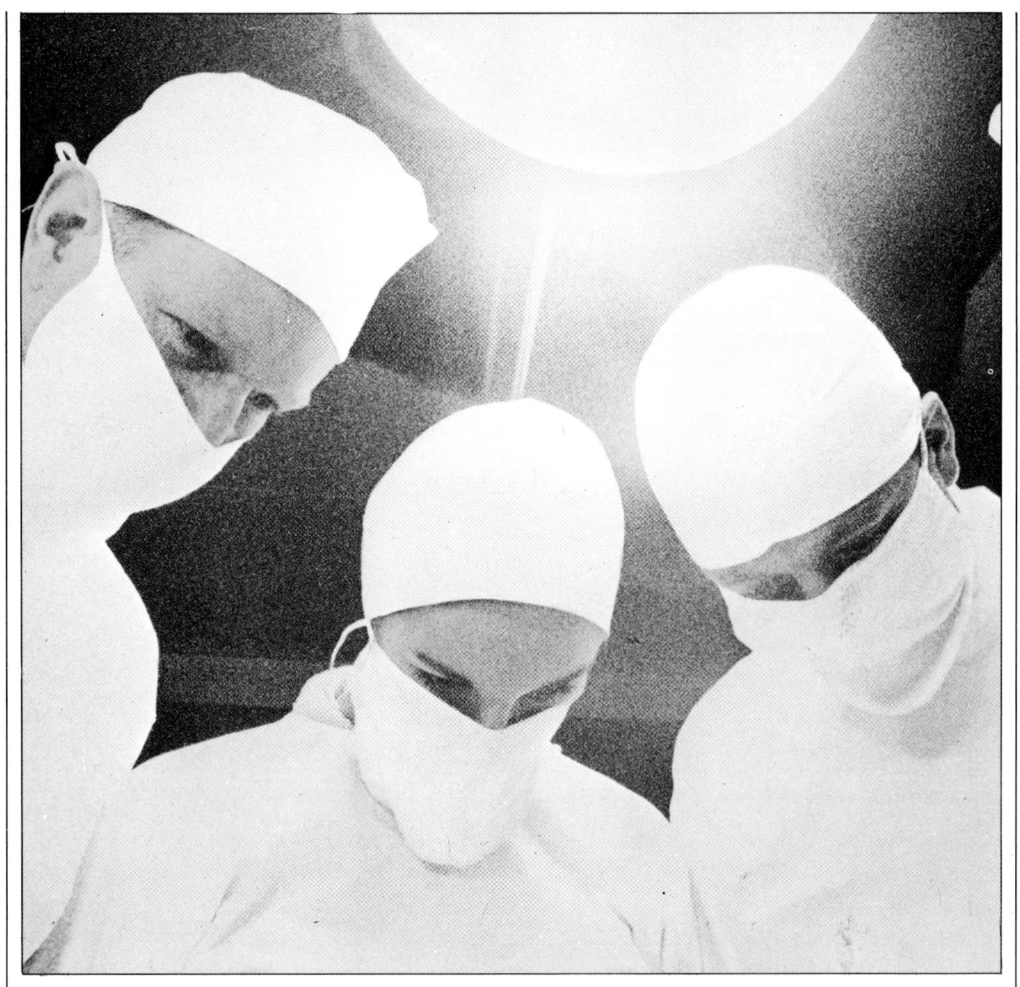

REFLETS DANS L'OBJECTIF

Ces reflets parasites peuvent être introduits délibérément dans l'image : c'est une excellente manière de dissimuler la nature de la source lumineuse, pourvu que vous puissiez rester maître des résultats. La dispersion de la lumière dissimule un arrière-plan laid ou, tout au moins, diminue le contraste des détails indésirables. La meilleure façon d'y parvenir est de suivre l'effet dans le viseur d'un appareil reflex mono-objectif, diaphragmé à l'ouverture qui sera utilisée. Si possible, poser l'appareil sur pied, car le moindre changement du point de vue modifie le degré et la répartition du voile de lumière parasite. Si votre objectif trop parfait refuse de donner un voile suffisant, vous pouvez placer un filtre devant l'objectif, un anti-ultraviolet par exemple (qui n'est pas teinté). Pour un effet plus marqué, ayez recours à un filtre "starburst" ou autre complément optique de même nature. Si vous voulez une apparence réaliste, comme pour la photo ci-dessus, arrangez-vous pour que la partie lumineuse soit surexposée quatre fois, c'est-à-dire de deux divisions de diaphragme. Pour cette image, j'ai utilisé un film rapide sous-exposé et surdéveloppé et j'ai tiré l'épreuve sur un papier dur : ce qui donne une granulation importante à l'image et lui confère cet aspect "dramatique".

Voir *Compléments optiques de l'objectif, pages 31 et 128.*

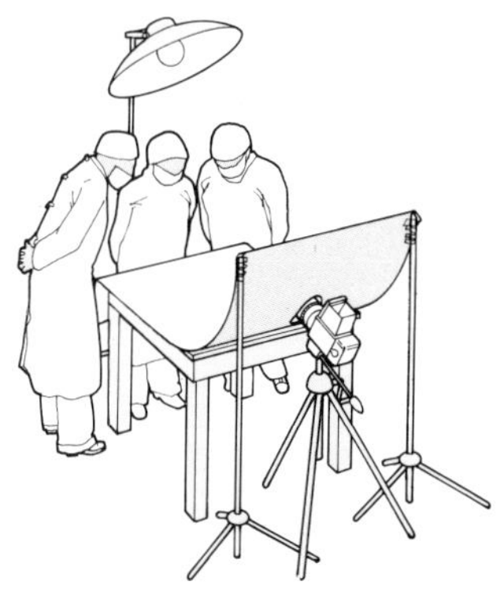

Effet dramatique Cette opération chirurgicale est, en réalité, mise en scène en studio. Une ambiance de 1 000 watts est dirigée presque droit sur l'objectif. Les acteurs regardent volontairement une large feuille de papier blanc avec une ouverture ménagée pour l'objectif. L'exposition est déterminée pour les visages.
Hasselblad, 150 mm, Royal-X Pan, 1/125 s, f/8

Emploi du flash

La différence la plus évidente entre la lumière du flash et les autres éclairages, c'est la brièveté de l'éclair. Comment pourriez-vous juger de ce qui se passe en 1/1 000 s ou moins ? L'expérience acquise avec les projecteurs de studio ou avec la lumière du jour nous est, ici, très utile, puisqu'elle va nous permettre de prévoir ce qui va se passer lorsqu'on utilise le flash pour la première fois.

Synchronisation

L'obturateur doit être à sa pleine ouverture lorsque jaillit l'éclair. En ce qui concerne les lampes à combustion, on utilise le contact de synchronisation "M" de l'obturateur ; pour le flash électronique, c'est le contact "X" qu'il faut employer. La plupart des appareils ayant un obturateur focal ne permettent pas de dépasser le 1/125 ou 1/60 s avec le flash électronique, mais l'on peut toujours employer une vitesse plus lente, la durée de la pose étant effectivement déterminée par la durée de l'éclair. Avec le flash électronique, il est peu probable d'avoir des photos bougées ; enfin, déterminer l'exposition avec le flash se résume à calculer l'ouverture de diaphragme à adopter.

Détermination de l'exposition avec le flash

L'exposition dépend de la distance du sujet, aussi bien que de sa réflectance. Pour la plupart des sujets, la méthode du nombre-guide convient parfaitement ; mais on peut également disposer d'un flash à computer ou employer un flashmètre.

Qualité de la lumière

La plupart des flashes ont une source de lumière quasi ponctuelle placée devant un réflecteur poli. Si le flash éclaire directement le sujet, on a un éclairage dur, assez peu esthétique. Pour cette raison, il est préférable d'employer le flash à éclairage indirect, en faisant réfléchir la lumière par une surface diffusante blanche.

Température de couleur

Le flash électronique, ou la lampe à combustion dont l'enveloppe est teintée de bleu, donnent une lumière qui se marie parfaitement à la lumière du jour.

Nombre-guide Avec le flash, la méthode la plus simple de détermination du diaphragme utilise le nombre-guide (NG) indiqué par le fabricant du flash, pour une sensibilité de film ISO donnée. Si la valeur du NG est indiquée en anciens indices ASA, rappelez-vous qu'elle est strictement équivalente aux valeurs ISO. Il vous suffit de diviser le NG par la distance en mètres séparant le sujet du flash pour connaître l'ouverture à afficher sur la bague du diaphragme de l'objectif. Voir le schéma ci-contre.

NG = 32
16 m
8 m
4 m
2 m
f/16
f/8
f/4
f/2

Calcul de l'exposition

Les flashes non spécifiques sont équipés d'un disque calculateur (à droite) indiquant l'ouverture à adopter en fonction de la distance et de la sensibilité ISO. Si vous possédez un flashmètre, affichez d'abord la sensibilité ISO du film, puis dirigez-le vers le sujet. Déclenchez un éclair manuellement et lisez l'ouverture sur l'affichage ACL (report s'il s'agit d'un flashmètre à aiguille). Avec un flash automatique, adoptez l'ouverture (ou l'une des ouvertures) indiquée par le tableau au dos du flash. Dans la zone de distance indiquée, l'intensité de l'éclair est automatiquement dosée pour une exposition correcte.

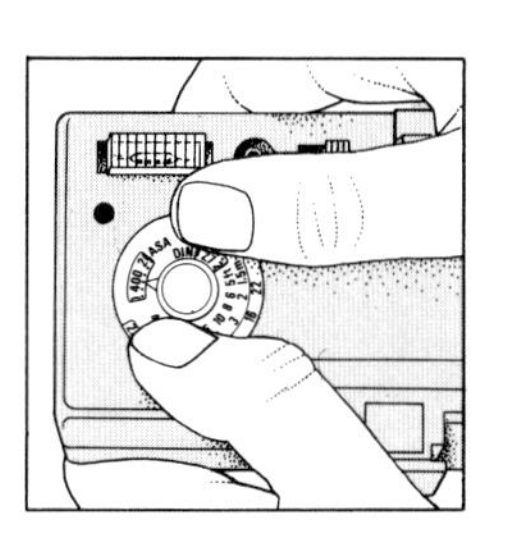

1 *Le disque calculateur se trouvant sur la plupart des flashes indique la relation entre la distance et l'ouverture du diaphragme. Indiquez d'abord la rapidité du film en ISO/ASA.*

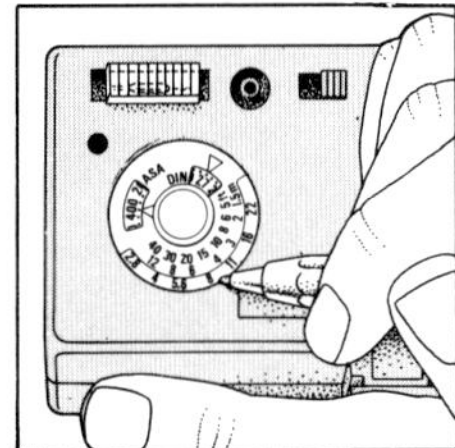

2 *Puis reportez la distance sujet-flash sur le disque calculateur (ici, 4,5 m) : vous pouvez lire l'ouverture du diaphragme (f/8). Si le flash est utilisé en indirect, ouvrez d'une division (f/5,6).*

Deux flashes

Deux flashes permettent d'obtenir les mêmes effets que deux projecteurs en studio. L'un peut éclairer le sujet, tandis que l'autre éclaircira le fond. Bien souvent, un flash est fixé directement sur l'appareil tandis que l'autre, relié par un long cordon, donne la lumière principale ou un "effet". Le calcul de l'exposition se fait plus aisément avec un flashmètre ; mais, si l'on utilise la méthode du nombre-guide, ne tenir compte que du flash donnant l'éclairage principal.

Disposition du flash

Les petits flashes ont une quantité de lumière comparable à celle d'un spot ou d'une lampe quartz-halogène. On peut donc appliquer les mêmes principes d'éclairage. La lumière de pleine face donne rarement un bon éclairage, bien que ce soit le cas du flash directement placé sur l'appareil. Le résultat est meilleur avec ces six dispositions (ci-contre).

1 *Le flash, fixé sur l'appareil et dirigé directement sur le sujet, donne une image détaillée, mais sans relief ni texture. Le premier plan est toujours plus éclairé que le fond.*

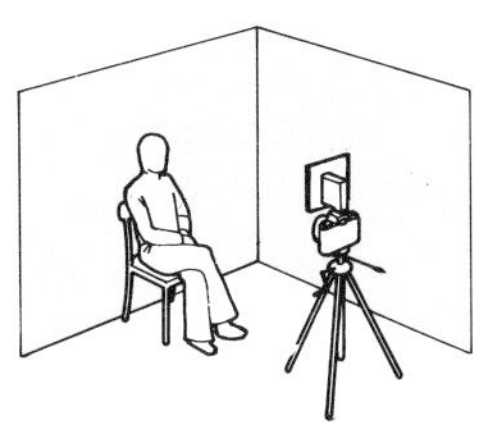

2 *Un diffuseur, tel un morceau de papier calque, disperse et adoucit la lumière, tout en diminuant son intensité. Les ombres sont moins marquées et la lumière est mieux répartie.*

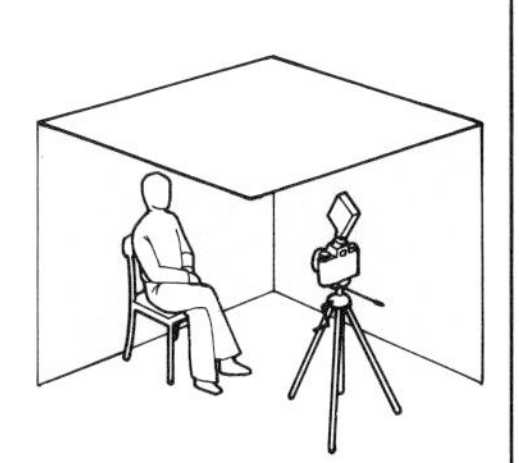

3 *Ici, le flash a été dirigé sur le plafond : ce qui donne un éclairage indirect, donc doux et diffus. Avec un flash à computer, le senseur doit rester pointé sur le sujet, non sur le plafond.*

Photocellule

Un dispositif "esclave" à photocellule peut être adapté sur la prise de synchronisation d'un flash : ce flash fonctionnera à chaque fois que la photocellule recevra un éclair émis par le flash relié à l'appareil.

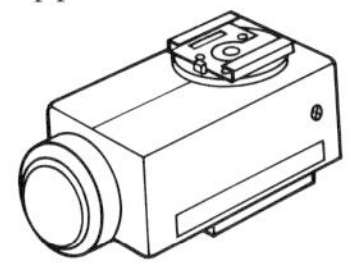

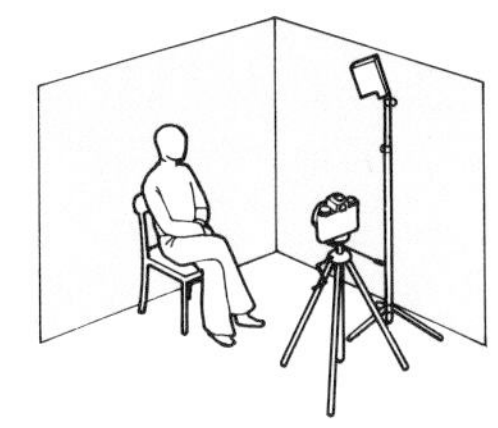

4 *En utilisant le flash directement, mais en l'éloignant de l'appareil, on obtient un éclairage contrasté, mais mettant bien en valeur volume et texture. Faire appel à un réflecteur pour réduire le contraste.*

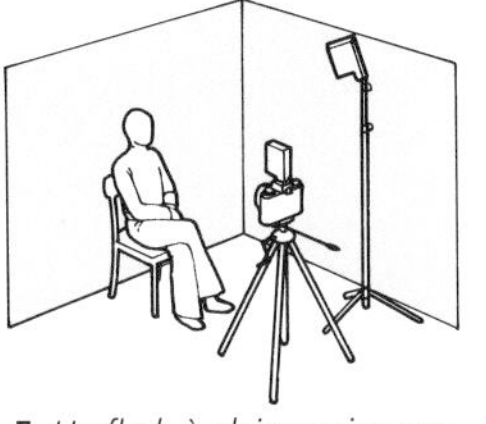

5 *Un flash à pleine puissance, éloigné de l'appareil, donne la lumière principale ; le flash fixé sur l'appareil, de plus faible puissance ou muni d'un diffuseur, diminue le contraste.*

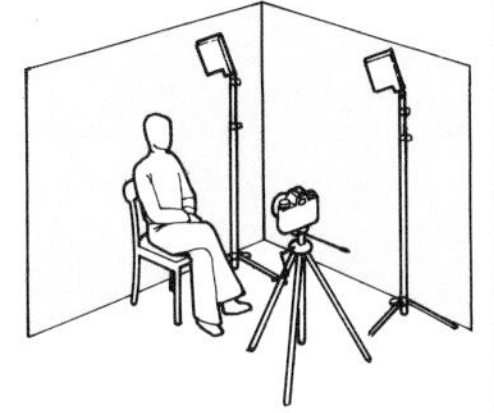

6 *Un flash éloigné de l'appareil donne la lumière disponible principale, tandis que l'autre éclaire le fond. Pour régler la valeur du fond, jouer sur la distance flash-fond.*

Flash spécifique

Lorsque le flash est monté sur la griffe et mis en service, les contacts électriques règlent l'appareil sur la vitesse de synchro, avec commande automatique de l'ouverture du diaphragme et de l'intensité lumineuse nécessaire à l'exposition.

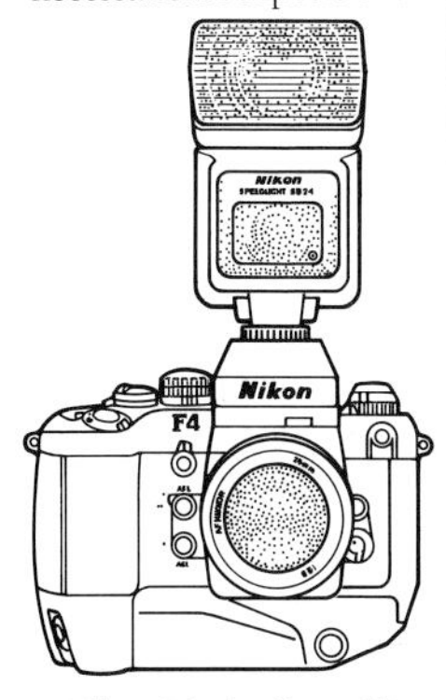

Nikon F4 plus Speedlite

Geler le mouvement

Les flashes munis du computer assurent une régulation de l'éclairement du sujet en jouant sur la durée de l'éclair. A très courte distance, cette durée peut être aussi courte que 1/50 000 s. Cela permet d'arrêter des mouvements extrêmement rapides sans dispositif auxiliaire. Pour la photo ci-contre, la bouteille fut tenue à 90 cm d'un fond blanc. L'effet obtenu étant imprévisible, il fallut faire toute une série de vues pour obtenir celle-ci.

Hasselblad, 80 mm, Ektachrome (100), 1/60 s, f/16

ÉQUILIBRE DE L'ÉCLAIRAGE

Le flash portable est très utile pour assurer l'équilibre d'une photographie d'intérieur. Le problème classique pour ce genre de prise de vue, c'est en effet le grand contraste qu'il y a entre les fenêtres, vivement éclairées par la lumière directe de l'extérieur, et l'intérieur, beaucoup plus sombre. En donnant un éclair de flash (celui-ci étant à proximité de l'appareil ou fixé sur le boîtier), on peut obtenir un équilibre satisfaisant. Selon les intensités relatives de la lumière du jour et de l'éclair, toute une série d'effets peuvent être obtenus, comme le montrent les illustrations ci-contre. Ici, il y a lieu d'éviter que le flash ne projette une ombre dure – ce qui révélerait la présence d'une source artificielle – alors que l'image doit surtout paraître "naturelle". Il est donc souhaitable de diffuser la lumière du flash en travaillant en lumière réfléchie ou avec le flash direct sur l'appareil, qui ne projette pas d'ombres trop sensibles. Faites attention aux reflets imprévus dans les vitres et les miroirs. Rappelez-vous également que la couleur de la lumière émise par le flash ne s'accordera pas forcément avec celle du jour, particulièrement aux heures extrêmes de la journée, lorsque la lumière solaire est teintée de rouge. Dans un tel cas, il est recommandé de placer un filtre correcteur devant le réflecteur.

Voir *Équipement flash, pages 34-35 ; Éclairage des intérieurs, pages 92-93.*

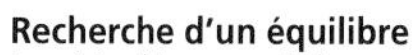

Recherche d'un équilibre
La série d'images ci-dessous montre comment contrôler l'équilibre entre l'éclairage extérieur et l'éclair du flash. La lumière du flash était réfléchie et diffusée par un parapluie, à droite de l'appareil.

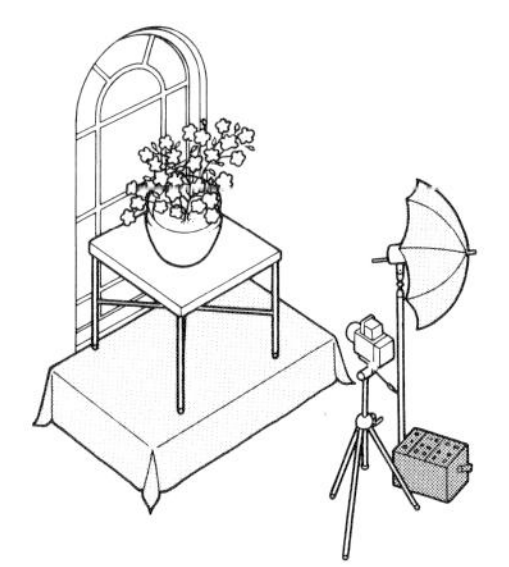

Hasselblad, 150 mm, Ektachrome (100)

1 *La photo de gauche a été prise sans flash. L'exposition 1 s à f/16 est une moyenne valable pour la fenêtre et les murs. Les détails intérieurs sont sous-exposés : une pose plus longue aurait "brûlé" l'extérieur.*

2 *La vue de droite a été faite au flash, 1/60 s, f/16. Ce diaphragme est correct pour le flash, mais la vitesse de 1/60 s est trop courte pour enregistrer la lumière du jour entrant par la fenêtre. On dirait une photo prise de nuit.*

3 *En posant 1/4 s à f/16, on obtient des détails aussi bien pour la fenêtre que pour l'intérieur. Sur le plan technique, cet équilibre parfait est satisfaisant, mais l'image fait très artificielle.*

4 *Pour cette photo de droite, la pose a été prolongée à 1 s, toujours à f/16. Maintenant, on a l'impression que c'est vraiment la fenêtre qui éclaire l'intérieur. L'ombre du flash est très peu apparente.*

ÉCLAIRAGE D'UN INTÉRIEUR

L'exemple de la page précédente s'applique au cas où il faut équilibrer la lumière du flash avec celle provenant de l'extérieur. Mais le problème se complique pour les vues générales d'intérieurs, à cause de la nécessité d'éclairer des points éloignés de l'appareil. Il faut être méticuleux pour le choix de l'emplacement de la source de lumière d'appoint. Une fois encore, la lumière doit être diffusée et également répartie, mais dirigée pour avoir plus d'effet dans les régions naturellement sombres. La diminution de l'éclairage donné par le flash est ainsi compensée par la lumière naturelle des fenêtres.

Avec la seule lumière disponible L'image ci-dessus montre ce qu'on obtiendrait sans flash, grâce à la seule lumière passant par la fenêtre. L'exposition a été mesurée pour le tapis, à mi-distance : 3 s à f/16. Une pose plus longue aurait apporté des détails dans les ombres, mais en surexposant fortement la région proche de la fenêtre.

Équilibrage du flash et de la lumière du jour Pour réaliser l'image ci-dessus, on a utilisé trois flashes dont la lumière fut réfléchie sur une sorte de paravent formé par l'assemblage de trois feuilles de carton. Le schéma ci-dessous montre la disposition adoptée. L'obturateur étant réglé sur la pose "B", les trois flashes ont été déclenchés successivement, pendant les six secondes de la pose totale ; l'ouverture était f/22.

Hasselblad, 40 mm, Ektachrome (100)

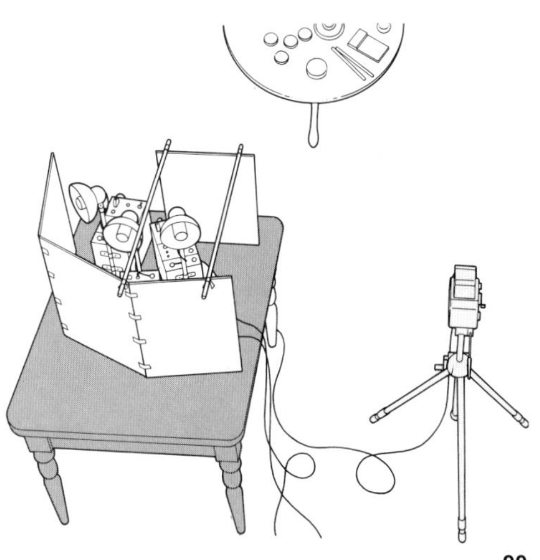

Flash en plein jour

Lorsqu'on combine le bref éclair donné par le flash avec la lumière continue du jour, on peut obtenir une gamme d'effets variés. Le mouvement, par exemple, peut être traduit par la superposition d'une image nette (donnée par l'éclair) et d'une image bougée (donnée par un instantané lent, à la lumière du jour). Par ailleurs, une vue prise en plein jour peut sembler faite au crépuscule ou dans la nuit. Pour comprendre tous ces effets, rappelez-vous que la vitesse d'obturation n'affecte que l'exposition donnée par la lumière du jour, alors que l'ouverture du diaphragme joue à la fois sur l'éclair du flash et sur la lumière du jour.

Une pose très courte donne une image figée, alors qu'une pose lente donne une image trop imprécise : pour combiner ces deux caractéristiques, employer le flash avec une pose un peu longue. C'est bien l'effet que l'on a pour l'image ci-dessous. Pour y parvenir, employer plutôt un film lent (permettant des poses suffisamment longues en plein jour) et un appareil ayant un obturateur central. En effet, l'obturateur central permet d'utiliser le flash à toutes les vitesses.
Voir *Équipement flash, pages 34-35.*

Emploi du flash pour saisir le mouvement On a utilisé le flash conjointement avec une pose relativement longue. La lumière du jour a donné un bougé pour les parties les plus claires – le visage, la main et la raquette – sur lesquelles s'est superposée l'image figée par le flash. L'exposition mesurée pour la seule lumière du jour était : 1/15 s, f/16. Le flash (placé à 2 mètres de la jeune fille) avait un nombre-guide de 32. En exposant à f/22, on sous-exposait chaque source de lumière d'une division de diaphragme ; mais, en s'additionnant, ces deux sources lumineuses ont donné un négatif correctement exposé. Le fond noir derrière le modèle fait ressortir les hautes lumières bougées.

Rolleicord, 75 mm, Plus-X, 1/15 s, f/22

1. Hasselblad, 150 mm, Plus-X, 1/30 s, f/16

La nuit en plein jour

En plein jour, le flash permet de compléter la lumière disponible ou de la remplacer. La plupart des flashes ne sont pas assez puissants pour éclairer une grande surface avec une intensité suffisante. Mais une grande variété d'effets restent possibles. Les photographies du jardinier ont été prises en cinq minutes, le matin, par temps assez couvert. La photo **1** rend compte des conditions naturelles d'éclairage, sans flash. L'appareil était à 3 m du sujet. Pour la photo **2**, cette distance est restée la même, mais un flash ayant un nombre-guide de 48 a été fixé à l'appareil. La vitesse a été choisie pour sous-exposer la lumière du jour et l'ouverture du diaphragme pour que le flash donne une exposition correcte. Notez que cet éclairage de face fait disparaître les ombres du visage. Pour la vue **3**, la vitesse a été augmentée : la sous-exposition de l'arrière-plan assombrit le ciel et le paysage, et l'on voit apparaître les ombres projetées sur l'herbe par le flash. Pour la photo **4**, l'assombrissement de l'arrière-plan est encore plus prononcé et le jardinier semble être devant une toile peinte. Avec la vue **5**, enfin, l'éclairage n'est donné que par le seul flash : le jardinier s'enfonce dans une nuit obscure, car il n'y a que les éléments clairs qui sont illuminés.
Voir *Techniques du flash, pages 96-99 ; Variations de l'exposition, page 77.*

2 1/60 s, f/16

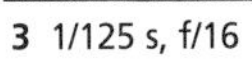

3 1/125 s, f/16

4 1/250 s, f/16

5 1/500 s, f/16

VITRAUX

Les trois problèmes rencontrés sont : l'accessibilité, le fond et le contraste. Pour un bon rendu des couleurs, choisissez d'opérer par un temps légèrement couvert, en prenant un point de vue tel que les vitraux se détachent sur fond de ciel. Évitez le soleil, même oblique, car il fait ressortir des motifs et des teintes situés derrière le vitrail. Si impossible, opérez à grande ouverture. Le meilleur équipement pour ce genre de vues est la chambre grand format, avec ses mouvements et sa gamme d'objectifs. Prenez la mesure de l'exposition de près, et faites la moyenne entre les parties claires et les parties sombres.

Monorail, 210 mm, Ektachrome (100), 5 s, f/8

Détail d'un vitrail
Une échelle ou un échafaudage sont souvent nécessaires pour pouvoir s'approcher suffisamment. Essayez de placer l'appareil parallèlement au vitrail. Les surfaces adjacentes seront obturées par des bandes de papier opaque. Ne restez pas sur l'échelle portant l'appareil au cours de la pose : utilisez plutôt un déclencheur à distance ou le retardement. C'est de cette manière qu'a été prise la photographie ci-dessus.

Hasselblad, 80 mm, Ektachrome (100), 1 s, f/11

FEUX D'ARTIFICE

La photographie d'un feu d'artifice est parfois plus impressionnante que le spectacle lui-même ! L'obturateur peut rester ouvert pendant plusieurs tirs ou, au contraire, on peut donner plusieurs poses courtes sur le même cliché. Utilisez un pied. Les fusées donnent de meilleurs résultats que les feux fixes. L'image ci-dessous a été exposée à f/16 pour une durée totale de 18 secondes, temps durant lequel trois grosses fusées furent tirées. Entre les tirs, l'objectif était coiffé de son bouchon, pour protéger l'appareil d'autres sources de lumière parasites. L'image en bas de page résulte de la superposition de deux diapositives dans un même cache (sandwich).

Enseignes Lumineuses

C'est un excellent sujet pour des vues nocturnes. Cherchez les réflexions dans les flaques d'eau, les vitrines, etc. La vue ci-contre a été prise quelques minutes après une averse. L'exposition est mesurée sur la surface réfléchissante. Une autre technique consiste à bouger l'appareil pendant la pose. Pour la vue ci-dessous, la pose fut de 2 s, f/11, l'appareil, posé sur pied (avec la rotule desserrée), étant déplacé rapidement durant la deuxième seconde de l'exposition.

A droite : **Minolta,** 55 mm, Ektachrome (100), 8 s, f/16
Ci-dessous : **Pentax** 55 mm, Ektachrome (100), lumière du jour

Éclairage de Grandes Surfaces

La plupart des scènes de nuit présentent un éclairage inégal et trop contrasté. C'est le cas pour l'image ci-dessous, prise en lumière disponible. Pour la seconde version à droite, l'appareil posé sur pied a été laissé obturateur ouvert, cependant qu'un flash a été déclenché six fois, de différentes parties du restaurant. Il faut éviter de figurer dans le champ embrassé par l'objectif : s'efforcer, d'autre part, de maintenir une distance constante entre le flash et la zone éclairée.

Leica R, 28 mm, Ektachrome (100), lumière du jour, 45 s, f/22

Positions successives du flash

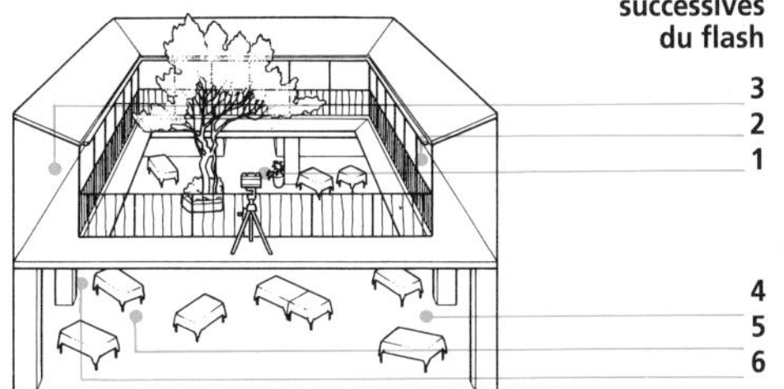

Distance focale et champ embrassé
La vue a été prise en format 6 x 6 cm, avec un objectif de 40 mm de focale. Les carrés intérieurs délimitent le champ qui aurait été embrassé avec des objectifs de 80, 150, 250 et 500 mm.
Tri-X, 1/250 s, f/11

Changement d'Objectifs

L'interchangeabilité des objectifs étend considérablement les possibilités d'expression du photographe. Le premier avantage, c'est de pouvoir couvrir un champ plus ou moins étendu, sans changer le point de vue. Pour l'image ci-dessus, l'appareil 6 x 6 cm, muni de son objectif de 40 mm, était posé sur pied. Si l'objectif avait été remplacé par le 80 mm, le champ embrassé aurait été plus restreint : dans ce cas, 46° au lieu de 92° ; ce qui revient à dire que le grossissement aurait été plus important. Avec un objectif de 150 mm de focale, ou de 250 mm, ou de 500 mm, le champ embrassé est encore plus restreint : en fait, le grossissement est rigoureusement proportionnel à la distance focale de l'objectif. Mais, puisque la position de l'appareil et le sujet restent inchangés, la taille de l'homme reste dans le même rapport que les éléments environnants. Cette possibilité de changer de focale sans modifier le point de vue s'avère particulièrement utile lorsqu'il est impossible de placer l'appareil à l'endroit idéal. Néanmoins, rappelez-vous que l'image subit quand même deux modifications lorsqu'on change d'objectif sans modifier le point de vue : d'abord, la profondeur de champ diminue, pour une même ouverture, au fur et à mesure que la focale augmente ; ensuite, certains objectifs grands-angulaires introduisent des distorsions vers les bords de l'image.

Grossissement

Le grossissement varie proportionnellement avec la distance focale de l'objectif utilisé. On pourrait imaginer de prendre toutes les photographies avec le seul grand-angulaire, et ne conserver que la seule partie nécessaire pour recadrage sous l'agrandisseur. Nous vous montrons ci-dessous ce que cela donnerait : l'image de droite est prise avec un 500 mm, alors que celle de gauche est un agrandissement d'un champ équivalent de l'image donnée par le 40 mm de focale. Vous vous apercevez immédiatement que la profondeur de champ est bien plus faible avec le 500 mm. En revanche, le rapport d'agrandissement infligé au négatif pris au grand-angulaire a fait apparaître la granulation qui ronge les détails. L'ensemble de l'image est plus "plat", bien que la perspective et le grossissement soient inchangés pour les deux images.

Changer de Point de Vue

La taille des objets entre eux dépend à la fois de leurs véritables dimensions et de leur éloignement de l'appareil : si le personnage est plus proche de l'appareil que son environnement, ses dimensions sont augmentées, alors que les objets environnants sont relativement rapetissés. C'est donc en changeant de point de vue et en utilisant un objectif de focale différente que l'on modifie la perspective. Comme le montre le schéma ci-contre, un objectif de 40 mm de focale peut donner la même taille au personnage qu'un 500 mm utilisé à longue distance. Le premier cliché embrasse cependant beaucoup plus de paysage, lequel est moins grossi. Le grand-angulaire donne une perspective plus prononcée, de telle sorte que le personnage semble se détacher de son environnement.

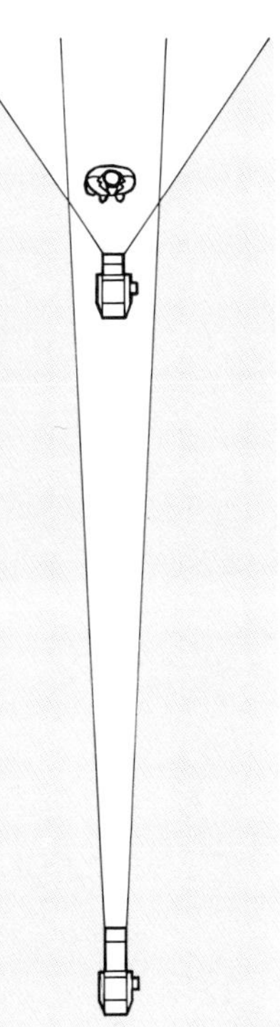

Point de vue et perspective
Cette photographie est prise d'un point de vue situé à 1,80 m du personnage, avec le grand-angulaire de 40 mm : comparez la perspective obtenue avec celle qui est donnée par le 500 mm, mais à 21 m du personnage (en haut).

Hasselblad, Tri-X, 1/250 s, f/11

Équipement

Pour opérer de près, il faut un dispositif permettant d'augmenter la distance objectif-film. Une autre solution consiste à utiliser une bonnette convergente. Le résultat dans ces deux cas n'est pas parfait, car l'objectif est alors employé dans des conditions qui n'ont pas été prévues par le fabricant : l'image manque de "piqué". Un objectif "macro", spécialement corrigé pour travailler de près, donne des images plus nettes. Le simple fait de retourner l'objectif normal apporte déjà une sensible amélioration.

Objectif normal et macro L'objectif normal – en haut – vous permet d'opérer jusqu'à 60 cm environ. Une bonnette convergente est bon marché et facile d'emploi, mais la qualité de l'image est très compromise si le grossissement est important. Pour obtenir une grande qualité d'image, il est nécessaire de faire appel à un objectif spécial dit "objectif macro".

Retournement de l'objectif Certains systèmes permettent de retourner l'objectif, au moyen d'une bague d'inversion ; cela lorsque le tirage est supérieur à la distance de prise de vue.

Bagues-allonge Elles existent généralement en un jeu de trois bagues de différentes épaisseurs. On les utilise seules ou en combinaison. Mais elles ne sont pas aussi souples que le soufflet-allonge.

Soufflet-allonge et repro-dia Pour la photomacrographie de haute qualité, utilisez un soufflet-allonge avec un objectif macro. Cette combinaison offre la variation continue du grossissement. Un dispositif "repro-dia" peut prendre place à l'avant, permettant de reproduire les diapositives éventuellement en les recadrant. Les chambres monorails reçoivent elles aussi des soufflets supplémentaires pour photomacrographie.

Gros Plan

Le terme "gros plan" est une généralisation, pouvant s'appliquer aussi bien à une image du seul visage qu'à une image au rapport 1/1 d'un petit sujet. Le terme "photomacrographie" désigne les images où l'objet est grossi entre une fois et dix fois (x 1 à x 10). Pour les grossissements supérieurs, il est généralement nécessaire de passer par un microscope, c'est-à-dire d'avoir recours à la "photomicrographie". Le problème majeur pour toutes ces techniques, c'est la faible profondeur de champ dont on dispose, auquel s'ajoutent celui de l'éclairage et celui de la prolongation de la pose. Les images de droite montrent qu'il faut augmenter le tirage au fur et à mesure que l'on s'approche du sujet : au-delà du rapport 1/1, l'objectif doit être plus proche du sujet qu'il ne l'est du film ; le contraire par conséquent des conditions habituelles de prises de vues.

Voir *Photo rapprochée, page 108 ; Éclairage en photo rapprochée, pages 107-109.*

Grandissement x 0,125 Avant agrandissement, l'image sur le film est huit fois plus petite que le sujet.

Pentax, 100 mm macro, Ektachrome (100), 1/125 s, f/8

Grandissement x 0,25 L'image sur le film est quatre fois plus petite que le sujet.

Pentax, 100 mm macro, Ektachrome (100), 1/125 s, f/8

Grandissement x 1 Sur le film, cette image avait les mêmes dimensions que le sujet. Dans le cas où le grandissement est supérieur à x 1, il faut utiliser un soufflet-allonge. L'objectif est alors plus près du sujet que du film.

Pentax, 100 mm macro, Ektachrome (100), 1/125 s, f/8

Choix du Sujet

Des sujets qui semblent sans intérêt vus à une distance normale peuvent être captivants en gros plan : observez la couleur, la structure d'objets qui vous entourent. Un simple chou, entier ou coupé en deux, est un bon exemple. Celui-ci a été pris avec une petite ouverture de diaphragme afin d'obtenir une profondeur de champ suffisante pour que l'ensemble du sujet soit net.

Pentax, objectif macro 50 mm, Ektachrome (100), 1/8 s à f/22

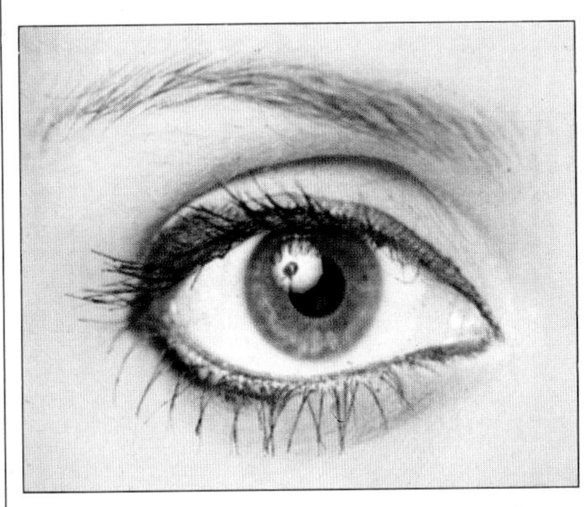

Soufflet et Longue Focale

Un fort grossissement suppose l'emploi conjoint du soufflet et d'un objectif de courte focale : mais l'objectif se trouve alors très près du sujet. Si vous utilisez le soufflet avec une longue focale, le grossissement sera plus faible, mais vous pourrez vous éloigner de votre sujet et l'éclairer ainsi plus facilement. Cet œil en gros plan a été pris avec une longue focale : une focale plus courte n'aurait pas permis d'avoir un éclairement aussi uniforme.

Hasselblad, 250 mm, Ektachrome (200), 1/60 s, f/16

Les Fleurs en Gros Plan

Les fleurs sont d'excellents sujets pour la photo en gros plan, à condition de surmonter la faible profondeur de champ, et que l'on puisse éviter qu'elles ne bougent durant la pose. A moins qu'il n'y ait aucun vent, il est préférable d'immobiliser la plante à l'aide d'un fil très fin attaché à un piquet. Dans l'image ci-contre, la faible profondeur de champ isole la fleur de son environnement.

Pentax 6 x 7, 105 mm, Ektachrome (100), 1/250 s, f/4

Feuilles de carton servant de fond et de réflecteur
Le carton utilisé comme fond a aussi l'avantage de servir de paravent pour les fleurs. Une autre feuille de carton blanc réfléchit la lumière du soleil dans les ombres pour y faire venir quelques détails.

MESURE DE L'EXPOSITION

Aucun calcul à faire si votre appareil est à posemètre intégré. Avec un posemètre indépendant, faites la mesure sur un sujet recevant un éclairage équivalent. L'emploi d'une sonde facilite la mesure sur le sujet. La valeur d'exposition donnée par le posemètre doit être augmentée à chaque fois que le sujet est à une distance inférieure à cinq fois la distance focale. Déterminez le grossissement (hauteur de l'image sur la hauteur du sujet), ajoutez la valeur 1 et faites le carré de cette somme : c'est le facteur par lequel vous multiplierez la pose trouvée avec le posemètre indépendant. Pour le rapport 1/1, la pose sera multipliée par 4 : $(1 + 1)^2 = 2^2 = 4$.

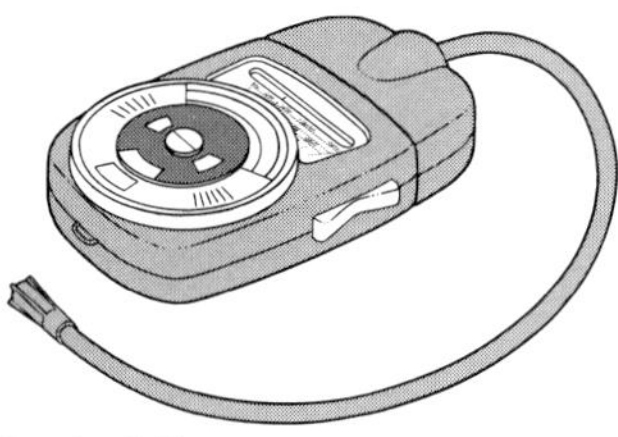

Sondes à fibres optiques
Ce posemètre est équipé d'une sonde conduisant la lumière vers la cellule. Cette sonde est si petite qu'on peut la placer près du sujet sans projeter d'ombre.

CONTROLE DE L'ÉCLAIRAGE

Au besoin, servez-vous d'une glace de poche pour diriger sur le sujet la lumière disponible. Cette tête de 20 mm de haut était fixée sur un muret de pierre. La lumière solaire parvenait par l'arrière, ne donnant qu'un effet de silhouette. Un fond bloque la lumière directe qu'une glace de poche renvoie latéralement sur la statuette. Une page arrachée à un carnet sert de réflecteur pour l'autre côté.

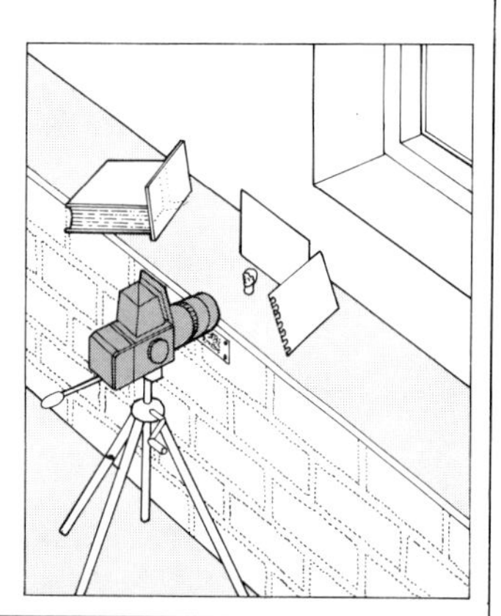

Hasselblad, 80 mm avec bagues-allonge, Plus-X, 1/30 s, f/5,6

MONNAIES ET MÉDAILLES

Posez l'objet sur un fond sombre et photographiez-le du dessus. Éclairez obliquement, avec une source assez diffuse pour un bon relief, sans reflets. Un spot dirigé donne plus de contraste, que l'on peut réduire avec un réflecteur passif.

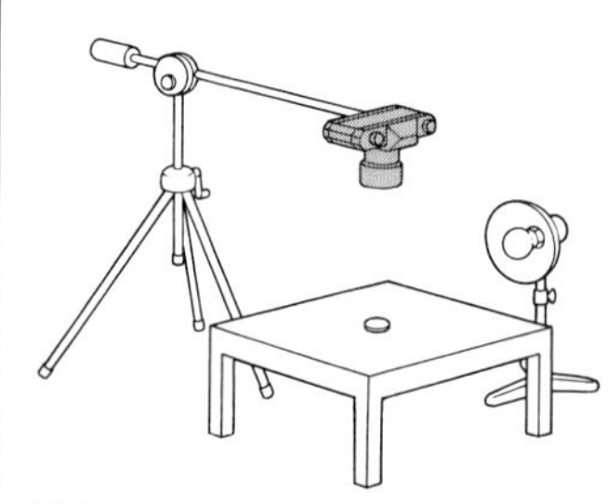

Éclairage des monnaies et médailles
La médaille est éclairée par une ambiance placée au-dessus de la table, à environ 1 mètre. Notez le parasoleil sur l'objectif.

Pentax, objectif macro 50 mm, Plus-X, 1 s, f/11

Fonds sans ombre

Les fonds unis, sans aucune ombre, sont excellents pour les vues documentaires de petits objets. Placez l'objet sur une boîte à lumière pour examen des diapositives (ci-dessous). Masquez toutes les parties éclairantes non comprises dans le cadrage afin de réduire le voile. Les objets très découpés peuvent s'éclairer par la lumière arrière, dont une partie est réfléchie par un réflecteur placé près de l'appareil.

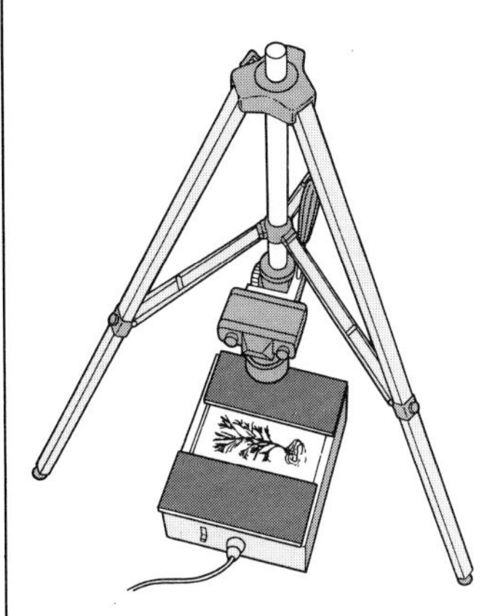

Inversion de la colonne du pied Cela permet de photographier verticalement à proximité du sol, comme indiqué sur le dessin ci-dessus.

Échantillon botanique La plante ci-dessous était placée sur une boîte à lumière. On a ajouté un peu de lumière diffusée dessus.

Hasselblad, 150 mm avec bagues-allonge, Tri-X, 1/15 s, f/32

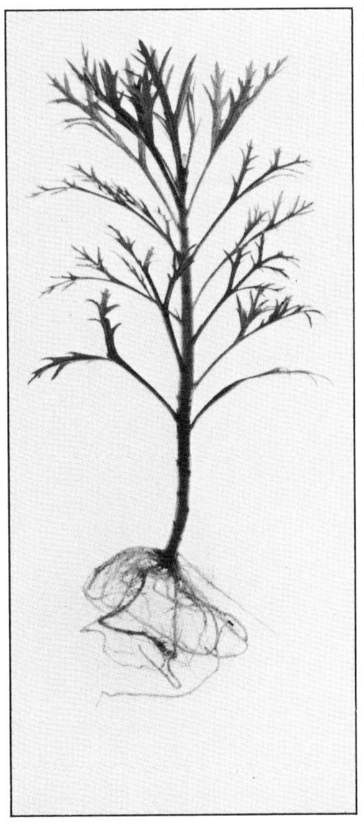

Endoscope

Un endoscope permet de prendre un point de vue impossible dans les conditions normales par manque de place. C'est un tube contenant une série de lentilles ou de fibres de verre dirigeant l'image vers le boîtier de l'appareil. L'endoscope remplace donc l'objectif normal de l'appareil, et fonctionne un peu comme un périscope de sous-marin. Il permet de prendre des vues à l'intérieur d'objets compliqués, montages mécaniques ou électroniques.

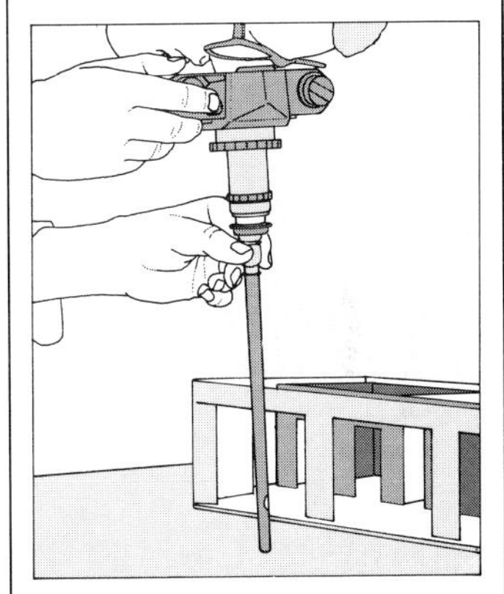

Modelscope Cet endoscope a été spécialement conçu pour la photographie des maquettes d'exposition ou d'architecture. Un miroir à 45° permet de prendre un point de vue rapproché.

Flash annulaire

Le flash annulaire donne une lumière de pleine face : il est idéal pour les sujets en relief qui, autrement éclairés, donneraient des ombres fortes et confuses. Si le dispositif annulaire est employé très près du sujet, le flash forme des ombres douces dirigées vers l'intérieur et qui s'annulent réciproquement.

Pentax, 135 mm, Plus-X, 1/60 s, f/22

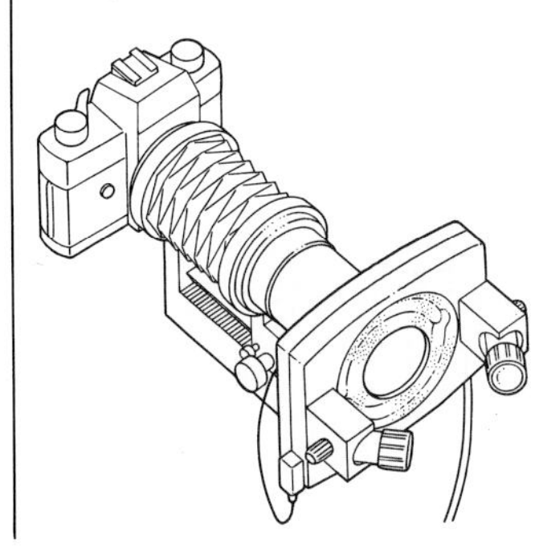

Photographie au Microscope

De très nombreux éléments peuvent être observés au microscope : il vous suffit d'un équipement relativement limité pour transformer le contenu d'un ramasse-poussière en série de photomicrographies colorées. En plus d'un appareil reflex, il vous faut un microscope, un adaptateur, une lampe spéciale et quelques accessoires, telles des brucelles et des plaques de verre. Naturellement, il vaut mieux utiliser un appareil reflex à posemètre intégré avec lequel la détermination de l'exposition devient chose aisée.

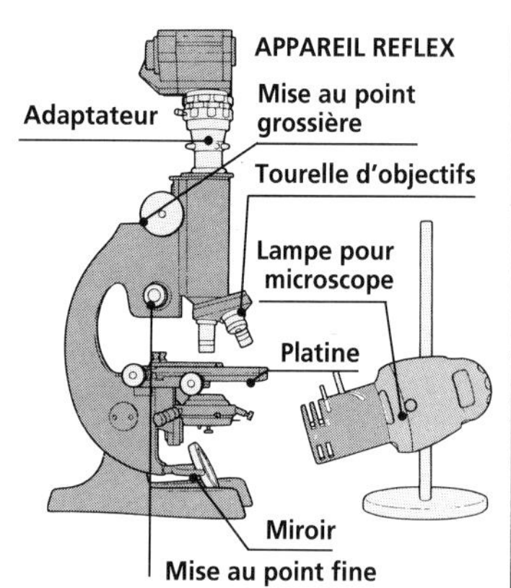

Microscope et lampe pour microscope
Cet équipement relativement simple (dessin de droite) est suffisant pour faire d'excellentes photomicrographies à faible grossissement.

Caoutchouc mousse *grossissement x 25*

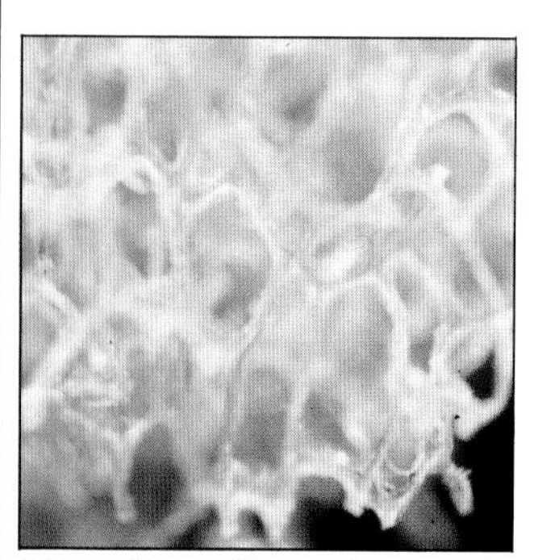

Hydre (colorée) *grossissement x 25*

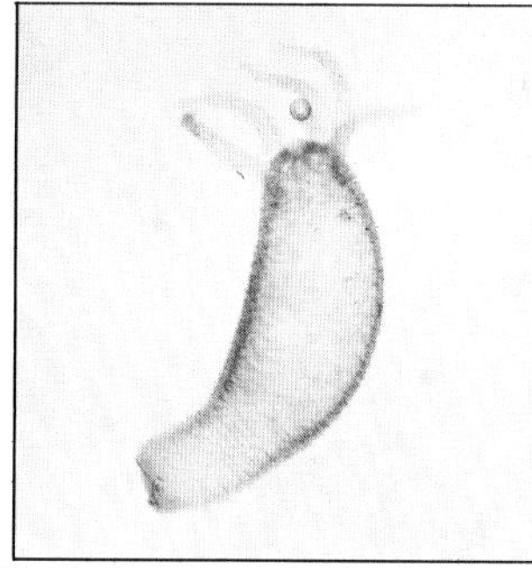

Iléon humain, intestin grêle (coloré) *grossissement x 40*

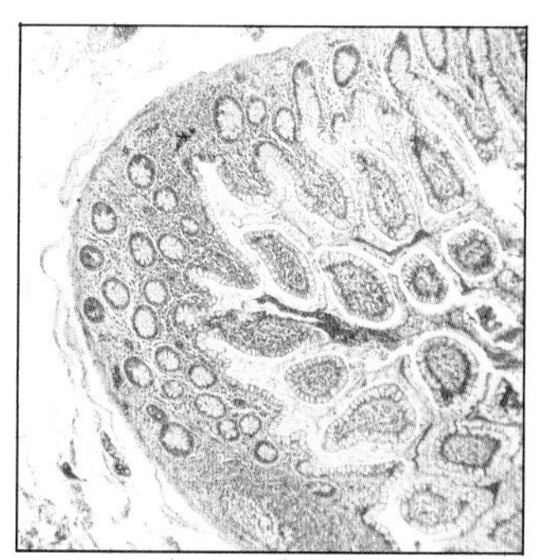

Cristaux d'hyposulfite *grossissement x 25 (lumière polarisée)*

Vorticelle, protozoaire cilié d'eau douce (coloré) *grossissement x 100*

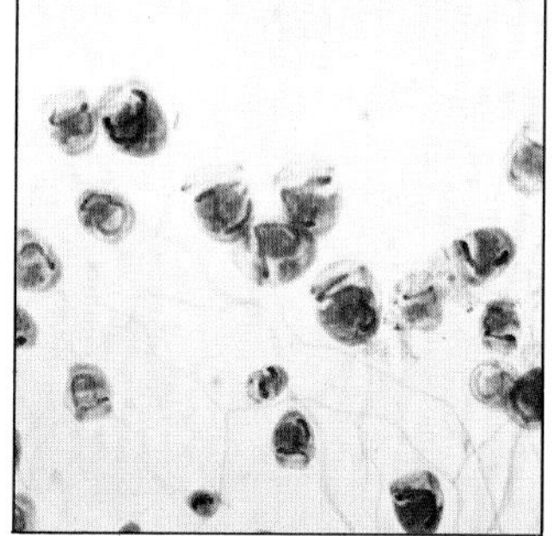

Détail d'une pièce de monnaie *grossissement x 25*

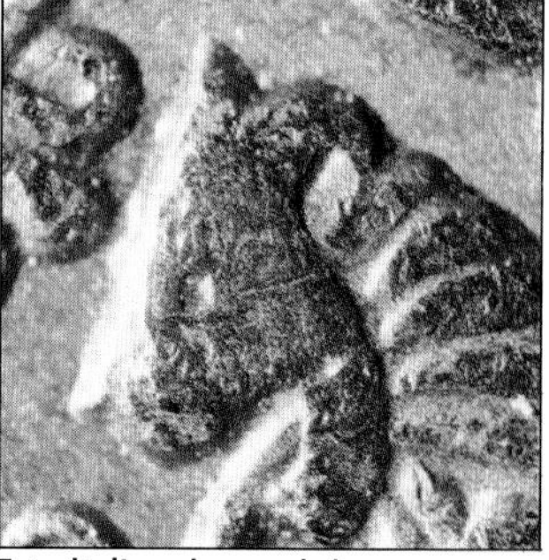

Euglène, protozoaire flagellé d'eau douce (coloré) *grossissement x 100*

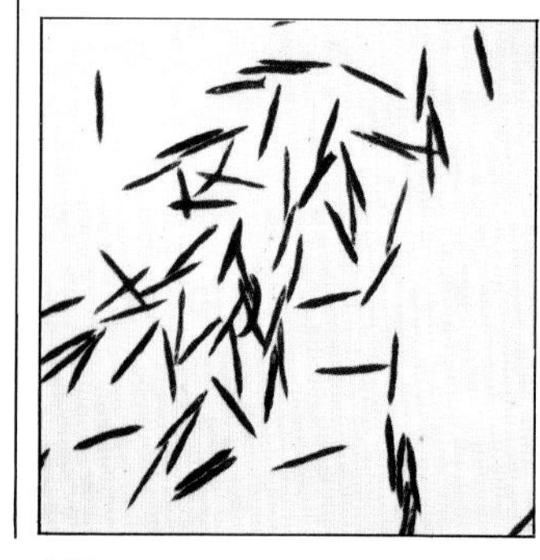

Fibres de papier *grossissement x 25*

Extrait d'une image cinéma *grossissement x 100*

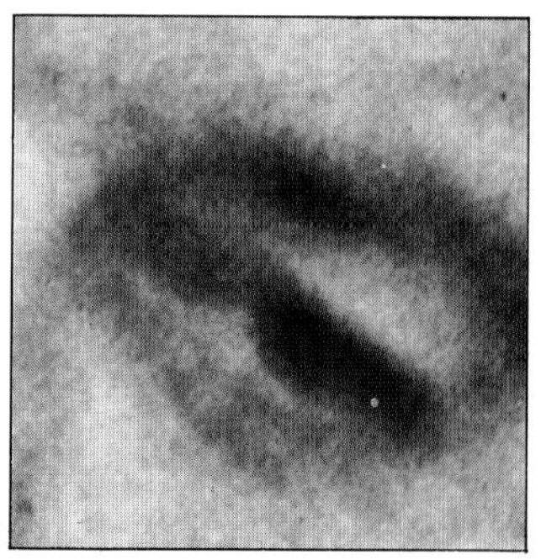

Réalisation d'une Photomicrographie

Positionnez l'appareil au-dessus de l'oculaire du microscope au moyen d'un adaptateur ou d'un statif de reproduction. Dirigez le faisceau lumineux sur le centre du miroir. Pour les faibles grossissements (inférieurs à x 60), retirez le condenseur intermédiaire et utilisez le miroir concave. Orientez le miroir pour illuminer le sujet : le champ éclairé est assez grand. Si le posemètre est intégré au boîtier reflex, vous laisserez ce dernier fixé en permanence à l'oculaire. Néanmoins, si l'appareil est à objectif fixe, réglez la distance sur l'infini, ouvrez le diaphragme en grand, et fixez l'appareil au microscope. Quelle que soit la méthode utilisée, faites la mise au point avec les réglages du microscope et ajustez l'exposition en jouant sur la pose, non sur le diaphragme.

Faites d'abord un film d'essai, en notant la valeur de tous les réglages que vous adopterez. Cela vous permettra de constituer des tables, utiles pour assurer la réussite des photomicrographies suivantes. Avec un peu d'habitude, vous réussirez au moins 85 % de vos photomicrographies du premier coup.

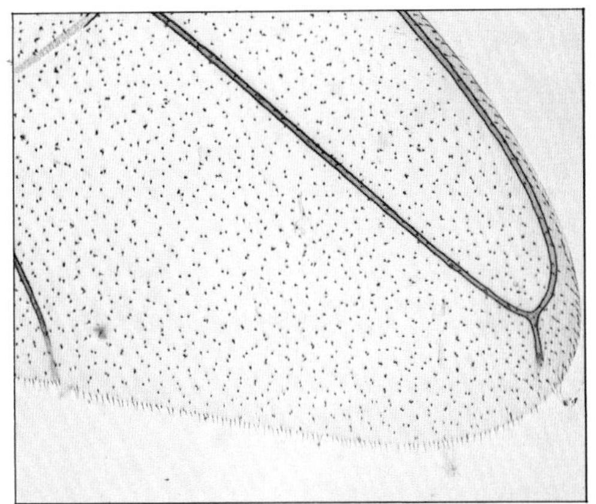

Préparation d'une aile d'insecte *grossissement x 25*

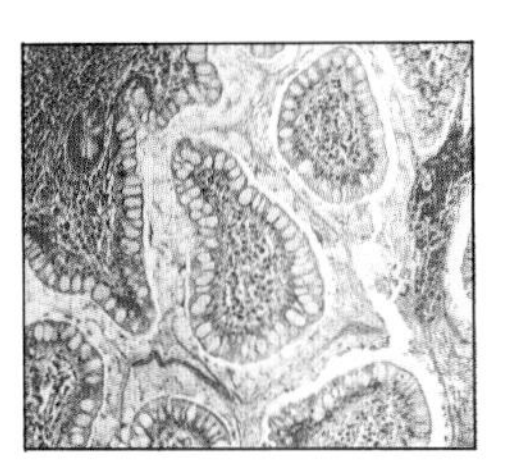

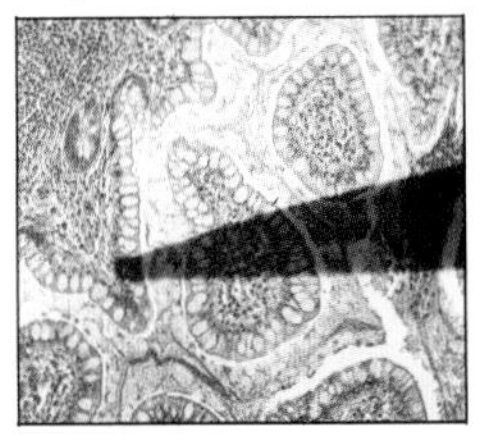

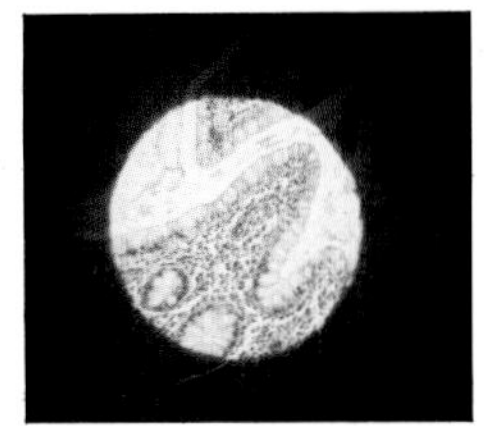

Éclairage et mise au point

1 Placez la lampe à environ 25 cm du centre du miroir (côté plat). L'image ci-dessus est inégalement éclairée. Réglez le miroir jusqu'à obtention d'un champ uniformément éclairé.

2 Placez un crayon devant le condenseur de la lampe et réglez le condenseur intermédiaire pour projeter une image nette du crayon sur le spécimen. Le condenseur est ainsi bien réglé.

3 Fermez l'iris intermédiaire jusqu'à ce que le champ commence à s'obscurcir. Ouvrez l'iris de la lampe jusqu'à ce que le champ soit assez étendu. Pour l'image ci-dessus, l'iris n'est pas assez ouvert.

Lumière Polarisée

Certaines substances incolores se parent de couleurs vives éclairées en lumière polarisée. Comparez cet échantillon géologique : en éclairage normal, ci-dessous, puis en lumière polarisée. Le grossissement est x 25 (à droite) et x 10 (ci-dessous). Il ne faut que deux filtres polariseurs : l'un entre la lampe et la platine, l'autre entre l'oculaire et le film. Ayez un éclairage uniforme et tournez un filtre pour obtenir un champ non éclairé ; puis insérez le spécimen.

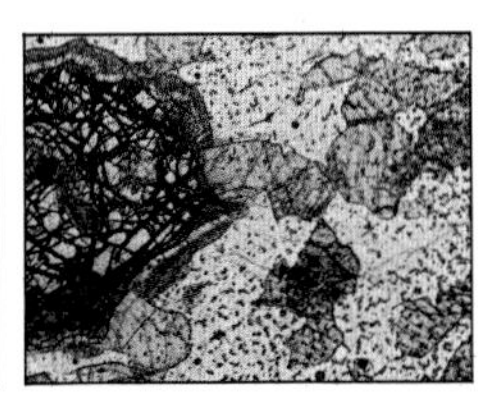

Fond Clair

Le fond clair s'obtient en éclairant le spécimen par transparence (ci-contre). Ce principe convient pour les corps transparents ou translucides ; il ne peut être utilisé pour ceux qui sont épais ou opaques. Selon le cas, il peut s'agir d'une coupe mince, tel l'organe de reproduction de la fougère (ci-dessus) ou un spécimen à trois dimensions.

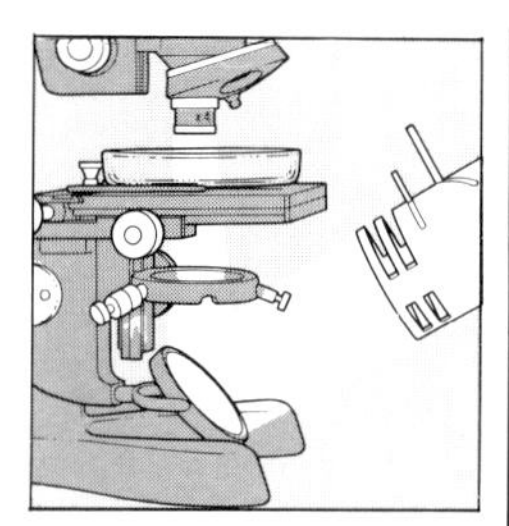

Éclairage pour fond clair
La lumière de la lampe est concentrée par le miroir concave ; le faisceau passe à travers le spécimen puis par l'ouverture de l'objectif.

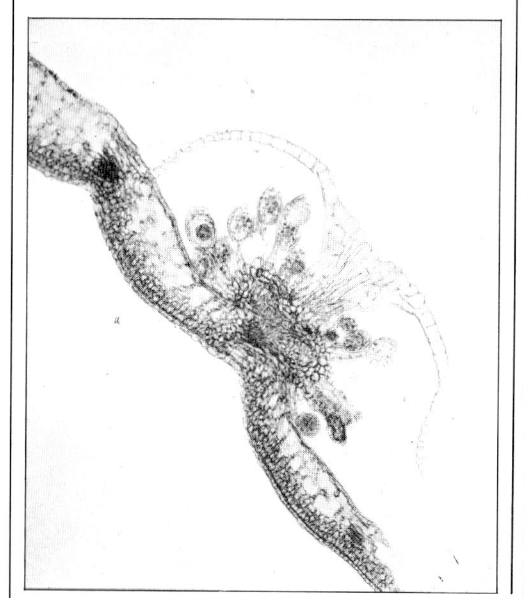

Fond Noir

Certains spécimens sont peu visibles par transparence : les sujets de cette nature, comme les micro-organismes marins, se voient mieux selon la technique du fond sombre. On l'utilise en éclairant le spécimen par un faisceau concentré oblique, au-dessus de la platine. Les sels de cuivre, ci-dessous, brillent sur le fond sombre du champ. Si le grossissement est relativement faible (x 60 ou moins), cet éclairage est efficace et facile à mettre en œuvre.

Éclairage pour fond sombre
Il faut approcher la lampe le plus possible du microscope et s'arranger pour que le faisceau éclaire le spécimen selon un angle assez grand. Retourner le miroir pour que la lumière ne puisse passer par-dessous.

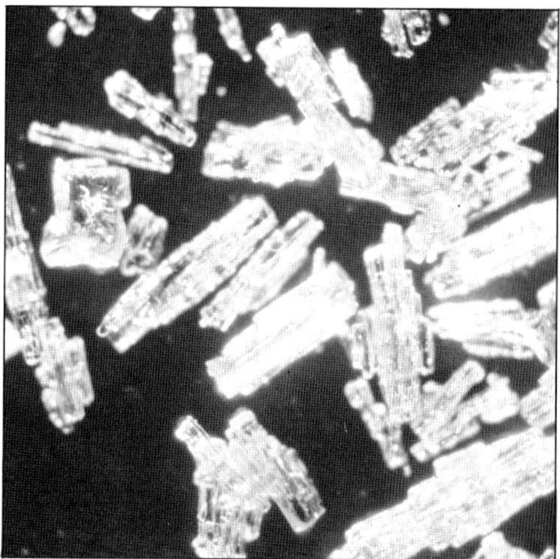

Photomicrographie au Flash

Les micro-organismes et les animalcules ont parfois tendance à se déplacer très rapidement hors du champ : ce qui nécessite l'emploi d'un flash à l'éclair très court. Le flash a également l'avantage de figer les organes très mobiles, comme les antennes et les pattes de cette petite crevette, à droite.

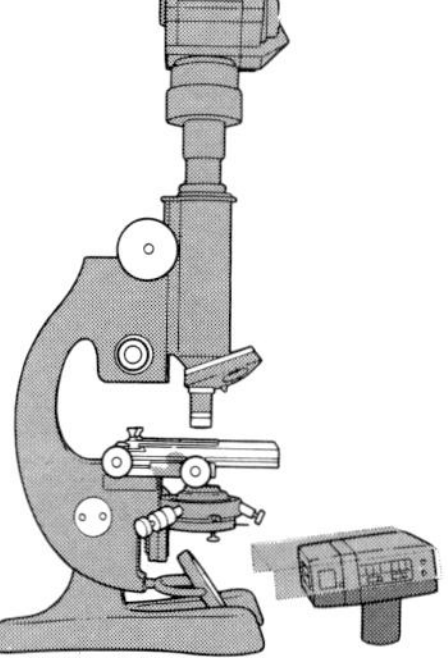

Adaptation d'un flash
Vous pouvez modifier le flash en y ajoutant une petite lampe bas voltage pour le réglage de l'alignement. Masquez par un cache la partie inutile du faisceau émis par le flash.

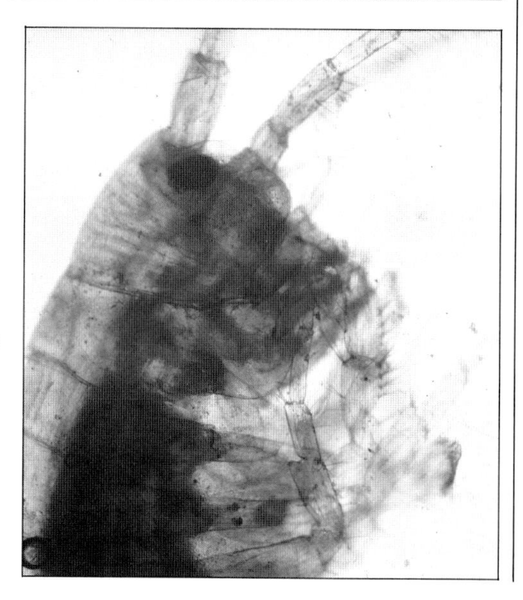

MICROSCOPE COMPACT

Un microscope classique – page de gauche – est difficilement utilisable sur le terrain. Le modèle (Lensman) ci-dessous surmonte ce problème en modifiant l'architecture habituelle du microscope et en incorporant une série de lentilles et de miroirs qui "replient" le faisceau de lumière, permettant un grossissement élevé dans un instrument compact. La source d'éclairage montée sur bras orientable est alimentée par deux piles AA ; elle permet les deux principes d'éclairage : champ sombre ou champ clair.

Légende 1 Objectif **2** Lentille de Barlow **3** Lentille de champ **4** Oculaire **5** Miroirs **6** Lampe **7** Bras d'éclairage mobile.

Adaptateur d'objectif
Cet adaptateur optique s'intercale entre l'oculaire du microscope Lensman et tout reflex 24 x 36. L'exposition du spécimen est ainsi mesurée par le posemètre TTL du boîtier. Grossissement : x 80 ou x 200.

CALCUL DU GROSSISSEMENT

En photomicrographie, l'image vue par l'oculaire est projetée sur le film. Le degré de grossissement sur le film est appelé grandissement (G) et est donné par la formule

$$G = \frac{\text{puissance de l'objectif}}{} \times \frac{\text{puissance de l'oculaire}}{} \times \frac{d}{250}$$

La distance de projection d est la distance en millimètres entre l'oculaire et le plan film. C'est ainsi que, pour un objectif x 10, un oculaire x 6 et une distance d = 100 mm, le grandissement G sera :

$$10 \times 6 \times \frac{100}{250} = 24$$

Le grandissement total de l'épreuve (Gt) est le produit de G par le facteur d'agrandissement (A) : Gt = G x A. Ainsi, une image dont le grandissement est x 25 sur le négatif qui est agrandie 5 fois (A = 5) a un Gt de x 125. Ce rapport permet de connaître les dimensions réelles du spécimen :

$$\text{taille réelle} = \frac{\text{taille de l'image}}{\text{Gt}}$$

Ouverture numérique

Tous les objectifs portent gravée l'indication de leur ouverture numérique (O.N.), qui caractérise la capacité d'un objectif à résoudre les plus fins détails. Une simple règle à mémoriser est que le Gt ne doit pas dépasser 1 000 fois l'O.N. de l'objectif. Par exemple, un objectif x 10 a une O.N. de 0,25 environ : le Gt ne doit pas dépasser 1 000 x 0,25 = x 250.

LES SUJETS

Vous pouvez acheter des spécimens ou en préparer vous-même. Les sujets les plus faciles à trouver sont d'ordre biologique (milieu aquatique, insectes, etc.). Vous pouvez préparer des cristallisations à photographier en lumière polarisée. Il est plus simple de réaliser une coupe dans un tissu mou, l'échantillon géologique donne néanmoins de très belles images.

Préparations du commerce
Pour l'enseignement, on trouve des plaquettes préparées, telles ces paramécies, ci-dessous, grossies 100 fois.

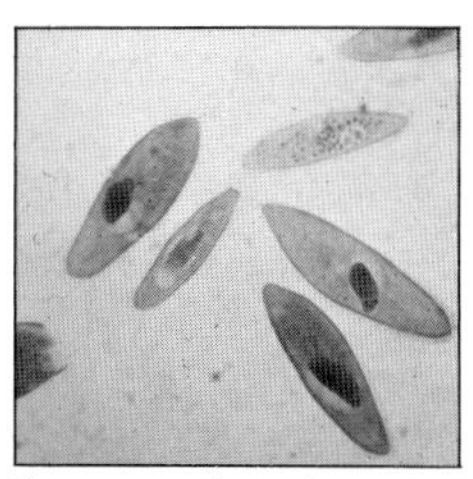

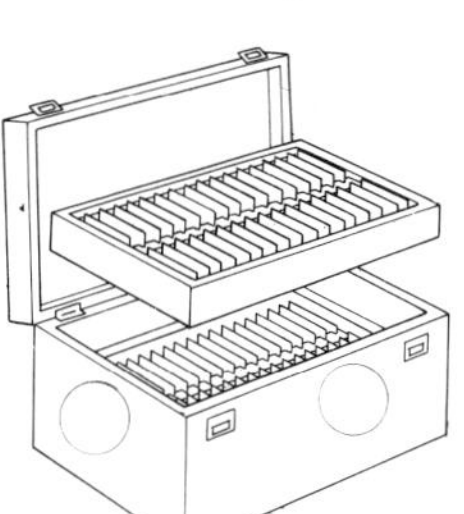

Classement des préparations Les préparations sont faites sur des plaquettes de verre, dont les dimensions sont normalisées ; il existe des boîtes à rainures pour leur rangement efficace.

PRÉPARATION

Les microcristaux sont faciles à préparer : dissolvez 4 g d'hyposulfite dans 1 cl d'eau tiède, dans un tube à essai. Déposez une goutte de cette solution sur une lamelle. En la réchauffant doucement, les cristaux se formeront par évaporation : sous lumière polarisée, les dessins obtenus sont splendides. Pour les micro-organismes aquatiques : prélevez avec une pipette une goutte d'eau croupie et déposez-la sur une lamelle ; employez la technique du fond noir.

Cristaux Les microcristaux ont été obtenus par évaporation d'une solution d'hyposulfite. Les détails n'apparaissent que si la préparation est observée sous deux filtres polariseurs croisés. D'autres substances donnent des cristallisations différentes.

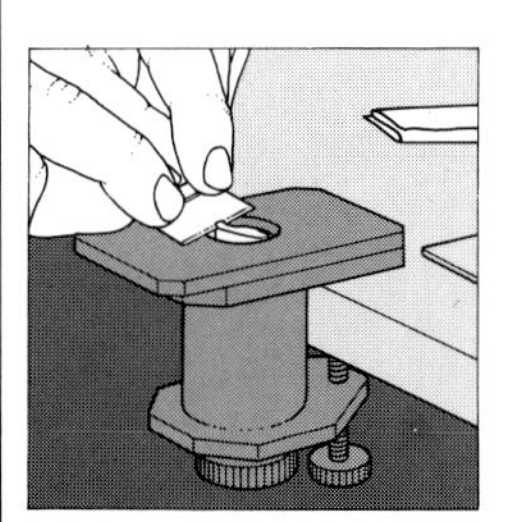

Coupe au microtome
Le microtome manuel est fixé sur le bord d'une table, les deux mains restant libres pour la coupe. Le spécimen est maintenu dans la cire.

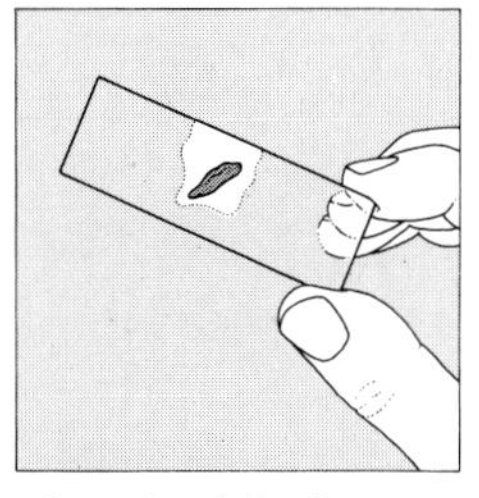

Préparation de la plaquette
Lorsqu'une coupe mince a été prélevée, elle est montée sur la plaquette de verre. Pour la conservation, on cimente par-dessus une lamelle de verre.

Images Prises au Fisheye

Le fisheye est un très grand-angulaire pour les 24 x 36 mm et les 6 x 6 cm reflex. Il donne une image circulaire s'inscrivant dans le format (ci-dessus) ou couvrant tout le format (à droite). Il comporte dix lentilles ou plus : l'élément antérieur ayant un très grand diamètre. La caractéristique fondamentale du fisheye est de donner une perspective curviligne, c'est-à-dire que les lignes droites sont traduites par des lignes courbes sur l'image. Le résultat est plus frappant dans les vues d'intérieurs. Néanmoins, l'effet produit est si éloigné de la vision humaine que l'emploi trop fréquent du fisheye devient vite monotone.

Voir *Objectifs : catégories et fonctions, pages 30-31 ; Compléments optiques, page 128.*

En haut : **Nikon,** 6 mm, Tri-X, 1/125 s, f/11
A droite : **Pentax,** 18 mm, Tri-X, 1/125 s, f/11

APPLICATIONS

Les caractéristiques les plus importantes de ce type d'objectif sont évidemment le grand angle de champ embrassé, mais aussi la profondeur de champ très étendue et la distorsion de la perspective. Notez les différences entre la photo en bas de la page 114 et l'image ci-contre. Cette dernière a été prise avec un objectif de 15 mm donnant une représentation correcte des lignes droites, avec seulement une déformation apparente aux bords extrêmes de l'image. La rapide diminution d'échelle pour les sujets diversement éloignés augmente la distance semblant les séparer. C'est ainsi que les deux personnages ci-contre ne sont séparés en réalité que de 1,80 m. La déformation devient très évidente lorsque le sujet est très proche de l'objectif : le portrait de droite en est un exemple frappant.

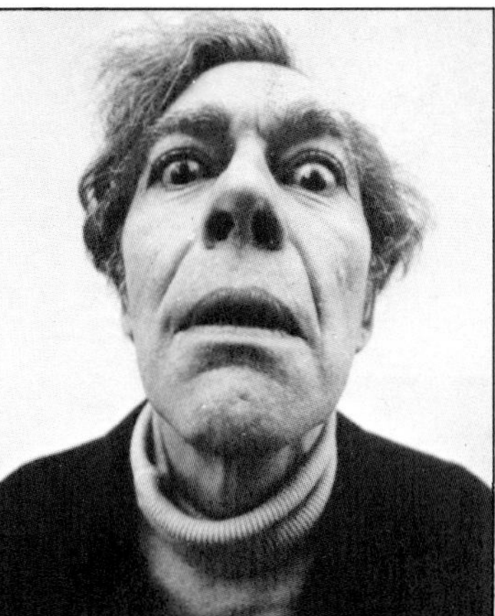

Toutes les images : **Pentax**, 15 mm, Tri-X, différents temps de pose

DIFFÉRENTS TYPES DE TRÈS GRANDS-ANGLES

Plus la distance focale est courte, plus l'angle de champ est grand. Mais, pour les focales extrêmement courtes, la correction des aberrations devient difficile et onéreuse. La focale la plus courte est 15 mm pour les objectifs non fisheye destinés au format 24 x 36 mm ; en revanche, le fisheye couvrant 220° d'angle a une focale de 6 mm environ.

Nikkor 6 mm f/2,8

SMC Pentax 20 mm, f/4

Hasselblad SWC

Fisheyes La forme et les performances de cet objectif imposent des contraintes : on ne peut utiliser le filtre et l'on risque toujours d'inclure les mains ou les pieds dans le champ de l'image. Il est encombrant et lourd ; enfin, il y a peu d'espace intérieur disponible pour un diaphragme ou un dispositif de mise au point.

Très grands-angulaires
La focale peut descendre à 15 mm pour les objectifs non fisheye, les focales de 20 et 21 mm étant plus courantes. Par ailleurs, l'ouverture maximale est parfois limitée à f/8 pour les plus courts. De toute manière, les très grands-angulaires de bonne qualité sont chers.

Boîtier de l'appareil
Un objectif de courte focale doit être placé à très faible distance du film, s'il n'est pas du type rétrofocus, ce qui permet alors de l'employer avec un reflex, malgré le débattement du miroir. L'ensemble ci-dessus consiste en un objectif de 38 mm pour format 6 x 6 cm et un boîtier spécial, non reflex.

APPLICATIONS

Après la focale normale, le grand-angulaire est probablement le plus souvent utilisé. Il permet de photographier lorsque le recul est faible : circonstance très fréquente en intérieur, par exemple. Pour une même ouverture de diaphragme, il procure une plus grande profondeur de champ que les objectifs de focale longue. Il offre surtout de magnifiques occasions d'exagérer la profondeur d'une scène, parfois jusqu'à la caricature. Un grand-angulaire peut mettre l'accent sur l'immensité d'un espace désertique ou au contraire sur la proximité d'un groupe de personnes dans un espace confiné. Sur le plan technique, un grand-angulaire est un objectif de courte focale offrant une couverture exceptionnellement grande. Néanmoins, un grand-angulaire prévu pour le 24 x 36 mm ne peut couvrir le format 6 x 6 cm par exemple : les angles de l'image seraient vignetés en cercle. Les grands-angulaires destinés aux appareils reflex doivent être du type "rétrofocus", c'est-à-dire offrant un tirage mécanique suffisant pour permettre le débattement du miroir : cela en dépit du court tirage "optique".

Vivitar 28 mm, f/2,5

AUGMENTATION DE L'ANGLE DE CHAMP

L'avantage le plus évident du grand-angulaire est qu'il permet d'inclure un espace plus grand à partir du même point de vue. Cet espace semble moins rempli qu'il ne paraît à l'œil, ce qui le présente sous un aspect plus favorable qu'avec la focale normale. J'ai pris deux vues de cette entrée : celle du dessus avec la focale normale (180 mm pour un 4 x 5"), celle du bas avec un 65 mm. En comparant les deux, on s'aperçoit que la vue prise au grand-angulaire est la seule qui rend compte de l'architecture intérieure du bâtiment.

MPP, 180 et 65 mm, Plus-X, 1 s, f/22.

AUGMENTATION DE LA PROFONDEUR DE CHAMP

Le grand-angulaire donne plus de profondeur de champ que l'objectif de focale normale. C'est un avantage pour avoir tous les plans nets, du premier plan à l'horizon, ou si la mise au point doit être faite en se servant seulement de l'échelle des distances. C'est un inconvénient si l'on désire n'avoir qu'un seul plan net. Ici, le grand-angulaire donne de l'impact et marque l'éloignement des maisons. L'exagération de la perspective est due à la proximité des premiers rochers. Seul le grand-angulaire pouvait donner une telle profondeur de champ.

Pentax, 28 mm, Ilford (400), 1/125 s, f/16

Sensation de profondeur

Puisque le grand-angulaire permet d'inclure dans l'image des objets très proches de l'appareil, la sensation de profondeur est notablement augmentée. Ici, la profondeur de champ est importante, ce qui donne du relief. Cet effet est marqué avec les sujets ayant une forte structure linéaire, tels les reflets sur le lac. Le choix du point de vue est important : s'il est surbaissé, la sensation de profondeur est encore accrue.

Pentax, 15 mm, Tri-X, 1/250 s, f/11

Point de vue inhabituel

Avec le grand-angulaire, il suffit de très petits changements de point de vue pour modifier les relations entre les plans de l'image. Par exemple, un personnage placé en premier plan semble surgir hors de l'image, vers le spectateur. C'est dans cet esprit que j'ai choisi le grand-angulaire pour photographier ces personnages : on a véritablement l'impression de faire partie du groupe. Le cadrage très serré contribue également à donner ce climat intime.

Leica Reflex, 21 mm, Tri-X, 1/250 s, f/11

Effets de distorsion

La déformation de la perspective peut être utilisée volontairement, par exemple dans un but caricatural. Les éléments forts du sujet doivent alors être proches des bords de l'image, la déformation du portrait ci-dessous est due au point de vue rapproché et plongeant : le personnage a subi une étrange déformation de la tête.

Olympus OM-1, 21 mm, Tri-X, 1/60 s, f/16, avec flash

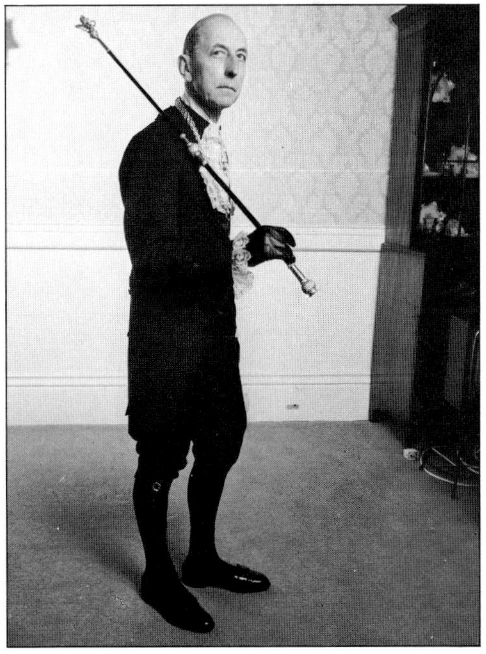

APPLICATIONS

L'objectif normal ou "standard" donne, de la réalité, une représentation semblable à celle de nos yeux. Il n'est cependant pas aisé de comparer l'objectif à l'œil parce que ce dernier a une mauvaise résolution périphérique, qu'il est en constant mouvement d'analyse et ne donne pas un champ nettement délimité. Néanmoins, on considère que l'objectif normal donne sensiblement le même grossissement et la même perspective que notre vision. L'ouverture maximale est généralement plus grande que pour les autres objectifs ; le prix également moins élevé.

Olympus 50 mm, f/1,4

Constitution d'un objectif normal Comme c'est l'objectif de base, c'est celui qui est le mieux corrigé des diverses aberrations, tout en offrant la plus grande ouverture relative. Cette dernière est généralement comprise entre f/1,4 et f/2 et l'angle de champ est de 43 ou 47°, soit des focales de 50 et 55 mm pour le format 24 x 36 mm. L'objectif normal comporte 5, 7 ou 8 lentilles.

ANGLE DE CHAMP NORMAL

Puisque le champ de notre œil est mal délimité, nous ne pouvons prétendre que l'angle de champ normal est exactement 47° ! Mais une scène photographiée avec la focale normale, agrandie à 25 cm de large et regardée à la distance normale de vision directe, soit 30 cm environ, reproduit très exactement l'apparence que nous en donnent nos yeux. On aurait le même effet avec les vues prises au grand-angulaire ou avec la longue focale, à condition toutefois d'examiner les épreuves à une distance "correcte", c'est-à-dire la distance focale multipliée par le facteur d'agrandissement.

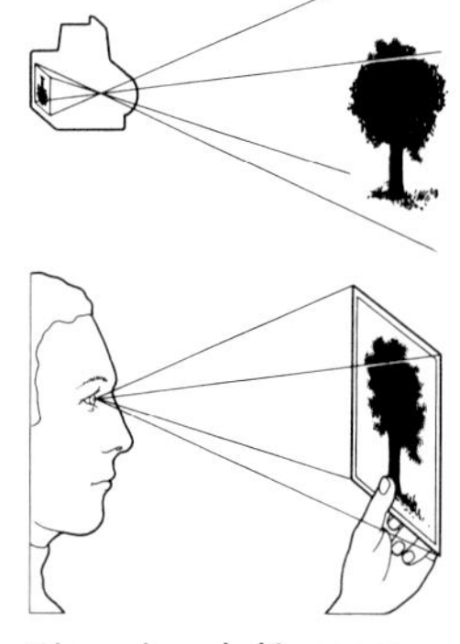

Dimensions de l'image et réalité L'image ci-dessous a été prise avec un objectif de 80 mm puis agrandie 2,5 fois. Si vous la regardez à une distance de 80 x 2,5 = 200 mm, vous aurez une restitution parfaite de la perspective originale du sujet.

L'Avantage d'une Grande Ouverture

Ce qui limite l'ouverture relative maximale d'un objectif, ce sont les aberrations résiduelles qui détériorent l'image prise à pleine ouverture. L'opticien doit trouver le meilleur compromis entre prix de vente, qualité d'image et ouverture maximale intéressante. Les grandes ouvertures de diaphragme, exprimées par des petites valeurs chiffrées, sont très variables pour ce qui concerne la luminosité réelle du système optique. Comparé à f/2,8, f/2 est deux fois plus lumineux, f/1,4, quatre fois et f/1, huit fois. Cela signifie qu'il faut deux fois moins de lumière à f/1,4 qu'à f/2. Le cadrage se faisant à pleine ouverture avec tous les reflex, celui-ci est plus facile lorsque la lumière ambiante est faible. Bien entendu, grande ouverture implique faible profondeur de champ : un avantage ou un inconvénient, selon les cas.

Grande ouverture pour faible lumière La photo ci-dessus, prise dans un night-club peu éclairé, illustre l'aspect de l'image donnée par un objectif très lumineux. La très faible profondeur de champ obtenue à l'ouverture f/1,2 rend la mise au point fort délicate. Remarquez les taches circulaires (appelées "cercles de confusion") produites par les points lumineux situés hors de la zone de netteté. En "poussant" le film, on a pu poser 1/30 s : limite à laquelle on peut opérer sans pied ou support.
Voir *Profondeur de champ, page 29 ; Profondeur de champ limitée, page 130 ; Mise au point sélective, page 131 ; Film poussé, page 83 ; Comment tenir l'appareil, page 161.*

Pentax, 50 mm, Tri-X poussé à 1 600 ISO, 1/15 s, f/1,2

Objectifs Interchangeables et Compléments Optiques

Si votre appareil accepte les objectifs interchangeables et que vous désirez acquérir un grand-angulaire ou un téléobjectif, le meilleur choix consiste à adopter les objectifs de même provenance. Vous serez ainsi assuré d'avoir une même qualité optique, un traitement antireflet semblable et une disposition analogue des bagues de commande pour tous vos objectifs. Vous pouvez également trouver des objectifs d'autres origines s'adaptant sur votre reflex fabriqués par des opticiens réputés : le choix et la gamme offerts sont très grands. Si c'est un problème de budget, pensez aux possibilités offertes par les compléments optiques (ou "converters"). Certains se placent devant l'objectif pour le transformer en grand-angulaire ou en téléobjectif ; d'autres s'intercalent entre l'objectif et le boîtier et multiplient la focale initiale par deux ou par trois. L'emploi de tout complément optique apporte forcément une résurgence des aberrations qui avaient été corrigées pour l'objectif de base employé seul. On a généralement une légère perte de netteté vers les bords et une diminution du contraste de l'image. Un converter téléobjectif apporte une perte de luminosité de deux divisions de diaphragme ou plus. Une bonne solution (si vous achetez un nouvel appareil) est d'acquérir également un objectif zoom ; leur qualité est en constante amélioration. Vous ne pouvez cependant disposer d'une très grande ouverture. Un zoom peut être plus encombrant et plus cher qu'un objectif à focale fixe.

Applications

Un objectif de longue focale ou un téléobjectif – un 135 mm pour le 24 x 36 mm par exemple – complète la série des objectifs de base. L'angle de champ étant plus étroit que celui de la focale normale, l'image est modérément grossie.
Une longue focale offre deux types d'applications : pour rapprocher des plans diversement éloignés, en obtenant une image aux fuyantes peu prononcées ; lorsqu'il est impossible de s'approcher suffisamment du sujet.
Un point important : lorsque l'appareil n'est pas sur pied, le risque de bouger est directement proportionnel à la distance focale. On considère généralement qu'il ne faut pas poser moins de 1/125 s avec un 135 mm, 1/250 s avec un 200 mm, etc., sans pied ou support. Par ailleurs, la profondeur de champ, à ouverture égale, est plus faible qu'avec la focale normale. L'ouverture maximale est généralement plus réduite de une ou deux valeurs : ce qui peut constituer un handicap en faible éclairage.
Voir *Objectifs : catégories et fonctions, pages 30-31 ; Profondeur de champ, page 29.*

Pentax, 135 mm, f/3,5

Compression de l'Espace

La longue focale permet de remplir le format avec un sujet éloigné. Mais, comme le montre l'image ci-dessus, elle comprime également la profondeur apparente de la scène.
Il y a moins de changements de dimensions entre les différents plans : premier plan, plan moyen et arrière-plan.
Le voile atmosphérique tend à réduire le contraste et à donner une gamme moins étendue de valeurs que pour une image prise avec la focale normale. Par ailleurs, les plans d'un paysage se superposent en bandes horizontales. Dans cet exemple, la mer, les groupes d'habitations et les montagnes sont traduits par des valeurs de gris très différentes qui semblent plaquées les unes sur les autres.
Voir *Changement d'objectifs, page 104.*

Leica, 200 mm, FP4, 1/500 s, f/8

Effets de masse

Grâce à la compression des plans et à la faible convergence des lignes fuyantes, l'objectif de longue focale crée un effet de masse. L'une des caractéristiques du long téléobjectif est de donner aux objets de l'arrière-plan une taille presque égale à celle des éléments du premier plan. Ci-dessous, les piliers de la nef semblent avoir la même taille, produisant une image "comprimée" de l'architecture. Cet effet de compression des plans se manifeste lorsqu'on photographie un match de football avec un super-téléobjectif : les joueurs semblent être très proches les uns des autres. Vous pouvez l'utiliser sciemment pour exagérer la densité du trafic sur une autoroute, par exemple.

Pentax, 135 mm, Tri-X, 1/30 s, f/16

Remplir le format

Un cadrage bien serré autour du sujet permet d'affirmer avec force la signification d'une image. C'est un concept simple mais efficace, consistant à ne conserver que la partie significative d'un sujet en rejetant hors du cadre les éléments somme toute secondaires. Pour les photos d'animaux ou de personnages photographiés à leur insu, le téléobjectif permet de rester loin de son sujet. Cette étude de mains d'un vieillard – ci-dessous – a été prise à deux mètres. Cette image n'est pas une simple étude de forme et de texture en lumière naturelle. Les mains expriment ici un aspect de la personnalité de l'homme : quelque chose que le visage seul ne pouvait évoquer.

Nikon, 135 mm, Tri-X, 1/125 s, f/8

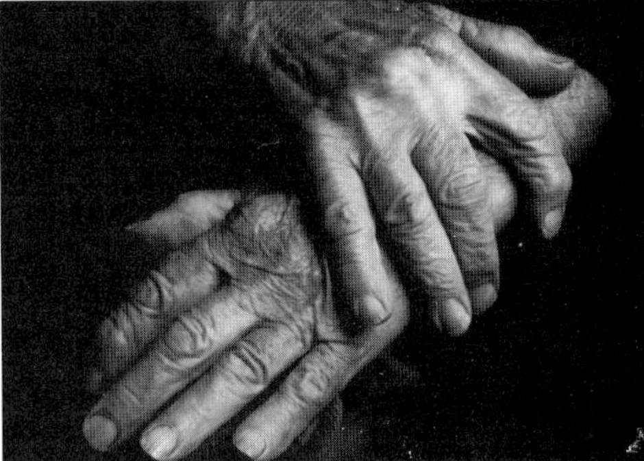

Portraits

Au début de la photographie, tous les objectifs de longue focale étaient désignés sous le nom "d'objectifs à portrait". C'est qu'en effet un portrait pris d'assez loin avec une longue focale est toujours plus flatteur pour le modèle : particulièrement en ce qui concerne les proportions relatives du nez et des oreilles. Par ailleurs, le fait d'être assez loin du modèle aide à faire régner le climat de confiance indispensable. Les deux images ci-contre montrent à quel point la distance du point de vue peut modifier l'apparence du visage. Le portrait de gauche a été pris avec un grand-angulaire de 21 mm. L'objectif étant à environ 30 centimètres du visage, le nez est projeté vers l'avant, ses dimensions sont exagérées, alors que les cheveux semblent rejetés vers l'arrière. Le portrait de droite, au contraire, a été pris à 2 mètres du visage avec un objectif de 135 mm, restituant au visage de plus exactes proportions : la tête retrouve sa forme normale, tandis que la profondeur de champ est fortement diminuée. Il est de règle de rester loin du modèle pour un portrait sans déformation du visage.

Les deux images : **Leica R**, Plus-X, 1/125 s, f/11

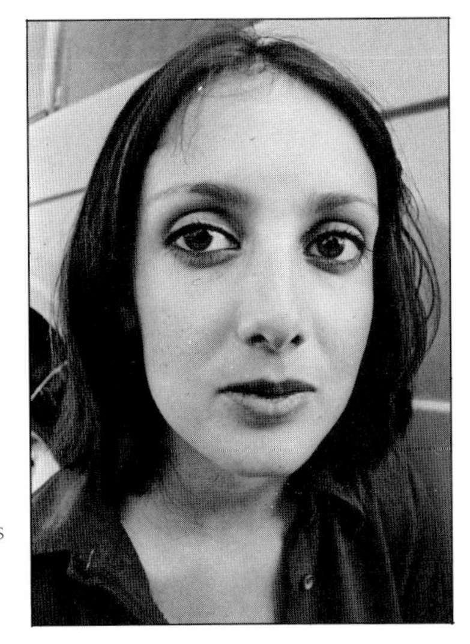

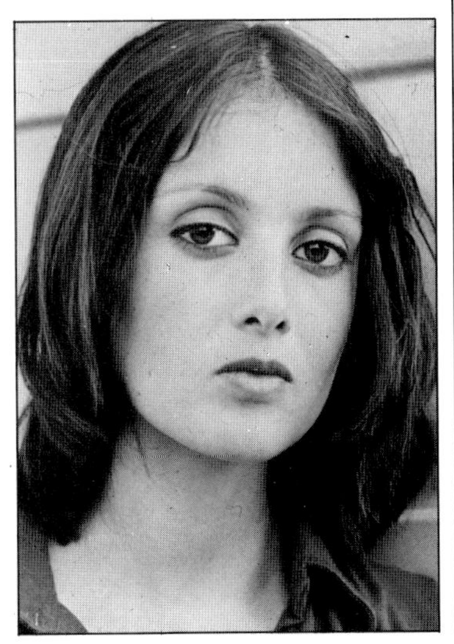

Applications

Les objectifs de très longue focale destinés au reflex vont jusqu'au 2 000 mm de focale (angle de champ 1°15'). Ce sont, en réalité, des télescopes de haute qualité. Leur structure est celle du téléobjectif ou du catadioptrique, plus compact. Ils donnent une image très grossie d'un détail inaccessible. Les limitations techniques augmentent en même temps que la focale ; le risque de bougé empêche l'emploi à la main en deçà de 1/500 ou de 1/1 000 s, selon la structure de l'objectif. Profondeur de champ très limitée ; ouverture maximale dépassant rarement f/5,6 ou f/8.

Type téléobjectif La plupart des objectifs de très longue focale sont de ce type : cela signifie que la distance entre l'objectif et le film est plus courte que la distance focale réelle d'environ 60 %. Malgré cela, un objectif de 500 mm ou plus est extrêmement encombrant et lourd ; l'ouverture maximale est réduite tant pour des raisons de compacité que de prix de revient.

Type catadioptrique Le repliement du faisceau lumineux dans l'objectif à miroirs lui donne – à focale égale – des dimensions plus réduites et un poids moins important : un miroir étant moins lourd qu'une lentille de même focale. L'ensemble est plus maniable et plus facile à tenir en main ; mais le principe optique adopté empêche de diaphragmer le faisceau.

Téléobjectif Nikkor 800 mm f/8

Catadioptrique Minolta 800 mm f/8

Grossissement

La taille d'un sujet est proportionnelle à la distance focale de l'objectif : cela signifie que, si vous remplacez la focale normale de 50 mm par un 500 mm, le sujet sera grossi dix fois ; il sera grossi vingt fois si l'objectif est un 1000 mm. Par ailleurs, le risque de bougé est d'autant plus grand que la focale est plus longue. Enfin, une focale étant généralement employée en extérieur et à grande distance, il y a une forte absorption de la lumière par la poussière, la brume atmosphérique et l'épaisseur d'air traversée : ce qui apporte une diminution du contraste. Cette perte de contraste peut être en partie compensée par une légère augmentation du temps de développement.

Un emploi de l'objectif de très longue focale La photo du haut, du palais de Buckingham, est prise avec la focale normale de 50 mm, à une distance de 140 mètres environ. L'image du dessous est prise du même point de vue, mais avec un objectif de 500 mm : grossissement dix fois plus important.

Nikon, Tri-X. En haut, à droite : 1/125 s, f/16. En dessous, à droite : 1/500 s, f/5,6

Objectifs à miroirs

L'image donnée par un objectif à miroirs semble identique à celle donnée par un objectif dioptrique de même focale ; mais si l'on regarde de près, chaque point lumineux n'est pas traduit par le classique cercle, mais par une couronne, ce qui se voit sur l'image ci-dessous. Il s'agit de la silhouette de l'élément frontal de l'objectif, avec son miroir central. L'impossibilité de diaphragmer empêche d'éliminer cet effet.
Voir *Fonds constitués de points lumineux, page 219.*

Nikon, 500 mm catadioptrique, Tri-X, 1/1 000 s, f/8

Supports pour objectifs

La plupart des objectifs de très longue focale ont besoin d'être fermement soutenus, afin d'éviter le bougé. Ils sont généralement munis d'un écrou permettant de fixer l'objectif directement sur un pied-support (à droite). S'il y a du vent, vous pouvez également placer des sacs de sable le long des branches du pied ou, comme montré sur le dessin, ajouter une jambe de force. Certains objectifs ont un second écrou permettant de maintenir l'avant avec un monopode.

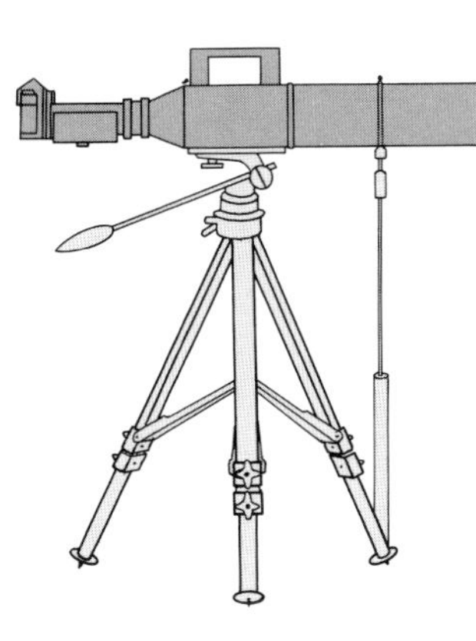

Mise au point continue Le dispositif représenté ci-dessus permet de modifier la mise au point rapidement, en agissant sur une poignée-pistolet à ressort, sans avoir à faire tourner une bague. Une crosse accroît encore la stabilité.

Applications

L'objectif à focale variable ou zoom offre des avantages techniques et visuels. D'abord, il remplace plusieurs objectifs à focale fixe. Dans les limites de la variation de focale, il permet, de plus, de faire varier le grossissement de l'image de manière continue : cela assure un cadrage extrêmement précis du sujet dans le format. Ce point est intéressant pour les reportages, lorsque l'action se déplace rapidement, sans que l'on puisse changer aussi vite de point de vue ou d'objectif. Par ailleurs (voir ci-dessous), on peut faire varier la focale en cours d'exposition, ce qui conduit à des effets curieux.

Voir *Zoom, page 30.*

Nikkor-Auto, 28-85 mm, f/3,5-4,5

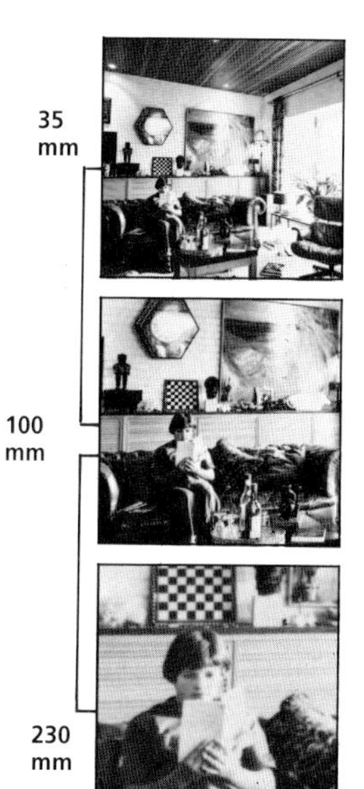

Distances focales couvertes par les zooms Avec les progrès de la technologie, le nombre de zooms disponibles augmente rapidement. La plupart d'entre eux sont destinés aux reflex 24 x 36 mm. Les gammes couvertes par les modèles actuels sont : de longue à très longue focale ; de grand-angulaire à focale normale ; ou une modeste variation de focale de part et d'autre de la normale. Les plus grandes variations, par exemple 35-100 mm et 100-230 mm, sont particulièrement utiles. Avec seulement deux objectifs de ce type, vous couvrez toutes les focales comprises entre le grand-angulaire et la longue focale.

Effet de travelling optique

Cette technique demande un film assez lent et/ou une lumière ambiante faible, de telle manière que le temps de pose puisse être au moins de 1/4 s, l'objectif étant diaphragmé. Placez l'appareil sur pied et faites la mise au point sur le sujet avec la focale la plus longue. Dès que vous entendez l'obturateur s'ouvrir, faites varier la focale du zoom. Prenez garde qu'au départ le sujet soit bien cadré au centre de l'image, puisque c'est le seul élément qui restera à peu près net dans l'image, alors que les motifs environnants sembleront irradier à partir de lui. Si le fond comprend des points lumineux, ces lignes radiales n'en seront que plus intéressantes. Les trois enfants ont l'air de descendre une côte à toute allure, alors qu'ils étaient immobiles au moment du déclenchement.

Pentax, zoom 85-210 mm, FP4, 1/2 s, f/16

Travelling et panoramique combinés

On obtient un effet très curieux en combinant le travelling optique avec un panoramique : le mobile présente les lignes radiales, alors que le fond est formé de traits obliques. La technique est semblable à celle du travelling optique, sauf en ce qui concerne le temps de pose, qui est plus court : 1/15 ou 1/30 s, permettant d'opérer à main levée. On ne peut prévoir le résultat final, aussi est-il bon de multiplier les clichés pour en avoir un qui soit réussi. La photo ci-dessus a été prise lors d'une course de stock-cars. Notez que les lignes obliques du fond émanent d'un point situé en dehors du cadrage.

Pentax, zoom 85-210 mm, FP4, 1/2 s, f/16

Zoom échelonné

On peut obtenir une série d'images superposées en prenant plusieurs vues sur le même film, en changeant à chaque fois la focale du zoom. Prenez un fond uni et souvenez-vous que les images s'agrandissent à partir du centre du cadrage. Le posemètre donnait 1 s, f/22 : les trois vues superposées ont été posées 1/2 s chacune. **Voir** *Détermination de l'exposition, page 132.*

Pentax, zoom 85-210 mm, 1/2 s, f/16

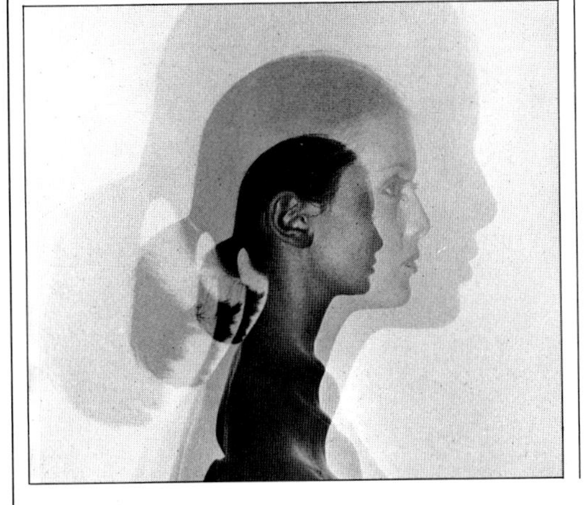

Projection zoom

On obtient le même effet de zoom échelonné en projetant une diapositive avec un projecteur muni d'un zoom. Prenez plusieurs vues sur le même film. Les bords de l'image augmentent également de taille : d'où les marges superposées. **Voir** *Images projetées, pages 234-235.*

Nikon, 55 mm, FP4, 3 poses de 1/4 s, f/16.

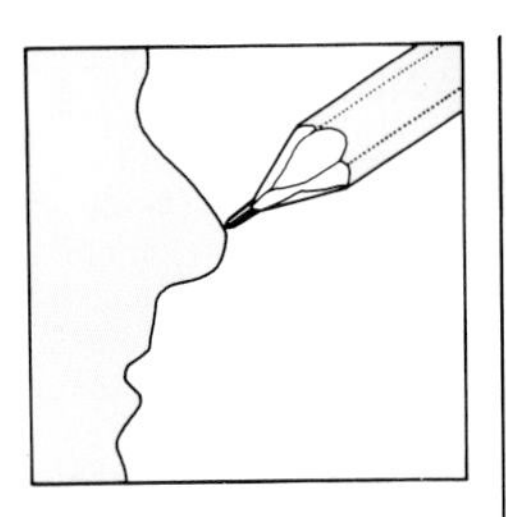

Repérage préalable La méthode par projection permet de repérer préalablement la position des images successives : pour cela, il suffit d'en marquer les contours directement sur l'écran de projection.

Zoom basculé

Lorsqu'on opère en studio, on peut obtenir à coup sûr des effets dont la réussite n'est qu'accidentelle en extérieur (pour réaliser un travelling optique, comme dans les exemples de la page 124). C'est ainsi que l'effet de grossissement combiné avec un basculement de l'appareil permet de faire des images comme celle-ci, en recommençant autant de fois que nécessaire. Ici, l'illusion de mouvement est créée par les traînées en forme de comète laissées par chaque lettre du texte. Je suis parti d'un texte sur film trait négatif, lettres blanches sur fond opaque. Le film placé devant une boîte à lumière faisait face à l'appareil muni du zoom et monté sur un pied solide. L'amplitude du basculement à donner fut préalablement contrôlée, avec blocage de fin de mouvement. L'exposition calculée était 1/2 s, f/16. Le texte a d'abord été aligné en haut du cadre de l'image. Pour l'exposition, l'obturateur sur "B" a permis une pose fixe de 1/2 s, suivie d'un basculement lent (2 secondes) de l'appareil, jusqu'au blocage. Au cours de cette opération, l'objectif fut zoomé lentement à sa position de plus longue focale. **Voir** *Simuler le mouvement, page 225.*

Pentax, zoom 85-210 mm, Tri-X, 1/2 s, f/16

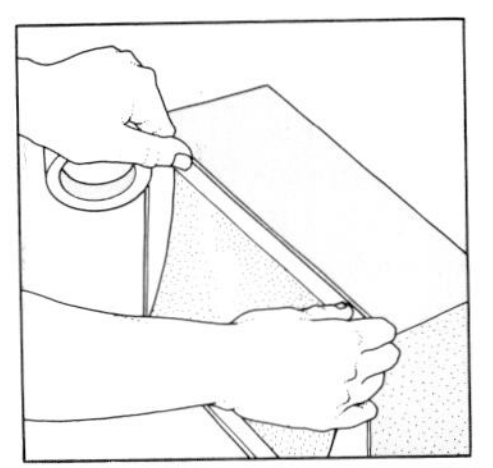

1 *Le négatif trait est collé sur ses quatre côtés pour assurer sa planéité. L'entourage de la boîte à lumière est obturé pour empêcher les fuites de lumière parasite.*

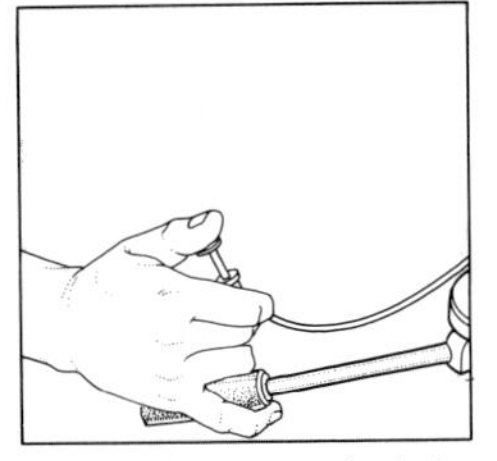

2 *Pour libérer ma main droite commandant le zoom, j'ai déclenché par le pouce et l'index de la main gauche : ce qui permit de basculer l'appareil avec le petit doigt.*

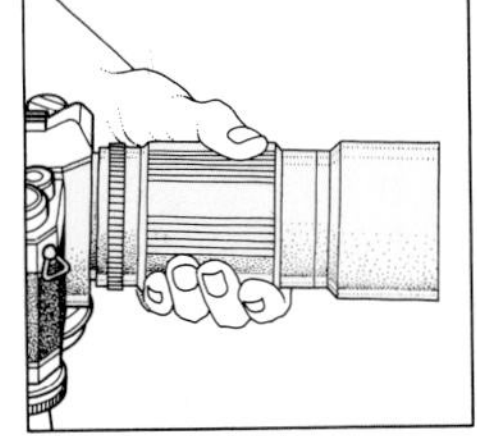

3 *Il est difficile de synchroniser les trois opérations : déclencher, basculer et zoomer. Pour obtenir un mouvement assez souple, tenez fermement la bague de l'objectif.*

APPLICATIONS

L'emploi d'un objectif décentrable sur le boîtier reflex permet des mouvements de décentrement verticaux et horizontaux sinon réservés aux chambres de grand format. C'est un objectif grand-angulaire de 28 ou de 35 mm qui peut être déplacé dans toutes les directions, parallèlement au film. Avec un objectif ordinaire, la photographie en plongée-contre-plongée d'un bâtiment apporte toujours une certaine convergence des lignes verticales ; là, on conserve l'appareil horizontal et l'on joue sur le déplacement de l'objectif pour recadrer le sujet.

Voir *Déplacer l'appareil, pages 164-165.*

Rokkor Shift-CA, 35 mm, f/2,8

Nikon, PC-Nikkor, 35 mm, Tri-X, 1/125 s, f/11

Pentax, 28 mm, décentrable, Ektachrome (100), 1/125 s ; f/11 (sans décentrement), f/8 (avec décentrement)

DÉCENTREMENT LATÉRAL

On utilise généralement l'objectif décentrable pour les sujets architecturaux, mais il peut rendre des services dans d'autres cas. Par exemple, lorsqu'on photographie un intérieur où se trouve un miroir ou une autre surface réfléchissante, on peut être gêné par la réflexion inopportune de l'appareil. Avec un objectif décentrable, vous pouvez vous placer sur le côté du sujet, le plan du film restant parallèle à la surface réfléchissante ; puis vous recadrez l'image en agissant sur le mouvement de décentrement latéral : le reflet de l'appareil n'est plus dans le champ de l'objectif. Les photos ci-dessus illustrent un emploi plus habituel : ne pouvant se déplacer sur le côté droit (en raison de sa position précaire sur un rocher en bord de la rivière), le photographe voulait inclure dans son image une plus grande partie du pont que dans le cadrage original (à gauche). Le cadrage horizontal en tournant l'appareil ne lui convenant pas non plus, il utilisa l'objectif décentrable pour englober une plus large partie de la scène, sans changer de point de vue, donc de perspective (à droite).

OBJECTIF ANAMORPHOSEUR

Le complément optique anamorphoseur est généralement utilisé en cinématographie : il comprime un grand angle de champ sur le film de largeur normale ; sur le projecteur cinéma, l'image est "désanamorphosée" par un objectif semblable, donnant l'effet "Cinéma-Scope" bien connu des amateurs de films. Mais vous pouvez utiliser un complément optique anamorphoseur devant l'objectif normal de votre appareil photo ; cela donne des effets amusants (voir ci-dessous) : votre sujet se trouve comprimé dans l'une des directions de l'espace, selon l'orientation donnée au dispositif.

Emploi d'un complément anamorphoseur Pour éviter le vignetage, le complément anamorphoseur doit avoir un diamètre supérieur à celui de l'objectif devant lequel il sera placé. On peut tenir l'anamorphoseur, à la main, devant l'objectif ou, mieux encore, le porter sur un support fixé au pied de l'appareil. Il y a une perte de qualité de l'image donnée par l'objectif de base ; aussi est-il bon de travailler avec une petite ouverture.

Anamorphoses L'image ci-dessus est faite, normalement, avec l'objectif de 80 mm de l'appareil. A droite, l'anamorphoseur est orienté pour comprimer l'image dans le sens horizontal ; puis tourné de 90° pour donner l'image comprimée dans le sens vertical (extrême droite).

Hasselblad, Tri-X, 1/30 s, f/16

EFFETS SPÉCIAUX

On peut placer toutes sortes de lentilles ou de miroirs devant l'objectif (miroir convexe ou concave, lentille de condenseur, etc.), pour voir "ce que cela donne". Mais ce jeu ne convient bien qu'au reflex mono-objectif, qui permet d'apprécier visuellement les effets produits. Choisissez un sujet simple, comme celui ci-contre. Essayez différentes distances et diverses orientations de l'élément optique complémentaire. Jugez du résultat, l'objectif étant diaphragmé.

Rolleiflex, HP3, 1/15 s, f/11

Converters Fisheye

Il existe deux sortes de converters fisheye : le premier est un assemblage de lentilles se plaçant sur la face antérieure de l'objectif ; il donne le même effet qu'un objectif fisheye. Le second fonctionne sur le principe du miroir convexe. Pour l'emploi, il est fixé à l'intérieur d'un tube de verre et fait face à l'objectif : on obtient alors une image circulaire dont le photographe occupe toujours le centre.

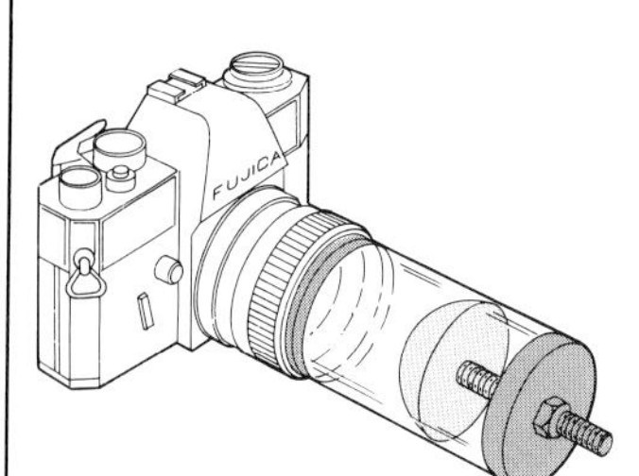

Complément optique à miroir convexe Pour l'image ci-contre, l'appareil muni du complément optique fut pointé vers le ciel, la mise au point étant faite à mi-distance. Objectif très diaphragmé.

Nikon, 50 mm, avec complément à miroir convexe, Tri-X, 1/60 s, f/11

Double Zone de Netteté

La demi-lentille convergente permet d'obtenir la netteté d'un sujet sur deux zones éloignées en profondeur. Puisque le dispositif est en demi-cercle, on a une ligne de flou au milieu de l'image. Afin de faire disparaître cette limite, tentez de la confondre avec la ligne naturelle de la scène : cela par une orientation convenable de la demi-lentille. Notez que la zone de raccord se voit moins si l'objectif n'est pas trop diaphragmé. Sur l'image la plus à droite, réalisée avec ce dispositif, la zone de flou est située dans la partie médiane derrière la carte postale.

Emploi d'une demi-lentille L'image ci-dessus était irréalisable avec l'objectif normal, la profondeur de champ étant insuffisante pour une netteté allant de la carte-postale à la maison. On a employé une demi-lentille, la partie convergente étant orientée vers le bas de l'image. On a déplacé la carte postale jusqu'à ce qu'elle soit nette, la mise au point initiale étant faite pour la maison.

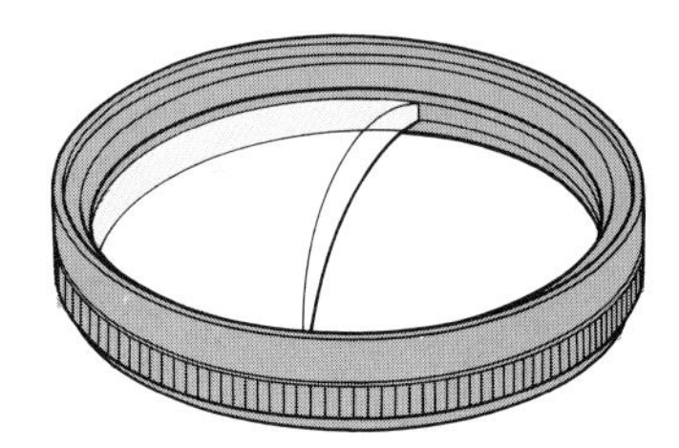

Nikon, 50 mm, Tri-X, 1/125 s, f/5,6

Lentille Prismatique

Elle donne une juxtaposition de 3, 4 images ou plus de la partie centrale du sujet. Effet plus intéressant avec les sujets simples, contrastant avec un environnement sombre et uniforme. Faites tourner la lentille sur elle-même, pour trouver la meilleure orientation.

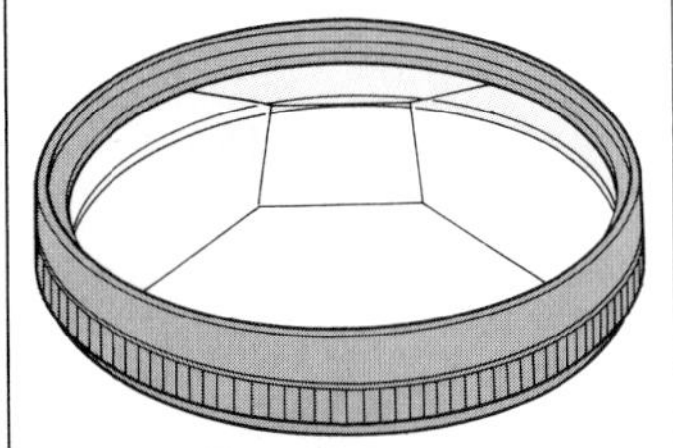

Lentille prismatique Pour l'image ci-dessus, une lentille prismatique à 5 faces a été placée devant l'objectif.

Pentax, 135 mm, Plus-X, 1/125 s, f/11

En faisant tourner la lentille prismatique Si la facette centrale de la lentille prismatique est parallèle au film, vous pouvez faire tourner la lentille pendant la pose, donnant un effet semblable à celui ci-dessus. La rotation a été de 30° durant 2 secondes. Remarquez le visage peint qui apparaît dans la lacune de la partie floue.

Lentilles Adoucissantes

Plusieurs modèles aux principes différents. Certains produisent des aberrations volontaires, alors que d'autres dispersent une partie de la lumière par des séries de cannelures. Le principe est toujours de superposer une image plus ou moins floue à l'image nette donnée par l'objectif. Certaines lentilles répartissent ce flou de manière uniforme, alors que d'autres agissent plus sur les bords qu'au centre. On obtient un effet semblable en utilisant un disque de verre plan (ou un filtre UV) aux bords enduits de vaseline. Le degré de flou peut être souvent contrôlé par le diaphragme.

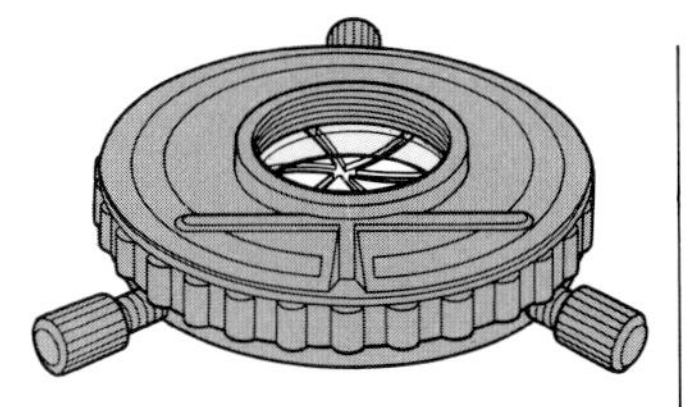

Complément optique pour images adoucies Ce dispositif permet de faire entrer plus ou moins de lamelles de plastique transparentes à l'intérieur du faisceau lumineux formant l'image : en les réglant par une bague, on peut doser le degré et la répartition des zones de flou ; effet lui-même modifié par la valeur du diaphragme. Photo de gauche : réglage minimum de flou (lamelles écartées) ; photo de droite : les lamelles recouvrent l'objectif.

Les deux images : **Pentax**, 55 mm, Plus-X, 1/125 s, f/5,6

Complément Optique Grand-Angulaire

Il se monte sur la face avant de l'objectif normal. L'image est souvent de qualité médiocre, surtout si on la compare à celle donnée par un véritable grand-angulaire. Tout système optique grossier placé devant l'objectif normal de l'appareil ne peut que faire apparaître des aberrations de toutes sortes (voir la photo ci-dessous).

Hasselblad, 150 mm avec complément grand-angle, Plus-X, 1/125 s, f/5,6

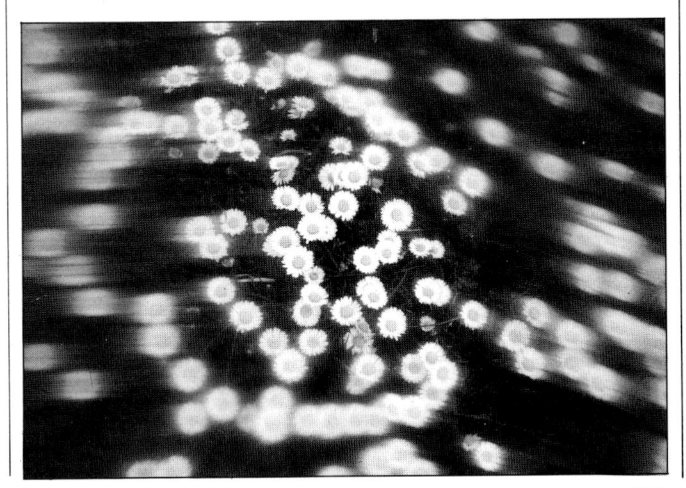

Profondeur de champ limitée

Une photographie n'a pas besoin d'être nette sur tous les plans. C'est, au contraire, en limitant la zone de netteté sur le seul plan que vous voulez mettre en évidence que vous donnerez plus de force à votre image. La présence d'un premier ou d'un arrière-plan flou augmente la sensation de profondeur. La manière la plus simple d'y parvenir, c'est de travailler à grande ouverture : ce qui n'est possible que par faible lumière ambiante. Sinon, il faut placer un filtre gris neutre devant l'objectif, comme pour cette vue prise par beau temps au bord de la mer. On peut également réduire la profondeur de champ en remplaçant l'objectif normal par une longue focale. Un appareil reflex permet une appréciation très exacte, mais il ne faut pas oublier de faire la mise au point avec l'ouverture "réelle", c'est-à-dire celle qui sera utilisée pour la prise de vue. Voyez comme les éléments flous perdent des détails tout en restant parfaitement reconnaissables par la simplification de leur forme. Veillez cependant à les faire contraster clairement avec la partie conservée nette.

Emploi d'un filtre pour réduire la profondeur de champ Pour l'image ci-dessus, le posemètre donnait f/8 : ouverture trop petite pour limiter la profondeur de champ ; on a utilisé un filtre gris neutre de densité 5 : d'où, 1/1 000 s à f/3,5. **Hasselblad**, 80 mm, Tri-X

Mise au point sélective en gros plan Le lézard a été pris au 1/500 s à f/3,5 afin de bien saisir le mouvement. La proximité du sujet réduit considérablement la profondeur de champ : c'est elle qui isole parfaitement l'animal du fond. **Pentax**, 50 mm, macro, Tri-X

Passer à travers le premier plan

Comparez les deux photos de rapace : celle du dessus présente un intérêt documentaire ; celle du dessous laisse plus de place à l'imagination et montre l'oiseau dans une situation "naturelle" : résultat obtenu en changeant un peu le point de vue, pour que les arbustes d'une haie entrent dans le cadrage à quelques centimètres de l'objectif. La grande ouverture du diaphragme transforme ces éléments en des formes vagues à travers lesquelles apparaît la silhouette précise de l'oiseau. Même méthode aux photos de paysage : il suffit souvent d'abaisser le point de vue pour faire venir en premier plan des motifs indistincts et mystérieux.

Pour les deux images : **Leica R**, 135 mm, Tri-X, 1/125 s, f/3,5

Mise au Point Sélective

Vous obtiendrez des images très différentes, à partir du même point de vue, en adoptant une grande ouverture et en modifiant simplement la mise au point. La faible profondeur de champ donnée par la grande ouverture du diaphragme ne conserve qu'un seul plan net au milieu d'un flou général. C'est une excellente méthode de composition : par exemple, vous garderez un premier plan net, en dissimulant dans un flou de bon aloi un arrière-plan sans intérêt : c'est le cas de l'image du haut. Vous pouvez tout aussi bien faire la mise au point sur un plan moyen (image du milieu) : ce qui met dans le flou premier et arrière-plan. Enfin, en faisant la mise au point sur l'arrière-plan (en bas), vous pouvez attirer l'attention exclusive du spectateur sur le bâtiment jusqu'alors noyé dans le flou.

Les trois images : **Pentax**, 50 mm, FP4, 1/250 s, f/2,8

Reflets dans un Miroir

Les miroirs séparent l'image en deux zones de distances : les objets eux-mêmes et leur réflexion. Faites la mise au point sur l'objet plutôt que sur son reflet et diaphragmez jusqu'à obtenir le degré de netteté désiré. En modifiant votre point de vue, vous pouvez rapprocher ou éloigner l'objet de son image réfléchie.

Photographie dans un miroir
L'image ci-contre a été prise obliquement dans un grand miroir : mise au point faite à mi-distance. On a diaphragmé pour augmenter la netteté.

Leica R, 28 mm, Tri-X, 1/15 s, f/22

Flou Volontaire

Il peut sembler étrange de faire exprès de plonger toute l'image dans le flou : comparez les deux silhouettes ci-dessous. Celle du haut, complètement floue, grâce à une mise au point sur une distance beaucoup plus courte que la distance du sujet, présente un attrait esthétique indéniable. Il est certains sujets pour lesquels la forme prime les détails et avec lesquels il est bon d'essayer cette méthode de flou volontaire.

Les deux images : **Pentax**, 55 mm, Plus-X, 1/60 s, f/2

DÉTERMINER L'EXPOSITION

Donner l'exposition correcte, c'est permettre à la lumière d'impressionner le film pour que toutes les valeurs lumineuses du sujet soient enregistrées. L'exposition est contrôlée par la combinaison de la vitesse d'obturation (durée de la pose) et de l'ouverture du diaphragme (quantité de lumière). L'exposition dépend de la rapidité du film (en ISO) et de la luminosité du sujet. Le posemètre permet de mesurer la lumière reçue par le sujet ou la lumière renvoyée par celui-ci en direction de l'objectif. Après affichage de la rapidité du film, le posemètre donne directement ou indirectement toutes les combinaisons vitesse/ouverture correspondant à l'exposition correcte pour les conditions particulières du sujet mesuré. Il y a au moins trois manières de lire la luminosité d'une scène : sur l'ensemble ; en mesurant les hautes lumières puis les ombres ; en lumière incidente. Ces trois méthodes donnent des valeurs exactes, mais chacune est plus ou moins adaptée à des conditions particulières. La plus simple, la mesure globale qui "voit" le sujet comme l'objectif de l'appareil et sous le même angle n'est valable que si les lumières et les ombres sont également réparties. La mesure séparée des hautes lumières, puis des ombres permet de trouver le meilleur compromis entre les valeurs extrêmes et renseigne sur le contraste de la scène. Pour la mesure incidente, on ajoute un accessoire spécial (intégrateur de lumière). Ce n'est plus alors la luminance du sujet que l'on mesure, mais la lumière qu'il reçoit (éclairement).

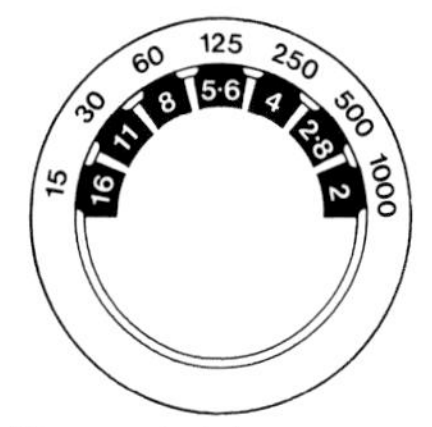

Disque calculateur
Beaucoup de posemètres indépendants ont un disque calculateur permettant de transposer les valeurs de luminance ou d'éclairement en une série de couples vitesse/diaphragme.

Mesure des ombres
La lecture faite sur le sujet principal, en contre-jour, donne des détails dans les ombres (en haut) avec surexposition des hautes lumières.

Mesure des hautes lumières
Si l'on règle l'exposition pour les zones les plus lumineuses, on perd les détails dans les ombres du visage (au centre).

Moyenne des mesures ombres et hautes lumières
(en bas) Bon rendu des demi-teintes et reproduction acceptable des valeurs extrêmes.

COMMENT MESURER

Tout d'abord, éviter les causes d'erreur : les sujets placés en contre-jour ou devant un fond très clair seront sous-exposés, en mesure globale ; de même, si la mesure du contraste est mal interprétée. Les sujets très sombres ou très clairs risquent d'être mal exposés avec une mesure en lumière incidente qui ne s'applique sans correction qu'aux sujets "moyens".

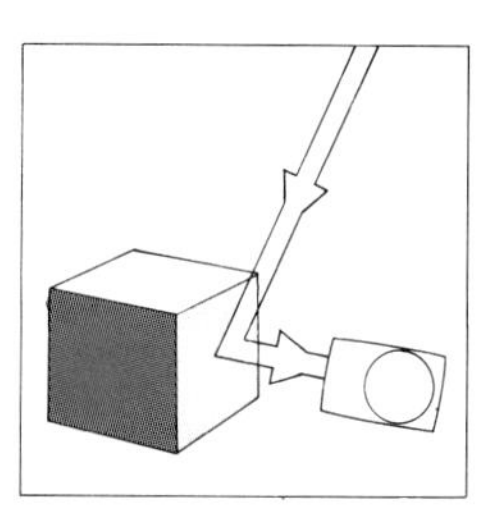

Mesure globale et mesure du contraste Dans la mesure globale, le posemètre a le même angle de champ que l'objectif. Pour le contraste, mesurer la partie la plus claire, puis la plus foncée.

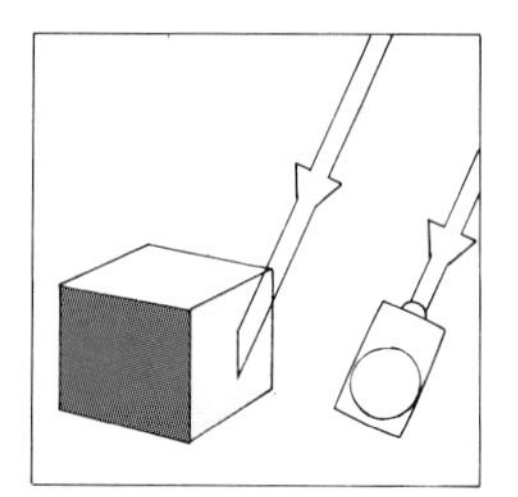

Mesure incidente Diriger le posemètre équipé de son intégrateur vers la source de lumière. On peut aussi mesurer par réflexion un papier blanc et augmenter l'exposition de six fois.

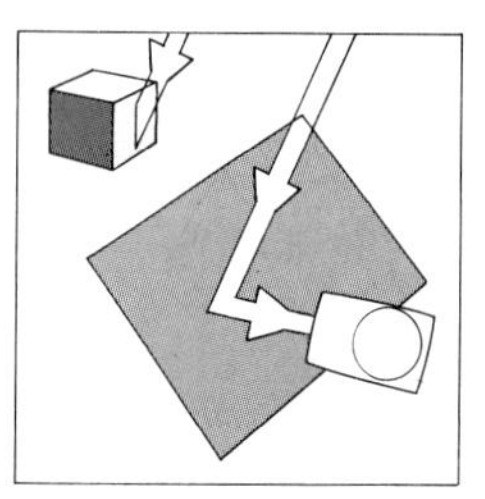

Mesure sur carte grise
La mesure s'effectue par réflexion sur la carte grise "normalisée" à 18 % de réflectance, qui correspond à un sujet "moyen".

POSEMÈTRE INDÉPENDANT

L'intérêt majeur du posemètre indépendant est son emploi avec tous les appareils. Il autorise tous les types de mesures, y compris au laboratoire, avec accessoires spéciaux. En connaissant toutes ses ressources, vous atteindrez une grande régularité d'exposition d'une prise de vue à l'autre. La plupart des posemètres embrassent un champ de mesure voisin de 40° (angle de champ de l'objectif de focale normale). Cette disposition permet la mesure depuis l'appareil, mais elle n'est plus valable avec un grand-angulaire ou un télé. Pour mesurer soit les hautes lumières soit les ombres d'un sujet, il faut s'en rapprocher suffisamment pour que la cellule ne tienne compte que de la zone à mesurer. Dans bien des cas (reportage discret par exemple), il est physiquement impossible de se rapprocher ainsi du sujet pour pratiquer la mesure. Prendre alors la mesure sur un objet proche ayant sensiblement la même luminance : la paume de la main pour un visage, l'herbe à vos pieds pour un paysage éloigné. Pour une mesure en lumière incidente, placer devant la cellule du posemètre l'intégrateur de lumière : un dôme en plastique translucide blanc. Cet accessoire augmente considérablement l'angle de mesure de la cellule et compense (par son absorption) le fait que la cellule est dirigée vers la source lumineuse (ou les sources, s'il y en a plusieurs). On peut également pratiquer (sans intégrateur) la mesure par réflexion sur carte grise ou blanche : dans ce dernier cas, divisez l'exposition trouvée par six.

Tenue du posemètre Lors d'une mesure de près, ne pas projeter l'ombre de votre main ; faites-la un peu plus loin ou sur une surface de luminance équivalente.

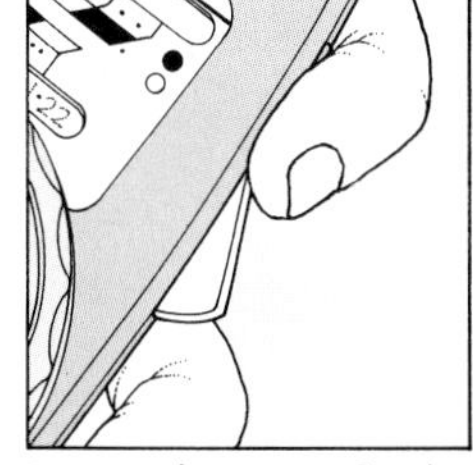

Gammes de mesure Certains posemètres ont deux gammes de mesure : pour les fortes lumières et pour les faibles. On passe de l'une à l'autre par un inverseur.

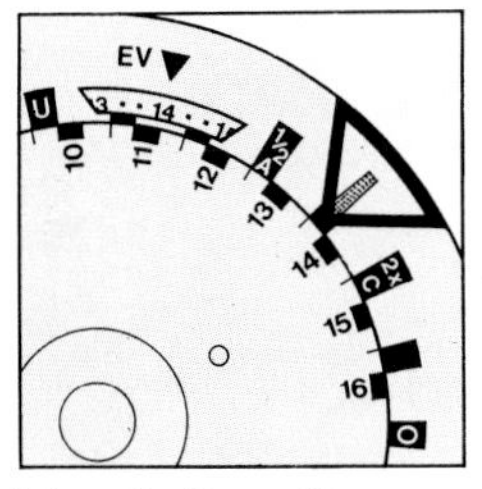

Intervalle d'exposition correcte Certains posemètres indiquent les zones de sur- et de sous-exposition. C'est une fonction utile car elle permet de faire face à des cas particuliers.

Accessoires pour mesure sélective Dispositif se plaçant devant la cellule dont il réduit l'angle de champ. Il permet la mesure "spot". Un viseur dirige le posemètre sur la zone à mesurer.

POSEMÈTRE INCORPORÉ

Les valeurs mesurées sont alors généralement appliquées directement aux réglages de l'obturateur et du diaphragme ; avantage évident lorsque les conditions d'éclairage varient de façon continue. La plupart des posemètres incorporés prennent la mesure derrière l'objectif. Elle se fait souvent à pleine ouverture, sans retarder le cadrage. Certains posemètres s'utilisent à "l'ouverture réelle" : celle qui est choisie pour la prise de vue. D'autres mesurent la lumière qui frappe effectivement le film au cours même de l'exposition. Avec les appareils automatiques, les réglages s'effectuent sans aucune autre intervention de l'opérateur, qui s'est contenté d'afficher préalablement le diaphragme ou la vitesse désirée. Avec les appareils dits "semi-automatiques", vous affichez une de ces deux variables et vous agissez manuellement sur l'autre pour obtenir l'exposition correcte, par la mise d'une aiguille en face d'un repère, ou par l'allumage ou l'extinction d'une diode lumineuse. Lorsque votre choix préalable est celui de l'ouverture, c'est pour disposer d'une profondeur de champ suffisante ; si le sujet est mobile, la vitesse commande et c'est elle que vous afficherez. Le champ de mesure du posemètre incorporé est global, sélectif ou pondéré. Certains appareils offrent deux types de mesures : globale et sélective, sélectionnés par un commutateur. On utilise de préférence la mesure globale pour les sujets habituels, alors que la mesure sélective convient mieux à un contre-jour. Avec un posemètre incorporé (même s'il assure une mesure globale), vous pouvez pratiquer une mesure sélective soit sur carte grise, soit en vous approchant de votre sujet pour mesurer successivement les ombres, puis les hautes lumières ; autre intérêt du posemètre intégré : son angle de champ varie comme celui de l'objectif monté sur le boîtier.

EMPLOI D'UN SPOTMÈTRE

Un spotmètre (alimenté par pile), en visée type reflex, détermine l'exposition en surface très limitée du sujet. L'angle de mesure est parfois de 1° seulement. On peut mesurer la luminance de toutes petites zones que le posemètre incorporé ne prend pas en compte. Contrairement à ce dernier, le spotmètre ne fait pas la moyenne des valeurs lumineuses d'une scène contrastée.

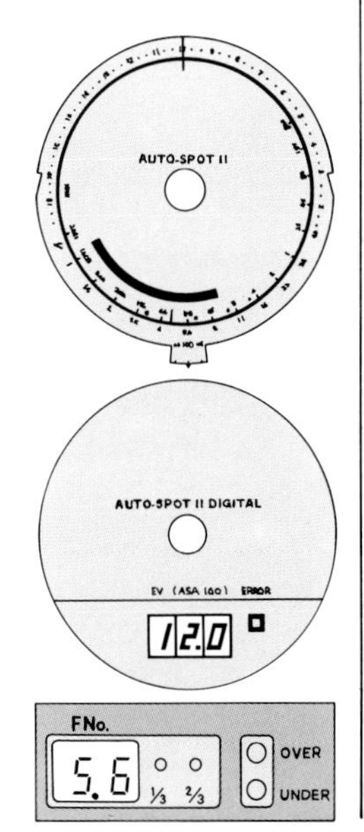

Affichage du spotmètre Sur le cadran (au-dessus), le demi-cercle supérieur indique les indices de lumination de 2 à 18 IL ; le demi-cercle inférieur, les valeurs de diaphragme, par tiers. Le cercle mobile intérieur affiche le temps de pose correspondant. Sur un modèle à affichage "digital", les IL apparaissent dans le viseur (au centre) et, séparément, les valeurs de diaphragme (en bas).

Qu'est-ce que le Contraste ?

La notion de contraste se réfère au nombre de plages de gris différents discernables dans une photographie : le contraste est d'autant plus élevé que ce nombre de plages est faible. Le plus haut contraste est atteint lorsqu'il y a passage du blanc au noir, sans gris intermédiaire. Mais une image nous semble plus ou moins contrastée selon la répartition des valeurs sur l'ensemble de sa surface et par la juxtaposition de zones plus ou moins denses ou claires.
Le contraste final de l'image dépend de quatre facteurs : le sujet, l'éclairage, le film et son traitement, le tirage positif. Dans l'image de droite par exemple, c'est le sujet qui est, par nature, contrasté, avec son alternance de motifs foncés et clairs.
La lumière crée le contraste en formant des ombres plus ou moins fortes : ainsi, un éclairage très oblique peut donner un fort contraste à un objet n'ayant que peu de relief. Un film naturellement contrasté (ou un film normal surdéveloppé) augmentera également le contraste normalement obtenu à la prise de vues.
La gradation du papier utilisé, l'agrandisseur, la manière dont l'épreuve finale est présentée, sont autant de facteurs modifiant le contraste.
Dans certains cas, ces moyens de contrôler le contraste sont mis à profit pour résoudre des problèmes difficiles : par exemple, la réduction du temps de développement pour réduire le contraste d'un cliché obtenu à partir d'un sujet trop contrasté.

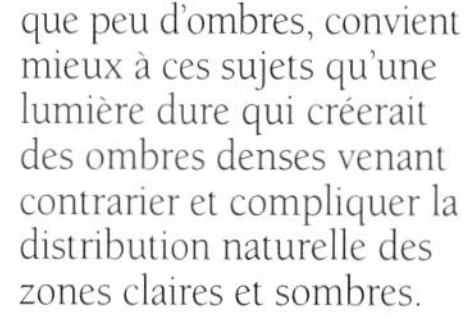

Sujets à Grand Contraste

Même éclairés par une lumière diffuse, certains sujets sont par nature plus contrastés que d'autres : un cheval noir sur la neige, les motifs géographiques de la maison de style Tudor, ci-dessus, en sont des exemples. Notons qu'un éclairage diffusé, ne formant que peu d'ombres, convient mieux à ces sujets qu'une lumière dure qui créerait des ombres denses venant contrarier et compliquer la distribution naturelle des zones claires et sombres.

Rolleiflex, Tri-X, 1/30 s, f/8

Éclairage Dur

L'éclairage oblique d'un spot ou celui du soleil transforme un sujet normalement plat et dépourvu de relief en une image fortement expressive, par l'opposition de valeurs claires et sombres, mettant en avant texture et matière des éléments. L'image ci-dessous montre comment la lumière très dirigée fait ressortir avec puissance le plan frontal du bâtiment, en noyant les autres dans une ombre profonde. Pour ce genre de photographie, choisir le moment où le soleil est bien placé dans le ciel. Le portrait ci-contre est éclairé latéralement par un seul projecteur spot : d'où son grand contraste. Naturellement, le tirage d'un tel cliché doit être réalisé en fonction de l'effet voulu dès la prise de vues.

Nikon, 35 mm, FP4, 1/250 s, f/16

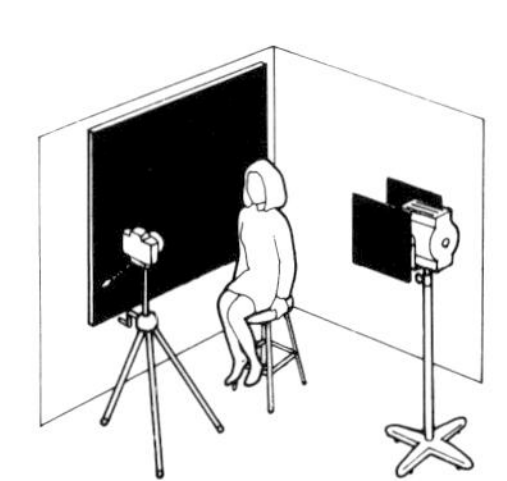

Éclairage contrasté Ce visage a été éclairé par une bande étroite de lumière venant d'un spot : deux morceaux de carton noir limitant le faisceau ; exposition mesurée sur le front, à la limite des zones sombre et claire.

Nikon, 50 mm, Plus-X, 1/125 s, f/16

Silhouettes

La limite absolue du contraste s'obtient par les silhouettes : formes dénuées de volume. Des contours découpés se profilant devant un ciel vide donnent à l'image une force extraordinaire. Le moindre objet se détachant sur l'horizon acquiert une importance exagérée.
Par une composition des motifs dominants, par un point de vue surbaissé pour les détacher sur un ciel lumineux, on dissimule les détails inutiles dans une ombre profonde.
À droite, le soleil couchant se reflète dans les fenêtres de la maison dont la masse se détache encore de l'ombre. On a une sensation de profondeur, sans affaiblir l'intention dramatique.

Leica R, 35 mm, Ektachrome (200), 1/125 s, f/5,6

Emploi d'un film "poussé" au développement

Le surdéveloppement d'un film rapide augmente non seulement sa rapidité initiale mais aussi son contraste. Pour cela, il faut que l'éclairage soit doux et diffus. L'exposition doit être précise. Ce portrait est éclairé par une large ambiance : film Royal-X Pan, a été pris à 2 000 ISO avec un développement augmenté de 80 %. Une erreur de détermination de l'exposition n'aurait pas permis de rendre parfaitement toutes les tonalités de la peau. Sur l'épreuve finale, les traits du visage sont reproduits avec un grand réalisme.

Hasselblad, 150 mm, Royal-X (2 000 ISO), 1/125 s, f/5,6

Techniques de laboratoire

Augmenter le contraste de votre cliché consiste à diminuer le nombre de plages grises intermédiaires, ce qui rend les blancs et les noirs plus intenses. En général, essayez de produire des négatifs de contraste plus faible que celui que vous désirez pour l'épreuve finale : il est plus facile d'augmenter le contraste que de le diminuer.

Tirage

Un agrandisseur à condenseur utilisé avec une lampe à filament compact, non dépolie, donne un contraste plus fort qu'un agrandisseur à lumière diffusée. Vous aurez sans doute besoin d'un papier dur, peut-être même d'un papier lith. Développez l'épreuve à fond ;
le maquillage local permet d'apporter les corrections nécessaires (éclaircir ou assombrir telle ou telle partie de l'image). Vous pouvez faire appel à un affaiblisseur local pour éclaircir ou blanchir une zone déterminée. Pour augmenter le contraste de façon spectaculaire, vous pouvez reproduire une épreuve sur film négatif trait ou lith.

Présentation de l'épreuve

La surface du papier joue : le papier brillant glacé donne plus de contraste que le papier mat.
Le contraste de l'agrandissement est mis en valeur par un éclairage dirigé, oblique (celui d'un spot), et par un environnement sombre. L'effet de contraste le plus spectaculaire s'obtient en présentant dans une boîte à lumière une diapositive grand format, cela dans un local complètement obscurci.
Voir *Agrandissement, pages 54-61 ; Papier noir et blanc, page 51 ; Contrôle du contraste, page 250 ; Traitement des films inversibles, page 50.*

Sujets à faible contraste

Un sujet à faible contraste est celui où les valeurs grises dominent, avec peu de noirs ou de blancs purs. Les valeurs sont subtilement échelonnées, en s'harmonisant plutôt qu'en s'opposant. Bien que l'image puisse être en valeurs claires (high key) ou en valeurs sombres (low key), l'effet recherché est davantage une atmosphère poétique qu'un climat dramatique. Les paysages lointains, avec le voile atmosphérique, les natures mortes éclairées par une lumière frontale très diffuse, sont des sujets typiques à faible contraste. L'emploi d'un téléobjectif contribue généralement à l'abaissement du contraste : son angle de champ étroit fait qu'on l'utilise de préférence pour des vues lointaines forcément adoucies par la présence de particules en suspension dans l'air. La gamme délicate des valeurs sera conservée au cours du traitement du négatif et des épreuves : cela demande une technique affirmée.

Leica R, 135 mm, Tri-X, 1/15 s, f/8

Réduire le contraste d'éclairage

L'éclairage naturel risque parfois d'être trop contrasté pour le sujet. Si vous cadrez un vaste paysage, il est peu de chose que vous puissiez faire pour réduire le contraste, sinon attendre des circonstances plus favorables. Pour les sujets rapprochés, en revanche, vous pouvez choisir votre point de vue pour que la lumière éclaire la scène frontalement, ou encore employer une source de lumière d'appoint ou un réflecteur pour éclaircir les ombres.

Positionnement d'un réflecteur Pour ce portrait, j'ai réduit le contraste de l'éclairage par un large réflecteur opposé à la fenêtre qui renvoie de la lumière sur le côté ombré du visage.

Pentax, 105 mm, FP4, 1/60 s, f/5,6

Techniques de laboratoire

Puisque l'échelonnement des valeurs est si important dans les images à faible contraste, le négatif doit contenir une gamme de gris très étendue. On ne peut pas étendre cette gradation en cours de traitement : si votre négatif de départ est trop dur, vous aurez beau prendre un papier ultradoux et maquiller, vous n'obtiendrez jamais un agrandissement satisfaisant. Vous chercherez donc à obtenir directement un négatif bien exposé, sur film de rapidité moyenne, développé normalement. Ce négatif se tirera facilement sur un papier de gradation appropriée.

Tirage
Le tirage des négatifs à faible contraste demande un contrôle précis de la densité : l'image doit être douce, mais de densité suffisante. Essayez de faire ressortir les détails sans faire monter le contraste. Éventuellement, vous pouvez essayer de tirer sur papier mat, dont la valeur la plus sombre n'est qu'un gris plus foncé que les autres. Parfois, vous aurez recours à un traitement dans deux révélateurs utilisés alternativement : un révélateur doux pour les demi-teintes et un autre plus énergique, pour donner du corps aux ombres. Ne commettez pas l'erreur de croire que n'importe quel négatif tiré sur papier assez doux donnera le résultat désiré. Une image satisfaisante ne peut s'obtenir que par la conjonction d'un éclairage doux et d'un négatif bien exposé. Si cette première étape est franchie, le tirage ne présente aucune difficulté, sur papier de gradation normale ou même dure.
Voir *Techniques spéciales de tirage, pages 246-251.*

Éclairage sans ombre

En studio, un éclairage uniforme, sans ombre, s'obtient par diffusion et réflexion. On peut interposer un matériau translucide entre la source et l'objet ou encore environner le sujet de réflecteurs. Une pièce peinte en blanc constitue, en elle-même, une excellente source de lumière très diffuse, en dirigeant les lampes vers les murs et le plafond. Vous pouvez également construire une "tente" de mousseline ou de papier calque, entourant complètement le sujet, en ne laissant qu'une ouverture pour le passage de l'objectif.
Voir *Peindre avec la lumière, page 92.*

Nature morte sans ombre
La nature morte ci-dessus n'est éclairée que par de la lumière réfléchie sur les murs et le plafond du studio peint en blanc. On a utilisé quatre projecteurs.

Nikon, 55 mm, Plus-X, 1/2 s, f/16

HIGH KEY ET LOW KEY

Ces termes signifient "valeurs claires" et "valeurs sombres", en raison des valeurs dominant dans l'image. Un "high key" ne comprend guère que des blancs et des gris en demi-teintes, alors qu'un low key est composé en majeure partie de valeurs moyennes et sombres. Même si certains puristes ne sont pas d'accord avec nous, nous pensons qu'un high key peut quand même contenir quelques touches de noir et un low key un peu de blanc pur : l'effet est souvent plus intéressant de cette manière. C'est ainsi qu'un élément sombre dans le high key joue le rôle de contrepoint visuel et renforce considérablement l'impact de l'image. Le high key exprime la délicatesse, la douceur : il s'accorde bien avec les portraits d'enfants, les nus, les paysages lointains, etc. Les images traitées en low key, au contraire, ont quelque chose de mystérieux, de dramatique. Une photographie ne peut être traitée en high ou low key que si le sujet s'y prête, par sa nature, son éclairage et son environnement. Le choix sera fait lors de la prise de vues : on ne peut transformer une image en la tirant claire ou foncée si elle n'a pas été conçue pour cela.
Voir *Agrandissement, pages 54-61.*

Paysages high key et low key Dans l'image d'en haut, une tonalité sombre : celle de la jetée, au milieu des valeurs claires du sol et du ciel. Légère surexposition pour enregistrer un maximum de détails dans les ombres, puis tirage sur papier dur. Le château de droite a été pris par ciel très couvert, en jouant sur les valeurs sombres de l'allée, des fenêtres et du toit.

En haut : **Rolleiflex**, Tri-X, 1/500 s, f/8
A droite : **Hasselblad**, 50 mm, Tri-X, 1/125 s, f/11

SUJETS POUR HIGH KEY

Ce sont les paysages enneigés, les falaises blanches, les portraits de sujets blonds en vêtements clairs devant un fond blanc, etc. Pour le paysage de droite, les ruines de l'abbaye sont encore éclaircies par la neige qui tombe. La perspective aérienne, le champ de neige du premier plan, la lumière très diffuse, donnent un ensemble de valeurs claires avec lesquelles les silhouettes noires de l'arbre, de la grille et des chevaux contrastent. C'est une chance de tomber sur une scène aussi poétique et de pouvoir l'enregistrer dans toute sa délicatesse. Au tirage, j'ai retenu le tout premier plan où apparaissait un peu de sol sans neige.

Rolleiflex, FP4, 1/30 s, f/8

TECHNIQUES D'ÉCLAIRAGE POUR LE HIGH KEY

L'éclairage doit être uniforme et très diffus. Éliminer toutes les ombres dures et fortes. A la lumière du jour, choisir un ciel couvert ou encore un lieu où l'environnement diffuse la lumière de partout.
Au studio, opérer avec beaucoup de lumière diffusée et réfléchie dans toutes les directions : cela en plaçant de nombreux réflecteurs blancs, éventuellement même sur le sol. La source principale peut être placée près de l'appareil, au-dessus, pour donner un éclairage frontal. Les autres sources de lumière sont réparties en éclairage indirect tout autour du sujet, en veillant à ce qu'elles ne forment pas d'ombres. A moins qu'il ne soit près du sujet, le fond demande un éclairage séparé, lui donnant une tonalité d'un soupçon plus dense que le sujet.

Hasselblad, 60 mm, Plus-X, 1/15 s, f/11

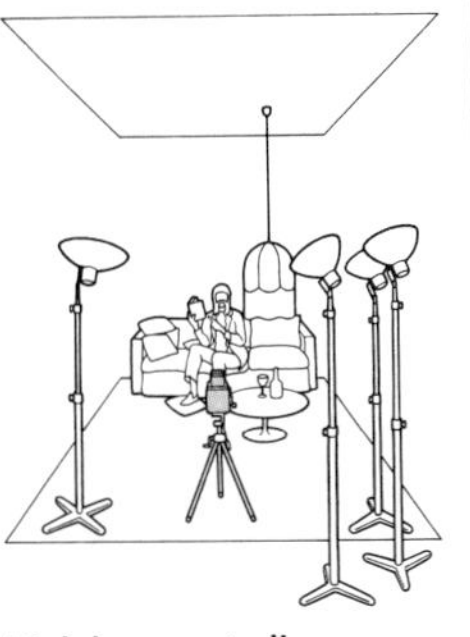

High key en studio
Pour l'image ci-dessus, les meubles, les tentures, les tapis, les vêtements ont été choisis dans des valeurs très claires, l'idée étant d'attirer le regard sur le visage et sur le livre. Une large ambiance, placée à la gauche de l'appareil, donne l'éclairage principal, réfléchi sur le plafond et les murs. Trois autres ambiances sont dirigées sur le plafond, pour former une nappe de lumière douce et diffuse. L'exposition fut mesurée sur le visage. Le film, de rapidité moyenne, donne une gamme étendue de demi-teintes.

TRAITEMENT ET TIRAGE

Bien que le point essentiel pour la réussite d'un high key soit l'adéquation du sujet et de son éclairage, il est important de donner au cliché le traitement qui lui convient. Le but est de produire un négatif où les hautes lumières sont bien séparées avec une gradation très étendue de valeurs. Utiliser un révélateur grain fin ou un révélateur normal dilué. Pour le tirage, prendre le papier le plus doux possible, mais sans qu'il donne un "grisaillement" général de l'image. L'exposition doit être réglée pour donner un maximum de détails dans les valeurs les plus claires. Les valeurs les plus sombres ne sont souvent que des gris un peu foncés, qui, en contrastant avec le reste de l'image, apparaissent comme des noirs. Prendre un papier à support blanc, mat ou semi-mat de préférence. Souvenez-vous qu'une épreuve sur papier mat prend de la densité en séchant. Un high key ne doit jamais sembler grisâtre : voyez la différence entre ces deux photos. Celle du haut a reçu 15 secondes de pose sous l'agrandisseur ; celle du bas, 9 secondes, temps durant lequel le berceau en osier, au-dessus de la tête du bébé, a été retenu 2 secondes pour réduire son importance.

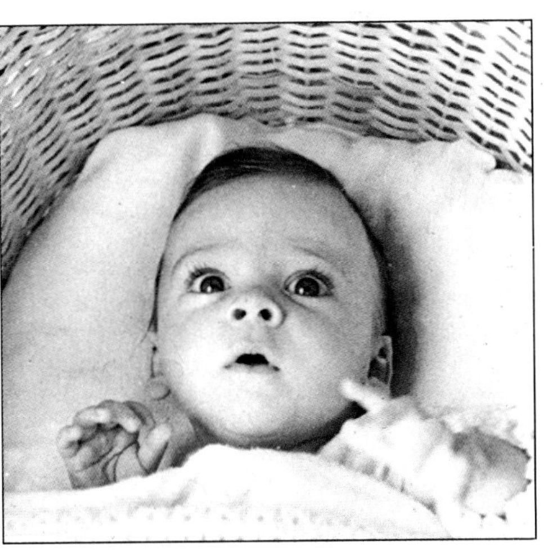

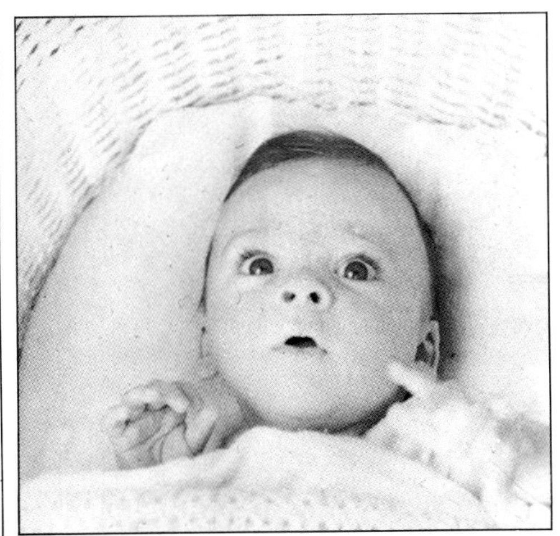

Éclairage et Exposition d'un Low Key

Utilisez des vêtements sombres, un environnement absorbant, en laissant peu de place aux hautes lumières. La lumière peut être douce ou dure, peu importe ; mais elle doit être oblique et dirigée seulement sur les parties du sujet à mettre en valeur. Prenez un film de rapidité moyenne et mesurez l'exposition avec soin. Pour l'image ci-contre, j'ai pris la valeur d'exposition moyenne entre la partie éclairée du visage de la jeune fille et le tapis sous son pied.

Portrait en low key (à gauche) Il est éclairé par une seule lampe munie d'un parapluie réflecteur blanc.

Pentax, 28 mm, FP4, 1/5 s, f/8

Le Moment

L'atmosphère juste avant ou après l'orage, l'aube ou le crépuscule par temps couvert peuvent produire de merveilleux paysages en low key. L'effet est encore renforcé en conservant quelques hautes lumières de surface limitée. Le sujet principal peut se profiler, par exemple, devant un ciel tourmenté, ou encore se refléter dans un lac sombre. Les grandes surfaces sous-exposées dissimulent les détails inutiles en simplifiant l'image : ici, la masse noire du bas cache un fouillis de maisons et de rues sans intérêt.

Rolleiflex grand-angle, Tri-X, 1/60 s, f/16

TRAITEMENT ET TIRAGE D'UN LOW KEY

Il est très important de ne pas sous-développer le négatif d'un low key : le sous-développement ne détaille pas assez les ombres et l'ensemble manque de contraste : développer le temps correct avec un révélateur semi-grain fin comme le D-76. Au tirage, pensez que la beauté des images réside surtout dans la grande richesse des demi-teintes et des ombres. Le papier bromure blanc brillant vous donnera le meilleur rendu des valeurs sombres, lesquelles dominent dans un low key. Le contraste final dépend surtout du sujet, mais il est une règle d'or en ce qui concerne le tirage : il faut développer le papier "à fond", pour obtenir "de beaux noirs". Pour le château (en bas de la page précédente), j'ai utilisé le maquillage pour assombrir tout le bas de l'image et donner une valeur plus sombre au ciel : ce qui confère une atmosphère dramatique. Les deux photographies illustrant cette page montrent à quel point le contrôle du tirage transforme l'apparence d'un paysage.

Nikon, 135 mm, HP5, 1/125 s, f/8

Contrôle de tirage La petite image est un tirage normal, avec une exposition de 8 secondes. La grande a reçu une pose générale de 14 secondes, plus un maquillage de 6 secondes pour faire venir le ciel.

Lumière Solaire

Cet éclairage naturel influence grandement le rendu du sujet. Par temps nuageux, surtout aux heures extrêmes de la journée, des rais de lumière passent à travers les nuages, créant un climat dramatique de masses noires indistinctes, auréolées de lumière. L'image ci-contre a été posée pour les régions claires.
Le plein soleil de midi, sans nuages, donne au contraire des ombres courtes et vigoureuses. L'éclairage vertical de l'image ci-dessous évoque bien le climat méditerranéen ; exposition sur la mesure moyenne entre le mur blanc et la porte sombre.

A droite : **Pentax**, 200 mm, Plus-X, 1/250 s, f/16
Ci-dessous : **Nikon**, 85 mm, FP4, 1/250 s, f/8

Ciel Couvert

En hiver, le ciel couvert est parfois accompagné d'un soleil oblique, projetant des ombres douces et allongées. Certains détails sont comme soulignés et mis en relief dans un environnement embrumé. Tous les éléments éloignés sont confondus, et l'océan se noie dans un ciel de plomb (à droite). Ce genre d'atmosphère donne une excellente occasion de souligner les éléments placés en premier plan devant un fond indistinct. Par beau temps, l'arrière-plan formerait un décor confus d'îles et de rochers.

Tirer parti du mauvais temps L'eau, la mer et le ciel se confondent dans une atmosphère embrumée, saisie juste après une tempête de neige. L'éclairage très diffus du soleil affaibli donne une image grise et monotone.
Voir *La neige, page 152.*

Leica R, 50 mm, Tri-X, 1/125 s, f/1

PLUIE ET NUAGES

Il vous faut explorer toutes les possibilités offertes par le temps et les conditions d'éclairage. Notez par exemple les pavés mouillés après la pluie (ci-dessous). Cherchez ces instants qui suivent ou précèdent un orage, lorsque le ciel est sombre et menaçant, à l'exception d'une bande claire, près de l'horizon (ci-contre). Profitez des larges taches lumineuses données par les nuages (au milieu) : ce sont de telles variations atmosphériques qui modifient radicalement le paysage.

A droite : **Pentax**, 50 mm, Tri-X, 1/60 s, f/11
Au milieu : **Rolleiflex**, Plus-X, 1/125 s, f/8
En bas, à droite : **Canon F-1**, 135 mm, Tri-X, 1/125 s, f/5,6

BRUME ET BROUILLARD

Le brouillard ou la brume, particulièrement sur la mer, donnent une forte séparation du premier plan par rapport aux lointains, à cause de la perspective aérienne très marquée (ci-dessous). Si tous les éléments sont éloignés, ils se confondent en un même plan.

Ci-dessous : **Pentax**, 105 mm, Plus-X, 1/60 s, f/8

Reproduction des Couleurs en N & B

Les films utilisés en prise de vues sont panchromatiques (sensibles à toutes les couleurs, traduites par des gris correspondant à la brillance de ces teintes). Les bleus, toutefois, sont un peu clairs, les jaunes et les verts sont un peu plus foncés que ce à quoi on pourrait s'attendre. Pour améliorer le rendu de ces teintes, on place un filtre jaune clair devant l'objectif, qui fera mieux ressortir, par exemple, les nuages sur le fond bleu du ciel. Se souvenir de la règle suivante : un filtre coloré éclaircit les teintes qui lui sont semblables ou voisines et assombrit les couleurs complémentaires. Ci-dessous, les cheveux et la jupe sont bleu-vert ; le visage, vert ; les ailes et la chemise, rouges ; les oreilles, jaunes ; la jaquette et une partie des cheveux, noirs. L'emploi de chaque couleur de filtre donne l'effet indiqué ci-dessus. Quel que soit le filtre, les parties blanches, grises ou noires ne sont pas modifiées.

Sans filtre

Filtre jaune

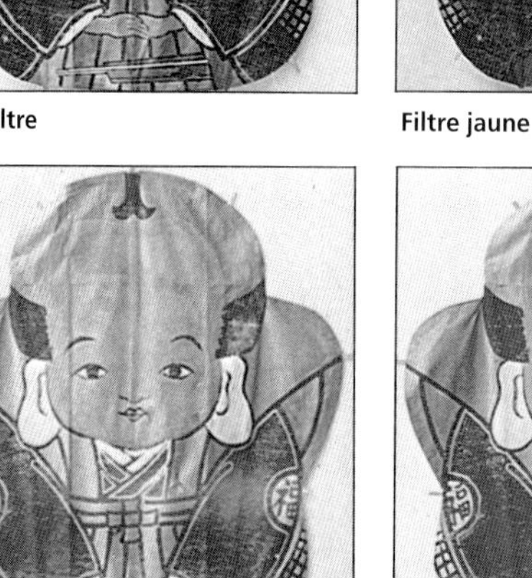

Filtre rouge

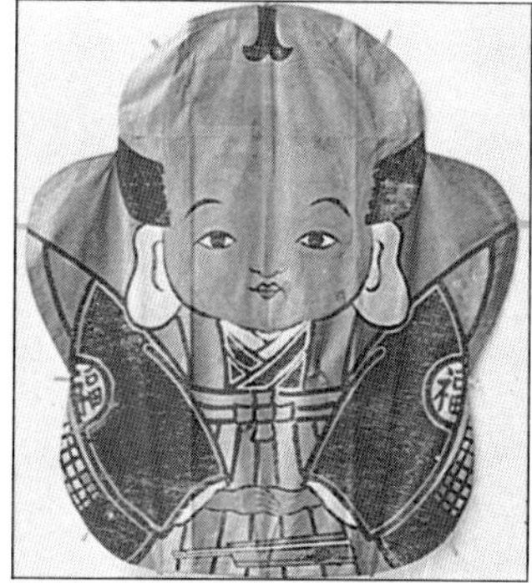

Filtre vert

Filtres Polariseurs

Ils suppriment la lumière déjà polarisée, donnant des reflets indésirables sur les surfaces brillantes non métalliques comme le verre, le plastique, l'eau ou la peinture laquée. Ils ne modifient pas les autres parties de la scène. Les photos ci-dessous ont été prises à travers une vitre ; sur celle du bas, les reflets ont été éliminés grâce à un polariseur convenablement orienté placé sur l'objectif. Le polariseur assombrit un ciel bleu.

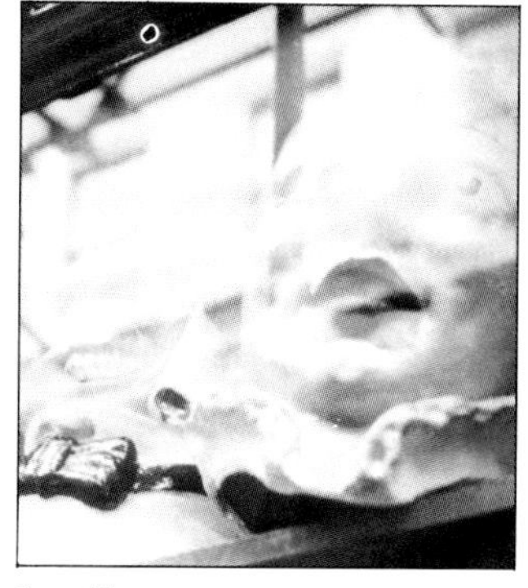

Sans filtre

Filtre polariseur

Montage des Filtres

Les filtres en monture se vissent ou s'emboîtent sur la partie antérieure de l'objectif. Les filtres en gélatine (sans monture) peuvent être collés avec un petit morceau de bande adhésive. Le diamètre d'un filtre vissant doit correspondre au filetage de l'objectif. Une solution économique est le système "universel" ci-contre : il comporte des bagues d'adaptation pour les principaux diamètres d'objectifs.

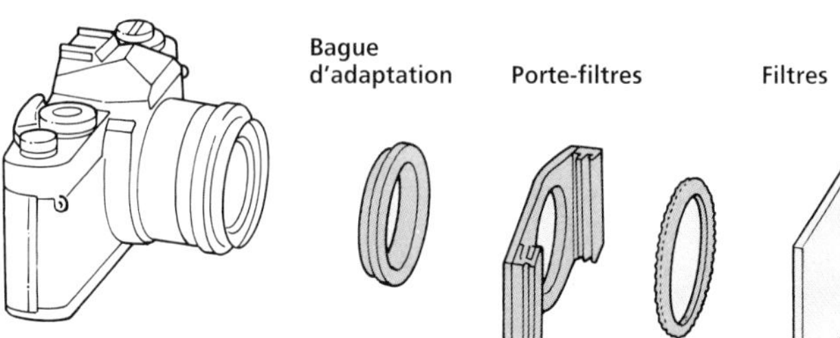

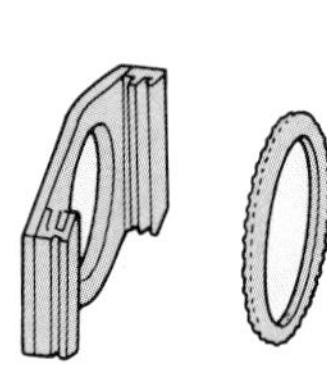

Bague d'adaptation Le porte-filtres se fixe sur cette bague et accepte des filtres ronds ou carrés. Le même ensemble de filtres s'utilise ainsi avec tous les objectifs.

Les Films Couleur

Il n'existe pas deux sortes de films donnant exactement les mêmes teintes : chaque fabricant utilise ses colorants. Si toutes les vues d'un même film de marque donnée ont généralement des couleurs extrêmement voisines, il n'en est pas de même lorsqu'on compare les marques entre elles (ci-contre) : il y a variation de dominante générale, mais aussi de contraste. Certains films donnent des teintes plus chaudes, d'autres donnent des couleurs brillantes ; d'autres traduisent mieux les nuances. Les films lents comme les Kodachrome 25 ou 64 sont réputés pour leur finesse de grain, mais ils ne peuvent être traités que par Kodak. Les films les plus rapides ont une granulation marquée. Quant aux films négatifs, ils doivent être tirés sur le papier couleur de même marque. Apprenez à connaître les principaux films, pour vous cantonner ensuite à une ou deux sortes, toujours les mêmes. Certains films peuvent être "poussés" lors du traitement, ce qui augmente leur rapidité initiale, non sans une légère perte de qualité.

Toutes les images : **Pentax**, 50 mm

Kodachrome

Fujichrome

Ektachrome

Agfachrome

Détermination de l'Exposition

Mêmes techniques qu'en noir et blanc. Tenir compte, néanmoins, de la plus faible latitude de pose des films couleur. La sous-exposition est plus dommageable avec le négatif couleur, alors que c'est l'inverse pour les films inversibles. Une diapositive surexposée est pâle, ses teintes désaturées ; une légère sous-exposition renforce au contraire les couleurs. Ne pas faire de mesure globale si la partie importante de la scène n'occupe qu'une faible place dans la composition. Pour la diapositive ci-contre, la mesure globale donnait une pose trop courte pour détailler le visage, éclairé en contre-jour. La mesure sélective, en revanche, a donné l'exposition correcte. Avec un posemètre indépendant, une mesure en lumière incidente vous confirmera que votre diapositive ne risque pas d'être surexposée. Pour la vue ci-contre, la mesure en lumière incidente serait faite en pointant le posemètre vers l'appareil.

Poses longues : les performances des films couleur sont radicalement modifiées lorsque la pose est soit très longue soit très courte. En couleur, les écarts à la loi de réciprocité apportent une modification des teintes, donnant une dominante désagréable. La plupart des films inversibles et les films négatifs pour amateurs donnent des résultats satisfaisants pour les poses comprises entre 1/1 000 et 1 s. Sinon, il y a diminution de la rapidité effective ; on corrige la dominante par un filtre légèrement coloré. Les films négatifs couleur professionnels existent en deux catégories : type "L" pour les poses supérieures à 1/10 s ; type "S" pour les poses inférieures à 1/10 s.

Nikon, 35 mm, Ektachrome (100), 1/250 s, f/8

Justesse des Couleurs

Pour son premier film couleur, on recherche les motifs aux couleurs vives et très saturées qui, comme celles du cercle des couleurs (à droite), ne contiennent quasiment pas de blanc ; néanmoins, la plupart des couleurs vives donnent des images discordantes et confuses. Les couleurs se désaturent par les réflexions de lumière blanche à la surface de l'objet lui-même, par la lumière diffusée par le ciel, par la lumière parasite ou selon les caractéristiques particulières à une marque de film. La sous-exposition assombrit et désature les couleurs ; la surexposition éclaircit et dilue les teintes. Les colorants employés dans les films ne sont pas parfaits ; essayez d'opérer à la lumière des tubes fluorescents pour vous en rendre compte ! Ne cherchez pas à obtenir des couleurs "justes" : utilisez plutôt les couleurs de manière subjective. Au contraste du noir et du blanc, le film couleur ajoute le contraste des teintes. Jouez soit sur le contraste, soit sur la similitude des teintes harmonieuses.
Voir *Lumière parasite, page 76 ; Harmonie, page 148 ; Contraste, page 149.*

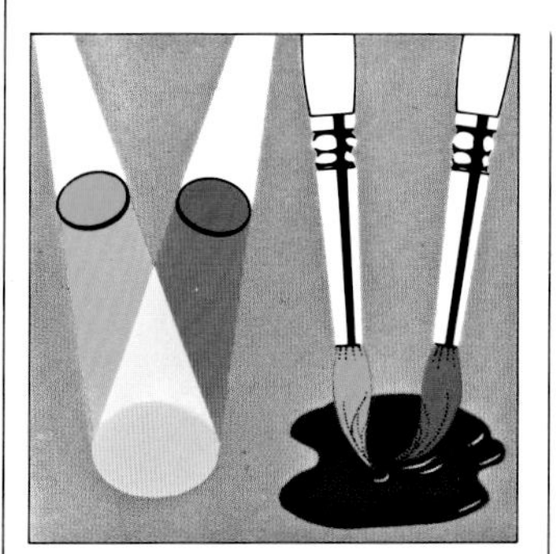

Lumière et pigments Lorsqu'un photographe discute des couleurs avec un peintre, une certaine incompréhension se manifeste, à cause de la définition différente des primaires. Les photographes additionnent des lumières colorées primaires : rouge, vert et bleu, l'addition du rouge et du vert donnant le jaune. Les peintres utilisent des pigments, dont les primaires sont respectivement le rouge, le jaune et le bleu : la superposition du rouge et du vert donne alors le brun.

Le cercle des couleurs Ci-dessous, le très classique cercle des couleurs. En le faisant tourner rapidement par son centre, on reconstitue la lumière blanche. Les pigments primaires : rouge, jaune et bleu, sont respectivement opposés à leurs complémentaires : vert, violet et orange. Le contraste maximum des couleurs existe ainsi entre une teinte et sa complémentaire. Inversement, l'harmonie s'obtient par la juxtaposition de teintes voisines sur le cercle. Les couleurs chaudes se trouvent dans la moitié du cercle contenant le rouge et le jaune ; les couleurs froides dans l'autre moitié. Sur le cercle des couleurs ne se trouvent que des couleurs saturées. Une image couleur peut ne comporter qu'une seule teinte, avec des variations de valeurs (camaïeu).

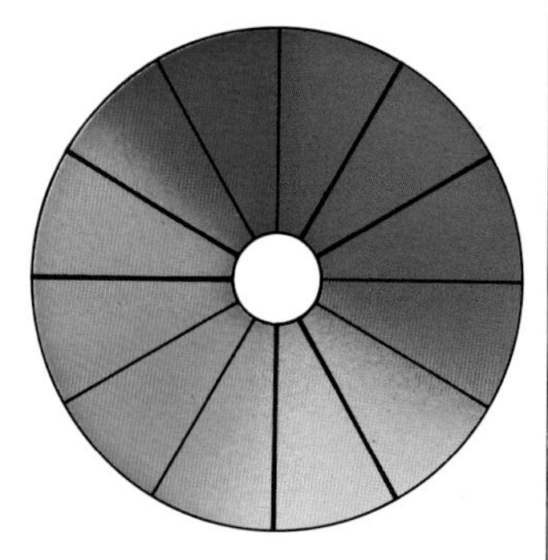

Contraste des Couleurs

Un sujet peu coloré, photographié devant un fond de teinte complémentaire, semble plus coloré. De même, un gris neutre change d'aspect selon le fond sur lequel il est placé : il semble bleuâtre devant un fond rouge ; magenta devant un fond vert. Comparez l'aspect des plages grises sur les deux carrés inférieurs ; puis, pour les deux plages bleues du dessus : c'est l'influence de la couleur environnante qui en modifie la teinte apparente.

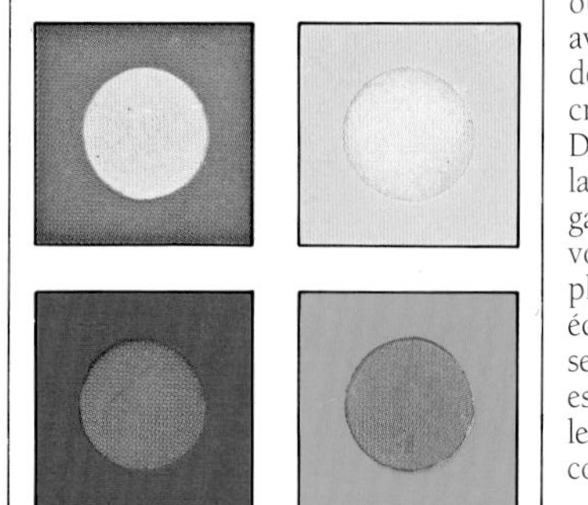

Influence de la Couleur

Chacun de nous est capable de dire pourquoi il préfère telle ou telle couleur. L'œil a une grande aptitude à comparer deux teintes voisines. En revanche, la mémoire des couleurs est la plupart du temps assez mauvaise. La couleur laisse certainement moins de place à l'imagination que le noir et blanc, lorsqu'il s'agit de décrire une scène donnée. Cela implique que vous devez tenir compte de l'aspect subjectif des teintes entrant dans la composition de l'image et qui lui donnent un certain "climat" psychologique.

Couleurs chaudes et froides
Toutes les couleurs ont une résonance émotionnelle : les teintes chaudes, comme le rouge ou l'orange, évoquent le feu, le soleil, la chaleur corporelle ; le bleu, le vert, évoquent le froid : l'eau, l'hiver, le gel. Ce changement de climat est très sensible au coucher du soleil par exemple, lorsque la lumière rougeâtre se mélange de teintes froides, cela dès que le soleil a disparu sous l'horizon. Pensez à cette symbolique des couleurs pour donner un certain climat à vos images : les teintes chaudes d'un intérieur confortable ; la froideur bleuâtre des masses rocheuses, etc.

Couleurs vives, couleurs éteintes
Les teintes vives et contrastées sont puissantes, mais apportent souvent de la confusion, dénaturant même parfois les formes de l'objet. Si vous photographiez une scène comprenant des teintes saturées, essayer de donner une importance différente aux surfaces relatives de teintes opposées : par exemple, une faible tache rouge dans un environnement vert. Les couleurs éteintes, peu saturées, sont souvent évocatrices : c'est ce qui se passe dans un paysage lorsque l'atmosphère est légèrement embrumée ou sous la pluie. Les lointains pris avec une longue focale sont ainsi désaturés par le voile atmosphérique, créant la perspective aérienne. Dès l'instant où vous restreignez la palette des teintes utilisées à une gamme limitée de couleurs voisines, vous donnez à chacune d'elles une plus grande importance, par les échanges et l'harmonie délicate qui se développent entre elles. Si l'image est presque monochromatique, les valeurs prennent leur importance, comme dans un high key.

Harmonie de teintes voisines créant une ambiance Dans le paysage ci-dessus, c'est l'harmonie des couleurs automnales qui donne un certain climat, caractéristique de cette saison. Les teintes présentes : jaune, brun, vert, sont désaturées, éteintes par la lumière ambiante diffuse. L'exactitude de l'exposition est ici très importante : la surexposition détruirait les délicates nuances de vert et de jaune ; la sous-exposition assombrirait les bruns.

Emploi d'une seule teinte dominante La photographie de droite est presque monochromatique, n'utilisant que le seul rouge violacé. Imaginez la même image en noir et blanc, pour constater à quel point la couleur peut contribuer à l'ambiance et à l'atmosphère du paysage. La mesure de l'exposition a été faite sur la partie la plus lumineuse du ciel, afin que les rochers et la végétation soient traités en silhouette.

En haut : **Hasselblad**, 150 mm, Ektachrome (100), 1/125 s, f/5,6
A droite : **Hasselblad**, 80 mm, Ektachrome (200), 5 s, f/16

Rythme et Harmonie

La nature est la source féconde de couleur, de rythme et d'harmonie. Ces trois éléments sont souvent combinés dans les arbres, les verdures, les vieilles souches, le métal corrodé, le sable, la pierre. Dans de tels sujets, apparemment monochromatiques, on peut découvrir et mettre en valeur de subtiles variations de tonalités et de teintes. Dans l'image de droite, la forme harmonieuse des feuilles est rythmée par le moutonnement des masses de branches. La juxtaposition de deux couleurs chaudes les réchauffe mutuellement. En posant pour les feuilles, on a assombri les ombres et mis en valeur les diverses nuances de teintes.

Rythme et couleurs à la lumière du jour Ce groupe d'érables, au bord d'une clairière, est éclairé par la lumière diffuse venant de haut ; elle fait ressortir les formes et les brillantes couleurs des feuilles.

Pentax, 50 mm, Ektachrome (200), 1/60 s, f/8

Harmonie par le Point de Vue

En choisissant avec soin le point de vue, vous ne cadrerez que des éléments de même couleur. Éviter la monotonie en utilisant les ressources de l'éclairage et de la profondeur de champ limitée au motif essentiel, ce qui a été fait pour l'image ci-dessous, qui traduit bien la matière de la pierre.

Éclairage vertical Ce détail d'un gisant dans une cathédrale est éclairé par la lumière du jour passant par une fenêtre. Exposition pour les ombres.

Bronica, 150 mm, Ektachrome (100), 1/2 s, f/4

Harmonie par les Filtres

Vous donnerez parfois des relations plus harmonieuses de couleurs en introduisant une dominante colorée dans l'image. Vous pouvez également réchauffer un ensemble trop froid : il suffit d'un filtre très légèrement teinté. Le filtre a plus d'influence sur les parties claires de l'image.

Emploi d'un filtre coloré : lumière diffuse ; filtre jaune CC15Y
Rolleiflex, Ektachrome (100), 1/60 s, f/11

COULEURS COMPLÉMENTAIRES

Les images comprenant des couleurs contrastées ou complémentaires peuvent avoir beaucoup de force, à condition qu'elles soient simples. Évitez les compositions complexes mais juxtaposez des teintes saturées. Ne donnez pas la même importance aux deux plages de couleurs complémentaires, afin que l'une domine l'autre. Les cabanes rouges n'occupent qu'une faible place dans l'image ci-contre, mais elles dominent par leur emplacement dans le cadre et par le contraste avec les champs d'un vert soutenu. La composition florale (au milieu) ne comprend que trois couleurs, mais qui sont associées cette fois par la similitude des formes. Avec une telle complexité des détails, un éclairage dur ne conviendrait pas. Ici, la lumière diffuse est idéale. Remarquez comme le jaune se trouve renforcé par la présence de la couleur complémentaire : le violet.

Choix du point de vue pour exalter la couleur Le point de vue éloigné isole les cabanes tandis que l'emploi d'une grande ouverture confond le champ en une masse verte. Pour l'image du milieu, au contraire, le point de vue plongeant supprime le relief en mettant l'accent sur le rythme et les teintes.

Pentax, 55 mm, Ektachrome (200), 1/60 s, f/8

Contax, 50 mm, Perutz C19, 1/60 s, f/8

COULEURS CRIARDES

Les teintes violemment opposées produisent un effet de choc. L'impact des couleurs est si fort qu'il distrait le regard du contenu réel de l'image. Dans cette photographie, la couleur des volets, du mur, la robe de la jeune fille, nous font oublier les visages. Malgré ce handicap, on a pu donner une certaine unité à la composition en jouant sur les lignes et les proportions, dans un cadrage très étudié. Cette image serait très différente en noir et blanc, car le vert et le violet donneraient à peu près la même valeur de gris.

Teintes discordantes Prises séparément, les couleurs de la photo de droite n'ont rien de particulier : c'est leur juxtaposition qui engendre une composition surprenante. Entraînez-vous à découvrir de semblables motifs. L'image a été prise par temps couvert, côté nord de la maison. Le personnage masculin est le sculpteur Henry Moore.

Pentax, 55 mm, Ektachrome (100), 1/125 s, f/5,6

METTRE L'ACCENT PAR LA COULEUR

Une petite tache de couleur dans un environnement de teinte uniforme attire fortement le regard (image de droite). Il fallait équilibrer les valeurs respectives de la fenêtre et du paysage bleu. Cet équilibre ne survient qu'à un moment précis à la tombée de la nuit ou au lever du jour.

Leica R, 21 mm,
Ektachrome (100), 1 s, f/4

SILHOUETTE EN COULEUR

La simplicité et l'économie de moyens de la silhouette ont leur équivalent en couleur, lorsque les formes découpées se détachent sur un fond de ciel richement coloré. Sur l'image ci-dessous, on a un contraste étonnant entre le sol, les arbres noirs et le ciel au soleil couchant. En posant pour le ciel, on donne à ses teintes une grande vivacité, tandis que le sol, très sous-exposé, disparaît dans les ténèbres.

Pentax, 135 mm,
Ektachrome (100), 1/125 s, f/5,6

ÉQUILIBRE DES COULEURS

Il est très intéressant de chercher à marier les teintes dans une gamme harmonieuse, que ce soit en studio où vous disposez de liberté, ou en extérieur en tirant alors parti des couleurs de l'environnement. L'harmonie des couleurs dépend évidemment du goût de chacun, mais elle évite généralement la juxtaposition de couleurs trop vives. Rappelez-vous que les valeurs et les nuances sont aussi importantes que les couleurs elles-mêmes et que les teintes semblables et peu saturées s'harmonisent plus aisément. C'est le cas de l'harmonie en bleu de la piscine, ci-dessous, et de la jeune fille au chandail tournesol se détachant devant un fond d'herbe jaunissante.

A gauche : **Pentax**, 55 mm, Ektachrome 200, 1/60 s, f/5,6
A droite : **Nikon**, 85 mm, Ektachrome 100, 1/125 s, f/11

POUR SATURER LES COULEURS

Pour obtenir une grande saturation des couleurs, vous pouvez jouer, d'une part, sur l'organisation visuelle de l'image et, d'autre part, sur les moyens techniques. Il faut évidemment partir d'un sujet ayant déjà des teintes très vives. Organisez un contraste simultané des plages colorées adjacentes, sans toutefois surcharger la composition de trop de teintes discordantes. Plus les zones colorées sont simples, mieux cela vaut. Remarquez, sur l'image ci-contre, comme le rouge de la collerette du clown apparaît plus vif que les teintes du chapeau qui sont voisines d'un fond lui-même très coloré et confus. Les surfaces colorées mates doivent être éclairées avec une lumière diffuse et également répartie. Pour les surfaces brillantes, au contraire, c'est une lumière dirigée qui donnera la plus grande saturation aux teintes, à condition d'éviter la formation de reflets. Choisissez un film dont vous savez qu'il donne naturellement des teintes saturées. L'objectif doit être très propre ; le parasoleil est indispensable, afin de minimiser la perte de contraste de l'image. Vérifiez que la température de couleur de la source lumineuse correspond exactement au type de film inversible utilisé, sans qu'il soit nécessaire d'employer un filtre correcteur. On peut augmenter la saturation en sous-exposant légèrement, puis en "poussant" le film lors du traitement ; mais cette méthode ne convient qu'aux sujets pas trop contrastés, puisque le contraste de l'image diapositive est fortement augmenté.

Nikon, 50 mm, Kodachrome, 1/125 s, f/4

Choix du Sujet

Habituez-vous à rechercher les sujets aux teintes douces et subtiles : vous serez étonné de constater à quel point les films couleur sont capables de traduire les nuances les plus délicates. On aurait pu négliger ces vieilles locomotives pour ce qui concerne la couleur tout au moins. Pourtant, nous avons là, dans ce dépôt abandonné, une richesse inouïe de teintes dues à l'état plus ou moins avancé de la corrosion. Ici encore, la lumière diffusée par un ciel couvert convient mieux pour la mise en valeur des lignes, des couleurs et des volumes.

Pentax, 135 mm, Ektachrome (200), 1/60 s, f/16

Le Mauvais Temps

Le brouillard, la pluie et autres mauvaises conditions météorologiques sont généralement considérées comme impropres à la photographie. Nous ne sommes pas de cet avis : l'image de droite a été prise sous une brume épaisse passant dans les arbres de la forêt, qui assourdit les teintes et diminue le contraste. Les objets sont parfois difficiles à identifier. Pour saisir une telle atmosphère, il est essentiel de ne pas sous-exposer, sous peine de perdre les délicates tonalités dans les ombres.

Leica R, 135 mm, Ektachrome, 1/10 s, f/11

La Neige

Avant ou après une chute de neige, le ciel très couvert donne une dominante bleue à l'image : cette couleur froide correspond bien à la température ambiante, comme pour cette photo d'un moulin à eau, à gauche. Le scintillement des vues de neige prises par beau temps est ici remplacé par l'immobilité et le silence des grands froids. Choisissez votre point de vue en tenant compte de l'angle sous lequel la neige est tombée : comme ici, chaque branche de l'arbre et chaque détail du moulin seront soulignés par une ligne noire, correspondant aux endroits où la neige ne s'est pas accumulée.

Voir *High key, pages 138-139.*

Pentax, 55 mm, Ektachrome (100), 1/60 s, f/4

Emploi d'une trame de gaze

Les couleurs vives d'un sujet peuvent être adoucies en diffusant

l'image par un moyen ou par un autre. Pour le portrait ci-dessus, j'ai tendu un voile de gaze à quelques centimètres du visage. La mise au point étant faite sur la trame, on identifie le visage, mais celui-ci a perdu son contraste et son relief. Les teintes sont désaturées et l'image est morcelée comme une mosaïque. On peut s'essayer avec d'autres trames ou voiles.

Rolleiflex, Ektachrome (50 Pro), 1/15 s, f/8

Condensation sur une vitre

Les deux photos ci-dessous représentent le même sujet ; à droite, l'appareil était à l'intérieur, à gauche, il était placé derrière une vitre embuée : mise au point faite sur la vitre. Les couleurs désaturées et diffusées donnent une image romantique.

Les deux photos : **Leica R**, 50 mm, Ektachrome (100), f/4, 1/30 s (à gauche) ; 1/125 s (à droite)

Dilution des couleurs par le mouvement

Un autre moyen, efficace, d'adoucir les teintes est de faire bouger l'appareil au cours de la pose. Les bords des surfaces colorées se diluent dans les teintes adjacentes. Vous pouvez tenter toutes sortes de déplacements en obtenant des effets différents. Pour la vue ci-contre, l'appareil a été déplacé verticalement.

Voir *Panoramique, page 164.*

Pentax, 55 mm, Ektachrome (100), 1/5 s, f/16

Surexposition

La surexposition brûle les hautes lumières et dilue les teintes. Plus vous exposez, plus vous affectez les demi-teintes et même les ombres. Il faut donc contrôler exactement la dose de surexposition pour obtenir l'effet voulu. Assurez-vous que les parties les plus importantes sont précisément les plus sombres, puisque ce sont les dernières à disparaître. Vous pouvez ajouter un certain flou de mise au point. Pour l'image ci-contre, l'exposition a été mesurée sur les ombres. Le diaphragme a été ouvert de deux divisions ; le temps de pose est huit fois le temps indiqué comme "correct".

Pentax, 55 mm, Ektachrome (100), 1/4 s, f/11

Film lumière artificielle en lumière du jour

Les films inversibles type B sont conçus pour donner des couleurs correctes à la lumière des lampes à incandescence (TC 3 200 K). Si l'on prend des vues avec un tel film, sous la lumière du jour, on a une forte dominante bleue : la lumière naturelle étant plus riche en radiations bleues que les lampes. Les teintes chaudes sont neutralisées et se colorent en bleu surtout si elles sont peu saturées, comme le ton chair ; en revanche, les teintes froides sont exaltées : le tout donnant cet aspect macabre (image de droite). Si l'on sous-expose un peu, l'image évoque une vue de nuit, prise au clair de lune. Même résultat en utilisant le film type lumière du jour, mais avec le filtre bleu de conversion.

Rolleiflex, Ektachrome (50 Pro), 1/125 s, f/8

Film lumière du jour en lumière artificielle

Lorsqu'on impressionne le film lumière du jour avec l'éclairage domestique ou du studio à incandescence, les couleurs chaudes sont renforcées, les teintes froides assombries. A gauche, la pièce était éclairée par trois lampes de 60 W, avec un peu de lumière du jour de la fenêtre : le rideau et le tapis ont conservé leurs teintes. La télévision couleur s'enregistre également sur film lumière du jour. **Voir** *Écran TV, page 163.*

Leica R, 28 mm, Ektachrome (100), 1/2 s, f/16

Emploi du film Ektachrome infrarouge

Le film Ektachrome infrarouge transforme une scène en une image irréelle où les feuillages sont magenta et sur laquelle les visages sont de cire, avec des lèvres jaunes. Tous les végétaux riches en chlorophylle réfléchissent l'infrarouge et viennent donc en magenta, tandis que les jeunes pousses au printemps sont rouge vif.

Les objets naturellement rouges deviennent jaunes ; le ciel ne subit pas de modification sensible. Le film s'utilise normalement avec un filtre jaune ; mais on obtient des effets intéressants sous filtre vert sombre. **Voir** *Film infrarouge, page 143.*

Leica R, 135 mm, Ektachrome infrarouge, 1/125 s, f/5,6

TRAITEMENT INCORRECT

Si vous traitez un film inversible comme un négatif couleur, vous obtenez un négatif aux teintes complémentaires et aux valeurs inversées. Mais il n'y a pas de masque orangé et le contraste est plus fort. On peut employer cette méthode pour donner une apparence irréelle à un paysage : l'herbe est violette, le ciel est jaune avec des nuages noirs. Ci-contre, on a cherché à augmenter le contraste.
Voir *Traitement couleur, page 73.*

Rolleiflex, Ektachrome (100) traité comme un négatif couleur, 1/250 s, f/8

Diapositive normalement traitée

Tirage obtenu à partir du négatif de droite

Film inversible traité en négatif

TECHNIQUE VIDÉO

Celui qui a accès à un système de télévision couleur en circuit fermé peut déformer les couleurs par l'électronique.
On place une épreuve ou une diapositive couleur devant une caméra couleur. On peut alors jouer sur les réglages chromatiques et la concentration pour modifier et décaler les trois images colorées primaires. L'image finale, reçue sur un moniteur couleur, peut être rephotographiée sur film type lumière du jour (à gauche).

Transformation par vidéo
Voici une diapositive semblable à celle qui a servi à obtenir l'image "manipulée" de gauche : elle a été décomposée en ses trois fondamentales ; puis reconstituée avec décalage, sur un moniteur TV.

Leica R, 50 mm, Ektachrome (100), 1/4 s, f/8

DOMINANTE VOLONTAIRE

Il suffit de filtrer la lumière pour reproduire une dominante générale. A droite, on a tendu un rideau rouge très transparent devant la fenêtre. La pièce baigne dans cette teinte chaude : un effet semblable est obtenu si les murs sont peints en rouge.

Nikon, 50 mm, Ektachrome (100), 1/5 s, f/2,8

ÉCARTS DE RÉCIPROCITÉ

La plupart des films type lumière du jour donnent des couleurs correctes pour les poses inférieures à 1/10 s. Une pose plus longue donne une dominante avec perte de la rapidité initiale. L'image ci-contre est typique de la distorsion des couleurs avec une pose très longue.

Leica R, 28 mm, Ektachrome (100), 1 min 30 s, f/11

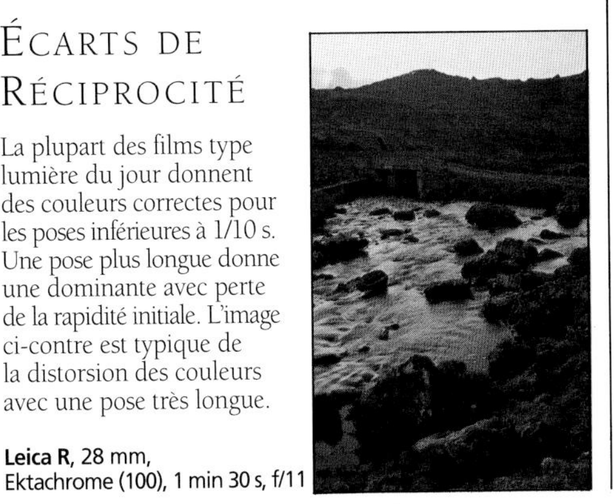

Filtres de conversion

On utilise ces filtres lorsque l'éclairage du sujet n'est pas de la température de couleur requise par le type du film inversible : avec un film type B et pour opérer à la lumière du jour, par exemple, on place devant l'objectif un filtre orangé (85 B) ; inversement, le filtre bleu (80 A) permet l'emploi du film type lumière du jour avec les lampes à incandescence de 3 200 K. Dans tous les cas, un filtre diminue la quantité de lumière entrant dans l'appareil et demande donc une augmentation de l'exposition (1/2 à 1 1/2 division de diaphragme). Mais, si le posemètre est intégré au boîtier de l'appareil, la cellule tient compte de l'absorption du filtre : pas de correction manuelle à faire. Il n'est pas possible d'utiliser par exemple un tel filtre, en plaçant un filtre de gélatine sur la diapositive, parce que les lumières se trouvent avoir alors la teinte du filtre. Si vous avez à opérer avec un mélange de lumières, vous pouvez essayer de filtrer une des sources pour qu'elle soit de même TC que l'autre. On trouve de larges feuilles d'acétate coloré en orangé (85 B) ou en bleu (80 A). Si l'on veut opérer en lumière du jour, mettre le filtre bleu devant les lampes à incandescence ; en lumière artificielle, mettre le filtre orangé devant les fenêtres.

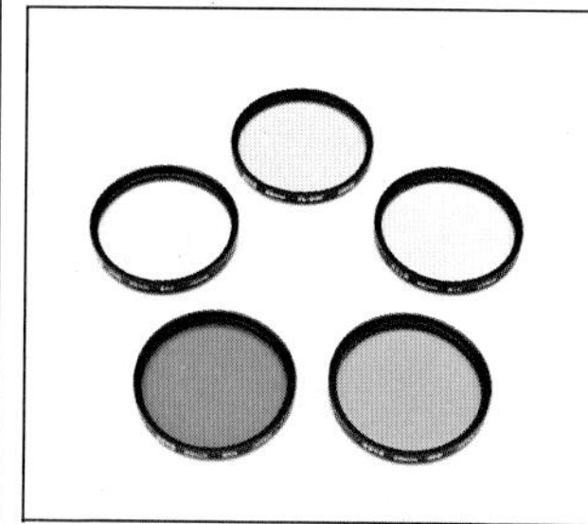

Correction par filtre en lumière du jour L'image de gauche a été prise sur film 50 Pro. Seules les fenêtres, éclairées de l'intérieur, sont de teinte normale, le reste étant tout bleu. L'image ci-dessus a été prise sur le même film, mais avec un filtre 85 B : l'intérieur de la maison est un peu trop rouge, mais le sujet extérieur a retrouvé ses couleurs normales. Le diaphragme a été ouvert d'une division.

Les deux images : **Pentax**, 28 mm, Ektachrome (50 Pro), 1/60 s, f/4 et f/5,6

Effets colorés

On utilise parfois un filtre très peu coloré pour réchauffer ou refroidir légèrement l'image, même si le film et la lumière sont compatibles : cela donne un certain climat, accentue une nuance au détriment d'une autre. Les filtres très teintés, comme ceux employés pour le noir et blanc, suppriment quasiment toutes les autres teintes. On a le même effet en doublant une diapositive avec un filtre en gélatine.

Konica, 50 mm, Kodachrome II, 1/125 s, f/11

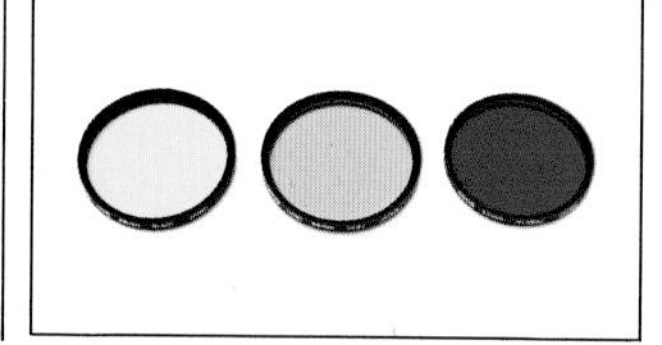

FILTRES DÉGRADÉS

Ils n'affectent qu'une partie de l'image, la frontière entre la partie teintée et la partie claire du verre étant très dégradée (ci-dessous, à gauche). Ils permettent par exemple de colorer le ciel (paysage de gauche). L'horizon droit rend le trucage moins visible. Le changement de teinte d'une zone à l'autre se ressent moins à pleine ouverture. La moitié teintée du filtre assombrit l'image, aussi est-il mieux de la faire agir sur une partie claire de l'image. Mesurez l'exposition sans le filtre. Vous obtiendrez un effet semblable avec un filtre en gélatine ne couvrant que la moitié de l'objectif, mais, n'étant pas dégradée, la limite risque d'être visible.

Assombrissement du ciel par filtre dégradé L'image ci-dessus a été prise avec un filtre dégradé orange-brun, placé devant l'objectif de telle sorte qu'il n'affecte que la région du ciel ; la limite dégradée correspondant à l'horizon ; les nuages, sous-exposés, sont plus détaillés que sur l'image témoin (à droite).

Les deux images : **Pentax**, 55 mm, Ektachrome (100), 1/125 s, f/8

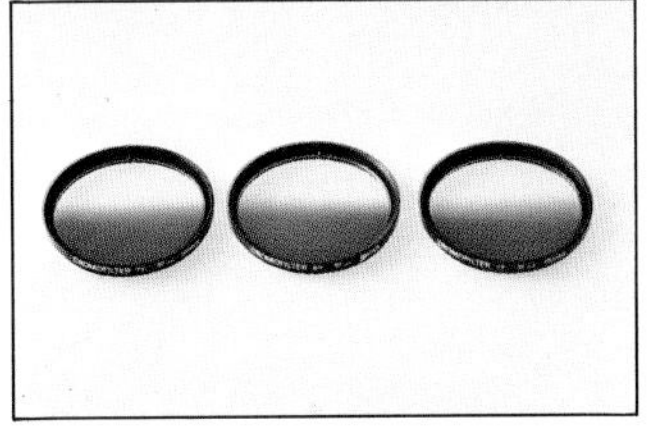

FILTRES "COLOR SPOT"

Ces filtres (ci-dessous) ont une zone centrale transparente, l'effet coloré étant ainsi plus prononcé vers les bords de l'image qu'au centre (image ci-contre). L'effet obtenu dépend de l'ouverture du diaphragme et de la focale de l'objectif. Si l'on diaphragme, surtout avec une courte focale, les limites intérieures de la zone non colorée deviennent très visibles. Ils donnent aux images une "atmosphère romantique".

Nikon, 85 mm, Ektachrome (100), 1/250 s, f/4

FILTRES BICOLORES

Les filtres bicolores (ci-dessous) permettent de créer des images présentant deux zones colorées différentes. Il faut faire tourner le filtre sur lui-même afin de répartir les zones colorées de la manière la plus agréable. L'effet est d'autant plus progressif et subtil que la focale est plus longue ou le diaphragme plus ouvert. On trouve également des filtres tricolores à sections parallèles ou triangulaires.

A droite : **Pentax**, 50 mm, Ektachrome (100), 1/125 s, f/5,6
En bas : **Leica R**, 50 mm, Ektachrome (100), 1/125 s, f/5,6

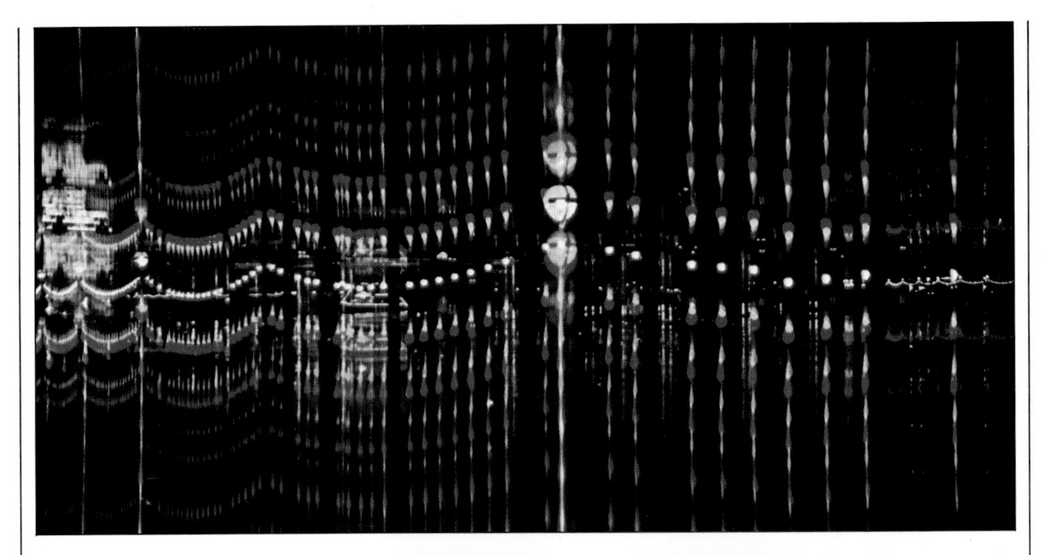

FILTRES À DIFFRACTION

Certains filtres spéciaux, non colorés, apportent des effets colorés en diffractant et en dispersant la lumière, accompagnés de formation d'images multiples. Avec le reflex, vous observez l'effet du filtre qui sera enregistré sur le film. Pour les effets les plus surprenants, choisir des sujets très contrastés avec hautes lumières très lumineuses : les vues de nuit, avec sources incandescentes, sont idéales. Le filtre Hoya Color Burst multiplie la série des lampes en un rideau lumineux multicolore. On peut superposer plusieurs filtres : l'image de droite résulte de l'assemblage d'un filtre prismatique à trois bandes parallèles à un filtre Colorburst. Pour la vue en bas à droite, on a ajouté un filtre Vario-Starburst à la combinaison.

En haut : **Pentax**, 28 mm, filtre Colorburst, Ektachrome (100), 10 s, f/11
Ci-dessus : **Leica R**, 50 mm, filtre Colorburst, Ektachrome (100), 1/125 s, f/11
Au milieu, à droite : **Pentax**, 55 mm, filtres Colorburst et prismatique à trois bandes, Ektachrome (100), 1 s, f/5,6
A droite : **Pentax**, 28 mm, filtres Colorburst, prismatique à trois bandes et Vario-Starburst, Ektachrome (100), 3 s, f/8

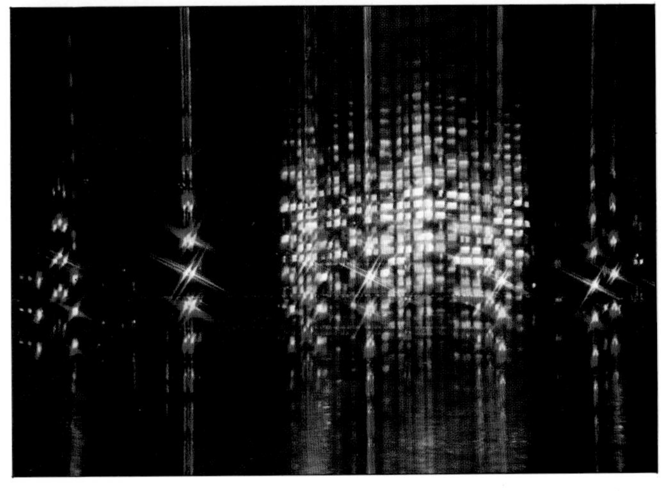

Combinaison de Filtres

On obtient des effets composites en combinant filtres et film couleur. Le reflex permet d'apprécier les teintes obtenues et également de déterminer plus facilement l'exposition. Mais, en ajoutant des filtres, vous apportez une certaine complexité à l'image ; de plus, il y a un risque de perte de netteté. Pour la photo ci-contre, on a utilisé un filtre bicolore jaune/magenta en association avec un filtre Colorburst. En bas de page, la combinaison comprend un filtre Vario-Cross, un Colorburst et un demi-filtre rouge. La lumière d'un spot, réfléchie par un miroir en plastique, est à l'origine des hautes lumières très vives.

Pour l'image ci-dessus, on a une combinaison d'un Colorburst et d'un Vario-Cross ; les lignes horizontales du premier plan sont des feux d'automobiles.

En haut : **Pentax**, 28 mm, filtres bicolore et Colorburst Ektachrome (100), 1/125 s, f/8
Ci-dessus : **Pentax**, 55 mm, filtres Colorburst et Vario-Cross, Ektachrome (100), 1/60 s, f/5,6
Ci-contre : **Pentax**, 55 mm, filtres Vario-Cross, Colorburst et demi-filtre rouge, Ektachrome (100), 2 s, f/8

Filtres pour Film Infrarouge

Le film infrarouge Ektachrome est prévu pour une utilisation normale avec un filtre jaune assez dense. Sans filtre, on a des teintes très froides, la végétation verte apparaissant pourpre au lieu d'être rouge : avec un filtre rouge, on a une dominante générale jaune.

Ektachrome (100), f/11
Ektachrome IR sans filtre : f/16
Ektachrome IR filtré : f/8

Ektachrome 100

Infrarouge sans filtre

Infrarouge avec filtre jaune

Infrarouge avec filtre rouge

TENIR L'APPAREIL

Bien avoir l'appareil en main pour réussir tous les mouvements. Pour un reflex, la main gauche supporte l'objectif et en actionne les réglages ; la main droite commande le déclenchement et l'avancement du film. Vous devez pouvoir vous concentrer sur le cadrage et la mise au point.

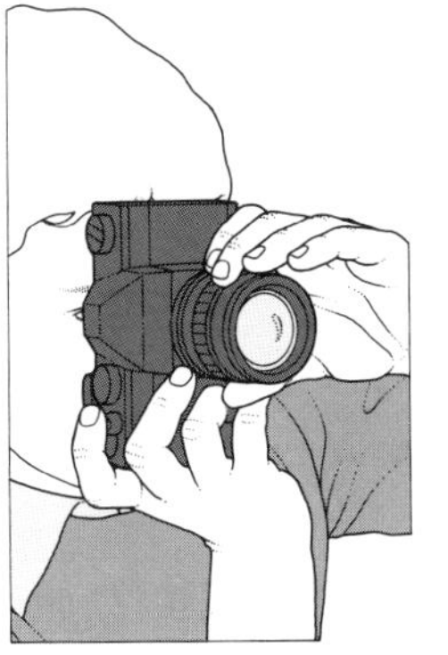

Éviter le bougé involontaire
La plupart des gens peuvent travailler sans bouger avec la focale normale à partir du 1/60 s. Quelques postures indiquées ci-dessous vous permettront d'opérer au 1/15 s, sans bouger. Avec les longues focales, cela devient plus difficile : essayez de vous appuyer sur un support stable (ci-dessous). Évitez le contact du coude et du genou ; serrez votre genou sous le bras (en bas, à gauche).

Cas du reflex bi-objectif
La manière classique : à hauteur de la poitrine (au centre) ; pour les sujets mobiles, le viseur sportif (en bas, à gauche). Dans la foule, lorsque la visée à hauteur de l'œil est impraticable, l'appareil au-dessus de la tête (à droite).

MOUVEMENT ET VITESSE

Le mouvement apparent du sujet dépend de sa vitesse et de la direction du déplacement, par rapport à l'axe optique. Cette série de photos montre comment le mouvement est traduit en jouant sur la vitesse d'obturation. Plus la pose est longue, plus le mobile sera flou. Au contraire, un instantané rapide "gèlera" le mouvement. Pour une même vitesse de déplacement, il faut une vitesse plus rapide lorsque le mobile défile parallèlement au film que lors d'une trajectoire oblique.

Toutes les images : **Nikon**, 50 mm, Ilford (400)

1/500 s f/5,6

1/250 s f/8

1/125 s f/11

1/60 s f/16

ARRÊTER LE MOUVEMENT

Les instantanés rapides (à partir du 1/250 s) résolvent le problème du bougé au déclenchement. Les vitesses entre 1/500 et 1/2 000 s permettent de geler le mouvement que notre œil ne peut pas saisir : les mouettes semblent suspendues dans l'air et l'eau tombant d'une cascade paraît gelée. Pour travailler à de telles vitesses : un film rapide et un objectif très ouvert surtout par faible lumière. Souvent, la profondeur de champ est limitée, comme sur la photo ci-dessous, prise au 1/2 000 s, à f/2. Vous améliorerez un peu les conditions en tirant le meilleur parti de l'éclairage et en prenant un point de vue concentrant l'action sur un seul plan : voir la photo du seau d'eau, exposée 1/1 000 s à f/2,8.
Voir *Contrôle du mouvement, pages 166-167 ; Eau vive/eau dormante, page 189.*

DÉCLENCHER EN ROULANT

Cette image a été prise de l'arrière d'une autre voiture, les deux roulant à 70 km/h. L'appareil était monté sur un pied, solidement attaché au plancher. Comme le résultat est imprévisible, j'ai pris une série de vues, opérant au 1/15, 1/30 et 1/60 s. Remarquez comme le bougé est plus important vers les bords de l'image, là où la vitesse angulaire est plus grande. Les meilleurs résultats s'obtiennent sur les routes bordées d'arbres ou de bâtiments formant des lignes de lumière et d'ombre alternées.

MOUVEMENT CONTRÔLÉ

Les vitesses comprises entre 1/30 et 1/250 s sont couramment utilisées à main levée. L'image des objets en déplacement correspond alors à notre vision, qui nous fait voir une image comprenant un mélange d'éléments nets et flous, en fonction de la distance, de la vitesse et de la direction du mouvement. La photo de la bicyclette, prise au 1/125 s, f/4, montre les gouttes de pluie allongées par le bougé ; cela d'autant qu'elles sont proches de l'appareil. Il en va de même pour les parties mobiles du vélo, qui sont plus ou moins bougées suivant la vitesse angulaire, accentuées encore par le mouvement de panoramique donné en déclenchant. Pour l'image ci-contre, remarquez le contraste entre la petite fille immobile et son petit camarade en pleine action (1/30 s, f/16).
Voir *Déplacer l'appareil, pages 164-165 ; Simuler le mouvement, page 225.*

SUPPRIMER LA FOULE

Pour chacune des deux images ci-contre, il est passé sensiblement le même nombre de personnes par la porte du musée : mais celle de gauche a été exposée 1/15 s (à f/11), alors que celle de droite a été posée 5 secondes (à f/22, avec un filtre gris neutre x 20). Durant une pose si longue, aucun personnage n'est resté immobile assez longtemps pour s'enregistrer sur le film. Cette méthode est utilisée pour les photos d'architecture.
Voir *Architecture, pages 190-194 ; Filtres gris neutre, page 71.*

PHOTOGRAPHIE D'UN ÉCRAN TV

Le cinéma et la télévision sont fondés sur le phénomène de la persistance rétinienne, qui ne permet pas à l'œil d'analyser les images fixes élémentaires. Il n'en est pas de même pour l'obturateur de l'appareil.

Pour photographier un écran de télévision, il faut adopter une vitesse plus lente que 1/25 s, en pratique 1/15 s : dans ce cas, on enregistre en fait deux images successives sur le même film, la fréquence des images étant (en Europe) de 25 images complètes par seconde.

Photo du haut : **Pentax,** 105 mm, Tri-X, 1/25 s, f/8

A gauche : **Leica R,** 135 mm, Plus-X ; partie gauche : 1/15 s, f/11 ; partie droite : 5 s, f/22

Suivre le Sujet

En instantané très rapide pour immobiliser un mobile se déplaçant à grande vitesse, vous serez déçu : ce qui "fait" le mouvement – un certain flou de "bougé" – n'a pas été enregistré. En choisissant une vitesse plus lente, vous montrerez le déplacement du sujet devant un arrière-plan net, mais cela donne trop d'importance au fond. Panoramiquer plutôt en suivant le déplacement du mobile dans le viseur. Si vous avez choisi la bonne vitesse et que vous avez déclenché au bon moment, vous obtiendrez une image sur laquelle le sujet assez net se détachera sur un fond flou. Mais pas de règles précises : tout dépend de la vitesse réelle du mobile et de la direction du mouvement par rapport à l'appareil. Le déplacement apparent d'un objet proche est plus grand que s'il est éloigné ; la focale de l'objectif influe sur la manière idéale de panoramiquer. Pour la plupart des sujets sportifs, les vitesses comprises entre 1/30 et 1/125 s sont bien suffisantes. Choisissez un point de vue donnant au fond un mélange de lumière et d'ombre, vous aurez des lignes floues bien séparées. Il faut disposer d'une visée très claire. Avec une chambre de grand format, vous pouvez travailler sur pied, les serrages étant libérés.

Comment tenir l'appareil pour un panoramique Appuyez l'appareil contre le front, les coudes serrés contre la poitrine. Préréglez la mise au point ; cadrez le mobile quand il est encore assez loin, et suivez-le en tournant l'ensemble du buste. Déclenchez doucement en continuant le mouvement.

Panoramique sur sujet mobile
Pour la photo des cyclistes (ci-dessous), le mouvement se fait vers l'appareil : ce qui provoque un changement continu de la distance de mise au point. Dans ce cas, le mieux est de prérégler la mise au point sur la route et de déclencher au moment où le sujet passe sur ce point. L'image du bas fait partie d'une série prise au départ d'un rallye de voitures anciennes. La rue avait été dégagée et les voitures passaient à intervalles réguliers : ce qui simplifiait les opérations. Dans un cas comme celui-ci, faites un long panoramique pour ne déclencher qu'au moment le plus favorable.

Ci-dessous : **Leica R**, 50 mm, Tri-X, 1/30 s, f/16
Bas de page : **Leica R**, 50 mm, Ektachrome (100), 1/125 s, f/11

DÉPLACEMENT DE L'APPAREIL

Vous obtiendrez des images abstraites en déplaçant l'appareil dans une direction différente de celle du sujet : le résultat n'est pas prévisible, mais les parties les plus claires de l'image seront allongées et se superposeront aux parties sombres. La photo d'un défilé – ci-dessus – a été prise avec une pose d'une seconde. L'appareil a été déplacé à 45° au cours de l'exposition.

Leica R, 28 mm, Plus-X, 1 s, f/16

VISEUR AUXILIAIRE

La visée reflex, si appréciable dans la plupart des cas, n'est pas le meilleur système pour les panoramiques : avec le mono-objectif, on a disparition de l'image au moment du déclenchement : ce qui est bien gênant ; avec le bi-objectif, l'image vue sur le dépoli est inversée gauche/droite, et fuit donc en direction inverse du panoramique ! Le meilleur système est un viseur à cadre donnant une vue directe, de même grossissement que l'œil. Les reflex bi-objectifs ont un viseur de ce type dans le capuchon repliable. Pour les autres appareils évolués, il est généralement possible de fixer un viseur à cadre auxiliaire sur la griffe porte-accessoires du boîtier.

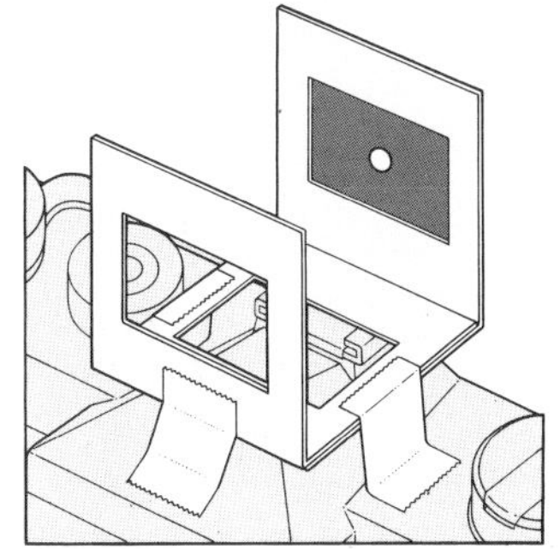

Un viseur à cadre improvisé Fabriquez un excellent viseur avec des montures en carton pour diapositives 24 x 36 mm. Assemblez deux paires de montures, comme sur le schéma ci-dessus, en collant du papier noir pour le côté oculaire. Faites un simple trou dans ce papier noir ; fixez le tout sur le sommet de l'appareil. Vérifiez que le cadrage obtenu correspond à celui qui est donné par le viseur d'origine.

Choix du Point de Vue

Déterminez l'endroit où l'action va se dérouler et prenez le point de vue en conséquence. Essayez diverses positions en cherchant un angle qui détachera les personnages sur un fond uniforme (ci-dessous). Un point de vue au ras du sol souligne les mouvements verticaux des personnages, mais peut donner un fond compliqué. A droite, c'est la faible profondeur de champ qui détache les joueurs de la foule.

A droite : **Nikon**, 400 mm, Tri-X, 1/250 s, f/4
Ci-dessous : **Nikon**, 200 mm, Tri-X, 1/500 s, f/4

SAISIR LE MOMENT

Un bon reporter sportif doit faire face à des événements évoluant à chaque instant. Employez un reflex motorisé ou un appareil à télémètre, de préférence avec un viseur sportif. Le moteur réduit le délai entre deux vues successives ; la grande vitesse d'obturation a pour corollaire une grande ouverture. La mise au point doit donc être très précise. Certains objectifs ont une crosse de mise au point. Une solution consiste à prérégler l'appareil sur une distance pour laquelle on sait qu'un événement va se dérouler.

Voir *Viseur auxiliaire, page 165 ; Mise au point continue, page 123.*

Ci-dessous : **Nikon**, 180 mm, Kodachrome 64, 1/500 s, f/8
A droite : **Nikon**, 135 mm, Tri-X, 1/125 s, f/4
En bas : **Nikon**, 180 mm, Tri-X, 1/1 000 s, f/11

La Vitesse

La notion de vitesse se traduit en photographie par des symboles : allongement des formes, flou de bougé et cadrage. Un instantané trop court peut détruire la sensation de vitesse. Le geste acrobatique du motocycliste a été souligné par un panoramique lent, à petite ouverture : ce qui donne une grande profondeur de champ. Ci-dessous, la forme floue du cycliste correspond à la vision du spectateur du premier rang : elle a été faite à vitesse relativement lente, en zoomant et en panoramiquant en même temps. **Voir** *Travelling et panoramique combinés, page 124.*

Ci-dessus : **Pentax**, 85 mm, Tri-X, 1/30 s, f/16
A gauche : **Nikon**, zoom 80-200 mm, Tri-X, 1/30 s, f/4,5

Geler l'Action

Dans certains domaines sportifs, notamment la gymnastique, il faut au contraire avoir une image parfaitement nette, montrant l'attitude du compétiteur au moment crucial de son action. En cas de réunion indoor, cela oblige à employer une grande ouverture, avec un film ultrarapide, pour que l'exposition soit très courte.

Nikon, 180 mm, Tri-X, "poussé", 1/250 s, f/2,8

Photographie Hors Compétition

L'idée de photo sportive évoque le plus souvent les moments de pleine action ; mais les instants précédant ou suivant les compétitions (en dehors du terrain) sont parfois aussi intéressants. La préparation du cheval avant un concours hippique (à gauche) ou bien le "briefing" de toute l'équipe dans le manège couvert (ci-dessous) en sont des exemples. Le champion après le combat est également un thème à traiter. Songez que votre présence n'est pas toujours souhaitée à ce moment-là ! Ne vous faites pas trop remarquer. Un appareil automatique permet d'être rapide et discret.

A gauche : **Nikon**, 58 mm, Tri-X, 1/250 s, f/16
Ci-dessous : **Nikon**, 35 mm, Tri-X, 1/60 s, f/8

PHOTO-SÉQUENCES

Si vous voulez prendre une série de vues en séquence rapide ou au contraire prendre des vues sur une longue période de temps, il est nécessaire de posséder un appareil motorisé et un magasin de grande capacité pour le film (ci-contre). Vous pouvez ainsi prendre un grand nombre de vues sans avoir à recharger. Le moteur permet l'automatisation complète des opérations, en liaison avec un intervallomètre réglable. L'énergie électrique nécessaire peut être fournie par une batterie (piles ou accus) ou par le courant du réseau. Une bobineuse s'avérera utile pour charger le magasin de grande capacité ; il vous faudra également une spirale acceptant une grande longueur de film pour le traitement.

Contax RTS moteur et dos 250 vues

Équipement pour photo-séquences Un 35 mm reflex, avec moteur, alimentation par accus et dos 250 vues (ci-dessus) est l'ensemble le mieux adapté. Pour les vues individuelles, on peut choisir n'importe quelle vitesse d'obturation ; les vitesses rapides permettent d'atteindre la fréquence de 4 images par seconde. Ci-contre, un appareil reflex mono-objectif 6 x 6 cm avec dos contenant 4,7 m de film perforé de 70 mm de large, pour 70 vues. La cadence atteint 1 image/seconde. **Voir** *Appareils-systèmes, page 18.*

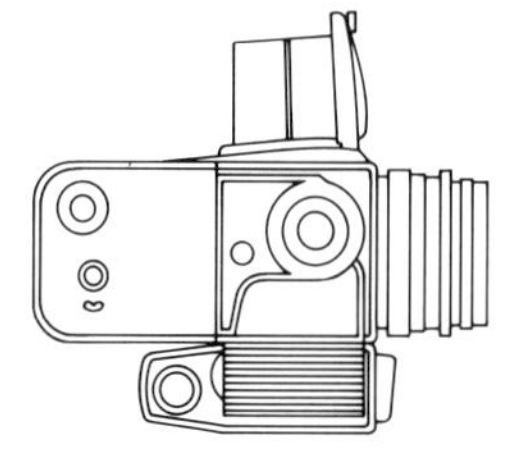

Hasselblad avec magasin pour film perforé 70 mm

APPAREIL AUTOMATIQUE

Il existe des appareils spéciaux pour la surveillance discrète ou en instrumentation scientifique, qui fonctionnent automatiquement, sans présence d'un opérateur. L'appareil étant fixé à demeure, il n'y a pas de viseur. Le déclenchement peut être assuré de diverses manières, mais toujours à distance (pédale, radio, intervallomètre, ou présence d'un intrus).

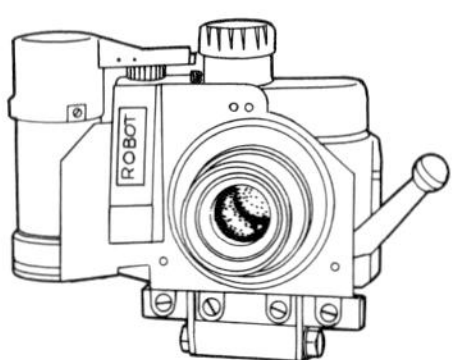

Appareil de surveillance et d'instrumentation Appareil compact (moteur à ressort) pour 50 images 24 x 24 mm à une cadence de 6 images/seconde. Déclenchement électromagnétique.

CHARGEMENT ET TRAITEMENT DU FILM AU MÈTRE

Les chargeurs 35 mm normaux ne contiennent qu'une longueur de 36 vues 24 x 36 mm ; le film 220 ne permet que 24 vues 6 x 6 cm : vous ne pouvez employer le dos-magasin de grande capacité qu'en le chargeant avec du film acheté au mètre. Le dos-magasin est pourvu de cassettes, l'une pour le film vierge, l'autre pour le film impressionné. Une cisaille incorporée permet de couper le film dans le magasin lorsqu'une séquence terminée doit être développée. Cela permet d'utiliser la longueur restante, après avoir réamorcé le film. Il faut disposer d'une cuve étanche de grande capacité ; les machines de traitement pour professionnels acceptent les grandes longueurs de film.

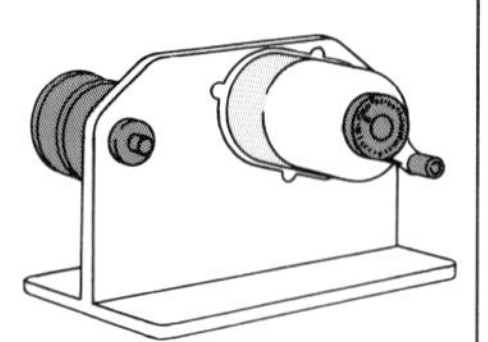

Chargement des cassettes Les cassettes de grande capacité sont plus facilement rechargées en film à l'aide d'une bobineuse comme celle-ci (ci-dessus).

Traitement du film en grande longueur La spirale est prévue pour traiter 10 mètres de film (250 vues) : chargement du centre de la spirale vers les bords ; traitement en cuve profonde.

INTERVALLOMÈTRE

Associé à un dispositif de déclenchement automatique, le moteur permet d'enregistrer des séquences rapides ou lentes. En fixant un intervalle déterminé entre les vues successives – secondes, minutes, heures et même jours – la comparaison des images permet de rendre compte de phénomènes trop lents pour être saisis par l'œil. Parmi les sujets traités par cette méthode, citons : la croissance des plantes, la circulation automobile, etc. Souvent, l'appareil photographique n'est qu'un élément dans un ensemble. Pour la croissance des végétaux dans une serre, il faudra un intervallomètre, des floods ou un flash électronique, moteur et dos grande capacité, le tout fonctionnant sans présence humaine, selon la programmation fixée. Sur le schéma ci-contre, l'intervallomètre commande également l'ouverture et la fermeture d'un store, de telle manière que la plante dont on surveille la croissance soit normalement éclairée par la lumière du jour en dehors des prises de vues.

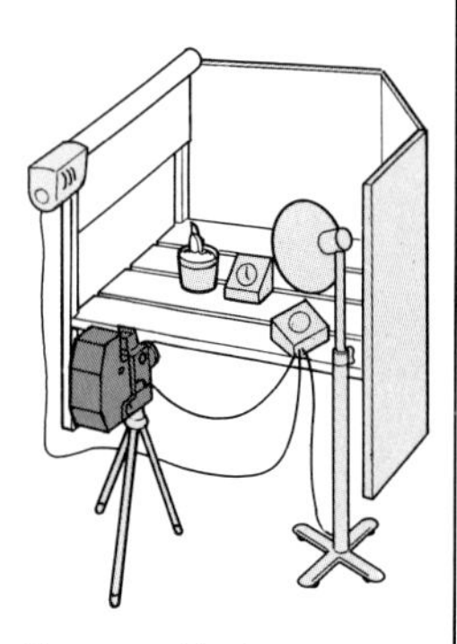

Photographie de la croissance des plantes L'appareil (ici un reflex 6 x 6 cm motorisé) est programmé pour donner une série d'images couleur à intervalles déterminés par un intervallomètre. L'ensemble est alimenté par le courant du secteur.

EMPLOI DU MOTEUR

Il y a deux manières d'employer le moteur : soit en vue par vue, soit en rafale, à une cadence variable, par exemple de 1 à 4 images/seconde. Dans ce dernier cas, les prises de vues continuent tant que l'on garde le doigt sur le bouton déclencheur. Vous pourriez penser que la cadence la plus élevée, soit 4 i/s, suffit à donner un compte rendu fidèle de la réalité. Pourtant, il faut remarquer que, pour une vitesse de 1/250 s, on n'enregistre que 1,5 % de la période considérée, les 98,5 % restants étant occupés par le transport du film. En plus grand format (6 x 6 cm par exemple), ce rapport est encore moins favorable. La prise de vues en rafale s'emploie pour l'enregistrement de phénomènes ou d'événements courts et significatifs.

Saisir le mouvement avec l'appareil motorisé
Les vues, ci-contre, sont extraites de séquences assez longues dont nous vous donnons des portions en haut de page. Elles ont été prises d'un endroit assez éloigné, non protégé par des barrières. Le moteur étant programmé sur "rafale", il ne restait au photographe qu'à appuyer sur le bouton. Cette chute semble dramatique ; mais ni le jockey ni le cheval ne furent blessés.

Toutes les images : **Nikon,** 85 mm, Tri-X, 1/500 s, f/5,6

Le Stroboscope

Le stroboscope permet de prendre des images multiples de sujets en mouvement (dessin de droite) : un réglage permet de modifier la fréquence des éclairs, suivant la mobilité du sujet et la direction du mouvement. Si la fréquence est élevée et le mouvement lent, les images seront superposées.

Emploi du stroboscope Pour l'image de droite, on a utilisé huit lampes stroboscopiques synchronisées, dans un studio tendu de tissu noir : fréquence 15 éclairs/seconde. Le flashmètre indiquait f/16, avec la Tri-X, pour un seul éclair : cette exposition est valable pour la partie du sujet s'étant déplacée entre deux éclairs. Ci-dessous, on a utilisé deux lampes stroboscopiques, une de chaque côté du sujet, à la fréquence de deux éclairs/seconde.

Lampe stroboscopique
Ce type de matériel peut donner de 1 à 20 éclairs par seconde. Il faut souvent plusieurs unités, reliées entre elles par un cordon à une boîte de synchronisation.

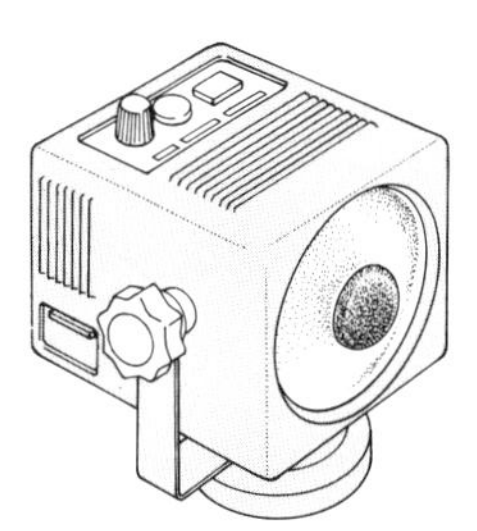

A gauche : **Nikon,** 35 mm, Tri-X, 3 s, f/11
Ci-dessous : **Hasselblad,** 80 mm, Tri-X, 3 s, f/8

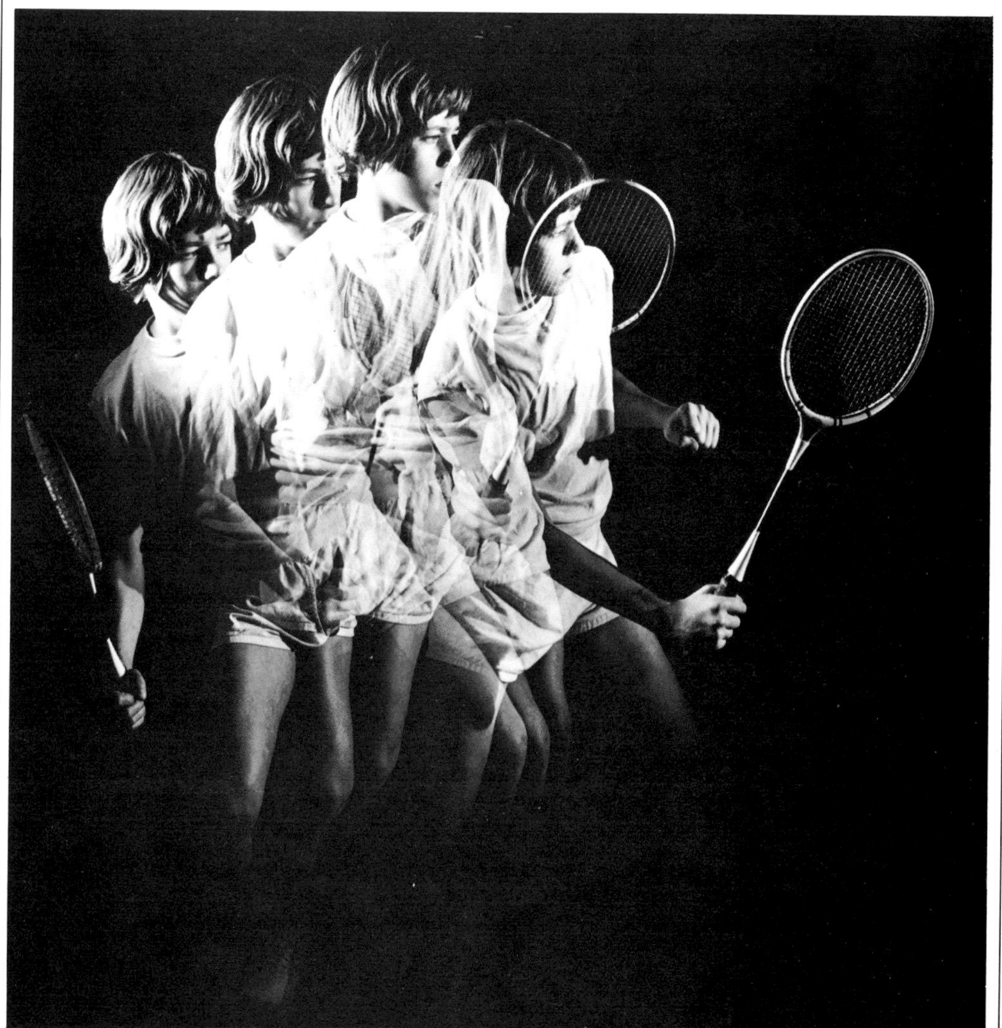

PHYSIOGRAMME

C'est le dessin photographique obtenu en intégrant le déplacement d'un point lumineux mobile, généralement monté sur un pendule lumineux, constitué d'une torche à pile dont le réflecteur est masqué par un petit diaphragme et suspendue par un fil solide noir, dans une pièce obscurcie. L'appareil est posé sur le sol, objectif en l'air. Si on manque de hauteur de plafond, employer le montage de la figure de droite. Après avoir donné une première impulsion au pendule – l'obturateur étant ouvert –, on complique les oscillations en agissant doucement sur les fils de rappel ; l'exposition est déterminée par des essais. Pour des effets colorés, placez des filtres devant l'objectif, ou devant la lampe.

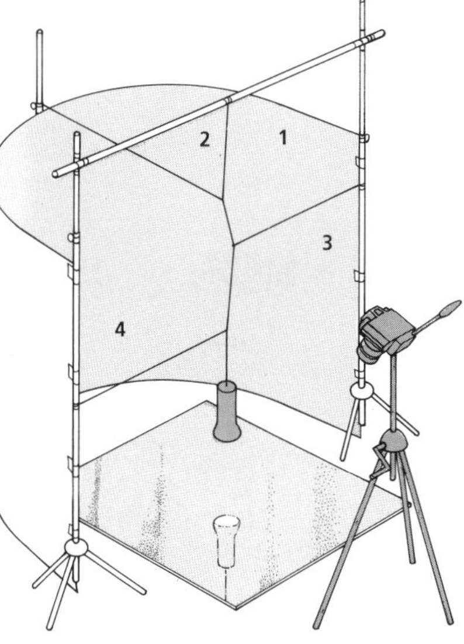

Montage pour physiogrammes
La disposition indiquée comprend un miroir posé sur le sol de telle sorte que la distance pendule/appareil soit assez grande, en dépit d'une faible hauteur de plafond. Ne cadrez que la réflexion dans le miroir. La torche est suspendue par le fil 1 dont les mouvements sont contrôlés par les fils de rappel 2, 3 et 4.

TEMPS ET MOUVEMENT

La technique du physiogramme peut être appliquée à l'étude du mouvement : direction, vitesse, durée. Par exemple, une petite lampe attachée à la partie mobile d'un mécanisme en traduira le mouvement exact. Si cette lampe clignote selon une fréquence connue, il est facile de mesurer la durée du mouvement, en comptant le nombre de pointillés correspondant aux périodes d'allumage de la lampe. La distance entre deux points permet également d'évaluer les accélérations ou les décélérations, etc. Pour identifier plusieurs traces lumineuses, utiliser des lampes colorées, sur film couleur, naturellement. L'ambiance lumineuse générale doit être assez faible pour donner une image normale des parties non mobiles de la scène.

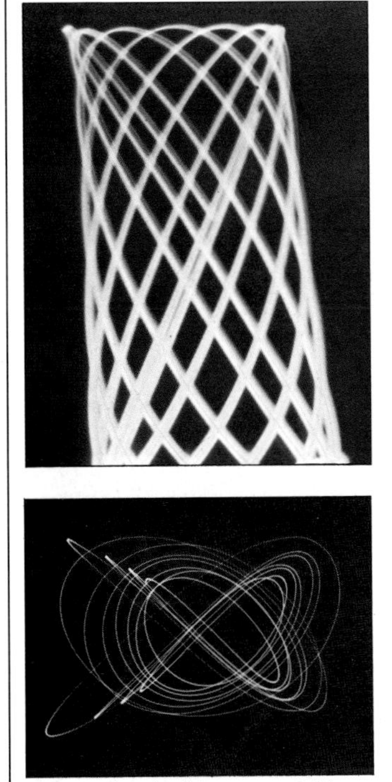

Aspects des physiogrammes Celui du haut a été produit avec un pendule muni d'un rappel (exposition : 20 s à f/11). Ci-dessus, le pendule a été tiré sur le côté, et donne cette figure en forme de 8. La partie la plus claire du tracé correspond à la plus faible vitesse de déplacement du pendule. Poses totalisant 45 s, f/8. Le physiogramme complexe, à trois points d'attache, à droite, a été obtenu en 3 expositions d'une durée de 55 s, f/16 : contraste augmenté par tirage sur papier lith.

Toutes les images : **Pentax,** 55 mm, Plus-X

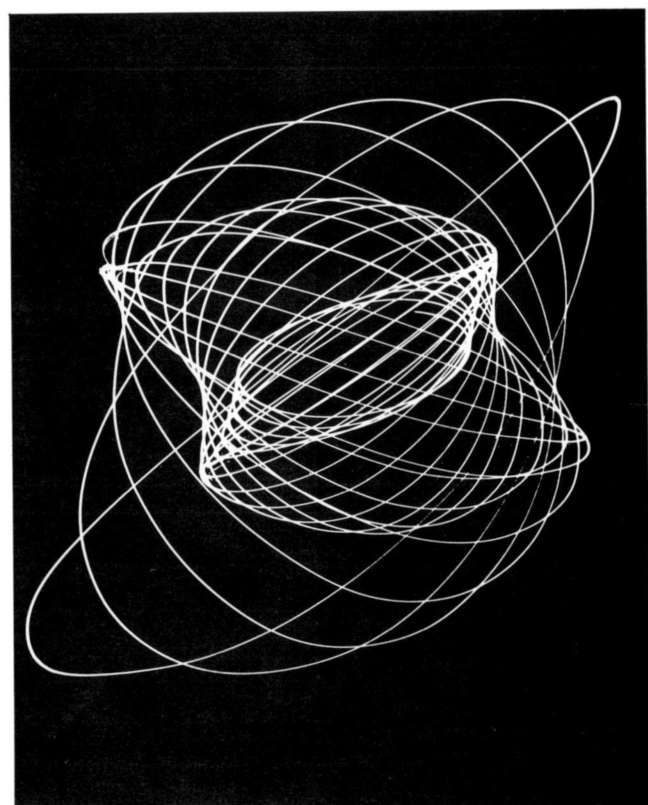

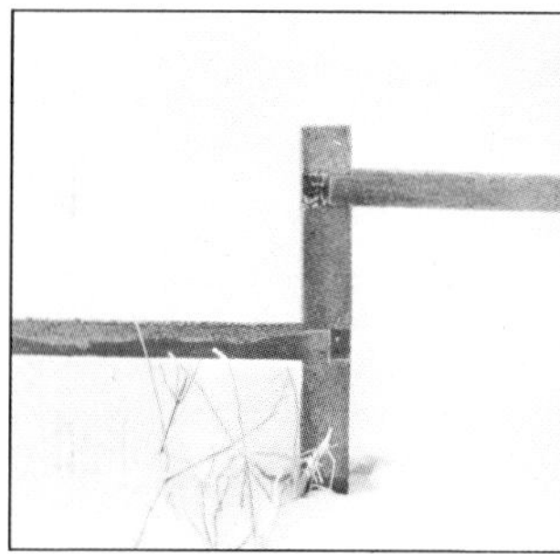

CADRAGE DANS LE FORMAT

Composer, c'est arranger les éléments de l'image, dans le but d'obtenir l'unité du sujet. Considérez le format de votre film, puis cherchez quelle est la meilleure implantation de votre sujet dans ce format. Si c'est un graphisme simple, la barrière ci-dessus, la symétrie dans un carré est un parti pris décisif. Vous pouvez diviser la surface de l'image en deux régions, chacune ayant son centre d'intérêt (à droite) ou encore emplir le format d'une foule de détails (en haut).

En haut : **Pentax**, 15 mm, Tri-X, 1/30 s, f/8
Ci-dessus, à gauche : **Hasselblad**, 80 mm, Tri-X, 1/250 s, f/16
Ci-dessus : **Hasselblad**, 80 mm, Tri-X, 1/30 s, f/16

CHOISIR LE MOMENT

Pour un paysage, ou tout autre sujet statique, on dispose du temps nécessaire pour étudier tous les aspects de l'image. Mais, pour de nombreux sujets, ces éléments sont essentiellement changeants : la photographie est le moyen idéal d'en saisir les aspects caractéristiques. Vous êtes maître du moment du déclenchement, mais non sans avoir considéré l'éclairage, l'expression d'un portrait, etc. On peut recadrer, éclaircir ou assombrir l'image au tirage ; mais cela n'est efficace que si l'image a été prise au bon moment. Le bateau ci-dessus était balayé par les embruns de manière intermittente : la photo a été prise au maximum du déluge. Pour l'image ci-contre, au contraire, il n'existait qu'un seul moment décisif : la relation entre le garçon en train de courir et l'homme appuyé au mur, la distance de la mise au point, le centième de seconde durant lequel le pied est décollé du sol, etc. Vous voyez qu'il y a beaucoup de facteurs à considérer en un instant. Étudiez l'évolution continuelle des éléments mobiles dans le viseur. Il y a un moment unique où il faut déclencher, sans qu'aucun facteur technique puisse le retarder.

Ci-dessus : **Leica R**, 90 mm, Tri-X, 1/1 000 s, f/11
A droite : **Nikon**, 50 mm, Tri-X, 1/125 s, f/2,8

Hauteur du Point de Vue

Chaque type d'appareil est conçu pour une certaine hauteur du point de vue : les anciens avaient un viseur à hauteur de la ceinture ; la visée du bi-objectif est à hauteur de la poitrine ; avec le reflex, elle se fait à hauteur de l'œil. Résultat : toutes les photos ont un air de famille, étant prises à une même hauteur. Montez sur une chaise, accroupissez-vous ou couchez-vous sur le sol pour obtenir une composition plus adaptée à la nature du sujet. Pour l'image ci-dessous, tout l'intérêt réside dans l'étalage à même le sol : le point de vue élevé et plongeant est le seul qui convenait. Pour la photo du bas, la vieille voiture, avec ses pneus usés et son châssis déformé, ne pouvait être mieux montrée que par ce point de vue au ras du sol.

Ci-dessous : **Pentax**, 28 mm, 1/30 s, f/5,6
Bas de page : **Rolleiflex**, Plus-X, 1/250 s, f/8

Choix d'un Premier Plan

Ce choix a une influence marquante sur l'aspect d'un paysage ou d'un bâtiment. Si le motif principal de votre composition est de grande taille, il est plus facile de choisir un premier plan original. Pour ces images de la cathédrale de Chartres, il m'a suffi de me déplacer de quelques centaines de mètres pour passer de la campagne à la ville ; toutefois, le premier plan n'est qu'un motif secondaire. Pour

la photo du haut, les arbres ne s'écartent que pour découvrir la cathédrale, laquelle domine par sa position dans le cadre. Dans l'image du bas, toutes les lignes horizontales convergent précisément vers la cathédrale, malgré l'environnement urbain. Cherchez quelle sorte de premier plan convient le mieux au climat de votre image.

Les deux images : **Leica R**, 50 mm, Plus-X, 1/60 s, f/11

Changement de Point de Vue

Ces deux photographies d'une même cascade tombant dans un bassin sont très différentes parce qu'elles ont été prises de deux points de vue opposés. Dans la photo de droite, les dimensions sont indéterminées : l'essentiel du sujet est ramené à un seul plan et on ne voit pas le mouvement de l'eau. La photo ci-dessous, au contraire, montre la forme du bassin, ses proportions par rapport aux personnages et sa situation, grâce à une perspective très prononcée. Pour un sujet tel que celui-ci, il est toujours intéressant d'en faire le tour et de voir comment l'emplacement du point de vue donne à chaque fois un aspect nouveau. Tous les éléments de la composition : éclairage, perspective, rendu des volumes et de la matière y contribuent. Si vous avez à photographier un bâtiment au milieu d'un paysage, vous pouvez probablement en donner au moins six interprétations différentes, par le simple changement du point de vue.

Leica R, 28 mm, HP5
A droite : 1/125 s, f/16
Ci-dessous : 1/250 s, f/16

Forme

Pour mettre l'accent sur la forme dans une composition, vous pouvez faire ressortir les contours d'un sujet en le plaçant devant un fond uni, comme un plan d'eau ou le ciel, ou aller plus loin, en éclairant le sujet en contre-jour. En studio, la liberté d'action est bien plus grande : c'est ainsi qu'un personnage peut être habillé, éclairé, mis en scène, dans le but d'en souligner forme et silhouette. Un facteur important est le cadrage à l'intérieur du format, et les rapports échangés entre les lignes dominantes du sujet et les lignes constituant les bords du cadre. Enfin, une composition est d'autant plus forte qu'elle ne recèle que peu d'éléments aux formes simples. Décidez quel motif doit dominer et éliminez tous les éléments non indispensables.

Souligner la silhouette La lumière latérale du soir, un plan d'eau lisse comme un miroir soulignent la silhouette de la barque. Au studio, c'est la pose, la mise en scène et le cadrage qui permettent d'y parvenir.

Toutes les images : **Hasselblad**, Tri-X
En haut : 80 mm, 1/125 s, f/8
Ci-dessus : 80 mm, 1/15 s, f/5,6
A gauche : 50 mm, 1/60 s, f/8

Simplification par les Valeurs

Une atmosphère légèrement embrumée élimine les détails des lointains et comprime les valeurs. Les différents plans s'estompent progressivement par la perspective aérienne. Pour le paysage ci-contre, la brume du matin donne une valeur plus claire aux plans les plus éloignés. Les lignes verticales de l'église contrastent avec les lignes obliques des crêtes.

Leica R, 200 mm, CT 18, 1/60 s, f/11

ÉCLAIRAGE EXALTANT LE VOLUME

La lumière est le facteur essentiel donnant le volume de l'objet : une photographie n'a que deux dimensions et elle ne peut nous donner la sensation de troisième dimension que par le jeu des valeurs, elles-mêmes créées par l'éclairage. Celui-ci peut aller de la lumière dure et oblique, ciselant la façade d'un immeuble, à la lumière diffuse, caressant les formes d'un nu. Un éclairage diffus en contre-jour, savamment dosé, est celui qui convient pour magnifier les pétales translucides du lis. Une lumière latérale diffuse, provenant d'une fenêtre, éclaire la statue ci-dessous.

Ci-dessous, à gauche : **Bronica**, 80 mm avec bague-allonge, Plus-X, 1/8 s, f/11
Ci-dessous : **Pentax**, 135 mm, Plus-X, 1/15 s, f/5,6

OBJETS DE TOUS LES JOURS

Ne vous intéressez pas seulement aux objets reconnus comme "beaux" : apprenez à découvrir des formes intéressantes dans les choses les plus humbles. Ce lavabo reçoit une lumière diffuse filtrant par une étroite fenêtre. Le point de vue bas a été choisi pour en souligner la symétrie.

Pentax, 55 mm, Tri-X, 1/5 s, f/8

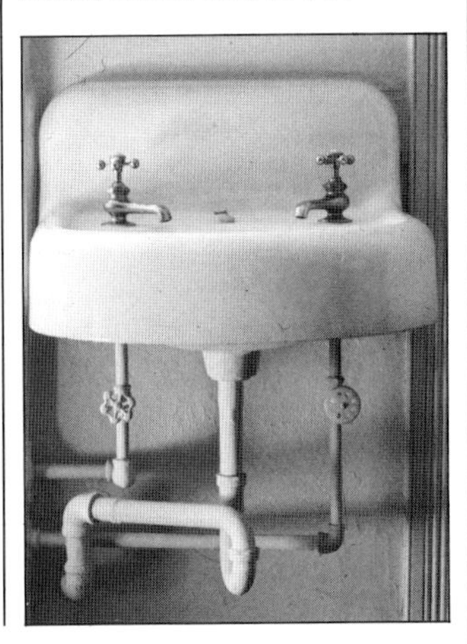

L'OMBRE

L'ombre, aussi, cisèle les formes : que ce soit l'ombre propre soulignant les volumes de l'objet, ou l'ombre projetée, sur les autres objets et sur le fond. Parfois, l'ombre nous donne plus d'informations sur l'objet que la lumière. En revanche, les ombres très complexes apportent de la confusion dans une composition, en modifiant sensiblement les formes et les contours du sujet. Lorsque vous employez un éclairage concentré, faites très attention à sa hauteur et à sa direction par rapport au point de vue. Les ombres très opaques demandent souvent d'être un peu éclaircies, par un réflecteur par exemple. En photo noir et blanc, une ombre forte, projetée sur un fond clair, peut dissimuler les contours de l'objet, que l'œil distinguait pourtant fort bien, mais grâce à la couleur et au relief. L'image de droite utilise sciemment les ombres pour renforcer les formes du sujet.

Hasselblad, 80 mm, Plus-X, 1/60 s, f/16

Différentes Perspectives

La perspective permet de donner une sensation de profondeur à une photographie. Elle est très importante lorsque le sujet se trouve en plan moyen ou en arrière-plan : la perspective linéaire guide alors l'œil vers le motif principal. Tirez le meilleur parti de la convergence des lignes fuyantes et de la diminution d'éléments semblables en fonction de la distance (comme pour les moutons ci-dessous). Utilisez les ressources de la perspective aérienne, noyant progressivement les plans dans les lointains.

Les deux images : **Pentax**, 55 mm, Tri-X
A droite : 1/250 s, f/16
Ci-dessous : 1/30 s, f/16

Objectif et Point de Vue

En choisissant judicieusement le point de vue et la focale de l'objectif, vous ferez converger les lignes de fuite vers le sujet principal. Avec les paysages urbains, il est tentant de donner à la composition une certaine symétrie. Un appareil reflex, exempt de parallaxe, facilite un cadrage très précis. La symétrie parfaite est souvent monotone : si vous le pouvez, incluez quelques petits éléments pour "casser" le rythme.

Leica R, 28 mm, HP5, 1/60 s, f/16

Mouvement et Perspective

Tout objet se déplaçant obliquement par rapport au point de vue engendre des traînées de flou ou "filé" qui obéissent aux mêmes lois de la perspective qu'une scène statique : ce que vous constatez, par exemple, lorsque vous photographiez en pose longue le déplacement des voitures feux allumés. D'une manière plus générale, c'est la perspective qui donne tout son relief au paysage crépusculaire de gauche.

Leica R, 28 mm, Plus-X, 1/2 s, f/3,5

Lignes dynamiques

Les lignes obliques et diagonales dynamisent une composition, bien plus que les lignes horizontales et verticales. Vos images auront plus d'impact si vous choisissez un point de vue et une focale donnant une fuite accélérée des lignes ; particulièrement avec les sujets présentant une structure linéaire très marquée. Le meilleure façon d'y parvenir est de s'approcher du sujet et de prendre un point de vue très oblique. Adoptez alors l'objectif grand-angulaire cadrant l'ensemble du sujet. Les objectifs très grands-angulaires et fisheye ont naturellement une influence très marquée sur la perspective linéaire. Un ciel vide peut être meublé par l'éclatement de lumière donné par un filtre "Starburst", en opérant face au soleil, ce qui peut aussi donner des reflets parasites comme sur la photo ci-contre : prise en forte contre-plongée.
Voir *Face au soleil, pages 74-77.*

Pentax, 28 mm, Tri-X, 1/250 s, f/16

Perspective aérienne

Lorsqu'un paysage présente une perspective linéaire peu marquée, la notion de profondeur peut être traduite par la perspective aérienne qui sépare les plans diversement éloignés par des différences de valeurs. L'effet est plus marqué si ces plans sont très détachés les uns des autres, comme pour l'image ci-contre. La brume, les fumées ou le léger voile atmosphérique, aux heures extrêmes du jour, diffusent la lumière solaire : pour les plans les plus éloignés de l'appareil, il y a une plus grande couche d'atmosphère à traverser, donc une plus grande proportion de lumière diffusée, et, par conséquent, la valeur du plan est plus claire (et plus bleue, ce que nous verrons avec la photo en couleur).

Hasselblad, 150 mm, Tri-X, 1/30 s, f/11

Texture

L'aspect de surface, les qualités palpables de la matière des objets sont la texture de la photographie. Elle peut être rugueuse ou lisse, mate ou brillante, dure ou molle, etc. Le rendu de la texture est un élément qui contribue au réalisme : remarque valable pour un paysage, un portrait ou une nature morte. La texture, révélée par l'éclairage, est mise en valeur par une lumière presque tangentielle. Pour les objets à la texture très marquée, il suffit d'une lumière légèrement diffuse, comme le soleil un peu couvert ; pour les surfaces plus lisses, une lumière dure créant des ombres fortes. Ce temple à Madras était éclairé par la lumière oblique et diffuse de fin de journée : ce qui détaille la texture des piliers sculptés. Le choix d'une courte focale et d'un point de vue surbaissé accentue la perspective de cette architecture.

A droite : **Pentax**, 35 mm, Tri-X, 1/125 s, f/16
Ci-dessous : **Leica R**, 55 mm, FP4, 1/125 s, f/16
Ci-dessous, à droite : **Pentax**, 55 mm, Tri-X, 1/60 s, f/16

Texture en lumière naturelle

Les mêmes principes d'éclairage sont valables lorsque vous opérez en lumière naturelle. Il faut opérer au moment où le soleil éclaire la matière de l'objet très obliquement. Le gros plan (à gauche) de structure est éclairé tangentiellement par le soleil direct de l'après-midi. C'est le jeu des ombres et de la lumière qui détaille la surface rugueuse du bois. Les traces de pneu, ci-dessous, sont éclairées en semi-contre-jour par la lumière solaire diffuse.

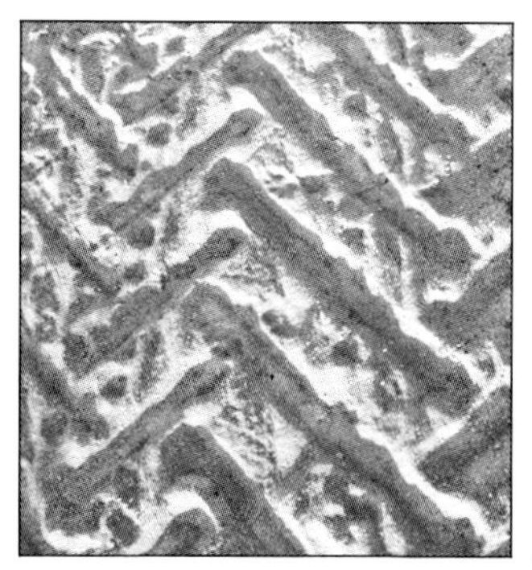

Rythme

Le rythme d'une image est donné par la répétition de certains motifs semblables ou présentant une analogie de forme, dans une composition étudiée. Le rythme existe dans de nombreux sujets : arbre, maisons, ou toute autre collection d'objets identiques. L'éclairage joue ici un rôle primordial, associé à un point de vue rigoureusement déterminé. Tout l'intérêt de l'image ci-contre provient de l'orientation et de la fine découpe des fougères ; elle a été prise à l'ombre, sous une lumière douce et uniforme, le fond opaque soulignant la répétition des formes. Pour ce sujet, le soleil direct aurait donné une image confuse à cause de la multiplicité des ombres.

Leica R, 55 mm, FP4, 1/125 s, f/16

Éclairage et Point de Vue

Avec tous les sujets tridimensionnels, c'est le point de vue qui détermine les relations entre les différents éléments et plans de la scène. Lorsqu'on photographie une cage d'escalier, par exemple, il suffit de déplacer le point de vue de quelques centimètres pour modifier complètement le rythme de l'image : une spirale régulière ou un dessin abstrait de courbes. L'image ci-contre est rythmée par les toits alternativement éclairés ou ombrés d'une usine : la lumière dure détaille les surfaces éclairées et plonge dans l'ombre les autres parties des bâtiments, ce qui donne un grand contraste. Pour une telle image, il fallait utiliser une longue focale, afin de ne pas modifier sensiblement les dimensions des toits diversement éloignés. Pour cet empilage de bouteilles, en bas, on a évité la symétrie en prenant un point de vue rapproché et légèrement oblique. Par ailleurs, l'éclairage indirect sépare nettement le goulot du corps de chaque bouteille.

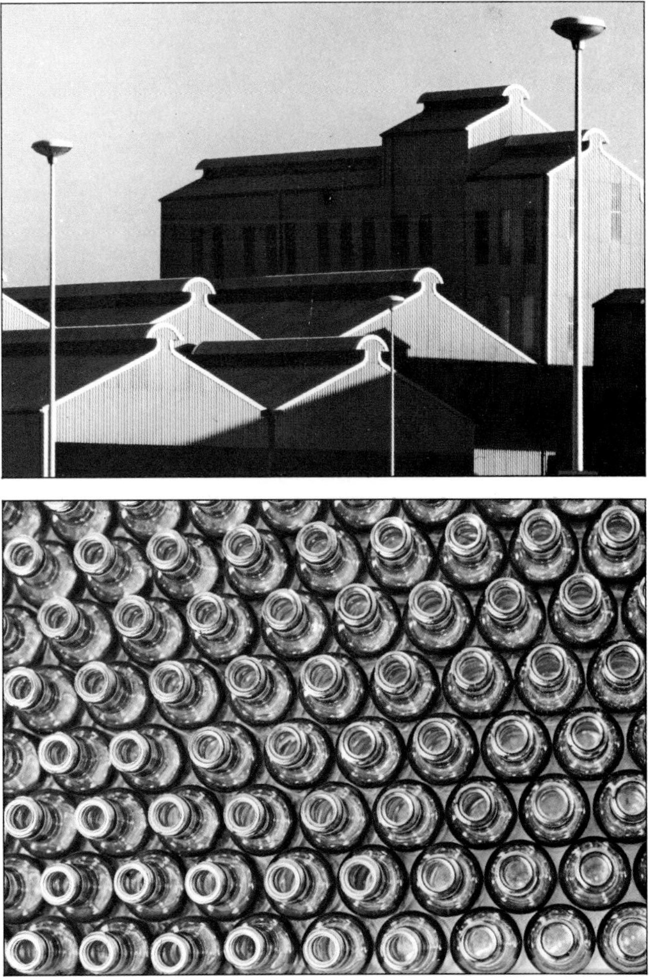

Au milieu : **Leica R**, 135 mm, Tri-X, 1/500 s, f/16
A droite : **Pentax**, 35 mm, Plus-X, 1/60 s, f/16

Mettre en Valeur

Votre image aura plus de force si vous mettez en valeur un motif principal par rapport aux autres éléments. C'est en accentuant un plan ou un élément de la scène que vous affirmerez clairement vos intentions, que vous donnerez toute sa signification à la scène ou à l'événement représentés. Pour l'image du haut, le soleil levant souligne les cimes enneigées, en plongeant le paysage proche dans une ombre profonde. Il serait complètement différent si l'image avait été prise le soir, le paysage proche étant illuminé devant un fond de montagnes sombre et silhouetté sur le ciel. Pour la photo ci-contre, les montagnes ne constituent qu'un arrière-plan très vague devant lequel se détachent clairement la ferme et les quelques arbres. Le premier plan, sans aucun détail, occupant la moitié de la surface du format, évoque isolement et solitude. Pour le portrait ci-dessous, tout contribue à attirer le regard sur le visage de l'homme : les autres éléments, le feu et l'âtre, ne sont là que pour suggérer l'environnement campagnard dans lequel il vit. **Voir** *Perspective aérienne, page 181.*

Choix d'un plan d'intérêt
La sous-exposition du premier plan du paysage met en valeur le fond de montagnes de l'image du haut. Pour l'image du milieu, c'est à mi-distance que le regard se porte, le reste du paysage ne servant que de décor. La photo ci-contre est composée de telle sorte que tout l'intérêt est concentré sur le premier plan.

En haut : **Nikon**, 28 mm, Tri-X, 1/60 s, f/4
Au milieu : **Pentax**, 135 mm, Tri-X, 1/125 s, f/5,6
Ci-contre : **Pentax**, 105 mm, Plus-X, 1/60 s, f/4

Relation Entre les Différents Plans

Parfois, l'intérêt d'une scène s'étend du premier au dernier plan. Les différents plans peuvent être uniformément échelonnés en profondeur, comme pour ce toboggan géant, ou nettement séparés : ce qui est le cas de la photo du bas. Mais il faut quelque motif intéressant pour retenir le regard sur chacun des plans concernés ; c'est ainsi que, pour le toboggan, nous avons sous les yeux trois phases de l'action : à l'arrière, les enfants qui s'apprêtent à glisser ; à mi-distance, ceux qui sont en pleine descente ; au premier plan, la petite fille qui va repartir pour un tour. La sensation de mouvement est aidée par la dynamique des lignes obliques, accentuée par l'emploi d'un grand-angulaire ; lequel offre de plus l'avantage d'une grande profondeur de champ, avec une rapide diminution de la taille relative des enfants. Les deux enfants en pleine action jouent un rôle fondamental en servant de relais visuel entre le premier et le dernier plan. Dans d'autres circonstances, vous pouvez passer directement du premier au dernier plan, sans relais par la mi-distance : ce qui permet, comme pour l'image ci-dessous, la comparaison directe entre le mur démoli (qui a l'avantage de cacher des bâtiments modernes) et la cathédrale s'élevant dans toute sa majesté. La lumière diffuse d'un ciel gris a pour effet de rapprocher les deux plans par l'absence de perspective et la similitude des valeurs. Pour rapprocher artificiellement deux plans éloignés, on utilise de préférence une longue focale et un point de vue assez éloigné, avec une faible ouverture de diaphragme pour que tout soit net.

Sujet uniformément échelonné en profondeur (ci-dessus) L'intérêt de l'image s'étend du premier au dernier plan.

En haut : **Leica R**, 28 mm, Tri-X, 1/60 s, f/16

Plans artificiellement rapprochés Le premier plan semble directement lié à l'arrière-plan, sans relais par un plan de mi-distance (ci-contre).

A droite : **Hasselblad**, 150 mm, Tri-X, 1/30 s, f/16

Cadrage simple

Vous ajouterez un élément complémentaire à votre composition en cadrant votre sujet principal à l'intérieur d'une découpe d'avant ou d'arrière-plan : par exemple, à travers une fenêtre ou une véranda (à droite) ; cela donne à l'image de la profondeur et un certain équilibre. Les détails inutiles peuvent être supprimés, soit dans le ciel ou en premier plan. Le sujet principal peut se trouver au premier plan, se détachant sur un fond très éclairé : mettant sa silhouette en valeur. Un tel cadrage demande une composition très précise.

Minolta, 35 mm, Ektachrome (100), 1/250 s, f/8

Encadrement mettant le sujet principal en valeur Les deux images ci-dessus mettent l'accent sur le personnage, en l'encadrant, mais selon deux méthodes différentes. Le professeur d'université est silhouetté par les fenêtres derrière lesquelles le collège apparaît. Dans l'autre, l'homme est encadré dans la porte ouverte, sur une façade de bois clair.

En haut : **Hasselblad**, 80 mm, Plus-X, 1/125 s, f/11
Ci-dessus : **Leica R**, 28 mm, Ektachrome (100), 1/60 s, f/5,6

Cadrage composite

Les deux images, à droite et ci-dessous, montrent le cadrage d'une image à l'intérieur d'une autre. Les trois personnes et la table servie sont cadrées dans l'espace libre entre les fleurs et les arbustes : les vêtements noirs des femmes contrastent avec le mur blanc et les fleurs. Pour le portrait de droite, c'est le miroir qui encadre le visage ; un contrepoint visuel est créé, le cygne et les mains.

A droite : **Pentax**, 28 mm, film Recording, 1/125 s, f/2,8
Ci-dessous : **Bronica**, 150 mm, Tri-X, 1/60 s, f/16

Nature Morte

Le terme nature morte s'applique en fait à tous les objets inanimés que l'on assemble en studio. Vous disposez alors d'une totale liberté de composition, d'éclairage et de point de vue. Choisissez des objets présentant certaines analogies de forme, couleur ou matière. La composition doit rester simple ; construisez votre image élément par élément, en surveillant l'effet dans le viseur, un peu comme un peintre qui "bâtit" son tableau. Les rapports entre les objets entre eux et avec le format sont essentiels ; il en est de même pour la forme des ombres et la nature du fond.

Éclairage et composition d'une nature morte L'image ci-dessus est éclairée de manière simple par la lumière du jour provenant d'une baie vitrée. Les valeurs claires de la céramique et de la table en bois réfléchissent la lumière dans les ombres. Les deux images ci-dessous montrent que les objets de tous les jours peuvent donner des photos intéressantes, pourvu qu'ils soient bien composés et éclairés ; ici par la dure lumière d'un spot. Notez le rythme né de la répétition d'objets semblables. Remarquez également l'emploi dramatique des ombres projetées, avec l'apparition inattendue de l'ombre du gobelet en réalité caché par la cruche.

Ci-dessus : **Hasselblad**, 150 mm, Plus-X, 1/15 s, f/16
Les deux images ci-dessous et à droite : **monorail MPP**, 180 mm, FP4, 1/2 s, f/22 (ci-dessous) ; 2 s, f/32 (à droite)

Objets Trouvés

Nous parlons de ces natures mortes préexistantes que l'on découvre dans une vitrine (ci-dessous), sur une plage (coquillages, bois rongé par la mer), etc., qui forment des compositions spontanées parfois harmonieuses. Les lignes courbes de la vanne et du tuyau (à droite) s'opposent aux horizontales de l'escalier. Ces sujets sont tout autour de nous.

À droite : **Pentax**, 100 mm macro, Tri-X, 1/125 s, f/5,6
Ci-dessous : **Pentax**, 85 mm, Tri-X, 1/125 s, f/8

CAMPAGNE

Les paysages de campagne sont plus difficiles à bien photographier qu'il ne paraît. Que vous désiriez saisir un détail, une ambiance ou une étendue de terrain, il est également nécessaire de composer avec précision. Les grands espaces contiennent souvent de nombreux éléments, parmi lesquels il vous faudra choisir, afin de conserver une grande unité. Cherchez le point fort de votre image : un bâtiment, une rivière, un arbre accroché au flanc d'une colline, etc., et donnez-lui une place dominante dans la composition, en relation avec les éléments environnants. Tentez de saisir l'atmosphère caractéristique de la saison et du climat. Il est certain qu'un ciel nuageux est préférable à un ciel vide. Il existe sans doute un point de vue montrant mieux que tout autre l'étagement des différents plans et les relations entre le premier plan et l'horizon. Utilisez les lignes constituées par les rangées d'arbres, les chemins, les clôtures, pour guider l'œil du spectateur vers le motif dominant que vous aurez préalablement choisi.

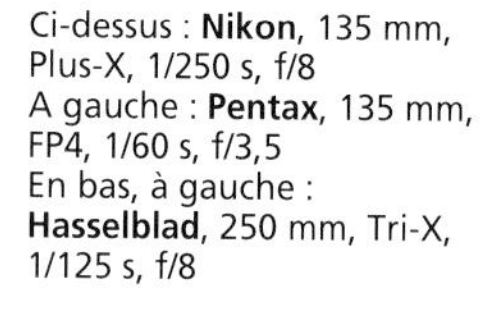

Ci-dessus : **Nikon**, 135 mm, Plus-X, 1/250 s, f/8
A gauche : **Pentax**, 135 mm, FP4, 1/60 s, f/3,5
En bas, à gauche : **Hasselblad**, 250 mm, Tri-X, 1/125 s, f/8

PAYSAGE INDUSTRIEL

Les constructions humaines sont souvent photogéniques, parce qu'elles comportent des formes et des rythmes variés. Cherchez un premier plan caractéristique, tant par ses lignes que par ses tonalités. La structure d'acier rouillé de la cimenterie – à gauche – était recouverte d'une fine couche de poussière qui désaturait les couleurs en attirant le regard sur le jeu des lignes courbes et rectilignes. Le choix d'une longue focale ajoute encore aux qualités abstraites de l'image, en isolant et en comprimant l'espace.

Eau Vive

L'aspect de l'eau vive est très tributaire de la vitesse d'obturation utilisée pour la saisir. Il n'est pas possible de prévoir exactement cet aspect, qui dépend d'autres facteurs : telles la direction et la rapidité du mouvement liquide. Si vous opérez sur pied, cela vaut la peine de prendre une série d'images à différentes vitesses, pour choisir finalement la vue où le mouvement de l'eau vous semble mieux traduit.

Changement d'aspect de l'eau La photo ci-dessous a été prise au 1/4 s, f/16 ; celle de droite, 1/250 s, f/2. Pour geler le mouvement, il aurait fallu poser au moins 1/2 000 s.

Pentax, 28 mm, Ilford (400)

Eau Dormante

L'eau dormante d'un lac ou d'un étang forme un somptueux miroir où se reflète le ciel. Le meilleur moment pour opérer, c'est le soir ou le matin, lorsqu'il n'y a pas de vent et que la surface est parfaitement calme. L'effet est plus frappant si la masse du sol est un peu sombre, comme pour le paysage ci-contre. Mais essayez de rompre la trop parfaite symétrie entre le ciel et son reflet dans l'eau. Pour cela, mettez à profit les lignes significatives des roseaux ou d'une embarcation.

Nikon, 28 mm, FP4, 1/125 s, f/11

Choix des Sujets et des Points de Vue

L'architecture est un excellent sujet pour la photographie, mais c'est un domaine qui demande de la réflexion. Une certaine connaissance des styles et des époques semble indispensable, tout en tenant compte des considérations pratiques. Par exemple, il se peut que le soleil n'éclaire une certaine façade que quelques jours par an, et le photographe doit en être conscient. La destination d'un bâtiment indique souvent de quelle manière il doit être photographié ; l'intérieur d'une cathédrale, par exemple, est caractérisé par l'élévation des piliers et des voûtes ; notion qu'un cadrage maladroit détruirait complètement. Ne vous limitez pas aux grandes bâtisses : des maisons ordinaires, la rue, offrent autant d'occasions de réaliser des clichés librement interprétés. Le point de vue est important. La vue de pleine face, l'éclairage frontal de la maison ci-contre, mettent l'accent sur son extraordinaire symétrie. La photo ci-dessous utilise les ressources de la perspective pour conduire l'œil du spectateur. C'est sans doute pour la photo architecturale que le choix des focales et les mouvements de l'appareil sont le plus précieux.

En haut : **Pentax**, 55 mm, Plus-X, 1/125 s, f/11
A droite : **Nikon**, 28 mm, Tri-X, 1/30 s, f/16

Éviter le poncif

Tentez de donner une interprétation personnelle du bâtiment et de son environnement. Évitez ces points de vue évidents, choisis instinctivement. L'angle insolite sous lequel il est pris donne un intérêt nouveau au baptistère de Pise, si souvent photographié. Cherchez le détail significatif qui est symptomatique de vos propres réactions face au sujet ; c'est ainsi que ce salon de coiffure à Montréal (au milieu, à droite) constitue un souvenir de la ville très différent du stade olympique ou des restes de l'Expo '67.

A droite : **Nikon**, 28 mm, FP4, 1/250 s, f/8
A droite, au milieu : **Leica R**, 50 mm, Ektachrome (100), 1/30 s, f/5,6

Rythme en architecture

L'architecture est pleine de rythmes et de motifs, propres au style, aux matériaux employés, aux méthodes de construction, à l'usage du bâtiment. La décoration en mosaïque de cette fenêtre d'hôtel est un embellissement appliqué à un dessin classique de la façade. Trouvez un rythme ou un motif bien caractéristique, puis cherchez l'angle et l'éclairage les mieux adaptés. C'est la différence des valeurs de gris des diverses façades qui apporte la variété dans la photo de droite, pourtant fondée sur des motifs de fenêtres semblables et répétés. Le cadrage serré laisse croire qu'une telle structure est sans limites.

Ci-dessus : **Pentax**, 135 mm, Tri-X, 1/250 s, f/5,6
A droite : **Leica R**, 250 mm, Tri-X, 1/250 s, f/8

Paysage urbain

Les formes et les lignes de l'architecture moderne conduisent naturellement à des images expressives. Recherchez les oppositions de lignes et de styles. Simplifiez autant que possible ; trouvez des points de vue inédits et opérez lorsque l'éclairage naturel se prête à vos intentions, comme ce contre-jour sur New York. Pensez à tirer parti de l'encadrement des voûtes et des ponts ; utilisez la convergence des lignes horizontales pour guider l'œil du spectateur vers le centre d'intérêt et pour relier les différents plans. Les lignes inflexibles du building de droite, avec ses formes géométriques, contrastent violemment avec la silhouette gracile de la jeune fille (ci-contre). Il faut surtout parvenir à saisir l'atmosphère particulière de la ville, du quartier ou d'une rue.

A droite : **Leica R**, 28 mm, Plus-X, 1/125 s, f/8
Ci-dessous : **Leica R**, 21 mm, Tri-X, 1/250 s, f/11

Contraste

Nous voulons parler du contraste des styles et des époques : comparaison entre les quartiers anciens et les quartiers neufs ; entre le supermarché et la boutique traditionnelle (ci-dessous) ; les habitations entretenues et celles qui sont abandonnées, etc. Tout cela peut être valorisé par la présence (ou par l'absence) de l'élément humain, lequel, dans une image de cette sorte, acquiert immédiatement une signification décisive.

En haut : **Nikon**, 50 mm, FP4, 1/125 s, f/8
Ci-dessus : **Pentax**, 135 mm, Ilford (400), 1/250 s, f/5,6

Habitants des Villes

Les villes et les maisons sont faits pour y vivre et ce sont les habitants qui donneront toute leur signification humaine à vos images. Les places, les centres commerciaux, les rues piétonnières, sont conçus pour les échanges humains et ils perdent leur intérêt si vous les photographiez au moment où ils sont déserts. Ne laissez cependant pas dominer un personnage parmi les autres, cela par le choix d'un point de vue assez éloigné. Une pose un peu longue permet de séparer par le flou les personnages se déplaçant de ceux qui sont immobiles.

Pentax, 35 mm, Tri-X, 1/250 s, f/11

En haut : **Nikon**, 50 mm, Plus-X, 1/125 s, f/4
Ci-dessus : **Pentax**, 55 mm, FP4, 1/60 s, f/8

Le détail significatif

Une autre manière d'exprimer la ville, c'est de montrer le comportement individuel de ses habitants, sans faire figurer l'élément humain. Les marches usées par des millions de pas ; les sonnettes d'un immeuble ; le journal dépassant d'une boîte aux lettres ; une fenêtre derrière laquelle on peut supposer que quelqu'un nous observe ; les affiches et les graffitis sont autant de détails qui évoquent un comportement et un mode de vie. Toutes ces notations prennent de la valeur si elles sont multipliées en séquences : essayez par exemple des séries de portes ou de fenêtres, en jouant sur les similitudes et les différences, si révélatrices d'une certaine manière d'exister.

En haut, à gauche : **Pentax**, 135 mm, Tri-X, 1/250 s, f/5,6
A gauche : **Leica R**, 50 mm, FP4, 1/125 s, f/4

Principes de Base

Pour réussir un portrait, tenir compte des données psychologiques, aussi bien que du physique du modèle. Votre image doit mettre en valeur le caractère : vivacité, réflexion, humour, etc. Apprenez à comprendre et à prévoir les réactions du modèle, pour lequel la séance de portrait est aussi une chose difficile. Tout doit être fait pour le mettre à son aise. A vous de choisir le fond dont la teinte est appropriée aussi bien aux vêtements qu'à la carnation du visage et à la chevelure. Les fonds blancs ou noirs ne sont pas recommandés, sauf dans le cas où vous avez choisi de faire un high ou low key. L'objectif de longue focale et un point de vue assez éloigné sont essentiels pour éviter toute déformation du visage. Travailler de loin a de plus l'avantage de décontracter le modèle. Faites toujours la mise au point sur les yeux. Une seule lumière principale, pour éviter les ombres croisées. Votre personnage doit conserver une certaine liberté de mouvement. Assurez par avance tous les réglages de l'appareil afin de pouvoir vous concentrer uniquement sur l'expression.

Comment saisir une expression spontanée
Au moment où l'acteur Tom Courtenay a été saisi dans une expression enjouée, le photographe conversait avec lui : ce qui explique la vivacité du regard. Il n'y a qu'une seule source d'éclairage : un flash avec parapluie au-dessus de l'appareil.

Bronica, 180 mm, FP4, 1/60 s, f/16

L'Expression

L'expression est l'élément fondamental pour réussir un portrait. Disposez d'un éclairage suffisant pour opérer avec une ouverture de diaphragme donnant une bonne profondeur de champ, ce qui laisse au modèle une certaine liberté de mouvement. L'appareil étant sur pied, utilisez un déclencheur souple de grande longueur, ce qui vous donne la possibilité de parler avec le modèle, tout en lui demandant de vous suivre dans vos propres mouvements. Il s'intéressera à la conversation, jusqu'à oublier qu'il va être photographié. Pour y parvenir, découvrez quels sont les sujets qui l'intéressent. Minimisez les aspects techniques autant que possible et apportez le maximum de confort au modèle. Il est certain que le flash électronique, qui ne chauffe pas et n'éblouit pas le modèle, est la source de lumière idéale. Pour changer le point de vue, faites tourner la chaise du modèle. Tenez-le assez loin du fond pour éviter d'y projeter son ombre. Peu de changements d'éclairage, prendre de nombreux clichés, s'amuser en travaillant, tels sont les éléments qui favorisent la réussite d'une séance de portrait.

Portraits en série Pour cette série de portraits, on n'a utilisé qu'un flash électronique très diffusé, positionné soit au-dessus de l'appareil, soit placé de côté, avec un réflecteur pour éclaircir le côté ombré. Douze clichés ; douze expressions différentes !

Pour toutes les images : **Bronica**, 180 mm, FP4, 1/60 s, f/11

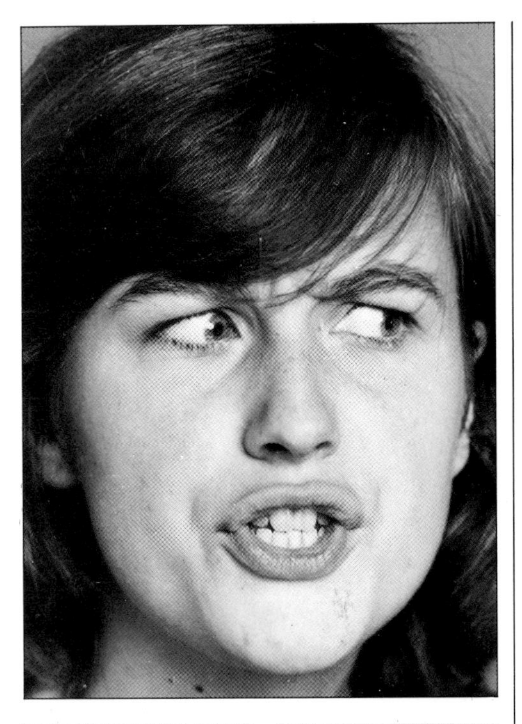

Portraits décontractés

Le portrait sans cérémonie, loin du studio, permet d'ajouter la présence d'un environnement significatif. En revanche, il ne vous est plus possible d'attacher autant d'importance à la composition et à l'éclairage, qui sont moins contrôlables. Cherchez plutôt le moment qui révèle une expression ou une attitude momentanée, comme pour la petite fille de droite. Soyez toujours prêt à tirer parti des conditions ambiantes, en vous mettant en position idéale par rapport à l'éclairage disponible et au personnage, tout cela sans attirer l'attention de la future "victime". Dans certains cas, comme pour le portrait ci-dessous, la pose naturelle et les conditions d'éclairage sont telles que l'image peut prendre l'aspect d'une photo mûrement élaborée en studio, avec l'avantage que le modèle est ici beaucoup plus décontracté. Ce résultat est plus facilement atteint lorsque le modèle est placé dans son décor naturel et familier.
Voir *Éclairage du portrait, pages 90-91.*

Pentax, 50 mm, Tri-X, 1/125 s, f/11

Éclairage naturel pour portraits décontractés Ce portrait du peintre Richard Hamilton (à gauche) révèle son esprit contemplatif. La personnalité "carrée" de Percy Shaw est bien exprimée par ce portrait de pleine face, pris en extérieur (ci-dessus).

A gauche : **Hasselblad**, 120 mm, Tri-X, 1/30 s, f/11
Ci-dessus : **Bronica**, 80 mm, Ilford (400), 1/60 s, f/5,6

PORTRAITS DANS L'ENVIRONNEMENT FAMILIER

Tout être humain est plus facile à photographier dans son univers personnel ; de plus, les objets qui l'entourent sont révélateurs de sa personnalité. Mme Watt est une horticultrice très connue par les nombreuses distinctions reçues au cours des années : il était normal de la montrer au milieu de ses diplômes et de ses coupes, dans son salon éclairé par la lumière naturelle. La forte personnalité de Mary Quant, ci-contre, célèbre couturière, est bien exprimée par ce portrait pris dans son propre living-room.

En haut : **Hasselblad**, 60 mm, Tri-X, 1/60 s, f/5,6
A droite : **Hasselblad**, 40 mm, Plus-X, 1/60 s, f/11

FOND POUR PORTRAIT

Un portrait doit être plus qu'une ressemblance : il doit aussi saisir la personnalité profonde du modèle. En studio ou ailleurs, pensez au fond devant lequel vous placerez votre personnage. Un fond uni isole le modèle, mais ne nous informe en rien sur lui. Le fauteuil et le tableau ancien créent, au contraire, un certain climat pour le groupe ci-contre : instinctivement, le spectateur compare époques et vêtements. C'est une photographie de studio, à la lumière du jour. Le fond doit être en rapport avec les personnages, mais jamais les dominer. Pour le portrait du guitariste Julian Bream, on a choisi le décor de sa maison de campagne. C'est un excellent jardinier, ce qui justifie l'abondance des fleurs. Mais remarquez à quel point la porte ouverte de la maison contribue à isoler le personnage de son environnement.

A droite : **Hasselblad**, 80 mm, Royal-X Pan, 1/60 s, f/5,6
Ci-dessous : **Nikon**, 85 mm, Plus-X, 1/30 s, f/11

Le Lieu de Travail

Le meilleur endroit pour photographier un personnage est bien souvent son lieu de travail. L'écrivain Enid Bagnold, ci-dessus, écrit dans une pièce parsemée des souvenirs d'une vie très active. Le problème, dans un environnement aussi complexe, est de faire ressortir le modèle au milieu de ce décor confus. On a donc choisi un éclairage frontal ne formant pas d'ombres dures. Le portrait de Selwyn Lloyd fut pris au palais de Westminster où il exerce ses hautes fonctions. Le décor est simple, mais il est directement en rapport avec la charge de président de la Chambre des communes. Pour l'éclairage, on a utilisé un flash électronique.

Ci-dessus : **Hasselblad**, 60 mm, Tri-X, 1/60 s, f/16
A droite : **Hasselblad**, 80 mm, Plus-X, 1/60 s, f/11

Gros Plan

Émotions et humeurs se reflétant dans un visage sont subtiles, fugaces et variées : les yeux et la bouche sont les plus révélateurs. La présence de la main (ci-dessous) contribue également à exprimer une personnalité ou un état d'âme.
Si d'autres éléments sont inclus dans le cadrage, ils doivent se justifier. Dans ce portrait de Henry Moore (ci-contre), le chapeau et le col adoucissent l'impression générale donnée par l'intense expression du grand sculpteur. En gros plan, éviter un point de vue trop rapproché, parce que cela gêne le modèle et que cette faible distance induit une perspective exagérée, déformant le visage. Une meilleure solution : prendre la vue en buste, à distance normale avec un 6 x 6 cm par exemple, puis agrandir une partie du négatif en recadrant. On peut aussi employer un moyen téléobjectif, éventuellement avec une bague-allonge.
Voir *Objectifs : longue focale, pages 120-121.*

A droite : **Hasselblad,** 150 mm, Tri-X, 1/60 s, f/11
Ci-dessous : **Hasselblad,** 80 mm, Tri-X, 1/60 s, f/5,6

Point de vue inhabituel

Ne vous laissez pas influencer par la hauteur de votre pied-support ou par la visée de votre appareil : gardez le libre choix de la hauteur du point de vue.
Pour le peintre Graham Sutherland, l'image a été prise d'un balcon, afin de montrer sa manière de travailler et le contenu de son carnet de croquis.
Le point de vue très bas du portrait ci-dessous utilise les lignes convergentes du tapis et des murs pour diriger le regard vers la jeune fille. On a fixé une feuille de papier blanc sur la porte du fond pour unifier l'arrière-plan. L'éclairage du flash électronique est réfléchi par les murs et le plafond.

A droite : **Bronica**, 80 mm, FP4, 1/125 s, f/8
Ci-dessous : **Hasselblad**, 50 mm, Plus-X, 1/60 s, f/11

Bébés

Expressifs et spontanés, n'essayez pas de les faire poser ! C'est dans les bras de maman qu'ils se trouvent le mieux (à droite) ou au milieu de leurs joujoux. Patience et astuce pour saisir au vol une expression spontanée. Les bébés sont mal à l'aise sous le feu des projecteurs, aussi le flash électronique est-il préférable. C'est ainsi qu'ont été prises les images de droite, avec un diffuseur parapluie derrière le tube-éclair avec lampe-pilote. Un éclairage très doux et diffus convient bien pour ces petits modèles, d'autant que la douceur des ombres permet une grande liberté de mouvement.

Toutes les images du bébé : **Pentax**, 55 mm, Plus-X, 1/60 s, f/11

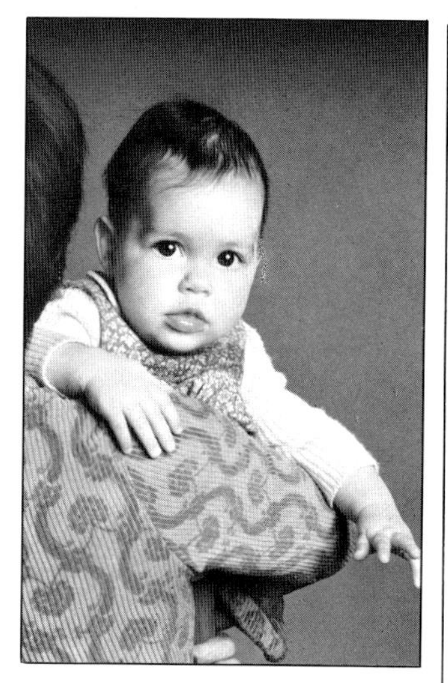

Enfants

Dès l'âge où il est capable de marcher et de courir, l'enfant devient un acteur et même un clown ! En quelques secondes, ses expressions et ses gestes expriment l'étonnement, la curiosité, la joie, la tristesse ou l'ennui. Mais toutes ces expressions restent naturelles et la plupart du temps gracieuses (à gauche). Au besoin, soyez l'organisateur du jeu : l'enfant oubliera vite l'appareil et la comédie s'orchestrera d'elle-même. Il vous faudra travailler très vite, sans avoir le temps de faire le point ou de régler l'exposition. Sur la photo de gauche, constatez à quel point l'expression est différente selon l'âge des enfants : adolescent, il devient plus réservé et moins naturel. Essayez de saisir ces sentiments variés. Pour l'image de droite, la mise en scène – car c'en est une – est organisée pour souligner le geste et la mimique de la coquette petite fille.

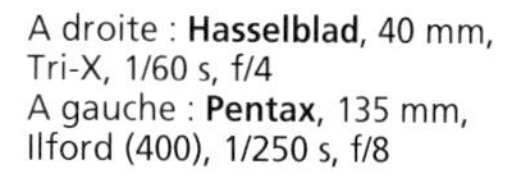

A droite : **Hasselblad**, 40 mm, Tri-X, 1/60 s, f/4
A gauche : **Pentax**, 135 mm, Ilford (400), 1/250 s, f/8

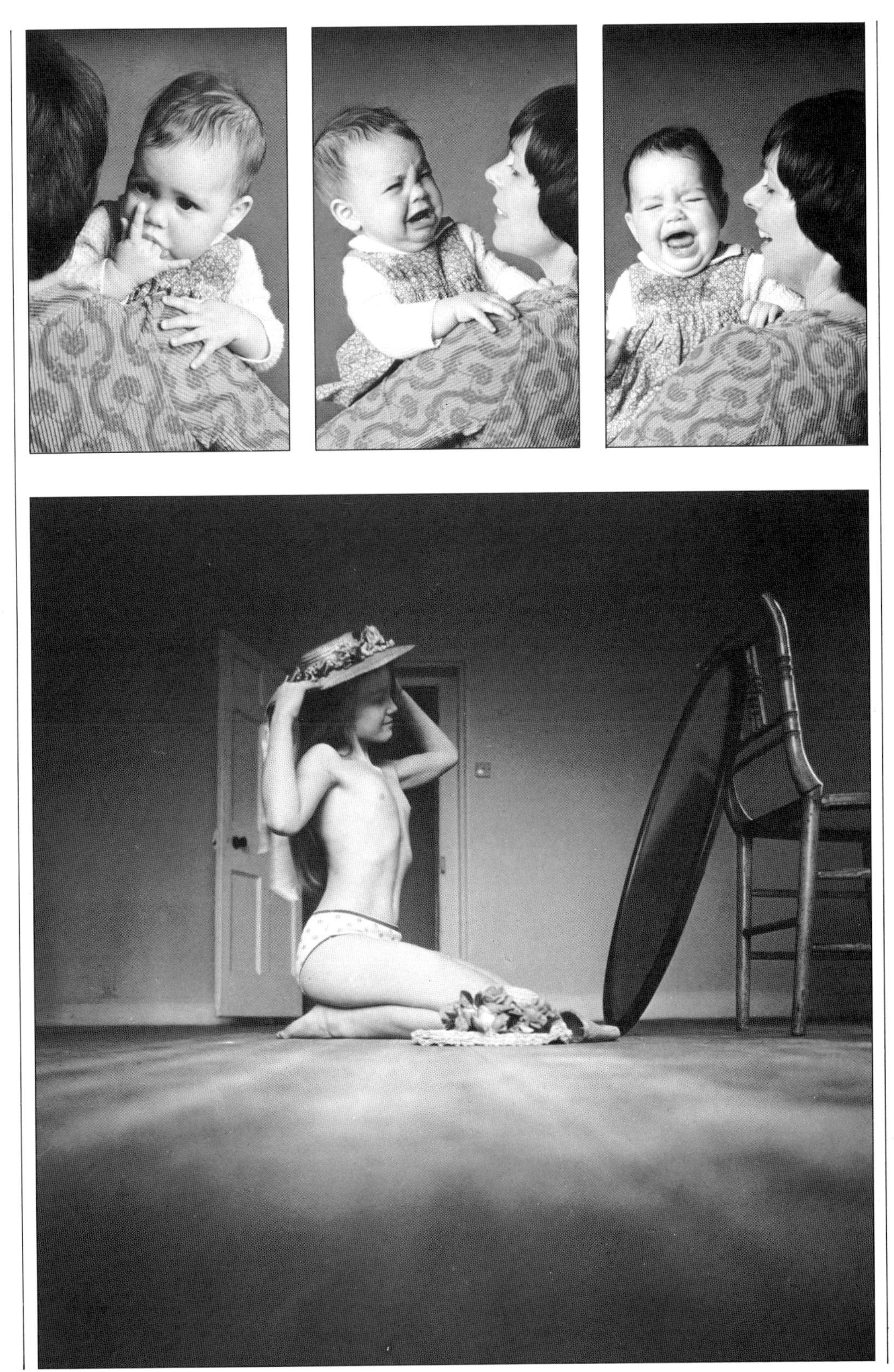

FEU À VOLONTÉ

Observez les gens dans leur vie de tous les jours : une image saisie sur le vif rend compte de la relation entre deux personnages (ci-contre) ou enregistre une surprise (ci-dessous). Ayez votre appareil toujours préréglé. Par exemple : 1/250 s, f/4 pour 400 ISO, mise au point sur 2,50 m. Si un personnage intéressant se présente, prenez aussitôt une vue, quitte à en reprendre une seconde, en rectifiant les réglages (si cela est possible). Pour ne pas vous faire remarquer, effectuez ce préréglage en visant dans une direction opposée à celle où vous pensez "qu'il va se passer quelque chose". Vous n'aurez plus alors qu'à vous retourner et à déclencher. Vous pouvez aussi opérer sans viser, l'appareil étant sous le veston : méthode employée pour la vue en bas à droite.

Dispositif Mirro-Tach
Ce complément se fixant à l'avant de l'objectif normal ressemble à un téléobjectif. Il contient un miroir orienté permettant de viser à 90°, sans se faire remarquer de l'éventuelle "victime".

Ci-dessus : **Pentax**, 85 mm, Tri-X, 1/250 s, f/4
A gauche : **Nikon**, 135 mm, Ilford (400), 1/250 s, f/5,6
A droite : **Leica**, 90 mm, Tri-X, 1/250 s, f/8
Ci-dessous : **Pentax**, 50 mm, FP4, 1/60 s, f/8

Portrait Composite

Plus vous ferez de portraits, plus vous vous passionnerez pour la nature humaine. Vous pouvez, par exemple, chercher à enregistrer les ressemblances raciales ou familiales ; la forme et les proportions des différents visages ; les effets du vieillissement, etc. Une expérience intéressante est de photographier exactement de la même manière les membres d'une famille puis de comparer les visages entre eux. Vous pouvez aussi réaliser des portraits composites, comme celui ci-dessous, qui mélange les caractéristiques du visage de trois artistes contemporains : Henry Moore, Pablo Picasso et Francis Bacon. Les trois portraits originaux sont pris de pleine face,

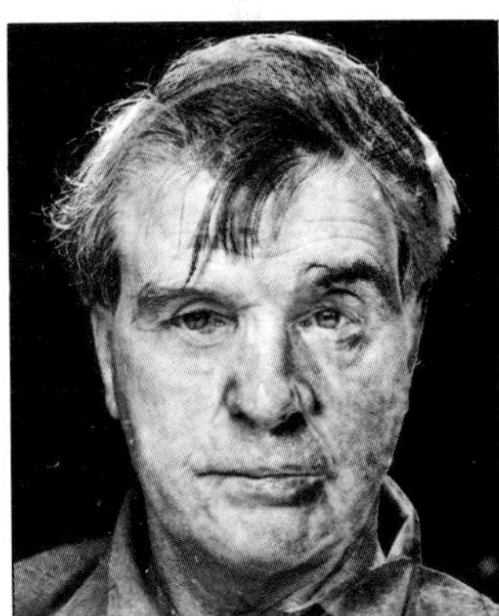

avec éclairage frontal du jour. Le négatif représentant Henry Moore fut placé dans l'agrandisseur et la position des yeux tracée sur le margeur. Une première exposition du papier sensible fut donnée de 4 secondes (au lieu de 10, qui aurait été la pose correcte pour ce cliché). Puis l'on fit exactement la même chose avec les deux autres négatifs, en veillant à ce que le rapport d'agrandissement soit identique et que les yeux soient parfaitement superposés. Le résultat final est une face irréelle, mais intéressante, dans laquelle on retrouve, mélangées, les caractéristiques faciales des trois artistes.

Mise en Place d'un Groupe

Les personnes ayant des activités communes aiment être photographiées en groupe ; chaque individu prend au milieu de ses semblables une assurance qu'il n'aurait pas s'il était photographié seul. Il faut bien montrer la raison d'une telle association : c'est, par exemple, un groupe folklorique ou sportif, de même, pour un mariage. Tâchez de photographier le groupe dans un environnement qui apporte des informations complémentaires : cette vallée, derrière une chorale de village gallois, pour l'image de droite, par exemple. Pour un groupe plus conventionnel, comme ci-dessous, disposez vos personnages dans une composition symétrique. Pour que chaque visage soit visible (ce qui est indispensable), vous pouvez étager les rangs ; comme ici : accroupis, assis sur un banc et debout. Le vide laissé en premier plan peut être occupé par les coupes gagnées par l'association, ou, s'il s'agit d'une fanfare, par les instruments de musique. Si vous préférez un groupe moins conventionnel, laissez les gens s'organiser d'eux-mêmes, mais à condition de choisir vous-même un centre d'intérêt : personnage principal ou objet symbolique autour duquel ils s'assembleront. Le meilleur éclairage pour un groupe est un ciel légèrement couvert, qui donne une lumière uniformément répartie (un soleil trop vif peut faire grimacer).
Au moment de la prise de vues, indiquez clairement vos volontés : que tous les chanteurs entonnent un air ; que tous regardent l'appareil ou qu'ils se regardent mutuellement. Cela étant, prenez beaucoup de clichés : si les membres du groupe sont nombreux, il y a toujours le risque que l'un d'eux soit pris au mauvais moment.

Ci-dessus : **Hasselblad**, 80 mm, Tri-X, 1/30 s, f/16
A droite : **Nikon**, 85 mm, Tri-X, 1/125 s, f/8

Groupes Composites

On peut faire un groupe en juxtaposant des portraits individuels pris dans des conditions semblables. Le résultat est plus convaincant si chaque portrait est marqué par un accessoire commun : ici, le fauteuil. Vous pouvez prendre plusieurs clichés de chaque personnage et assembler dans la composition finale les images caractéristiques de chaque individu. Une chose qui serait quasiment impossible si tous les personnages étaient pris en un seul cliché. La méthode permet également de réunir des personnes qui ne sont pas physiquement disponibles au même moment : une famille dispersée, par exemple. Il est plus facile de n'employer qu'un accessoire simple comme ce fauteuil. Marquez sur le sol l'emplacement du fauteuil et mesurez la distance de prise de vue, pour que la perspective soit la même pour toutes les vues. Les conditions opératoires (éclairage, film, exposition, etc.) seront toujours les mêmes.

Toutes les images :
Hasselblad, 60 mm, Royal-X, 1/60 s, f/16

AUTOPORTRAITS

La technique de l'autoportrait demande quelques accessoires. Vous pouvez vous photographier à côté de votre appareil, dans un miroir, puis tirer le négatif à l'envers pour redresser l'image, en éliminant par cadrage l'image de l'appareil. Vous pouvez poser devant l'appareil, en vous servant d'un miroir pour contrôler votre expression. Utilisez un déclencheur de grande longueur.

Portrait programmé Le portrait ci-contre a été fait avec le système ordinateur "Print-Me" : face à une caméra de télévision, vous contrôlez votre pose sur un écran TV et vous appuyez sur un bouton, ce qui transmet l'image à un ordinateur. Ce dernier analyse les valeurs de l'image et les transforme en un assortiment de lettres et de symboles qui sont encrés sur papier par une imprimante reliée à l'ordinateur.

Faites votre autoportrait Pour l'image en bas à gauche, le photographe s'est servi d'un miroir placé près de l'appareil pour contrôler pose et expression. Vous pouvez vous photographier dans une cabine de Photomaton ; le résultat ne sera sans doute pas meilleur que celui-ci (en bas, à droite) !

Pentax, 50 mm, Tri-X, 1/30 s, f/8

Souvenirs de Vacances

Vous pouvez comme beaucoup constituer le classique album ou la série de diapositives, mais évitez ces successions de vues statiques un peu monotones : alternez plutôt les portraits classiques avec des vues plus lointaines ou des gros plans, en cherchant les angles inédits, les effets d'éclairage et les décors originaux. Employez un appareil simple, à visée directe, que l'on peut toujours avoir avec soi ; un tel appareil, automatique, est prêt à enregistrer instantanément l'événement le plus fugace, le plus imprévu : de bons souvenirs pour plus tard. Prévoyez quand même un petit flash, si vous voulez opérer simplement en intérieur. Ne commettez pas l'erreur de n'opérer que par plein soleil ; les vues les plus évocatrices sont souvent faites au coucher du soleil ou même par mauvais temps ! Les images illustrant cette page ont été prises au cours d'un voyage en famille : toutes ces petites notations évoquent autant l'esprit joyeux et décontracté régnant dans cette famille qu'elles décrivent les événements eux-mêmes.

Toutes les images : **Pentax,** Ektachrome (100)

Personnages et Événements

Cérémonies et anniversaires sont des occasions pour un photographe. Décidez avant tout si le thème sera traité de manière classique ou libre. Si vous choisissez la première, indiquez à vos personnages comment ils doivent se placer. Pour le portrait du lord-maire de Londres (milieu, à droite), les vêtements, les poses, les accessoires sont méticuleusement choisis et arrangés. Les vues plus libres demandent une approche différente : vous pouvez attirer l'attention de votre personnage au dernier moment, mais il faut être prêt à déclencher immédiatement ; c'est le cas pour l'image de droite où le prêtre ne s'attendait pas à être surpris en plein péché de gourmandise ! Il est parfois possible de traiter des sujets sérieux assez librement. Le groupe folklorique en bas à droite est évoqué par le costume et le décor historique ; mais les poses sont suffisamment libres pour suggérer leur vivacité et leur gaieté. Une vue comme celle en bas de page ne s'improvise pas : il faut avoir préparé le point de vue et le cadrage pour l'heure prévue de la cérémonie.

En haut : **Pentax**, 28 mm, Kodachrome (64), 1/60 s, f/5,6
Au centre : **Hasselblad**, 80 mm, Ektachrome (64), 1/60 s, f/11
Ci-dessus : **Leica R**, 28 mm, Ektachrome (100), 1/250 s, f/5,6
A gauche : **Hasselblad**, 40 mm, Ektachrome (100), 1/250 s, f/11

Installation d'un Studio

Le studio est le lieu où l'on peut travailler dans les meilleures conditions. Sous sa forme la plus simple, il peut être en extérieur : un coin du jardin, avec un drap tendu sur des cordes à linge pour diffuser ou réfléchir la lumière plus ou moins crue du soleil. On peut également imaginer une tente studio démontable, ou encore transformer une serre en excellent studio "à la lumière du jour". Malgré toutes ces possibilités, le studio entièrement clos, avec lequel les sources de lumière sont contrôlées à 100 % par le photographe, reste idéal car il est utilisable quelles que soient les conditions atmosphériques extérieures. En ce qui concerne ses dimensions, il est préférable qu'il soit assez long pour que l'on puisse photographier des personnages en pied sans employer le grand-angulaire : cela demande une longueur de 5 mètres, en comptant la place nécessaire pour l'appareil et les projecteurs. La largeur doit être au minimum la moitié de la longueur et le plafond le plus haut possible. Une grande hauteur de plafond permet de choisir des points de vue élevés et donne une excellente répartition de la lumière en éclairage indirect. Supprimez autant que possible tous les recoins inutiles, pour disposer au maximum de murs lisses sans plinthes ni placards, tout au moins pour les parties devant servir d'arrière-plan pour vos compositions. Les fenêtres doivent pouvoir être obturées, mais rester éventuellement utilisables comme source de lumière ou comme arrière-plan, si la vue est agréable ; sinon, recouvrez les vitres de papier calque. Murs et plafonds seront peints en blanc, mat, lavable : les surfaces colorées introduisent des dominantes sur les photos couleur. Le sol ne sera pas glissant, sans poussière, et solide pour éviter les vibrations de l'appareil.

Électricité

La pièce demande une installation de distribution électrique très complète. Décidez tout d'abord quels sont les murs devant servir de fond afin d'installer les prises de courant sur le mur restant. Une alternative aux nombreuses prises multiples consiste à disposer d'une arrivée unique de courant, distribuant l'énergie par l'intermédiaire d'une boîte alimentée par un câble souple. Cette boîte de distribution comprend assez de prises pour y brancher tous les projecteurs. Faites très attention à ne pas dépasser ni même atteindre l'intensité maximale disponible pour ce local : dans un appartement, on peut rarement disposer de plusieurs kilowatts sans modifier et renforcer les lignes de distribution. Vous vous souvenez sans doute que l'intensité (en ampères) s'obtient en divisant la puissance (en watts) par la tension (en volts). Une aération par ventilateur électrique permet d'évacuer vers l'extérieur la chaleur produite par de nombreux projecteurs à incandescence.

Fonds

Le plus simple des fonds est le mur lui-même : un mur blanc peut prendre toutes les valeurs, du blanc au noir, selon la manière dont il est éclairé. Les petites natures mortes peuvent être composées sur une table, voir ci-contre. Pour les vues comprenant des personnages en pied, il faut disposer d'un fond continu : on emploie des rouleaux de papier de fond, qui existent dans le commerce spécialisé en largeur 2,80 m environ, et dans toutes les teintes. Voir page suivante la manière d'installer ces grands fonds.

Accessoires

Un studio nécessite tout un lot d'accessoires : réflecteurs passifs constitués de cadres légers, recouverts de papier ou de tissu blanc pouvant facilement être changés. Les boîtes et caisses peintes en blanc s'avèrent très utiles comme supports. Pour les vues plongeantes, on utilisera une plate-forme (appelée "praticable") ou un escabeau très stable. Prévoyez une armoire pour ranger tous les petits accessoires : tentures, voilages, pièces de bois, bref, toutes ces petites choses qui, si elles n'étaient pas bien rangées, feraient ressembler le studio du photographe à un inventaire du marché aux puces ! N'oubliez pas les outils : marteau et clous, vis et tournevis, fusibles de rechange, bandes adhésives, punaises, pâte à modeler, etc. Tentez enfin de garder un petit coin libre pour une coiffeuse équipée d'un miroir et d'un bon éclairage : il permettra à vos modèles de se préparer tranquillement pour les prises de vues.

Tables de Prise de Vue

La photographie des petits objets et des natures mortes demande qu'ils soient installés sur une table, comme celle que nous représentons ci-dessous. Le papier de fond est maintenu par un cadre faisant partie de la table elle-même, ce qui permet de placer éventuellement l'éclairage derrière le fond (ce qui serait impossible si ce fond était directement attaché au mur). On trouve des tables comportant une surface incurvée de plastique épais translucide blanc.

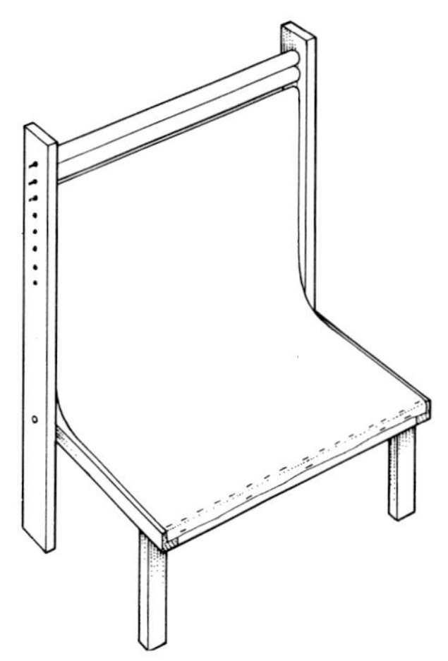

Si vous êtes un peu bricoleur, vous pouvez en constituer une en vous inspirant du dessin ci-dessous. Un support translucide a l'avantage de pouvoir être éclairé par l'arrière, éventuellement à travers des filtres colorés.

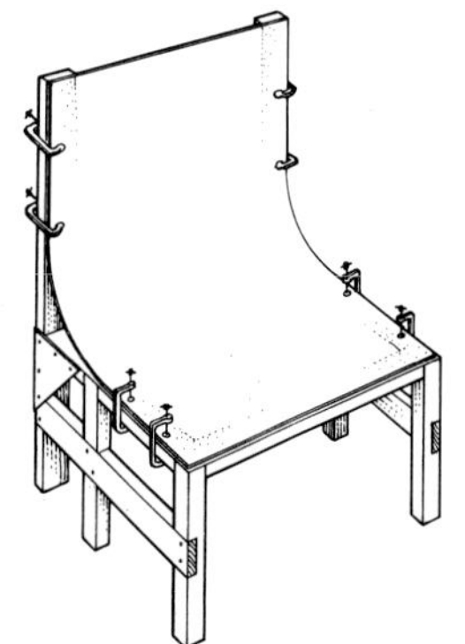

Tables transformables La table en bois en haut de page est pliante. Elle comporte deux montants verticaux et une barre horizontale permettant de placer le fond de papier à la hauteur désirée. Celle représentée ci-dessus comprend une feuille de plastique blanc incurvée et maintenue par des serre-joints.

Disposition des fonds

Les fonds de papier en rouleaux de 1,80 m environ se trouvent, dans le commerce spécialisé, dans toutes les teintes et offrent une surface impeccable. La meilleure manière de les utiliser est de les suspendre, le plus haut possible, près du plafond. On peut ainsi descendre vers le sol la longueur désirée, puis le remonter (tout au moins la partie restée propre après la prise de vues) au moyen d'un système de poulie et de chaîne. Vous pouvez également soutenir les rouleaux par un ensemble de perches réglables qui s'appliquent à la fois sur le sol et contre le plafond. On peut aussi envisager un cadre mobile muni de roulettes, autorisant les changements d'angle de prise de vue. Pour de véritables mises en scène, on est parfois conduit à construire de véritables décors, comme pour un plateau de cinéma, en utilisant pour cela toutes les ressources de la menuiserie, de la peinture et de la décoration. Mais il faut toujours assurer la stabilité de l'ensemble (pour des raisons de sécurité) et prévoir l'emplacement des sources d'éclairage.

Cyclorama Lorsqu'il s'agit de photographier en studio un objet de grandes dimensions, comme une automobile, le photographe spécialisé dispose d'un "cyclorama" : c'est un fond continu, sans arête vive, constitué par une surface concave de plâtre ou de contreplaqué peinte uniformément. D'où l'impression d'un espace illimité, par l'absence de repère sur l'horizon.

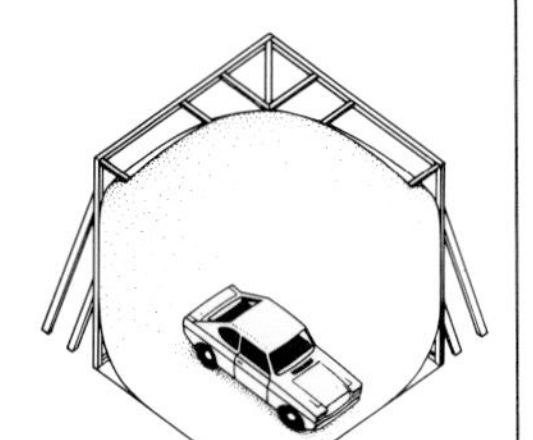

Équipement d'un studio
Un studio doit être polyvalent mais simple. Celui qui est représenté ci-dessus est assez grand pour disposer les fonds de papier en grande largeur sur des supports réglables. L'extrémité du papier est collée sur le sol par des bandes adhésives. On voit également sur ce dessin des éléments de décor avec une fausse fenêtre (sans vitre) sur un "mur" en contreplaqué ; l'ensemble étant maintenu par des fixations au mur et une béquille au sol, avec contrepoids. Notons également les "cubes" de bois peints en blanc, le solide escabeau, les dalles plastiques pour imiter le sol et une bonne réserve de contreplaqué.

Flash

Les flashes sont alimentés par le courant du réseau et comportent des lampes de modelage à incandescence permettant l'éclairage, comme avec des projecteurs classiques. Il en existe deux sortes, ceux à torche-générateur monobloc et ceux dont l'alimentation (pour plusieurs torches) est séparée et repose sur le sol. Un bloc-générateur peut comporter jusqu'à 6 sorties pour des sources supportées par des pieds classiques. Chaque source est reliée au générateur par un câble fournissant l'énergie et assurant la synchronisation. Les autres flashes indépendants, s'il y en a, peuvent être synchronisés à distance par photocellules.
Voir *Photocellule, page 97.*

Utilisation d'un flashmètre
Son emploi est semblable au posemètre indépendant, mais utilisé en lumière incidente. La cellule dirigée vers l'appareil est munie d'un intégrateur hémisphérique et la mesure se fait depuis le sujet. Le flashmètre peut être synchronisé avec le flash grâce à un cordon, le déclenchement de l'éclair se faisant par un bouton "test". Dans d'autres cas, déclencher l'éclair sans cordon, à partir du bouton d'open flash du flash. L'ouverture de diaphragme à utiliser en fonction de la sensibilité du film préalablement affichée est indiquée.
Voir *Mesure en lumière incidente, page 132.*

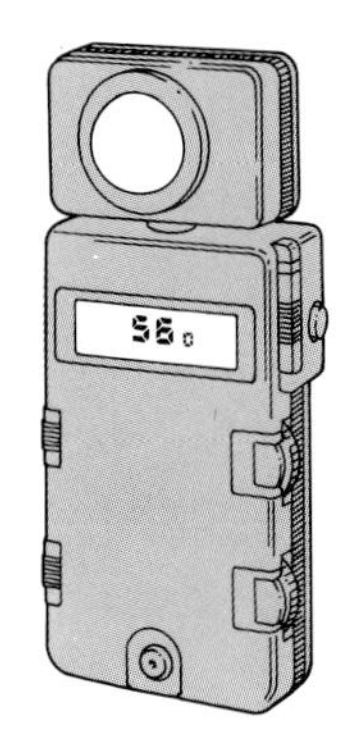

Simuler la Lumière du Jour

Recréer l'éclairage naturel en studio permet de travailler en s'isolant de toute contrainte extérieure et de contrôler tous les éléments de composition. Observez les effets de l'éclairage naturel, pour les reproduire avec des projecteurs. Ces effets n'ont pas besoin d'être complexes, comme le prouve l'image ci-contre : la tache de lumière est donnée par un spot éclairant une découpe en forme de fenêtre, garnie de papier calque. La tache est vue à travers les verres de vin : motif central de la composition. Notez la position de la bougie, qui semble éclairer les ombres ; un rôle dévolu en réalité à la lumière indirecte d'ambiance. L'harmonie générale est créée par le choix judicieux d'accessoires appropriés.

Éclairage complémentaire
Pour compléter la lumière donnée par la bougie, photo de droite, la prise de vues a été faite en deux poses : 10 secondes avec la seule bougie, puis 1/2 seconde, les projecteurs étant allumés.

Chambre 4 x 5" (10,2 x 12,7 cm), 180 mm, Ektachrome (50 Pro), f/16

Bougies

La lumière des bougies est suffisante pour la photo en couleur sur film type B. Une seule bougie donne un éclairage trop contrasté, que l'on surmonte en complétant l'éclairage par appoint de lumière artificielle ou en groupant plusieurs bougies. La photo de gauche a été posée 3 secondes, f/8 pour la bougie seule, plus 1/4 de seconde pour le fond éclairé par un projecteur avec filtre orange. L'image ci-contre n'est illuminée que par les seules bougies : 2 secondes, f/2,8. Un filtre "Starburst" provoque l'éclatement des hautes lumières.
Voir *Éclairage à la bougie, page 83.*

Les deux images : **Hasselblad**, 80 mm, Ektachrome (50 Pro)

STUDIO À LA LUMIÈRE DU JOUR

L'éclairage doux et uniforme donné par la lumière diffusée du soleil est idéal pour la couleur. Voyez comme les fleurs du bouquet de gauche sont bien détaillées. La lumière provient de deux fenêtres, au-dessus et à gauche du sujet, avec l'appoint d'un réflecteur sur la droite pour alléger les ombres. Les bouteilles, ci-dessous, sont placées très près d'une fenêtre donnant côté nord, la pièce étant très claire.

A gauche : **Hasselblad,** 80 mm, Ektachrome (100), 1/30 s, f/5,6
Ci-dessous : **MPP,** 210 mm, Ektachrome (100), 1/10 s, f/16

INFRAROUGE EN STUDIO

Vous aborderez le monde de l'étrange en utilisant le film couleur infrarouge, les effets étant difficilement prévisibles. Le rouge est transformé en jaune, la peau devient verte et beaucoup de teintes sombres sont transformées en marron. Utilisez ce film inversible avec filtre jaune, à la lumière du jour ou au flash. Un filtre vert foncé dénature encore davantage les couleurs. Pour l'image de droite, on a accusé le climat sinistre du tableau en employant un grand-angulaire et en plaçant des filtres colorés devant les projecteurs. Notez que ce film est très contrasté : le contraste original des lumières et des ombres est largement augmenté.
Voir *Film infrarouge, page 43 ; Emploi du film Ektachrome infrarouge, page 154.*

Leica R, 21 mm, Ektachrome infrarouge, filtre jaune, 1/60 s, f/16

Cauchemar en infrarouge La jeune fille portait une robe rouge, ses bras étant allongés sur un tissu noir. Éclairage par deux flashes électroniques. Le flash de droite porte un filtre orange.

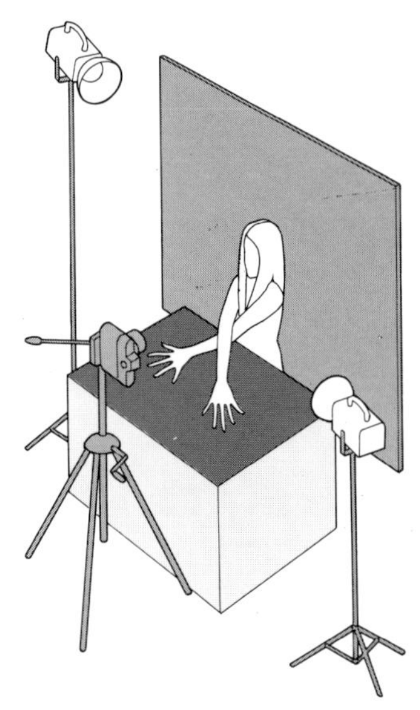

Surfaces réfléchissantes

Les objets polis, brillants sont difficiles à éclairer. Dans une nature morte, les reflets ainsi créés peuvent rendre la forme de l'objet méconnaissable ; à la limite, un objet très brillant se comporte comme un miroir réfléchissant : traiter alors la surface avec un vernis mat en aérosol ; mais l'objet perd ainsi sa caractéristique la plus évidente. L'autre méthode est d'environner les objets brillants de surfaces blanches éclairées par de la lumière diffuse : plafond, murs ou surfaces de papier calque constituant ce qu'on appelle une "tente".

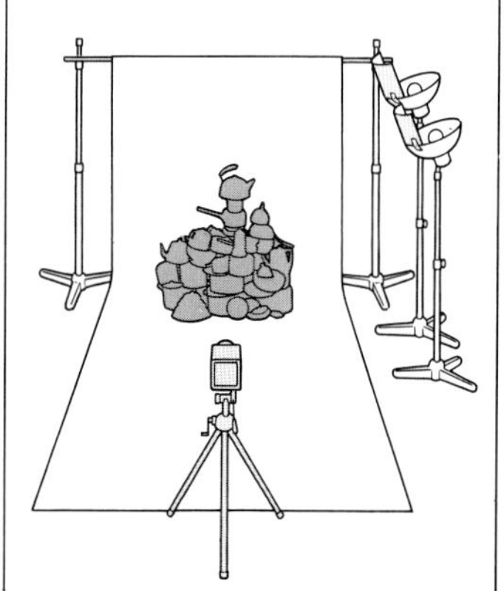

Photographie du métal poli
Les ustensiles de cuisine chromés (ci-dessus) ont été disposés sur une large surface de papier (2,70 m) s'étendant de plus de trois mètres en direction de l'appareil : lumière réfléchie et diffusée par le plafond blanc. Des diffuseurs empêchent la lumière directe des projecteurs d'atteindre les objets (voir schéma).

MPP, 210 mm, Plus-X, 1/2 s, f/32

Le verre

L'éclairage doit bien montrer les caractéristiques essentielles de la matière ; dans le cas du verre, il s'agit d'en faire valoir la transparence et le brillant, tout en montrant les formes et les volumes. La lumière de contre-jour met bien en valeur la silhouette délicate d'un objet de verre ; mais, pour être plus réaliste, il faut aussi un peu de lumière réfléchie sur la surface donnant les notions de forme et de volume. Remarquez la bande plus sombre qui souligne chaque verre de vin : elles sont créées par le morceau de papier noir se trouvant à gauche, qui se réfracte dans le liquide.

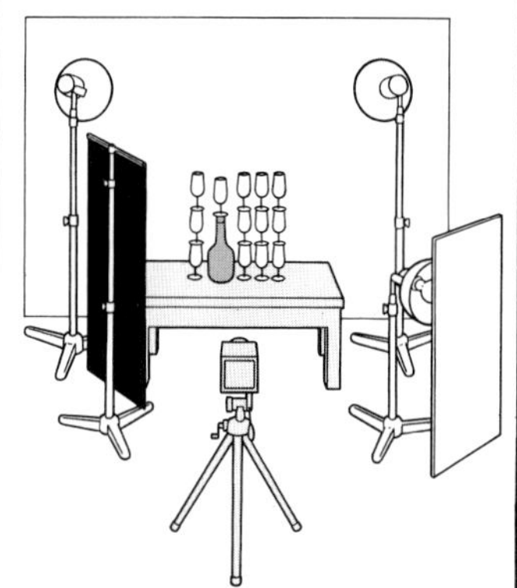

Éclairage pour la verrerie La bouteille et les verres (ci-dessus) furent installés à 1,20 m d'un mur blanc uniformément éclairé par deux ambiances ; une troisième lampe, dirigée sur un réflecteur blanc placé à l'extrême droite, provoque des hautes lumières sur les verres. Une large surface de papier noir, sur la gauche, crée une bande plus sombre sur chaque verre.

MPP, 180 mm, Plus-X, 1/4 s, f/16

Ajouter des reflets

La forme des reflets sur un objet brillant donne des renseignements sur sa nature et sur la manière dont il a été photographié : c'est ainsi que la forme du reflet dans les yeux d'un portrait nous indique si celui-ci a été pris en studio ou au soleil ; la silhouette caractéristique d'un réflecteur parapluie se reconnaît facilement. Cela nous incite à provoquer artificiellement des reflets simulant un environnement qui n'existe pas dans la réalité : découpe d'une fenêtre (ci-dessous), par exemple. Vous pouvez également projeter une diapositive sur un écran placé à côté de l'objet réfléchissant.

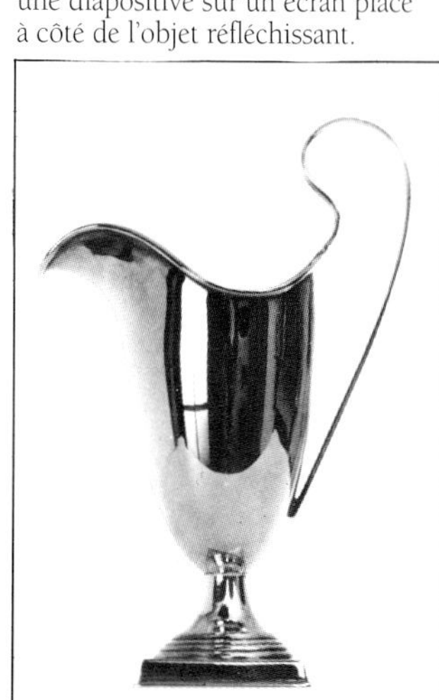

Faux reflets en studio Le reflet en forme de fenêtre que l'on voit sur cette aiguière est entièrement créé en studio. La découpe est faite dans un carton noir, avec du calque en guise de vitres. La fausse fenêtre est éclairée par un spot et se reflète dans l'objet.

Hasselblad, 80 mm, Tri-X, 1/15 s, f/11

Tente lumineuse

Pour obtenir un éclairage doux et diffus, sans ombre, enfermez l'objet dans une tente lumineuse, formée d'un matériau translucide, qui sera illuminé de l'extérieur. Cette "tente" peut être de forme cubique ou cylindrique ; utilisez de la mousseline maintenue sur une armature légère. Laissez une ouverture assez large pour le passage de l'objectif. Les lampes seront disposées tout autour afin de répartir le plus uniformément possible la lumière à l'intérieur.
Si l'éclairage était trop peu contrasté, placer quelques bandes de papier gris dans la tente, donnant quelques ombres bien contrôlées.
Voir *High key, pages 138-139.*

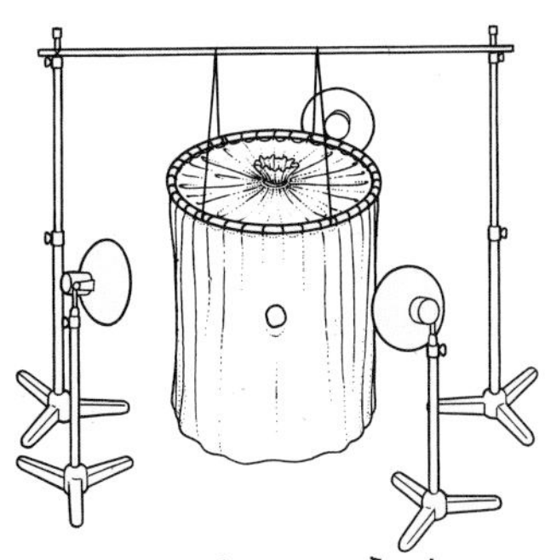

Construction d'une tente lumineuse Celle qui est représentée ci-dessus est en mousseline maintenue par un cerceau. L'ouverture pour l'objectif mesure 5 centimètres de diamètre.

Gros plans sans ombre Les tout petits objets photographiés de près sont difficiles à éclairer de face, à cause du manque d'espace disponible : employer un flash annulaire ou placer une plaque de verre à 45° au-dessus de l'objet en éclairant celui-ci avec un spot dont la lumière se réfléchit sur la face intérieure de la glace, selon le schéma ci-dessous.
Voir *Flash annulaire, pages 21 et 109.*

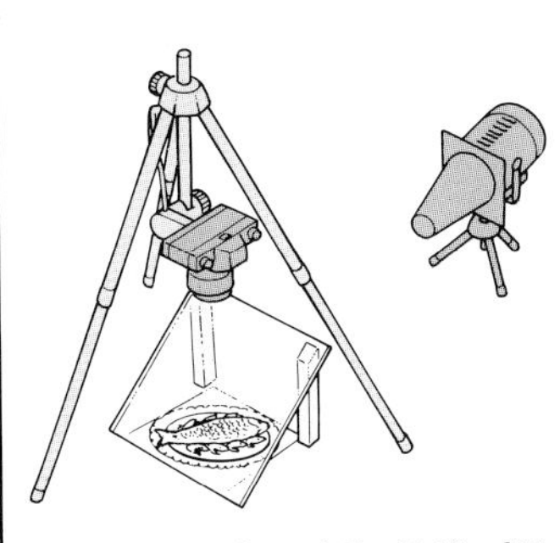

Pentax, 50 mm (macro), Plus-X, 1/2 s, f/16

Remuer la source lumineuse

On peut également obtenir un éclairage sans ombre en "peignant" un sujet immobile avec la source lumineuse tenue à la main, durant toute l'exposition. Pour y parvenir, le studio doit être complètement obscurci. Cadrez votre sujet et diaphragmez fortement l'objectif ; déterminez l'exposition pour la distance moyenne où vous tiendrez la lampe. Déplacez méthodiquement la lampe à gauche, au-dessus et à droite du sujet, pendant toute la durée de la pose.

Linhof 6 x 9 cm, 120 mm, Ilford Pan-F, 15 s, f/32

Traînées Lumineuses

Il faut opérer dans une pièce obscure (ou de nuit), avec un modèle disposé à rester immobile. Le fond doit être le plus noir possible. Vous devez posséder des sources lumineuses colorées. Il s'agit bien entendu d'une double pose : l'une est donnée par le flash électronique pour éclairer le modèle. L'autre pose, longue, enregistre les traces lumineuses laissées par les lampes colorées qu'un assistant déplace devant le fond noir. **Voir** *Techniques du flash, pages 96-99 ; Feux d'artifice, page 102.*

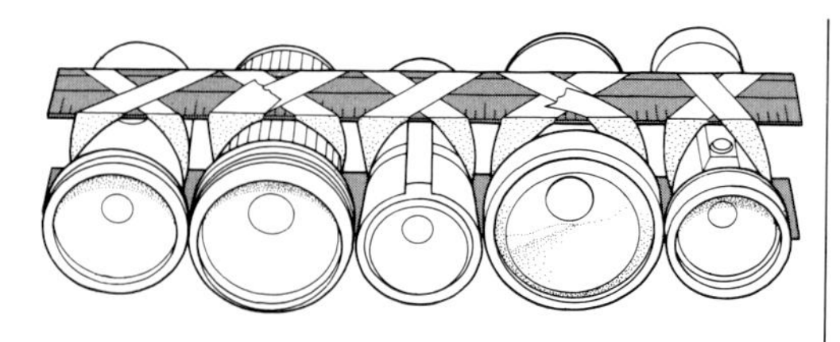

Rangée de lumières colorées Le dispositif est formé par l'assemblage de plusieurs lampes de poche ayant chacune un filtre coloré en acétate.

Pour un fond simple Donnez une première pose avec le flash électronique placé verticalement, pour ne pas désaturer le fond. Le modèle doit rester immobile pendant la pose longue durant laquelle un assistant déplace l'assemblage des lampes de poche devant le fond, en larges mouvements circulaires. Les lampes doivent être perpendiculaires à la direction du mouvement.

Ci-dessus : **Hasselblad,** 80 mm, Ektachrome (100), open flash pour l'éclair et 20 s pour les traînées lumineuses, f/16
Les deux images à droite : **Hasselblad,** 80 mm, Ektachrome (100), 1/60 s et 20 s, f/16

Traînées lumineuses devant et derrière le modèle Utilisez le même principe, mais en demandant à l'assistant de passer trois fois derrière le modèle, en déplaçant les lampes à diverses hauteurs, en formant des sinusoïdes. Puis l'assistant passe devant le modèle (illustration ci-contre), en évitant soigneusement de passer devant le visage.

Comment pratiquer la double exposition Voir les dessins ci-contre.
1 Montez l'appareil sur pied et réglez l'obturateur sur "B" en cachant l'objectif avec un carton noir.
2 Retirez le carton et donnez l'éclair avec le bouton d'open flash.
3 Replacez le carton devant l'objectif pendant que l'assistant se met en place.
4 Dégagez l'objectif pour enregistrer les traînées lumineuses.
5. Replacez le carton et fermez l'obturateur.

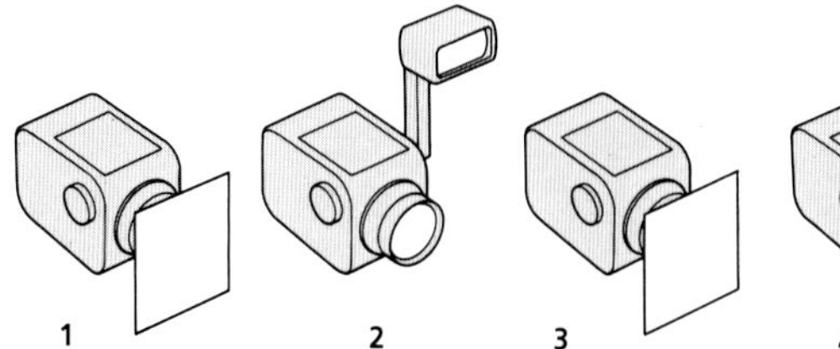

Fonds constitués de Points Lumineux

La méthode permet de créer un fond formé d'une multitude de points lumineux ou de petits disques se superposant partiellement. Il faut un fond noir, percé de nombreux trous, même irréguliers, qui est vivement éclairé par derrière (en le plaçant devant une fenêtre par exemple). Vous pouvez également employer une feuille d'aluminium froissée éclairée de face par un spot. Ce fond doit être à une distance assez grande pour que les trous apparaissent comme des cercles très élargis, lorsque la mise au point (à grande ouverture) est faite sur le modèle. Pour l'image ci-contre, le fond noir perforé est placé devant une fenêtre. Le modèle est éclairé par une seule ambiance (voir croquis). On notera le bon équilibre entre l'éclairage du visage et la luminosité des motifs du fond.

Voir *Profondeur de champ, page 29.*

Motifs Lumineux de Toutes Formes

Les points lumineux du fond s'étalent en prenant la forme circulaire du diaphragme. Mais, si vous placez devant l'objectif grand ouvert un cache découpé de forme quelconque, chaque motif lumineux prendra la forme de la découpe du cache. Ce cache peut prendre place dans le porte-filtres de l'objectif ou du parasoleil. Sur les images ci-contre, on note un changement pour les parties nettes de l'image, en particulier pour les yeux. Elles ont été faites par la méthode indiquée ci-dessus, mais en plaçant des caches diversement découpés juste devant l'objectif. L'exposition est mesurée sur le visage.

Voir *Profondeur de champ, page 29.*

Cache circulaire Pour faire un cache circulaire, utilisez le compas en remplaçant le crayon par un vaccinostyle. Faites des bords francs.

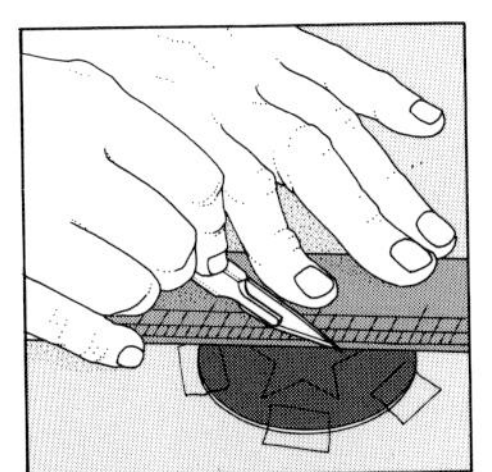

Formes quelconques Pour obtenir d'autres formes de cache, préparez un gabarit en papier. Vous pouvez aussi découper une forme dans une revue.

La Monorail

La chambre monorail de grand format présente des caractéristiques très particulières : le tirage peut varier considérablement ; les mouvements de décentrement et de bascule sont d'une amplitude plus grande que sur aucun autre appareil ; le verre dépoli, de grandes dimensions, permet de composer ou de mesurer l'image avec précision ; enfin, chaque cliché peut éventuellement être traité séparément, en surveillant chaque étape du traitement.

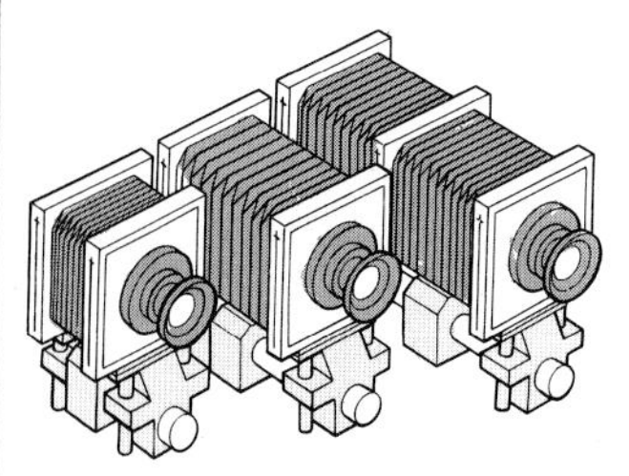

Mise au point par soufflet Le soufflet d'une monorail permet de fortes variations de tirage, pour l'emploi des objectifs de différentes focales. Corps avant et corps arrière peuvent être décentrés et basculés dans toutes les directions : ce qu'on appelle les mouvements.

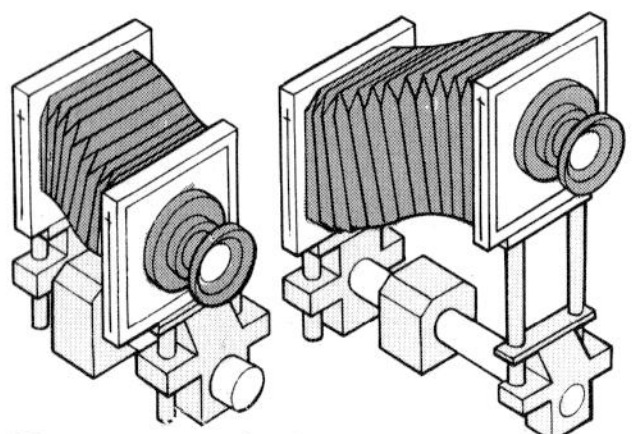

Mouvements de décentrement
Les décentrements concernent les deux corps de la monorail. Le porte-objectif reste parallèle au film, mais l'axe optique ne passe plus par le centre du film. Les décentrements des deux corps se font vers le haut, le bas, la gauche, la droite.

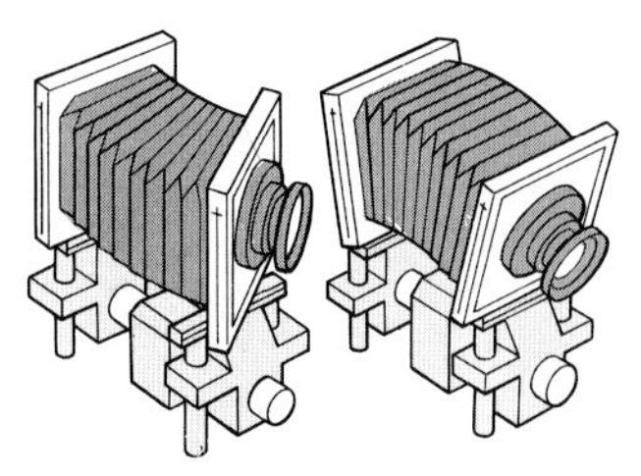

Mouvements de bascule Ils concernent également les deux corps, avant et arrière, de la chambre monorail. Pour chacun d'eux, on dispose de la bascule verticale (pivotement selon un axe horizontal) et de la bascule horizontale (pivotement selon un axe vertical).

Les Décentrements

Le déplacement parallèle du corps avant et arrière a pour effet de déplacer l'image sur le verre dépoli. Les décentrements verticaux provoquent un déplacement vers le haut ou vers le bas, alors que les décentrements horizontaux déplacent l'image latéralement. Les décentrements sont surtout utilisés pour contrôler le parallélisme des lignes verticales et horizontales d'un sujet ; ils nécessitent toujours un objectif ayant une grande couverture, puisque l'image est excentrée.

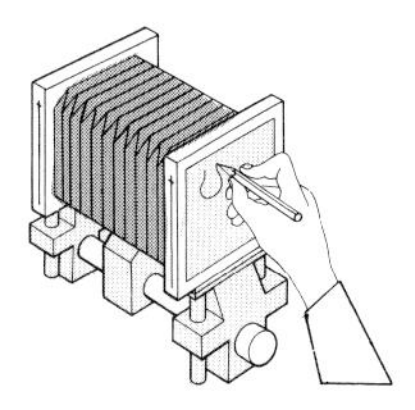

Surimpressions en grand format
Le décentrement peut servir à des effets spéciaux : la jeune fille a été photographiée cinq fois sur le même plan-film. La position de la tête a été chaque fois repérée et marquée sur le verre dépoli, avec décentrement approprié du corps arrière (ci-dessus).

Sinar, 180 mm, Tri-X, chaque pose 1/60 s, f/11

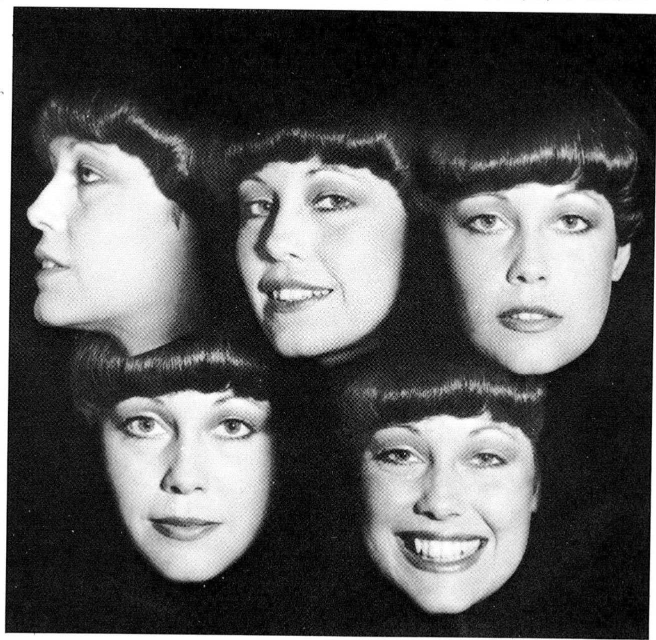

Pour conserver le parallélisme des lignes verticales du sujet Décentrez le corps avant vers le bas ou vers le haut, selon que le point de vue est, respectivement, surélevé ou surbaissé (à droite), sans que le plan du film cesse d'être lui-même vertical : condition nécessaire et suffisante pour que les verticales soient parallèles sur l'image. Photo ci-dessous : avec décentrement ; photo de droite : sans décentrement.

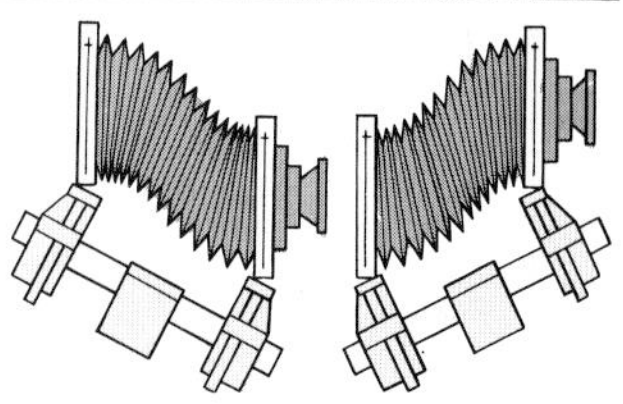

Sinar, 210 mm, Plus-X, 1/5 s, f/32

Emploi des bascules

Les bascules du corps arrière modifient à la fois la perspective des objets et la répartition de la profondeur de champ. Par exemple, vous pouvez basculer le plan du film pour que la partie la plus proche du sujet corresponde à une partie de l'image plus éloignée de l'objectif : augmentant ainsi la profondeur de champ. Les bascules du corps avant, dessin de droite, facilitent le contrôle de la profondeur de champ. Elles s'avèrent aussi utiles si le décentrement est important.

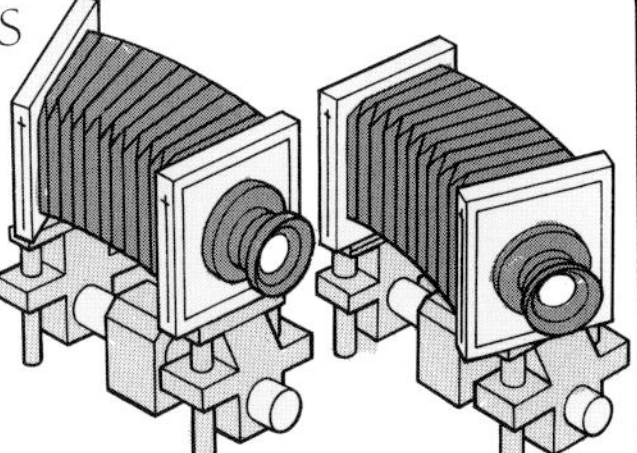

Couverture de l'objectif avec des bascules Les mouvements de bascule du corps arrière ne demandent pas que l'objectif ait une couverture supérieure à la normale. Les bascules du corps avant, au contraire, demandent un objectif ayant un large cercle d'image nette.

Contrôle de la zone de netteté
Les bascules avant ou arrière permettent de contrôler la répartition de la zone de netteté sur le sujet, en favorisant ainsi la partie que vous désirez mettre en valeur. La photo ci-dessus a été prise sans aucun mouvement, avec une petite ouverture de diaphragme : l'image est nette sur tous les plans. Résultat : aucun élément du véhicule n'est particulièrement souligné. Pour la photo ci-dessous – prise avec la même ouverture –, on a basculé le corps arrière afin d'obtenir une image impeccablement nette de la calandre, le reste du véhicule et l'environnement se noyant progressivement dans le flou. La voiture semble projetée vers l'avant, ce qui donne un impact dynamique à l'image.

Les deux images : **Sinar**, 100 mm, Tri-X, 1/60 s, f/16

Technique de la monorail

En dépit de son encombrement et de sa taille, la monorail présente des avantages particuliers. Les vues d'architecture ou les natures mortes en studio exigent parfois des corrections de perspective ou une augmentation de la profondeur de champ qu'elle est seule à pouvoir offrir. Mais, si vous voulez exploiter toutes ses possibilités, il faut disposer d'objectifs ayant une grande couverture, c'est-à-dire pouvant en fait donner une image de qualité pour un format supérieur à celui qui est utilisé. L'objectif ci-dessous, à gauche, a une couverture insuffisante puisqu'il ne permet pas le décentrement sans vignetage, dessin de droite. En achetant un objectif pour une monorail, prenez soin de vérifier que son cercle d'image nette a un diamètre supérieur à la diagonale du format.

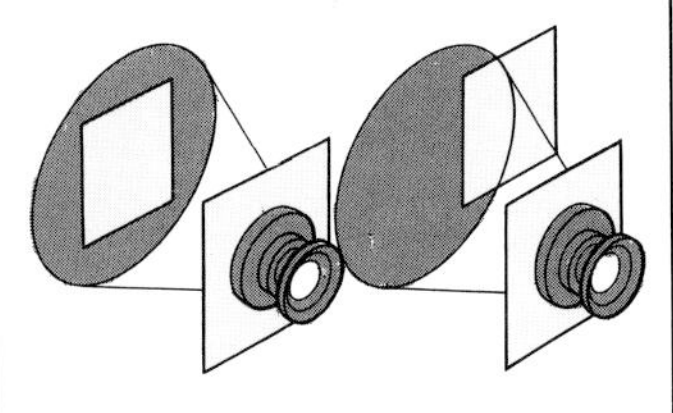

Composition d'après maquette

Si vous désirez établir une composition très précise, vous pouvez tracer la position de chaque objet sur le verre dépoli, puis disposer ceux-ci pour qu'ils prennent cet emplacement sur l'image. Une autre méthode consiste à projeter le tracé du dépoli sur le fond devant supporter ces éléments : cela en obscurcissant le studio et en plaçant un projecteur derrière le verre dépoli de la chambre : le tracé projeté permet de placer les objets avec précision. La monorail convient bien aux travaux de reproduction, en raison des nombreuses émulsions disponibles et de la possibilité de traiter les plans-films individuellement. Enfin, le grand format permet toutes les interventions manuelles : retouche, détourage, etc.

Voir *Chambre monorail, pages 22-23 ; Architecture, pages 190-191 ; Nature morte, page 187 ; Objectif décentrable, page 126 ; Retouche des négatifs, page 267 ; Emploi d'un masque, page 250.*

Photographier les Aliments

Les aliments sont de très bons sujets pour le photographe : la forme, la couleur, la texture des fruits, des poissons, des volailles, etc., se prêtent admirablement à la réalisation de compositions élaborées. Choisissez une grande variété de formes et d'éléments. La composition peut être formelle ou au contraire très libre. Vous pouvez mettre en scène le sujet avec des accessoires et un décor évocateurs : banquet, pique-nique, etc. Si vous placez un personnage, qu'il soit en rapport direct avec le thème traité : le cuisinier qui élabore le repas, ou le gourmet s'apprêtant à le déguster. Néanmoins, cet environnement ne doit pas prendre le pas sur les aliments, qui doivent rester le sujet principal de la composition.
Les accessoires (plats, orfèvrerie) doivent avoir un style s'harmonisant avec le thème traité et le climat que vous désirez évoquer.
Il vaut mieux travailler en grand format sur pied : la chambre, avec son verre dépoli, permet de construire l'image peu à peu, avec le souci de la variété des éléments formant cependant une composition homogène et harmonieuse.
Un éclairage doux et diffus convient généralement mieux.
Voir *Nature morte, page 187 ; Parallaxe, page 12.*

Composition alimentaire La nature morte ci-dessus a été composée en studio, sur une vieille table de cuisine et un fruitier à deux étages. Le fond est de papier gris. Pour l'éclairage : trois flashes électroniques à gauche de la composition, dont la lumière est diffusée par un voile de mousseline, et réfléchie par une surface blanche, à gauche.

Monorail MPP, 180 mm, Ektachrome (64), 1/60 s, f/22

Comment améliorer l'aspect des aliments Il est souvent nécessaire de traiter la surface des éléments, afin de leur donner un meilleur aspect photographique : coloration, brillance ou, comme pour la photo ci-contre, dépôt de condensation sur les bouteilles et le verre, sortis du réfrigérateur au dernier moment. L'éclairage est donné par un flash électronique diffus. Les hautes lumières sont accentuées par la réflexion d'un miroir.

Linhof, 120 mm, Ektachrome (100), 1/60 s, f/16

PLATS CUISINÉS

Les plats cuisinés ou leur préparation donnent lieu à des images attrayantes et réalistes. Il est généralement nécessaire de faire appel à quelques trucages, cas des crêpes Suzette illustrant cette page. Néanmoins, les images doivent sembler parfaitement véridiques, comme si elles avaient été préparées de manière orthodoxe. Les mets ont un meilleur aspect s'ils sont présentés devant un fond sombre, rouge ou brun. N'oubliez pas les rapports qui s'établissent entre les plats et les saisons : la viande froide et le vin rosé sont plus en situation dans un décor estival. Éclairage simple, sans ombres dures.

Les crêpes Suzette
On a suivi la recette normale de préparation, à l'exception du Grand Marnier, remplacé pour le flambage par de l'alcool méthylique, donnant une flamme plus durable, mais de même aspect.
Un expert en pâtisserie prépara suffisamment de crêpes pour huit clichés au moins (ci-dessus).

Cette vue demandait un fond sombre, afin de faire ressortir les flammes : aussi a-t-on utilisé une plaque de tôle percée en son centre pour le brûleur du réchaud à gaz (au centre). Cet ensemble étant composé, on a pu se livrer à des recherches d'éclairage. En plaçant une couche de coton imprégné d'alcool sous les crêpes,

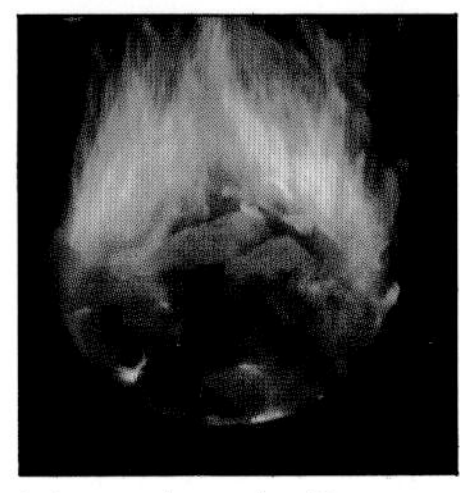

le temps de combustion fut porté à 30 secondes. Toutes autres lumières étaient éteintes, on mit le feu à la poêle en donnant immédiatement la pose au flash à f/32, avant que les crêpes fussent brûlées (à droite), puis, l'obturateur étant toujours ouvert, le diaphragme fut réglé à f/5,6 pour la pose de 30 secondes.

Sinar, 240 mm, Ektachrome (100), 30 s, f/32 et f/5,6

Doubles Expositions

La photographie est un puissant moyen de créer des illusions, parce qu'elle donne un cachet d'authenticité. Vous pouvez à votre gré faire passer un personnage à travers un mur ; le faire disparaître à moitié ou voler dans les airs. La plupart de ces effets s'obtiennent par double exposition : soit en superposant deux images l'une sur l'autre, soit en les juxtaposant. Il est généralement possible de débrayer le mécanisme empêchant la surimpression involontaire de deux images. Pour un reflex qui ne serait pas équipé d'un système de surimpression, il suffit d'appuyer sur le bouton de débrayage permettant le rebobinage du film : on peut alors réarmer l'obturateur sans avancer le film. Rappelez-vous que c'est toujours la partie claire d'une des images qui apparaît à travers l'autre : les parties sombres disparaissent. Pour faire apparaître un fantôme transparent, il suffit de prendre successivement deux images sur le même cliché : la première avec le personnage, la deuxième sans lui. Si le personnage est nettement plus clair que le fond, comme sur l'image de droite, il efface presque complètement les motifs placés derrière lui ; sauf aux endroits plus foncés de la peau et de la chevelure. Si votre appareil ne permet pas la double exposition, opérez sur pied, l'obturateur étant réglé sur "B", et donnez les poses successives en utilisant un carton noir comme obturateur. Dans ce cas, il faut peu de lumière et diaphragmer beaucoup, pour que chacune des deux poses dure plusieurs secondes. Un autre effet irréel, image ci-dessous, s'obtient en donnant une première pose pour la partie inférieure de l'image, puis une deuxième, le personnage étant en place, pour la partie supérieure.

Superposition d'images
La jeune fille se trouvait devant la porte ouverte pour la première pose. Après 2 s de pose, l'objectif a été masqué, les portes fermées et la jeune fille est sortie du champ. Puis une deuxième pose de 2 s.
Rolleiflex, Pan-F, 4 s, f/16

Cache/contre-cache
L'image ci-contre a été faite en utilisant un dispositif de caches bricolé dans un vieux châssis à deux volets. La jeune fille

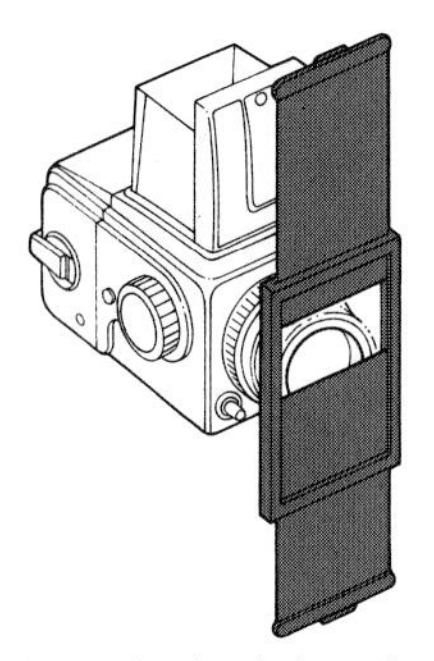

étant assise dans le fauteuil, on a pris une première vue, le volet inférieur en place (ci-dessus). Puis on a enlevé le volet inférieur et mis le volet supérieur (ci-dessous). Dès que la jeune fille eut quitté le siège, on a donné une deuxième pose identique à la première.

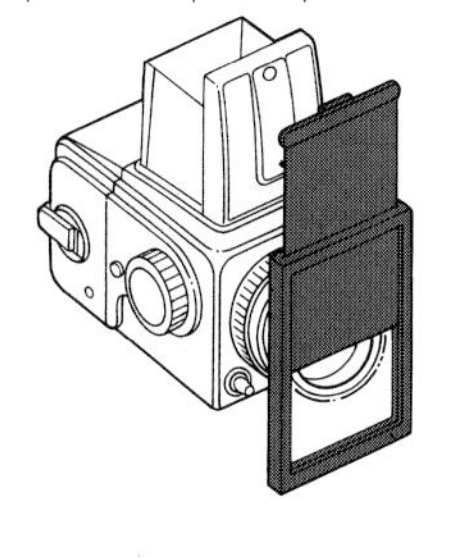

Hasselblad, 50 mm, Plus-X, pose totale : 1/2 s, f/16

SIMULER LE MOUVEMENT

Les objets immobiles peuvent être mis en mouvement, en panoramiquant simplement l'appareil durant l'exposition. Pour un bon résultat, il faut que le sujet soit clair et le fond sombre. La plupart des pieds-supports ont une rotule ou une plate-forme permettant de faire pivoter l'appareil selon un axe horizontal, vertical ou oblique.

Simuler le mouvement Pour l'image de droite, on a utilisé un petit dispositif prévu pour le cinéma, qui fait tourner l'appareil lentement sur son axe. Une pose fixe et une pose mobile de 2 secondes chacune.

ILLUSION SPATIALE

Il est souvent nécessaire de donner l'illusion qu'un objet est en suspension dans l'espace, sans attache visible. La retouche n'est pas le seul ni le meilleur moyen d'y parvenir : voyez ci-dessous plusieurs méthodes efficaces.

Suspendre l'objet L'appareil n'a qu'un œil. En choisissant convenablement le point de vue, on peut s'arranger pour que le support tenant la maquette soit caché par celle-ci. Vous pouvez utiliser une tige métallique, tenue horizontalement à travers le décor du fond. Mais il faut faire très attention à ce que l'éclairage ne projette pas l'ombre de la tige sur le fond, ce qui révélerait le trucage.

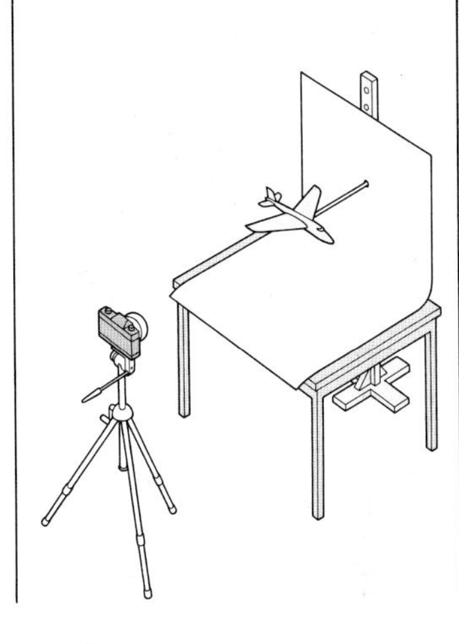

Emploi d'une glace transparente
Des objets posés sur une glace de verre sembleront flotter en l'air, s'ils sont photographiés de dessus. Il faut que la glace soit assez éloignée du fond pour qu'il puisse être éclairé séparément. Faites très attention d'éviter les reflets sur la glace, par exemple en entourant l'appareil et la glace de papier noir. De même, il faut que la glace soit parfaitement propre. On peut employer plusieurs glaces séparées par quelques centimètres pour disposer des objets sur plusieurs plans.

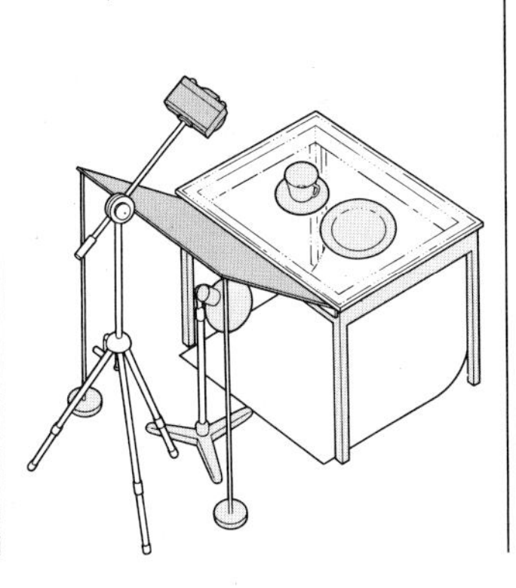

Une image en apesanteur
En employant la méthode de la glace transparente, vous pouvez composer votre image pour que les objets soient dans le plan horizontal, tout en semblant être verticaux. La planchette sous les bouteilles suffira à convaincre le spectateur que celles-ci sont normalement présentées. Et, par contraste, les verres contenant des liquides sembleront défier les lois de la pesanteur. L'éclairage doit contribuer à entretenir cette illusion.

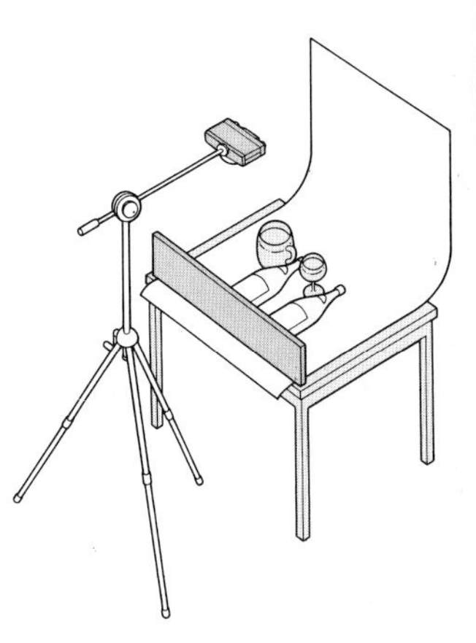

Photo de Mode

Le photographe de mode doit montrer l'aspect des vêtements et l'associer à un climat ou à une certaine ambiance. Il y parvient parfois par la manière directe, avec un éclairage simple, comme pour l'image de droite ; dans d'autres cas, il doit recourir à un véritable décor et à une mise en scène, ci-dessous.

Les deux images : **Hasselblad**, 80 mm, Ektachrome (100), 1/60 s, f/16 (à droite), f/22 (ci-dessous)

Éclairage pour photo de mode
L'image de droite a le caractère "documentaire" convenant pour un catalogue de vente par correspondance par exemple. La lumière du flash électronique, diffusée par un parapluie blanc, permet de bien détailler la garniture de dentelle. Pour une photo plus "sophistiquée", ci-dessous, on a loué ce très bel appartement. Un flash éclaire le modèle ; un autre, le décor.

A droite : **Hasselblad**, 80 mm, Ektachrome (100), 1/60 s, f/11
Ci-dessous : **Hasselblad**, 60 mm, Ektachrome (100), 1/15 s, f/11

Flash Annulaire

De nos jours, on utilise beaucoup de lumière de pleine face donnée par un flash annulaire ou, tout au moins, par une source lumineuse placée très près de l'objectif. Cela donne cette ombre courte soulignant les contours du modèle, ci-dessous. Un flash annulaire étant prévu pour travailler de près, il ne permet que rarement d'éclairer un modèle en pied.

Leica R, 50 mm, Ektachrome (100), f/4

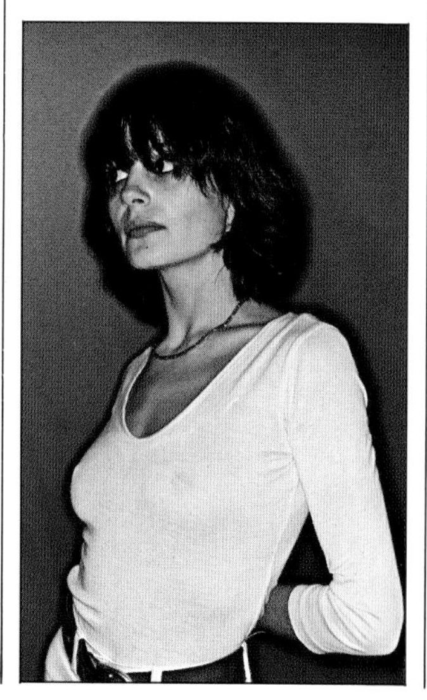

DÉCORS POUR PHOTO DE MODE

En photo de mode, il est bon de varier les décors. Dans la majorité des cas, on cherche un cadre en harmonie avec le style de vêtement, la teinte dominante et la composition. Le champ – ci-dessus – convient bien à ces vêtements d'extérieur. D'ailleurs, la pose décontractée et l'emploi du grand-angulaire soulignent le côté champêtre.

Leica R, 28 mm, Ektachrome (100), 1/125 s, f/11

BIJOUX

A droite, c'est le corps de la femme qui sert de présentoir aux bijoux. L'éclairage diffus frontal convient bien. On peut aussi composer une nature morte (ci-dessous).

A droite : **Hasselblad**, 80 mm, Ektachrome (100), 1/60 s, f/11
Ci-dessous : **Linhof**, 210 mm, Ektachrome (100), 1/10 s, f/16

CHEVELURE

L'éclairage des cheveux est très difficile. L'image de gauche est prise à la lumière du jour, diffusée par une fenêtre ; un réflecteur placé derrière la tête éclaircit les ombres. La photo ci-dessus est prise en extérieur.

A gauche : **Mamiya**, 105 mm, Ektachrome (100), 1/15 s, f/5,6
Ci-dessous : **Nikon**, 50 mm, Ektachrome (100), 1/125 s, f/4

MAQUILLAGE POUR PHOTO

Le maquillage du modèle est une absolue nécessité pour la photo de mode ; il est souvent utile pour un portrait. Le maquillage pour la photographie doit être plus accentué que le maquillage normal. Étudiez soigneusement le visage de votre modèle et les angles qui lui seront le plus favorables. La finalité du maquillage est de mettre en valeur les yeux et la bouche du modèle, tout en harmonisant le reste du visage. En choisissant les teintes et les nuances, pensez que le maquillage doit s'harmoniser avec la couleur des yeux et la teinte de la chevelure. Vous aurez un meilleur aspect de la peau en surexposant légèrement ou en utilisant une lentille adoucissante : la peau sera plus égale et les petits défauts disparaîtront.

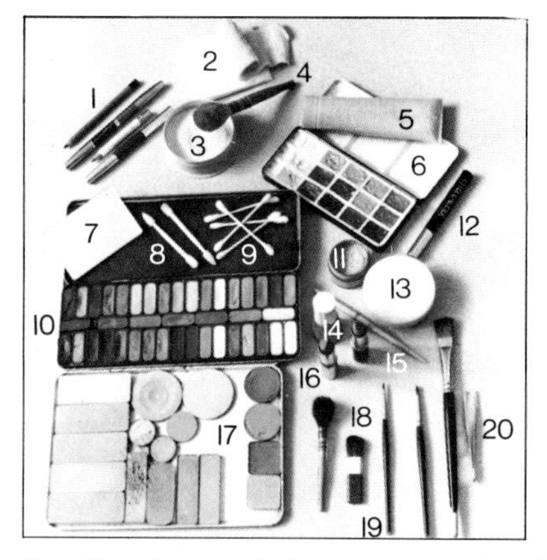

Nécessaire à maquillage
1 *Crayon à paupières*
2 *Bandeau*
3 *Poudre*
4 *Brosse*
5 *Cold-cream*
6 *Fard à paupières (crème)*
7 *Miroir*
8 *Applicateurs ombre à paupières*
9 *Coton-tige*
10 *Palette de fards à paupières*
11 *Fond de teint*
12 *Mascara*
13 *Éponge*
14 *Vernis à ongles*
15 *Pinceaux pour les lèvres*
16 *Rouge à lèvres*
17 *Fards à joues*
18 *Brosse pour les fards*
19 *Brosses diverses*
20 *Estompeurs*

Maquillage des yeux Après la pose du fond de teint, poudrez le visage avec une poudre translucide. Puis commencez le maquillage des yeux : employez d'abord l'ombre à paupières pour souligner les yeux (ci-dessous) ; exagérez les coins extérieurs des yeux, mais en suivant leur forme générale, puis appliquez des valeurs claires sur la paupière supérieure et sous le sourcil (en bas, à gauche) : cela a pour effet de faire des yeux l'élément dominant du visage. Enfin, appliquez une couche sombre au fond de l'orbite (en bas, à droite).

Pose du fond de teint Il faut toujours appliquer du cold-cream avant la pose du maquillage. Cela facilite l'étalement du fond de teint. Celui-ci a pour effet d'unifier la peau et de la débarrasser de ses petites imperfections. Il est recommandé de travailler avec deux sortes de fond de teint : un plus pâle (plus clair que la peau) pour la partie centrale du visage, front, nez, lèvre supérieure, menton et sous les yeux ; un fond de teint plus foncé pour les côtés du visage et le front, se fondant avec la carnation du cou.

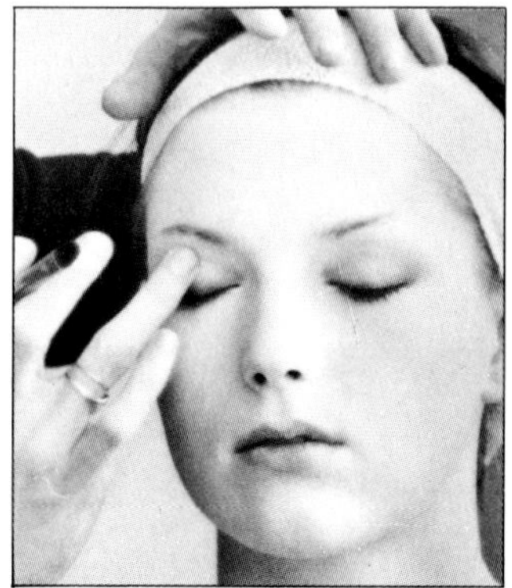

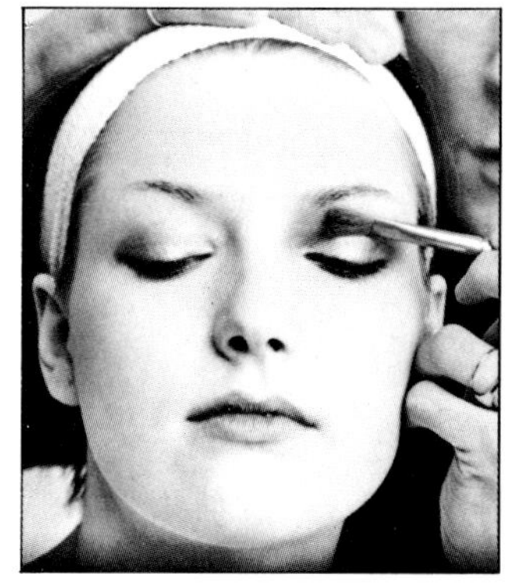

Sourcils, cils, joues et lèvres Employez le crayon pour allonger les sourcils (à gauche). Puis poudrez légèrement les cils pour qu'ils ne collent pas lorsque vous appliquerez le mascara (ci-dessous, à gauche). Posez ensuite le fard à joues, sous les pommettes (ci-dessous). Cela souligne la structure osseuse et avive le visage. Pour les lèvres, commencez par en marquer le contour au crayon (à droite) : celui-ci doit être plus foncé que le rouge à lèvres, ce qui permet de mettre en valeur ou de corriger la forme des lèvres. Le rouge se dépose au pinceau (en bas, à droite). Utilisez éventuellement un brillant par-dessus le rouge à lèvres.

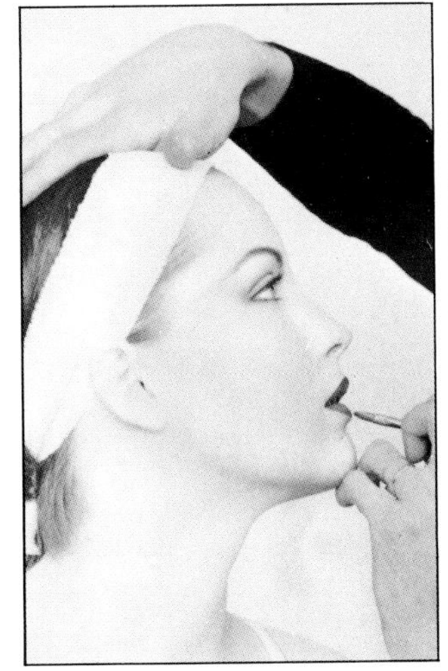

L'effet final Sans maquillage, le modèle ci-dessous est photogénique, mais son visage manque de relief et de contraste : éléments sur lesquels le photographe doit pouvoir compter pour élaborer un joli portrait. Lorsque le même modèle est maquillé (à droite), les pommettes sont rehaussées et on est immédiatement attiré vers les yeux ; le reste du visage semble, par comparaison, plus petit. Le visage maquillé a une forme bien définie, un relief marqué et un grand contraste de valeurs.

Hasselblad, 150 mm, Tri-X, 1/125 s, f/8

Maquillage Artistique

Le visage est l'élément fondamental en portrait ou pour la photo de mode ; le maquillage le met en valeur et l'harmonise. Mais l'on peut faire du maquillage le prétexte même du portrait, le visage servant seulement de support. Peindre avec le maquillage peut s'entendre de deux manières : soit partir des particularités du modèle en les exagérant tant que l'apparence n'ait plus rien à voir avec la réalité (le visage ci-dessus à gauche est celui du modèle de la page précédente !) ; soit ignorer délibérément les lignes du visage et en reconstruire un, totalement imaginaire (image de droite). Pour la composition ci-dessus, on n'a conservé que les lignes générales des visages en les exagérant ; la direction oblique des yeux et des sourcils est accentuée par le maquillage des joues. Une laque colorée donne aux cheveux la même teinte que le maquillage. Afin d'évoquer l'aspect pastel, on a utilisé des valeurs sombres, mais en surexposant de deux divisions de diaphragme. Le maquillage théâtral de droite exagère également les lignes, mais sans tenir compte de la structure du visage. Il est environné d'un velours noir.

Ci-dessus : **Hasselblad**, 150 mm, avec lentille adoucissante, Ektachrome (100), 1/125 s, f/8
A droite : **Hasselblad**, 150 mm, Ektachrome (100), 1/125 s, f/11

Mise en Scène pour le Nu

Un décor pittoresque, évocateur, demande invention et imagination, tel le nu au bouquet ci-dessous. La pose classique, en bas à gauche, est en revanche magnifiée par un décor baroque. Avec la photo de droite, les courbes harmonieuses du corps féminin font écho aux arceaux de la fenêtre. Mais une étude de nu peut avoir un contenu humoristique : c'est sans doute le cas pour la scène de baignoire à deux personnages, en bas à droite.

A droite : **Pentax**, 50 mm, Ektachrome (100), 1/60 s, f/8
Ci-dessous : **Hasselblad**, 150 mm, Ektachrome (100), 1/60 s, f/11
Les deux du bas : **Hasselblad**, 80 mm, Ektachrome (100), 1/60 s, f/5,6 (à gauche), f/16 (à droite)

Composition d'un Nu

La photographie de nu est l'occasion de recherches de composition ; à gauche, l'image a un climat d'érotisme subtil ; remarquez l'inflexion du corps qui se prolonge dans la tache de lumière sur le mur, donnant une sensation de mouvement. L'encadrement de la fenêtre et les réflexions dans les vitres s'harmonisent avec la pose désenchantée du modèle dans la photo du bas ; l'érotisme naît du contraste entre la peinture écaillée et la peau douce. N'oubliez pas les possibilités du gros plan (ci-dessous) : il donne des compositions intéressantes ou chargées d'un fort climat d'érotisme.

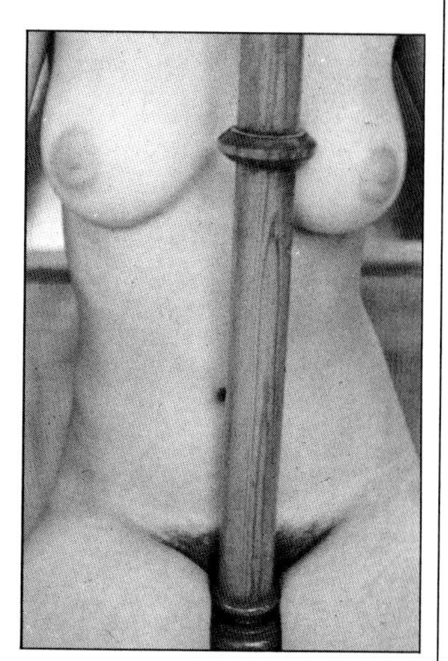

En haut, à gauche : **Pentax**, 55 mm, FP4, 1/30 s, f/4
Ci-dessus : **Pentax**, 85 mm, FP4, 1/60 s, f/5,6
A gauche : **Nikon**, 50 mm, FP4, 1/60 s, f/11

L'ÉCLAIRAGE DU NU

La qualité de la lumière et sa direction sont des facteurs essentiels pour une photo de nu. Décidez d'abord quel rôle aura l'éclairage : simple tache mettant l'accent sur une partie du corps, en laissant le reste dans l'ombre mystérieuse ; ou, au contraire, lumière de contre-jour accentuant la matière même de la peau et dessinant la silhouette. L'image ci-dessous est éclairée des deux côtés, ce qui montre la forme, la texture et le volume du corps. La lumière provient d'une fenêtre : les ombres adoucies sur la gauche par un large réflecteur blanc. Remarquez comme cet éclairage détaille les inflexions de la peau, là ou les mains s'appuient sur le ventre. L'image du milieu à droite est éclairée frontalement, devant un fond noir, ce qui ne montre que la forme générale du corps, sans détails. La photo de droite n'est que l'ombre du modèle projetée sur le mur par la lumière solaire : notez les déformations. L'illustration ci-contre montre le genre d'effets pouvant être obtenus en projetant directement une diapositive sur le modèle appuyé contre le mur blanc du studio.

A droite : **Pentax**, 135 mm, Tri-X, 1/2 s, f/5,6
Toutes les images ci-dessous : **Hasselblad**, 150 mm, Plus-X ;
Ci-dessous : 1/30 s, f/8
Au milieu : 1/60 s, f/3,5
En bas, à droite : 1/125 s, f/11

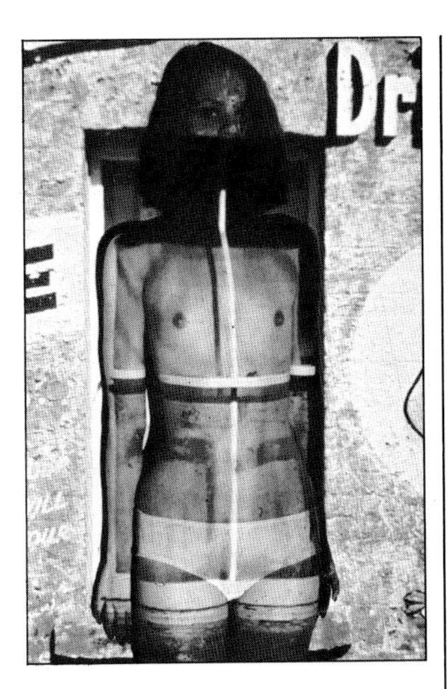

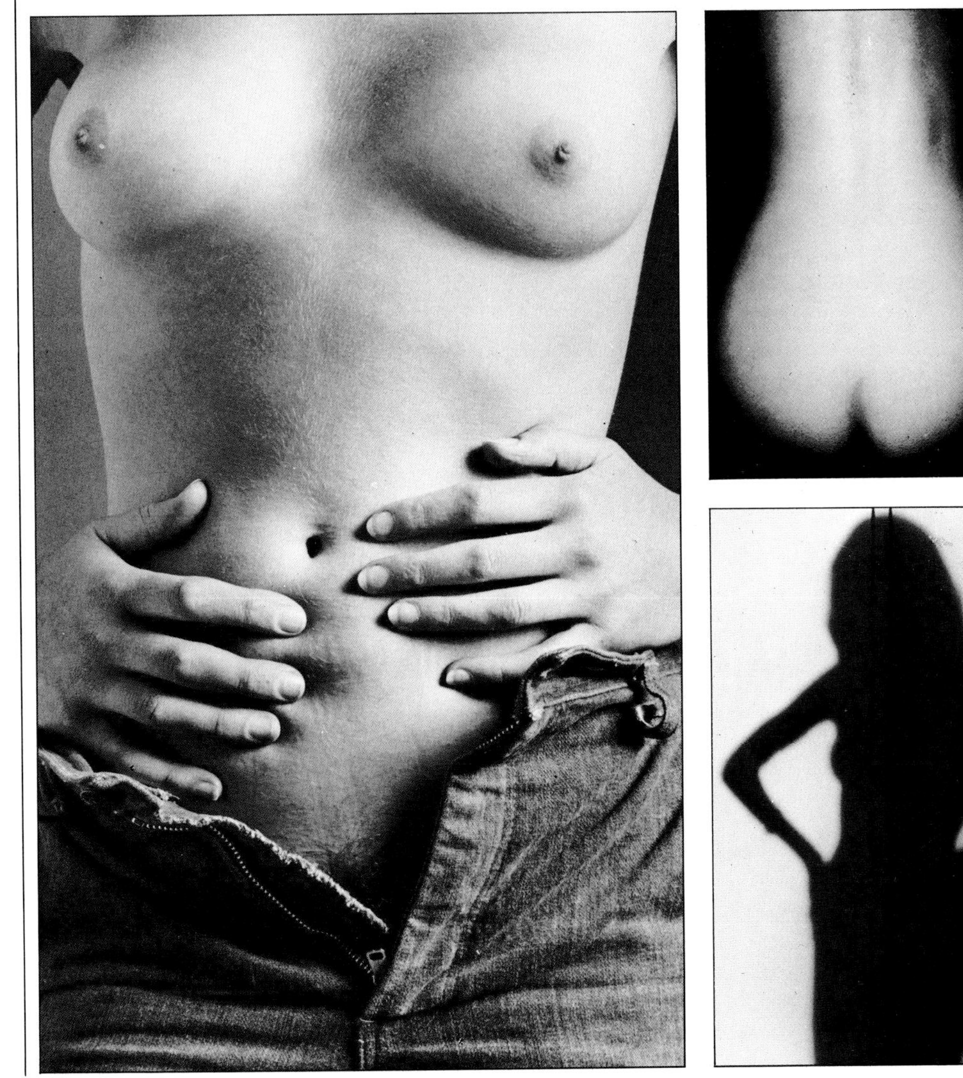

Utiliser un Projecteur

Nous sommes habitués à voir des images projetées sur un écran ; mais ces images elles-mêmes peuvent être rephotographiées : cela nous ouvre une gamme étendue d'effets très variés. Par exemple, vous pouvez photographier l'image projetée selon un angle oblique : ce qui apporte une déformation de l'objet. Déterminez l'exposition en faisant la moyenne entre les parties claires et les parties sombres, comme pour une reproduction. Pour éviter les vibrations, placez projecteur et appareil de prise de vue sur un support très stable. Éliminez toute lumière ambiante et employez (en couleur) le film type lumière artificielle. On peut obtenir des effets intéressants en projetant l'image non pas sur un écran plat mais sur des surfaces incurvées (ci-dessous).

Voir *Examen des diapositives, pages 312-313.*

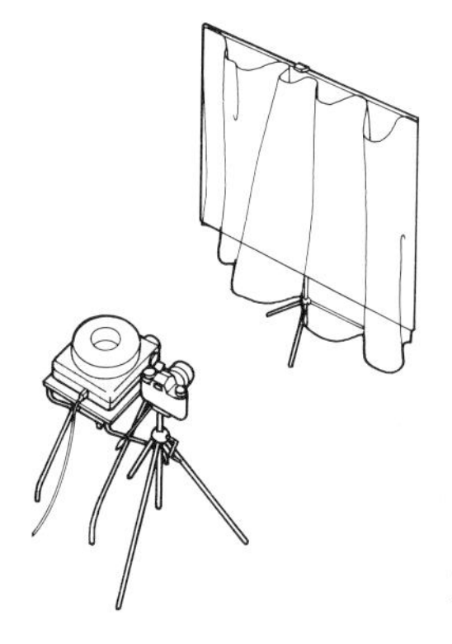

Comment rephotographier une image projetée
Le schéma ci-contre montre comment vous pouvez reproduire la diapositive projetée sur une surface quelconque ; dans ce cas, un rideau de dentelle. En utilisant un objectif de longue focale (135 mm par exemple) : l'appareil placé assez loin pour ne pas masquer le faisceau projeté. La plupart des projecteurs actuels ont une lampe quartz-halogène dont la lumière est compatible avec le film couleur type lumière artificielle. Néanmoins, un essai préalable vous indiquera si un filtre correcteur est nécessaire.

Projection sur une surface plane Ici, l'image est projetée sur un tableau blanc. Une lampe d'ambiance éclaire le mur. **Nikon**, 135 mm, Ektachrome (50 Pro), 1 s, f/11

Projection sur une surface incurvée La diapositive est projetée sur un rideau de dentelle, placé devant un fond noir. **Nikon**, 135 mm, Ektachrome (50 Pro), 1 s, f/16

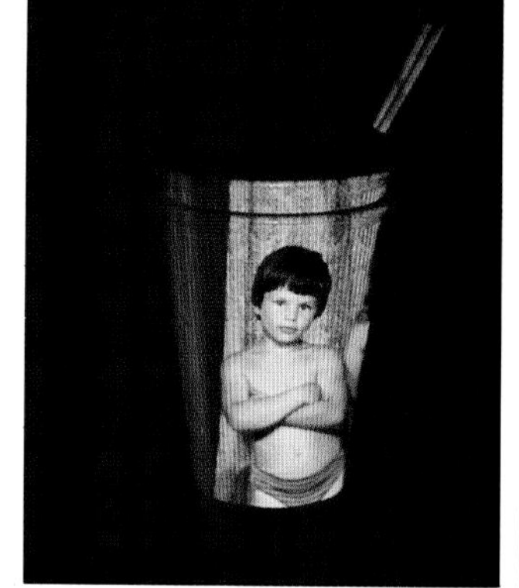

Projection sur un objet à trois dimensions Le projecteur a été rapproché pour former une petite image sur le gobelet en plastique blanc. **Pentax**, objectif macro 50 mm, Ektachrome (50 Pro), 1/4 s, f/16

Deux Projecteurs

Le jeu est beaucoup plus amusant si vous disposez de deux projecteurs semblables dont les images sont superposées sur le même écran. De cette manière, les parties claires de l'une apparaissent sur les parties sombres de l'autre. Si nécessaire, vous pouvez masquer partiellement l'une des deux images afin de limiter la superposition aux régions désirées. Les possibilités de créer des images curieuses sont très nombreuses.

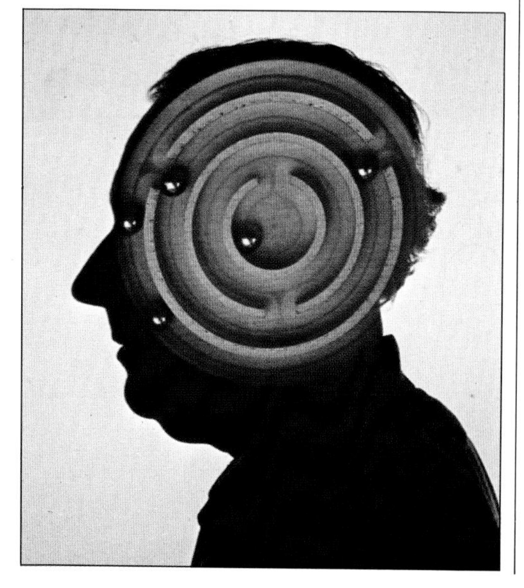

Superposition d'images
Une photo en gros plan, représentant un labyrinthe, est ici superposée à une silhouette. On a limité le faisceau du projecteur par un cache circulaire convenablement positionné.

Leica R, 135 mm, Ektachrome (50 Pro), 1/4 s, f/8

Multiprojecteurs

Vous pouvez combiner un plus grand nombre d'images en multipliant le nombre des projecteurs. Les objectifs de projection "zoom" sont particulièrement utiles parce qu'ils permettent d'ajuster facilement les dimensions et la position de chaque image. Si les focales sont fixes, il suffit de placer chaque projecteur à la distance convenable, en les posant sur des tables ou autres supports. Construisez votre composition image par image ; cachez les éléments indésirables par des masques placés près des objectifs. Si une image est trop claire par rapport aux autres, mettez un filtre gris neutre devant l'objectif, ou constituez un diaphragme dans un carton noir percé d'un trou. Vous pouvez également employer des filtres colorés, des lentilles diffusantes, chercher un flou volontaire ou encore bouger un projecteur en cours de prise de vues ! Utilisez un écran assez grand, par exemple un mètre de base, pour que les projecteurs ne soient pas trop tassés les uns contre les autres. Rappelez-vous que de la lumière parasite s'échappant de chaque projecteur risque de désaturer les images projetées sur l'écran. Utilisez le plus petit nombre de projecteurs possible.

Composition d'une multiprojection L'image en bas de page est formée par l'assemblage des quatre diapositives individuelles ci-dessous. Chacune a été projetée séparément sur un même écran. Le coucher de soleil et l'arc-en-ciel étaient des diapositives couleur originales. La tasse fut prise en studio sur diapositive 6 x 6 cm ; la vue de nuit est une diapositive noir et blanc. Notez que chaque image présente un environnement sombre ou noir.

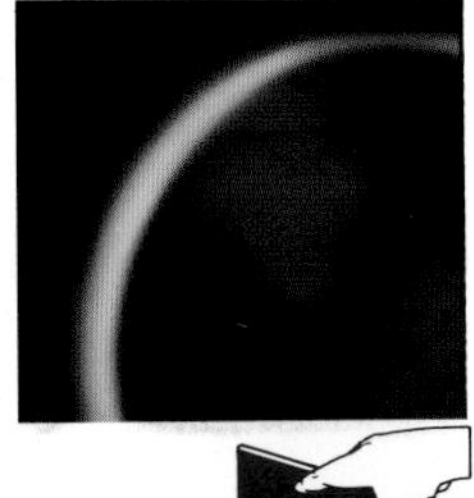

Installation des projecteurs La disposition est indiquée par le schéma ci-dessous. On a laissé assez de place pour installer les caches devant les objectifs ou pour masquer un projecteur durant la pose. L'appareil est muni d'une longue focale, afin de pouvoir être positionné derrière les projecteurs.

Masquer le faisceau projeté En tant que masque, utilisez un carton évidé de forme appropriée ou votre main. Les limites du faisceau sont d'autant plus imprécises que le cache est plus éloigné de l'objectif. Afin de bien fondre les contours, déplacez légèrement le cache durant la pose.

L'image finale On a d'abord projeté les images du ciel, de l'arc-en-ciel et la vue de nuit, en masquant les parties inutiles. Puis on a dégagé une partie de l'écran pour permettre la projection de l'image de la tasse en repérage.

Leica R, 135 mm, Ektachrome (50 Pro), 1/2 s, f/11

Effets avec l'Eau

L'eau offre presque autant de possibilités visuelles en studio qu'en extérieur. Une douche ou le tuyau d'arrosage peuvent imiter la pluie en studio, grâce au flash électronique qui traduit les gouttes d'eau par des traînées suffisamment bougées pour paraître vraies. Un bassin d'eau peu profond peut servir de premier plan et refléter le motif principal de l'image. On peut également photographier des objets sous une mince pellicule d'eau, pour les déformer. Mais, à chaque fois que l'on utilise l'eau à proximité d'installations électriques, il faut prendre des précautions particulières : isoler ou faire isoler tous les conducteurs électriques, éloigner les lampes des parties humides, etc. Si vous ne pouvez travailler dans une salle de bains ou une piscine, recouvrez tout le sol d'une feuille de plastique et prévoyez un bassin assez grand (comme une piscine pour enfants) pour contenir l'eau.

Imitation d'une rivière
L'image ci-dessous a été prise dans une piscine démontable de jardin. Elle fut remplie d'eau tiède sur 30 cm environ. La tête du modèle est soutenue par un bloc de plastique. On a semé sur la surface de l'eau des fleurs, des plantes aquatiques et on a planté quelques roseaux. Éclairage doux, très diffus, provoquant quelques reflets sur la surface. Image traitée en high key.

Hasselblad, 80 mm, Plus-X, 1/60 s, f/11

Effets Atmosphériques

Certaines machines peuvent être louées dans les magasins d'accessoires pour le théâtre ou le cinéma.

Vent
Pour les gros plans, un petit ventilateur d'appartement est assez puissant. Pour imiter la tempête, il faut louer un très gros ventilateur chez un spécialiste.

Brume
Un morceau de glace carbonique placé dans un seau d'eau engendre une brume épaisse qui grimpe le long du seau, puis s'étale en un tapis de plusieurs centimètres sur le sol du studio. Un générateur de fumée opère de la même manière : le bloc de neige carbonique est aspergé d'eau tiède lorsqu'on tire sur une poignée.

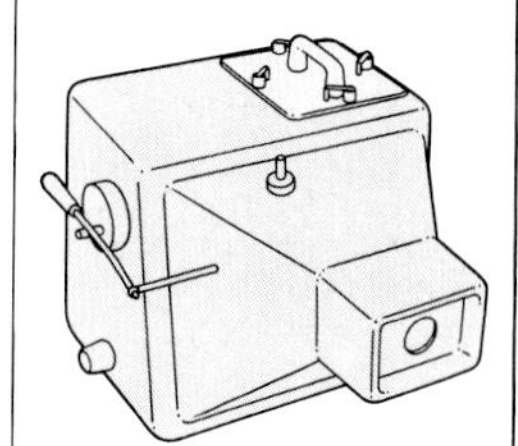

Générateur de fumée

Neige
Vous pouvez acheter des billes de polystyrène ou hacher menu une plaque de polystyrène dans un moulin à café ou un hachoir. Pour reproduire une tempête de neige en grandeur réelle, faites souffler par un fort ventilateur les billes de polystyrène contenues dans une cuvette plate.

TOILES D'ARAIGNÉE

La machine à fabriquer les toiles d'araignée comprend une centrifugeuse munie de fentes d'extrusion et un ventilateur. Quand on met la machine en marche, la solution caoutchouteuse contenue dans la centrifugeuse est extrudée en longs fils qui s'accrochent sur tous les objets faisant face à la machine.

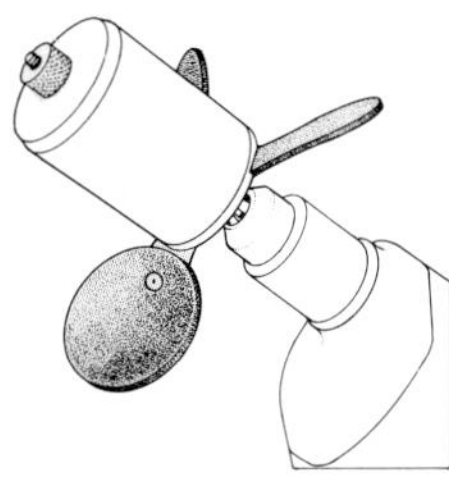

Fileuse pour toile d'araignée

Fausses toiles d'araignée
Il a fallu deux bidons de solution pour décorer cette cave de fausses toiles d'araignée. Pour augmenter l'épaisseur, on a soufflé dessus de la poussière. L'éclairage est assuré par deux flashes électroniques : l'un caché à droite, l'autre en indirect sur le plafond, derrière et au-dessus de l'appareil.

Hasselblad, 60 mm, Tri-X, 1/60 s, f/11

FUMÉE

La fabrication de fumée en intérieur est difficile et un peu dangereuse. Un générateur de fumée fonctionne en chauffant, par une résistance électrique, une petite quantité d'huile. On utilisera plutôt la fumée de tabac. En extérieur, il suffit de faire un feu, en tenant compte du sens du vent, et d'y brûler des herbes humides. Pour l'extérieur, il existe également des bombes fumigènes : elles ressemblent à des chandelles romaines que l'on plante droit dans le sol et qui brûlent environ 5 minutes.

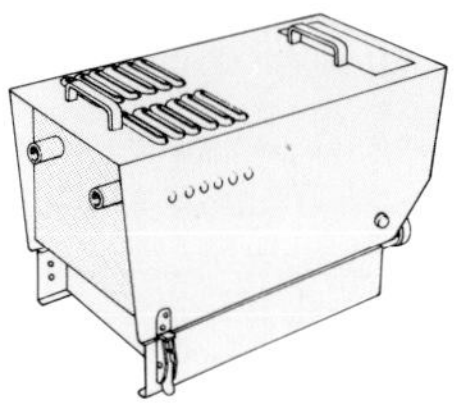

Générateur de fumée

Diffusion de la lumière par la fumée La fumée est un excellent moyen d'éliminer les détails indésirables de l'arrière-plan et d'engendrer la perspective aérienne. Le mirador ci-contre était éclairé verticalement par la lumière du soleil, les rayons traversant la fumée générée par quatre bombes fumigènes.

Bronica, 80 mm, Tri-X, 1/30 s, f/8

PROJECTION FRONTALE

Elle permet de combiner le sujet réel avec un fond photographique précédemment enregistré. Il faut un écran spécial, très réfléchissant, mais selon un angle très étroit. Une glace semi-réfléchissante est montée à 45° devant l'objectif et devant un projecteur contenant la diapositive qui sert de fond. L'image projetée se réfléchit sur la glace en direction de l'écran. Du point de vue de l'objectif, l'ombre du sujet est toujours cachée. De cette manière, l'image projetée ne se voit pas sur le sujet, pourvu qu'il ne soit pas spécialement réfléchissant. Le sujet réel peut être éclairé de la manière habituelle.

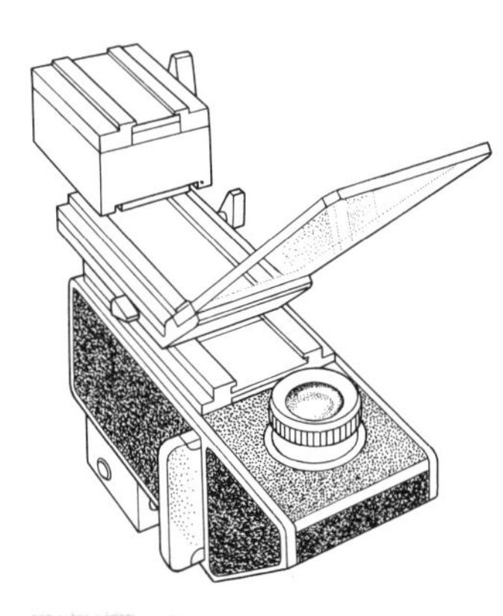

Dispositif de projection frontale Il comprend : un projecteur pour diapositives (contenant un tube-éclair et une lampe de modelage), une glace semi-réfléchissante et un support pour l'appareil de moyen format. Il n'y a aucun réglage à faire pour confondre les axes optiques, puisque l'appareil et le projecteur sont portés par le même dispositif.

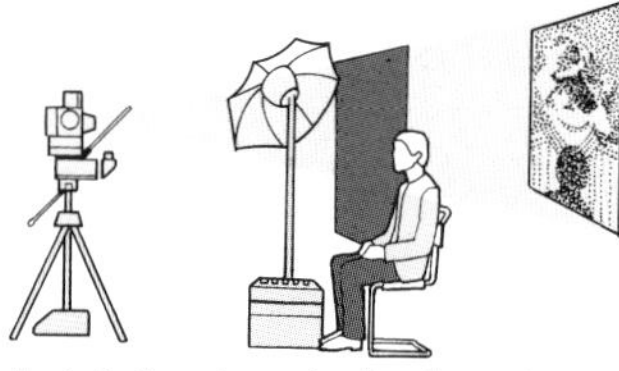

Installation de projection frontale L'image ci-contre a été faite selon la disposition indiquée par le dessin. Éviter de trop éclairer l'écran de projection pour conserver un fond bien contrasté.

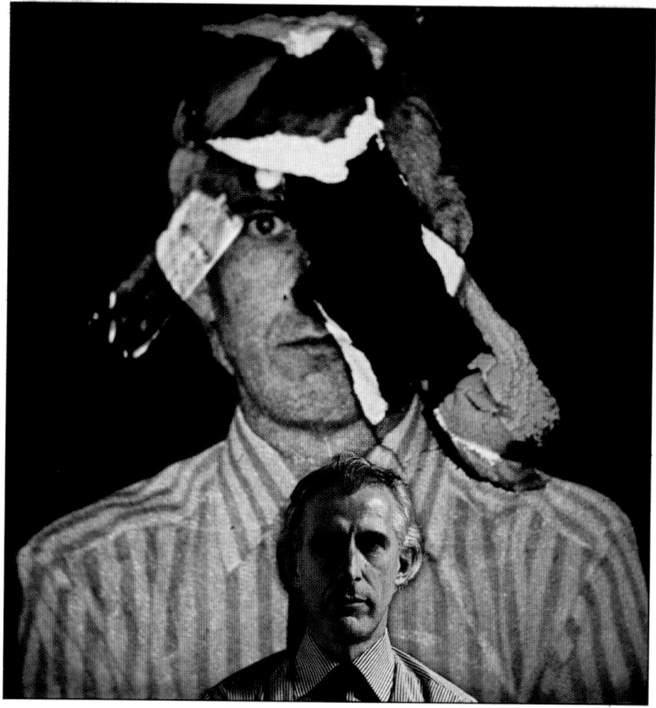

Images combinées Le fond de l'image de droite est une diapositive obtenue en projetant une vue sur un papier blanc déchiré, puis en rephotographiant le tout ; cette diapositive sert de fond pour le modèle vivant.

Changement de décor La projection frontale permet de changer très rapidement de décor : il suffit de remplacer la diapositive dans le projecteur. En quelques secondes, les filles sont passées de la mer à la montagne.

Projection oblique

Si vous projetez un fond, le sujet réel projettera son ombre. Placer le projecteur de côté permet d'éliminer l'ombre ; mais l'image projetée est déformée. Cet inconvénient peut être surmonté en préparant une diapositive déjà déformée, elle-même obtenue en photographiant ce fond sous une certaine incidence. Vous pouvez alors projeter cette diapositive obliquement, le résultat final étant exempt de distorsion (dessins ci-contre).

1 *Projetez la diapositive de fond perpendiculairement à l'écran. Rephotographiez cette image obliquement (avec un petit diaphragme).*

2 *Placez la diapositive obtenue dans le projecteur qui est à la place qu'occupait l'appareil. Diaphragmez l'objectif du projecteur pour avoir une image nette sur tout l'écran.*

3 *Placez l'appareil de prise de vue perpendiculairement à l'écran. Éclairez le modèle pour qu'il ne soit pas sensiblement plus lumineux que l'image projetée.*

Image déformée L'image déformée ci-dessous est obtenue en rephotographiant la diapositive originale (à gauche). En la projetant ensuite selon le même angle, on a obtenu l'image composite (à droite).

Comment construire un système frontal

Vous pouvez employer un écran perlé comme fond, une glace semi-réfléchissante et un projecteur de diapositives, placé à 45° par rapport à l'appareil. La glace doit réfléchir l'image projetée vers l'écran. Réglez l'appareil pour que, vu à travers la glace, le reflet de l'objectif se confonde avec le reflet de l'objectif du projecteur. Éclairez le sujet pour que sa luminosité soit proportionnelle à celle de l'image projetée. Protégez l'écran de la lumière directe. Notez, sur le dessin ci-contre, le voile noir derrière la partie de la glace opposée au projecteur.

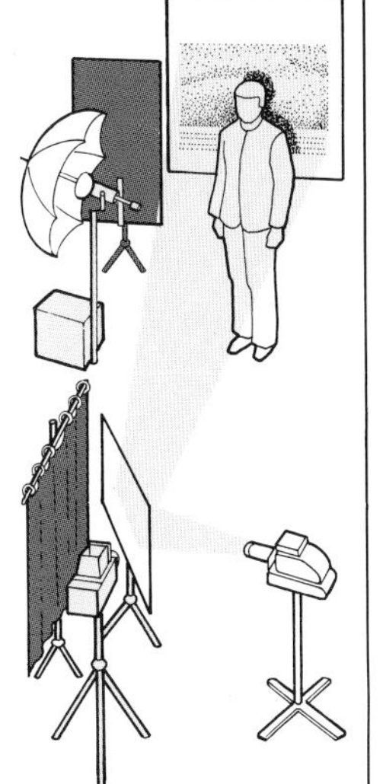

Projection frontale
Projetez la diapositive sur l'écran à haute réflexion, grâce à la glace semi-réfléchissante. L'appareil est perpendiculaire à l'écran.

Projection arrière

C'est une autre méthode permettant de rapprocher un fond derrière un sujet réel. Utilisez un écran translucide assez épais pour que l'image de l'objectif ne puisse se voir à travers lui. Le papier calque convient assez bien. La diapositive contenue dans le projecteur doit être inversée. Placez le projecteur assez loin derrière l'écran et veillez à ne pas illuminer cet écran en éclairant votre sujet : ce qui provoquerait une désaturation de l'image. Sur le dessin ci-contre, le spot éclairant le modèle est placé derrière un écran opaque destiné à protéger l'image projetée. Placez le modèle le plus loin possible de l'écran de projection. Ce principe nécessite beaucoup de place.

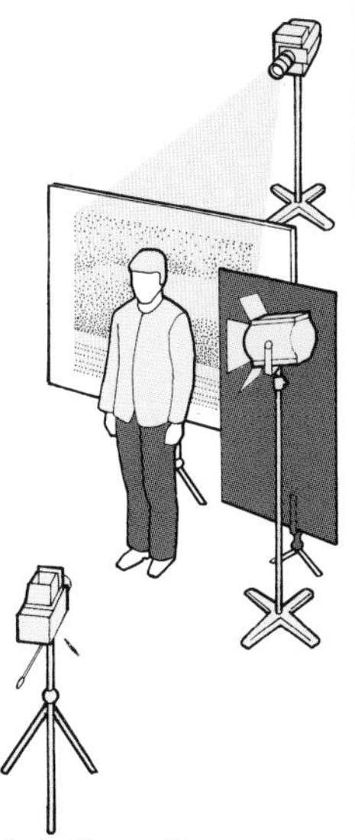

Projection arrière
Elle demande beaucoup d'espace : projetez la diapositive sur un écran translucide et placez le modèle bien en avant de l'écran.

Révélateurs Négatifs

Le développement du film exige autant de souci du détail que la prise de vues elle-même. En photographie, toute une journée de travail peut être gâchée par une erreur de traitement (durée, température, choix de la solution). Le premier effet visible du développement est de former de l'argent métallique dans les régions du négatif correspondant aux hautes lumières du sujet. Les demi-teintes puis les ombres apparaissent ensuite, progressivement : pendant ce temps, les hautes lumières ont augmenté de densité avec une augmentation du grain. Cela signifie que, si vous avez volontairement sous-exposé avec l'intention de surdévelopper pour compenser le manque d'exposition, vous aurez fatalement une augmentation du contraste : si votre sujet était doux, le négatif reste de bonne qualité ; mais, si le contraste du sujet était déjà élevé, le négatif ainsi traité risque d'être intirable, à cause de son trop grand contraste et de sa granulation.

Révélateur grain fin
Le révélateur le plus utilisé pour les films de petit et moyen format est une formule grain fin, de contraste modéré, tels le D-76 ou le ID-11, utilisant l'association génol/hydroquinone dans une solution très faiblement alcaline. Ce type de révélateur agit assez lentement, mais cette énergie réduite diminue la tendance des grains d'argent à s'agglomérer en amas plus gros. Le terme "grain fin" est relatif : un révélateur grain fin n'a aucune action spectaculaire sur un film dont la granulation naturelle est importante. Les révélateurs tout préparés du commerce utilisent des combinaisons de développateurs à faible et à forte énergie : leur fabricant annonce une diminution sensible du grain, sans perte de la rapidité initiale du film, ce qui n'est pas toujours le cas...

Révélateur "haute acutance"
Il forme une image normale ou douce près de la surface de l'émulsion : cela réduit la légère perte de détails due à la diffusion de la lumière dans l'épaisseur de la couche d'émulsion. Il s'emploie avec les films peu épais, de rapidité faible ou moyenne.

Révélateur à haute énergie
Il a pour effet de donner la rapidité maximale du film : la formule s'apparente souvent à celle des révélateurs rapides (ci-dessous). La granulation naturelle est augmentée, mais reste souvent inférieure à celle que l'on aurait en employant un film rapide dans un révélateur grain fin.

Révélateur rapide
On peut développer en 30 ou 45 secondes en employant un révélateur concentré, très alcalin, spécialement préparé pour cet usage. Ce temps peut être réduit à 4 ou 5 secondes en travaillant à 30 °C. Mais, en un temps aussi court, il est impossible de développer uniformément le film par la manière conventionnelle : le traitement s'effectue (dans certaines machines) par pulvérisation.

Révélateur grand contraste
L'élément fondamental est l'hydroquinone ; il est conçu pour le traitement des films lith. C'est la combinaison du révélateur localement épuisé des zones sombres du négatif et du révélateur frais des zones claires qui forme une frontière entre le blanc et le noir, donnant une grande définition aux contours.

Développement en deux bains
On obtient des négatifs très détaillés dans les ombres (du sujet) sans densité excessive des hautes lumières. La méthode convient aux scènes très contrastées : vues d'intérieurs par exemple. Utilisez deux cuvettes : l'une de révélateur normal, du type D-76 ; l'autre contenant une solution de borax à 1 %. Développez le film durant les deux tiers du temps normal, puis, sans rincer, transférez-le dans la solution de borax où il séjournera sans agitation. Le révélateur demeurant dans les hautes lumières est rapidement épuisé et le développement s'y arrête ; mais le révélateur reste actif dans les ombres qui continuent à monter. **Voir** *Choix d'une formule, page 47.*

Révélateurs chromogènes
Les films noir et blanc à développement chromogène associent une grande sensibilité à la finesse de grain. Le film Ilford XP 1 peut être utilisé à 1 600 ISO sans qu'il y ait une perte significative de qualité, si l'on compare avec les films conventionnels de haute rapidité. Ces films se traitent soit à l'aide d'un "kit" de développement, soit dans les solutions habituelles pour le traitement des négatifs couleur (Kodak C-41 par exemple). Le "kit" comprend un révélateur et un blanchiment/fixage pour traitement à 38 °C. En pratique, on peut développer ces films entre 30 et 40 °C.

Préparation des Bains

Les solutions habituelles se trouvent en formule "tout préparé" dans le commerce : liquides concentrés, plus faciles et plus rapides à préparer, ou en poudre. Pour les bains moins communs, il est nécessaire de les préparer soi-même, à partir des constituants, suivant la formule. Dans une formule, notez si le produit est cité sous sa forme anhydre ou cristallisée ; anhydre, il est plus actif et il en faut moins que s'il est cristallisé (contenant de l'eau). Équilibrez en posant un morceau de papier sur chaque plateau. Les produits chimiques ne doivent pas entrer en contact avec le laiton ou autre métal. Dissolvez séparément chaque produit, dans de l'eau dont la température n'excède pas 50 °C pour les cristaux et 27 °C pour la plupart des produits anhydres. **Voir** *Préparation des bains, page 47.*

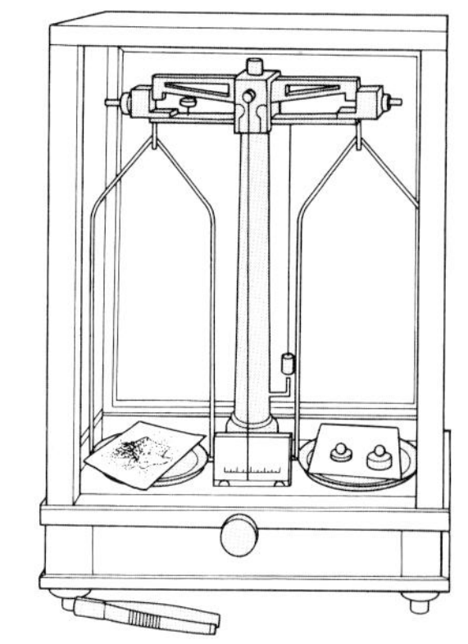

Balance pour produits chimiques
Cette balance de laboratoire permet de mesurer les quantités de produits avec une grande précision. Les plus petits poids se manipulent avec des brucelles.

Stockage des Solutions

Stockez, de préférence, les solutions à l'abri de la lumière, ou dans des flacons opaques : que les flacons soient bien remplis puisque l'air favorise l'oxydation. Employez, d'ailleurs, des flacons en plastique compressibles, vous permettant d'éliminer l'air. Ne pas utiliser les bouchons métalliques ni en liège : préférer le plastique. Sur l'étiquette doit figurer le nom de la solution, la date de préparation et les dates d'emploi.

RÉTICULATION

A droite, la trame régulière est due à la réticulation (froncement de l'émulsion du négatif). Elle peut être provoquée par le rapide passage d'un révélateur un peu froid à un fixateur trop chaud. Les films modernes sont résistants à la réticulation, mais on peut la provoquer artificiellement en développant à 45-50 °C. On peut également plonger un film déjà développé (non tanné) dans une solution de carbonate de sodium à 10 % portée à 50 °C ; lorsque l'émulsion est plissée, rincez à l'eau froide.

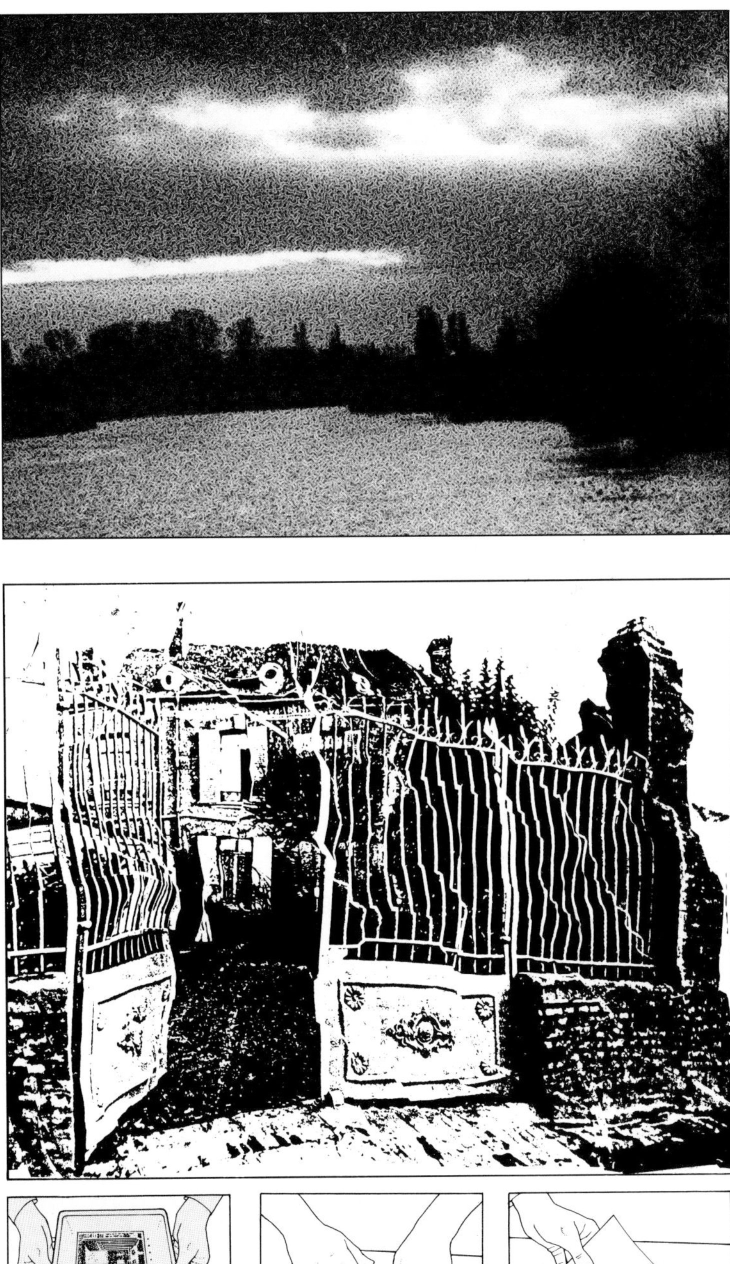

DÉFORMER L'ÉMULSION

L'eau très chaude fait fondre l'émulsion. Mais, pour contrôler le résultat, faites un tirage sur plan-film Autoreversal Agfa (voir ci-dessous). Développez dans un révélateur normal ou lith : il se formera une image négative détachable de son support. Les images trait donnent les effets les plus spectaculaires. **Voir** *Film pelliculable, page 243.*

1 *Agrandissez votre négatif original sur Autoreversal. Développez court pour relever les bords de l'émulsion. Utilisez une feuille de plastique perforé pour transporter le film d'une cuvette à l'autre.*

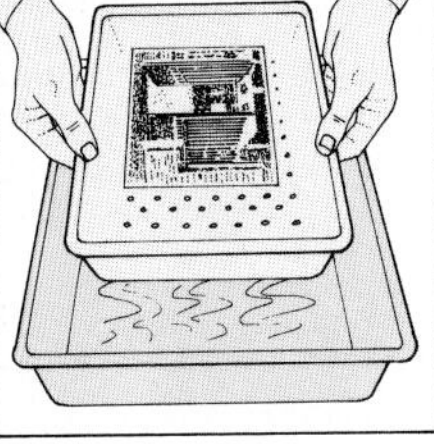

2 *Plongez délicatement le film dans le bain d'arrêt, puis dans le fixateur. Faites attention de conserver le film horizontal ; sinon l'émulsion s'échapperait dans la solution.*

3 *Lavez le film avant de le transférer sur une feuille de papier absorbant : vous pouvez maintenant plisser et déformer l'émulsion ; mais en veillant à ne pas la déchirer.*

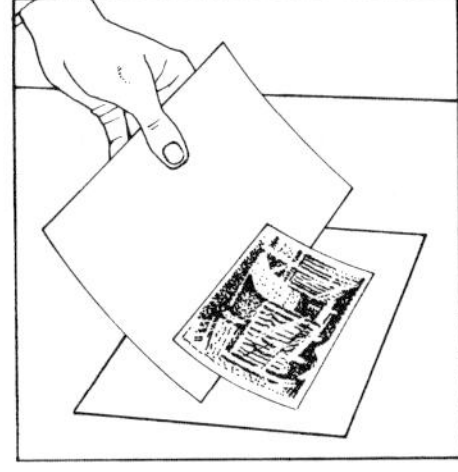

4 *Faites glisser le film sur une autre feuille de papier support. Il doit sécher naturellement, sinon les bulles d'air se formeraient sous l'émulsion. Si le film manque de contraste, le tirer sur film trait.*

CORRECTION DES NÉGATIFS

Il est parfois possible de sauver un négatif trop opaque ou trop transparent par un traitement chimique. Dans le premier cas, il faut réduire la quantité d'argent métallique (affaiblissement) ; dans le deuxième, il faut donner de la densité à l'image (renforcement). Les possibilités de correction sont limitées par les informations que le négatif contient effectivement ; s'il est si clair qu'il n'y a aucun détail dans les demi-teintes, ce n'est pas le renforcement qui va en apporter. Il y a aussi le risque que le négatif soit irrémédiablement abîmé au cours de l'opération. Aussi est-il prudent de faire d'abord un tirage, le meilleur possible, qui pourra toujours être rephotographié en cas d'accident sur l'original.

Renforcement

On augmente la densité de l'image trop claire ; il est plus facile d'y parvenir avec une image sous-développée qu'avec un négatif sous-exposé. Beaucoup de renforçateurs augmentent à la fois le grain et le contraste. L'effet est généralement obtenu en ajoutant du métal à l'image argentique. Les renforçateurs au chrome et à l'uranium se trouvent en bains tout préparés. Le négatif doit être parfaitement fixé et lavé avant traitement. Le renforcement au chrome implique un blanchiment et le redéveloppement dans un révélateur MQ ou PQ. L'image ci-dessus, à droite, est obtenue avec le chrome. Le renforçateur au nitrate d'uranium opère en un seul bain.

Affaiblissement

La diminution de la densité d'un négatif s'obtient chimiquement en dissolvant une partie de l'image argentique. Il y a également accroissement de la granulation. On distingue les affaiblisseurs superficiels qui diminuent la densité sans modifier le contraste et les proportionnels qui attaquent la masse argentique en fonction de son épaisseur : ce qui diminue à la fois densité et contraste. L'affaiblisseur de Farmer agit en "superficiel" en dilution normale et en "proportionnel" lorsqu'il est plus dilué. La formule de base du Farmer est celle-ci : plongez le film dans une solution contenant 1,6 gramme de ferricyanure de potassium et 33 grammes d'hyposulfite cristallisé par litre d'eau. Contrôlez continuellement la réduction de densité par examen du négatif. Terminez par un lavage. A droite ci-contre : image traitée de cette manière.

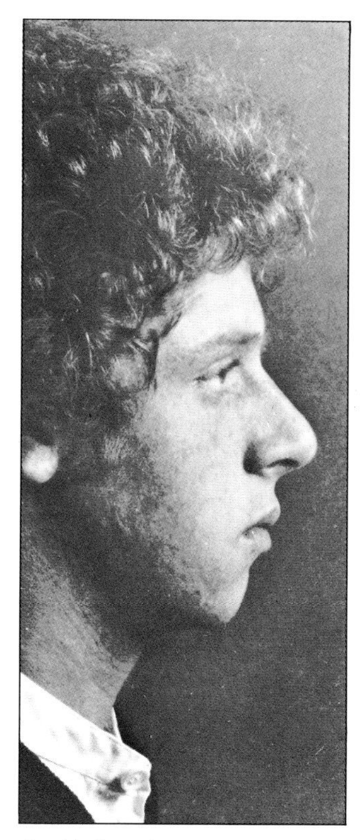

Avant traitement

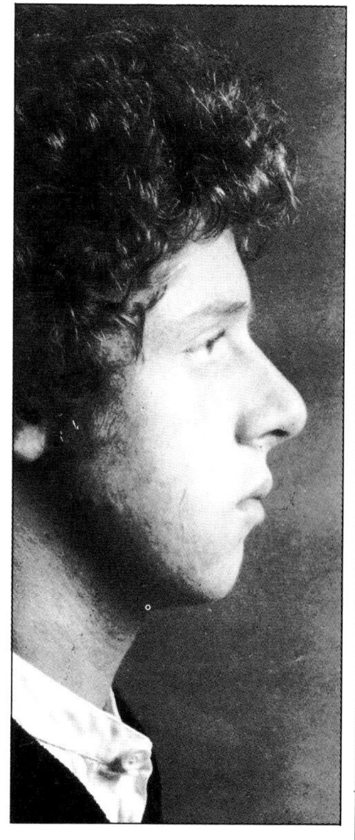

Après traitement

Traitement des Films Spéciaux

Film duplicating direct
Film orthochromatique lent, donnant directement une image inversée : il s'utilise pour tirer les duplicatas de négatifs en demi-teintes. Le traitement est normal.

Film lith
Film orthochromatique très contrasté, à traiter dans un révélateur lith, qui donne des noirs opaques et des blancs transparents, sans demi-teintes, même à partir de négatifs normaux.

Film Autoscreen
Tiré et traité comme un film lith, le film Autoscreen donne directement une image tramée, comme une similigravure. Pour montrer la structure de l'image, formée de points noirs plus ou moins gros, nous avons grossi trois fois l'image sur l'exemple ci-dessous. Ce film est utilisé comme intermédiaire dans les procédés offset et sérigraphiques.
Voir *Reproduction, pages 276-277 ; Types de films, page 42.*

Film Contour

Appelé aussi "film pour équidensité". Il est formé d'une double émulsion : l'une donnant une image négative, l'autre, plus lente, une image inversée. S'il est correctement exposé sous un agrandisseur, l'image est dense aussi bien pour les hautes lumières que pour les ombres, les demi-teintes étant au contraire transparentes. Les équidensités et isohélies s'obtiennent à partir du film contour.
Voir *Films noir et blanc, page 42 ; Solarisation, page 248 ; Posterisation, page 245.*

Film duplicating direct

Lith

Autoscreen

Film Pelliculable

Ce film comporte une couche supplémentaire de gélatine entre l'émulsion et le support. Après traitement, cette couche est fondue dans l'eau tiède. L'émulsion se détache du support et l'on peut la faire adhérer sur un autre support, éventuellement en l'inversant. Un adhésif est fourni pour cet usage. Ce film n'existe qu'en émulsion de grand contraste.

1 *Après développement, fixage non tannant et lavage, la couche d'émulsion est détachée en eau tiède.*

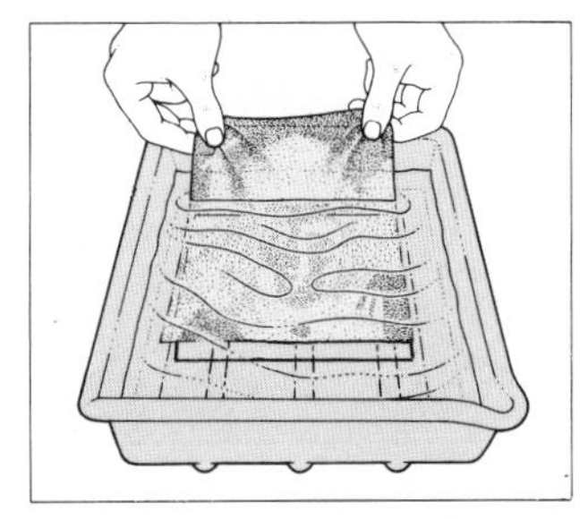

2 *La couche d'émulsion est appliquée sur un support transparent gélatiné ; puis l'ensemble est mis à sécher.*

Négatifs Multiples

En combinant deux négatifs ou plus au moment du tirage, vous pouvez produire une image que l'appareil ne permettrait pas d'obtenir directement : la méthode la plus simple consiste à superposer deux négatifs et à les agrandir en même temps. Dans ce cas, les détails des hautes lumières d'un négatif s'imprègnent dans les ombres de l'autre, et inversement. Une autre manière de procéder est d'agrandir les deux clichés successivement sur la même feuille de papier. Dans ce cas, les détails d'une image s'enregistrent dans les zones claires de l'autre. Cette dernière méthode nécessite des essais préalables pour doser l'exposition de chaque image ; mais elle donne plus de liberté expressive. Il est effectivement possible de maquiller ou de masquer les images ou encore de leur donner des tailles différentes.

Négatifs superposés ou séparés Les deux images ci-dessous ont été réalisées à partir des deux originaux de droite. Leur superposition dans le porte-négatif a donné celle de gauche ; leur tirage successif, celle de droite.

Repérage

Le dispositif de droite – à construire soi-même – permet la parfaite superposition de négatifs : ce qui est indispensable pour bien des techniques, comme l'isohélie, décrite page suivante. Prenez un négatif et un film vierge, et percez-les en même temps avec une perforatrice de bureau : les trous se placent exactement dans les pions de positionnement du plateau.

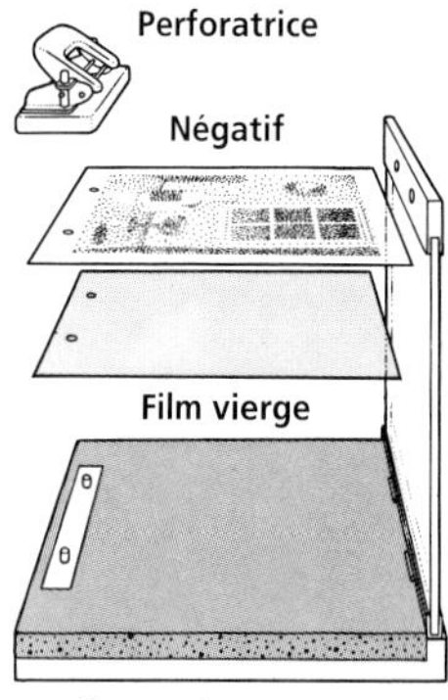

Deux Agrandisseurs

Pour tirer successivement deux négatifs sur une même feuille, on peut se servir de deux agrandisseurs : on transporte le papier d'un margeur à l'autre entre les deux expositions.

Surréalisme
L'image (à l'extrême droite) a été réalisée à partir de deux négatifs, sur deux agrandisseurs. Un cache et un contre-cache ont été utilisés pour le visage du vieillard.

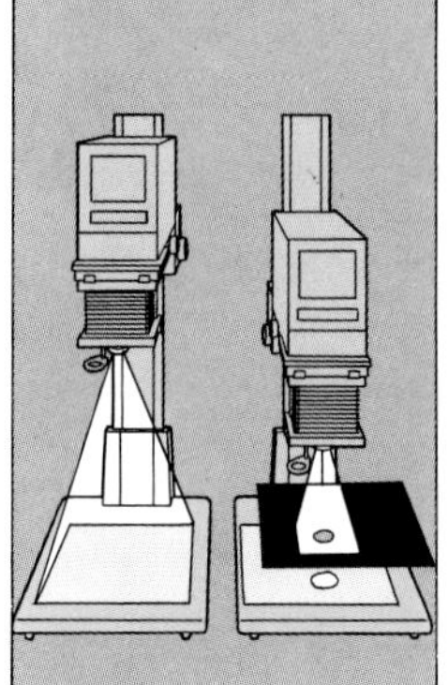

ISOHÉLIE OU “POSTERISATION”

On transforme une image à modelé continu en une image formée seulement de quelques valeurs de gris très délimitées : un noir, un blanc et deux ou trois gris (en bas, à droite). On tire le négatif original sur trois films à grand contraste : avec sous-exposition, exposition correcte et surexposition : sur le 1er film, seules les ombres les plus denses sont enregistrées ; sur le 2e, les ombres et les valeurs moyennes sont uniformément noires ; sur le 3e, seules les hautes lumières sont transparentes. Ces négatifs de sélection sont tirés, l'un après l'autre, sur film à modelé continu, de telle manière que chaque positif intermédiaire donne un gris de valeur différente ; ce négatif sera tiré normalement.

1 *Prenez un négatif de format 6 x 6 cm et collez-le à une bande de film perforée qui pourra s'engager dans les pions du plateau de positionnement décrit page précédente.*

2 *Placez un morceau de film lith sous le négatif et faites une bande d'essai.*

3 *Perforez trois films lith de format 4 x 5" ; puis placez le premier sur le plateau, dans les pions de positionnement, sous le négatif.*

4 *Exposez pour que seules les ombres soient noires, soit 5 s. Posez successivement les deux autres films, respectivement 10 et 20 s. Développez les trois films en même temps.*

5 *Tirez par contact un des positifs de sélection sur film à modelé continu. Développez dans un révélateur normal. La valeur que vous obtiendrez doit être un gris faible.*

6 *En utilisant toujours le système de repérage, tirez successivement les trois positifs de sélection sur le même film à modelé continu, avec la même exposition. Traitez le film et tirez-le normalement.*

A *Négatif original à modelé continu.*

B *Tirage sur film lith avec exposition de 5 s.*

C *Tirage sur film lith avec exposition de 10 s.*

D *Tirage sur film lith avec exposition de 20 s.*

E *L'image finale reproduit toutes les valeurs intermédiaires.*

PSEUDO-RELIEF

Cette technique permet de donner à une image l'apparence d'une sculpture en bas-relief. L'idéal est de partir d'une photo parfaitement nette sur tous ses plans, et dont les motifs sont simples. L'éclairage original doit être doux et uniforme. Les paysages, natures mortes et même les portraits sont bien traduits en pseudo-relief. Le procédé s'applique aussi à un dessin ou à un texte qui prendront ainsi un relief tridimensionnel. On établit un positif trait transparent de même format que le négatif, puis on le superpose à ce dernier avec un léger décalage. Ce sandwich est ensuite tiré de manière conventionnelle. L'agrandisseur doit posséder un porte-négatif avec verres.

Le positif est tiré contact sur film trait, non chromatisé ou orthochromatique. Le négatif de base et le positif doivent être très propres, car les défauts apparaîtraient comme des trous dans l'image finale. Tous les formats de négatifs conviennent, mais les opérations sont plus faciles avec des négatifs de grand ou moyen format. Veillez à la régularité de l'éclairage projeté par l'agrandisseur au moment de la réalisation du positif. Développez le positif dans un révélateur papier dilué de moitié, ou dans un révélateur pour négatifs.

Voir *Traitement des plans-films, page 50 ; Agrandissement, pages 54-61.*

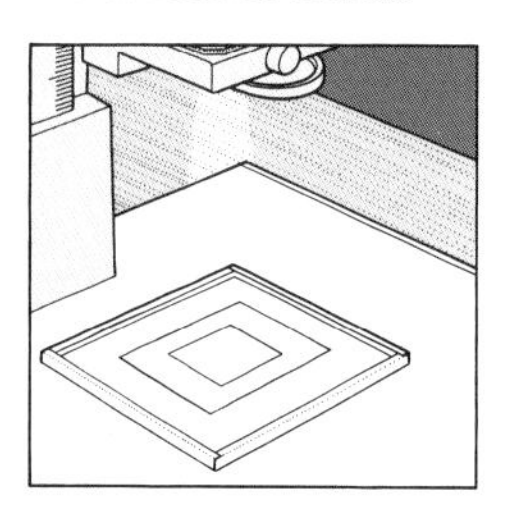

1 *Tirez votre négatif original par contact sur un film de contraste normal. Exposez et développez pour obtenir un positif légèrement plus clair que le négatif, mais de même contraste.*

2 *Positionnez négatif et positif, avec un léger décalage faisant apparaître des lignes noires aux limites des plages de différentes valeurs. Fixez les films sur le verre du porte-négatif.*

3 *Insérez le sandwich dans le porte-négatif de l'agrandisseur (il vous faudra peut-être couper les bords du positif). Agrandissez l'ensemble, de préférence sur un papier de gradation dure.*

Varier les effets A gauche, la photographie originale : éclairage doux et régulier, et objets de formes simples. Le pseudo-relief obtenu par ce procédé, en bas à gauche, présente un déplacement latéral des deux images. Les bords des objets sont fortement soulignés : les surfaces plates, sans motif, restent identiques, alors que les détails semblent estampés dans le papier. Pour l'image ci-dessous, à droite, le décalage entre le positif et le négatif a été fait du bas vers le haut : ce qui donne un résultat assez différent. On réalise plusieurs effets à partir du même sandwich, en modifiant la direction et l'am-pleur du décalage. Si le positif est tiré plus dense que le négatif, l'image finale est à prédominance négative. Si les deux films sont exactement tirés à la même valeur, et au même contraste, l'image est surtout formée de lignes nettes sur un fond gris assez uniforme. Positif et négatif seront en parfait contact dans le porte-négatif, émulsion contre émulsion.

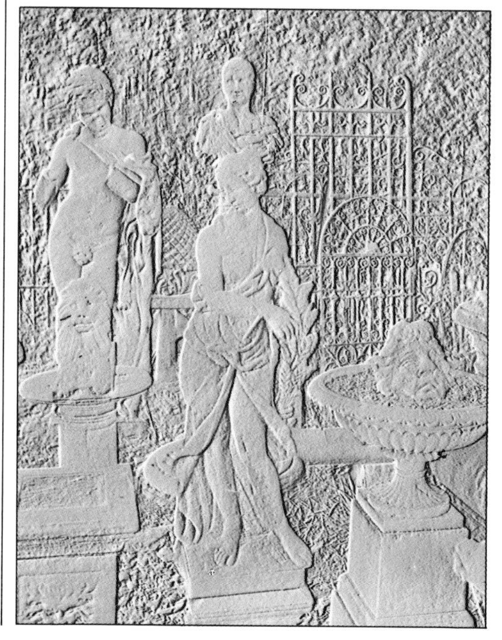

Dessin à la plume et à l'encre

On transforme une image en demi-teintes en une image formée uniquement de traits, comme un dessin à l'encre ou encore une gravure "au noir". Les lignes peuvent en effet être blanches sur fond noir ou l'inverse. Les lignes, très fines, ne sont formées qu'aux limites entre deux valeurs de gris du sujet original. Prenez un négatif très net et évitez rayures et poussières. Si vous partez d'un négatif de petit format, il est préférable d'en effectuer d'abord un contretype sur film demi-teintes format 4 x 5", ce positif servant alors pour tirer par contact un négatif de même format. L'assemblage des deux films en superposition exacte et le tirage donnent des lignes noires sur fond blanc. Si vous voulez des lignes blanches sur fond noir, il faut tirer un autre intermédiaire négatif, avant agrandissement.

Voir *Traitement des plans-films, page 50 ; Agrandissement, pages 54-61.*

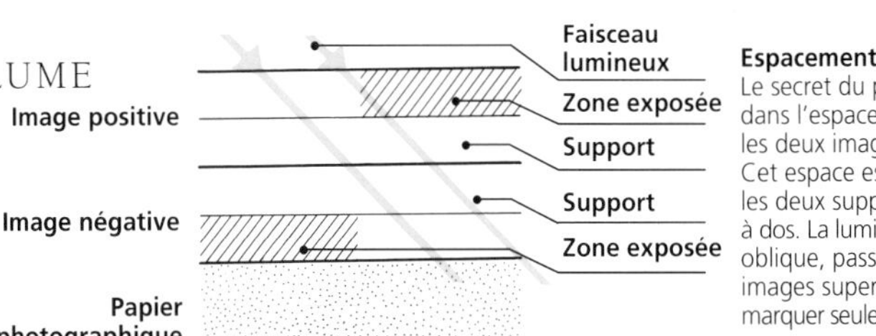

Espacement des films
Le secret du procédé réside dans l'espacement séparant les deux images (étape **3**). Cet espace est donné par les deux supports placés dos à dos. La lumière, concentrée et oblique, passe entre les deux images superposées pour en marquer seulement les contours.

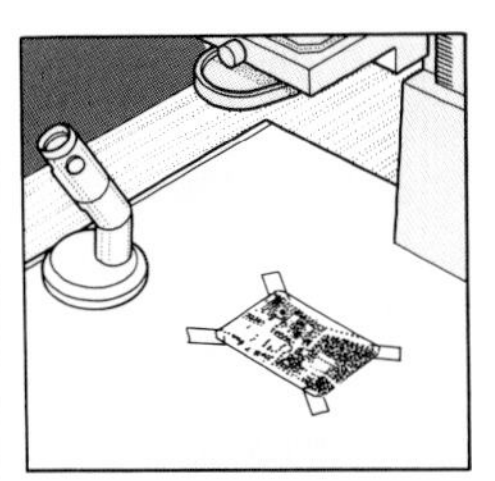

1 *Agrandissez le négatif original à un format approprié. Prenez un film à demi-teintes.*

2 *Après traitement, tirez ce positif par contact sur un autre plan-film. Donnez à ce négatif un contraste et une densité analogues à ceux du positif.*

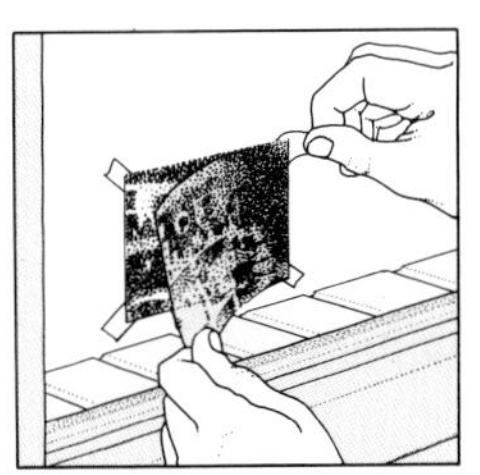

3 *Superposez les deux films dos à dos : aucune image ne doit apparaître dans le sandwich ainsi constitué, qui est uniformément gris.*

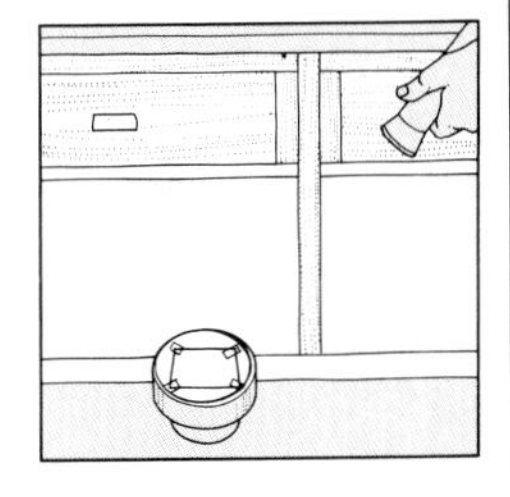

4 *Tirez le sandwich par contact en l'éclairant par une source de lumière dirigée, tenue très obliquement. Faites pivoter l'ensemble sur un support tournant.*

SOLARISATION

La solarisation ou "effet Sabatier" est la technique permettant d'obtenir une inversion partielle de l'image, en l'exposant à la lumière blanche en cours de développement. En réagissant avec les sous-produits du développement, l'image partiellement développée est plus fortement voilée dans les régions moins exposées de l'émulsion : aux limites de l'image et du voile se forme un liseré clair.

Étapes de la solarisation Le film exposé, **1**, ici très grossi, est partiellement développé, **2**, voilé à la lumière blanche, puis développé à fond, **3**. Les zones ombrées, sévèrement affectées par la pose de voile, deviennent presque aussi denses que les hautes lumières ; lesquelles ont été partiellement protégées du voile par les halogénures déjà réduits en argent, en début de développement. Le contour clair est provoqué par les produits d'oxydation du révélateur qui retardent le développement le long de la frontière entre l'image originale et le voile. Ce contour apparaît sous forme d'une ligne noire sur l'épreuve finale, **4**.

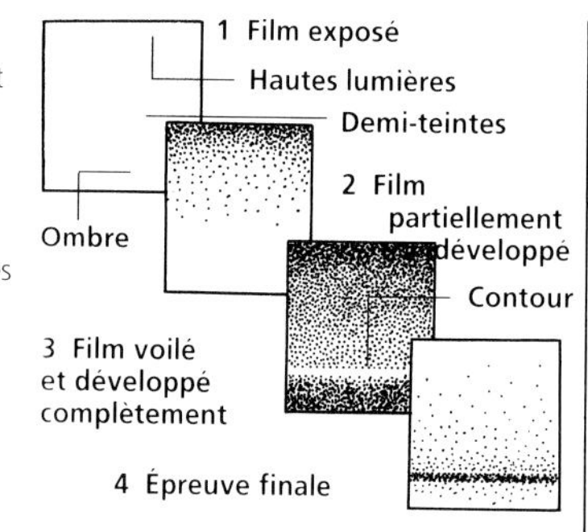

SOLARISATION DES ÉPREUVES

S'il est relativement facile de solariser une épreuve positive sur papier, il est en revanche difficile d'obtenir deux fois le même résultat. Choisir de préférence une image aux lignes bien marquées, parfaitement nette, offrant un contraste suffisant. Déterminez l'exposition sous l'agrandisseur en prenant un papier d'une gradation plus dure que la normale. Développez le papier la moitié du temps normal, puis allumez la lumière blanche, pendant une seconde environ, en veillant à ce que la lumière illumine uniformément la cuvette. Terminez le développement, mais sans agiter l'épreuve. Fixez et lavez normalement. L'image est uniformément grise, avec des zones partiellement inversées et des lignes de contour claires (voir ci-dessous).

Si votre agrandissement est fait sur papier mince, vous pouvez tirer celui-ci par contact sur papier dur, ce qui donne généralement une image plus agréable à dominante négative.

SOLARISATION DES FILMS

En solarisant le négatif, plutôt qu'une épreuve positive, vous obtiendrez des agrandissements sur lesquels les lignes de contour seront plus marquées et, surtout, vous éviterez le grisaillement général de l'image. On peut aussi solariser un négatif original ou, mieux, une copie sur film de ce négatif original. Tirez le négatif par contact sur un film de contraste modéré, non chromatisé ou orthochromatique lent. Développez la moitié du temps total dans un révélateur énergique pour papier. Exposez ensuite le film à la lumière blanche pour une durée égale à celle de l'exposition (voir ci-dessous). Puis terminez le développement, mais sans agiter le film dans le bain. L'effet d'inversion est fonction de la durée de la seconde exposition. Vous obtenez donc un positif solarisé, lequel, une fois fixé, lavé et séché peut être tiré à son tour par contact pour donner un négatif solarisé. C'est à partir de ce négatif solarisé que vous tirerez les agrandissements définitifs.

1 *Tirez le négatif original sur film. Développez la moitié du temps normal.*

2 *Placez la cuvette de révélateur sur le plateau de l'agrandisseur. Donnez une seconde exposition au film.*

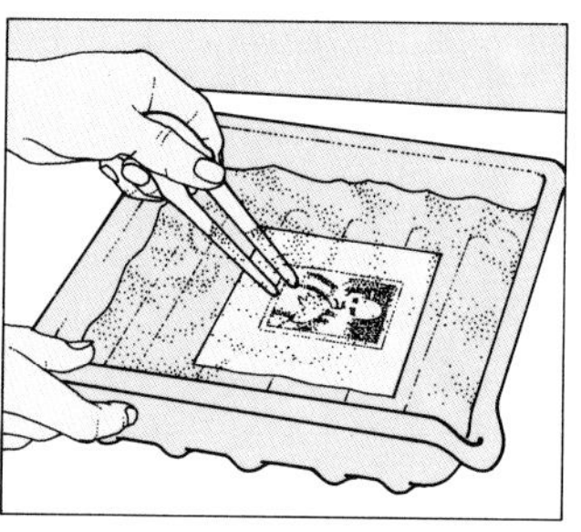

3 *Replacez la cuvette sur le plan de travail et terminez le développement.*

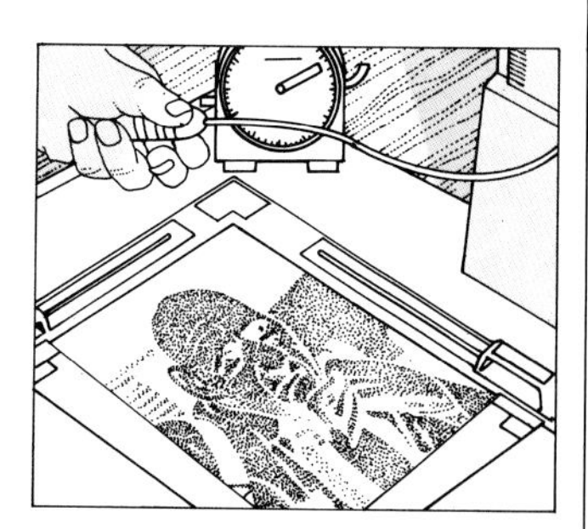

4 *Le positif terminé est tiré par contact sur un autre plan-film, ce qui donne le négatif à agrandir.*

Aspect de l'image solarisée
Il n'est pas facile de prévoir l'aspect de l'image une fois solarisée. Si vous désirez des lignes très marquées, essayez de former un voile de densité voisine de la densité de la zone adjacente de l'image. C'est la durée d'exposition à la lumière blanche qui fait varier l'effet obtenu. La photographie ci-contre a été exposée beaucoup moins longtemps à la lumière blanche que l'image ci-dessous. Vous pouvez également faire une double solarisation, en solarisant aussi bien le négatif que le positif : ce qui donne des contours formés d'une ligne claire, jouxtant une ligne noire. Une autre manière de procéder consiste à reproduire une épreuve positive et à solariser le négatif obtenu.

Emploi d'un Masque

Il arrive qu'un négatif soit trop doux ou trop contrasté pour se tirer correctement, quelle que soit la gradation utilisée. On peut tenter une correction chimique (renforcement ou affaiblissement) ; mais, si le négatif est précieux, il vaut mieux essayer un masque à contraste, qui est une image positive ou négative de faible densité que l'on superpose, avant tirage, au négatif à corriger. Un masque négatif augmente le contraste de la combinaison. Mais, en général, c'est justement d'un excès de contraste que souffre le négatif original : par exemple, une vue d'intérieur sans lumière d'appoint. Il faut alors constituer un masque positif : le négatif original est tiré par contact sur film demi-teintes pouvant, de préférence, être traité en lumière inactinique. Si possible, faire un masque légèrement flou, cela en tirant le positif à l'envers (émulsion contre le support du négatif) sous éclairage oblique et en faisant tourner le "sandwich" en cours d'exposition.

Voir *Page 247.*

Prévoilage

On réduit le contraste en donnant une brève exposition à la lumière entre l'exposition et le développement. Exposez correctement pour les ombres et les demi-teintes ; placez du papier calque sous l'objectif. Donnez une 2e pose, dix fois plus courte que la 1re. Le prévoilage augmente les détails dans les hautes lumières sans affecter les ombres.

Masque réducteur de contraste L'image ci-contre montre un tirage obtenu à partir du négatif ci-dessous, en détaillant l'extérieur. Mais le personnage est très sombre et sans aucun détail. On a donc établi un masque positif sous-exposé, et légèrement sous-développé (en bas). Ce masque fut superposé au négatif original, puis l'ensemble tiré sur papier de gradation un peu plus dure que normale. La photo en bas à droite montre le tirage final.

Compléments optiques pour l'agrandisseur

La plupart des compléments optiques se fixant sur l'objectif de l'appareil peuvent aussi s'employer sous l'objectif de l'agrandisseur. La grande différence, c'est que ces dispositifs (filtres, lentilles à flou, "Starburst", etc.) agissent sur les parties claires de l'image, c'est-à-dire – puisqu'il s'agit maintenant d'un négatif – sur les ombres de l'image positive. On a une diminution du contraste, qui demande l'emploi d'un papier plus dur pour l'agrandissement. **Voir** *Objectif anamorphoseur, page 127.*

Diffuseur Une lentille à diffuser (ou "bonnette à flou"), formée d'un disque de verre portant des rainures concentriques, apporte un certain degré de flou, lorsqu'elle est placée sous l'objectif de l'agrandisseur. Vous parviendrez plus économiquement au même résultat en coiffant l'objectif d'un morceau de bas en Nylon, noir de préférence. L'image ci-contre montre que ce procédé agit surtout sur les ombres qui sont plus diffusées que les lumières.

Superposition de trames

On peut créer d'intéressants effets à l'agrandissement en exposant le papier sensible à travers divers matériaux transparents structurés. Pour les effets de texture ci-dessous, on a exposé le même négatif à travers des plaques de verre de différentes structures, directement posées sur le margeur. **Voir** *Tramer l'image, page 255.*

Structure L'effet de distorsion est d'autant plus accentué que la surface du verre "cathédrale" présente elle-même une structure plus marquée.

Distorsions

En utilisation normale d'un agrandisseur, le film, le porte-objectif et le plateau de projection sont strictement parallèles. En inclinant le plateau, le papier se trouve plus près de l'objectif d'un côté que de l'autre : de ce côté du papier, l'image est légèrement plus petite et plus lumineuse que de l'autre. L'image est allongée ; on a ainsi une caricature. Une personne grande et mince peut être encore allongée ; si vous inclinez le papier sensible dans l'autre sens, elle sera grossie et rapetissée. Pour conserver la netteté sur l'ensemble de l'image, faire la mise au point au centre et diaphragmer fortement l'objectif : cela afin d'obtenir la profondeur de champ maximale. Le côté du papier le plus près de l'objectif reçoit davantage de lumière : maquiller l'image en conséquence.

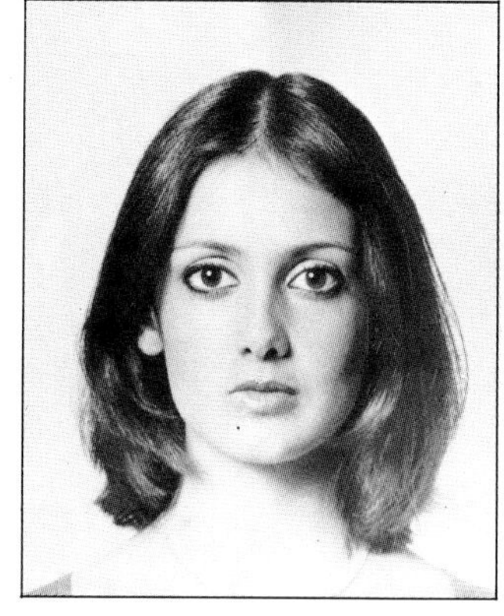

Plateau horizontal L'image ci-dessus a été obtenue normalement, le plateau étant horizontal. Pose : 12 s.

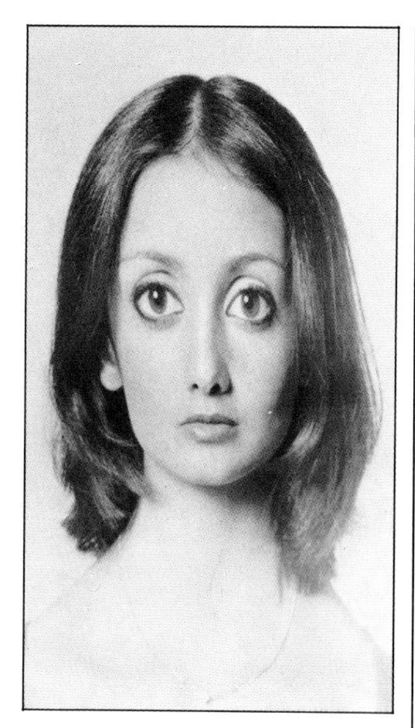

Plateau incliné La partie supérieure de l'image en haut à droite se trouvait plus rapprochée de quelques centimètres de l'objectif : elle a été posée 8 s.

Incurver le Papier

On déforme l'image en incurvant ou en ondulant le papier sensible. Servez-vous du filtre inactinique pour étudier les effets de ces déformations : comment distordre les parties de l'image les plus intéressantes. Choisissez un négatif ayant un fond uni, pour éviter de compliquer les lignes. Fixez le papier solidement afin de ne pas bouger à l'exposition. Prendre plutôt un papier mat, le brillant donnant des images parasites par réflexion d'une ondulation sur les autres.

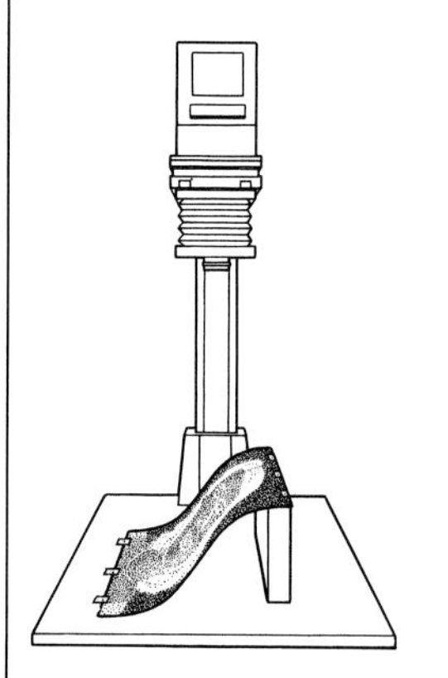

Créer une distorsion Le papier sensible a été déformé, puis fixé sur un bloc de bois avant d'être exposé.

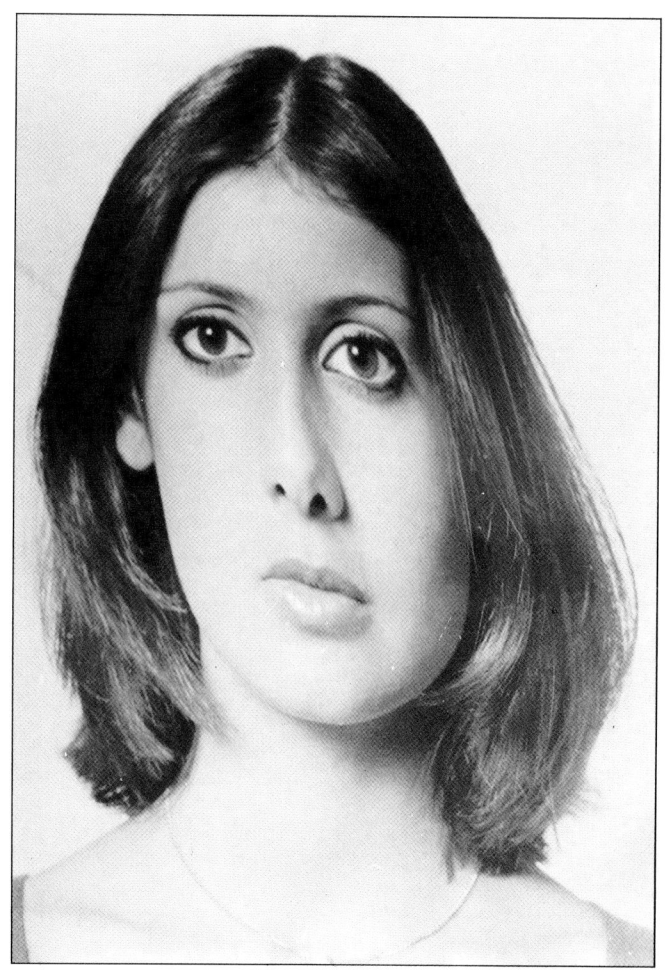

L'épreuve déformée Malgré l'objectif complètement diaphragmé, la profondeur de champ est insuffisante pour les régions extrêmes de l'image : un peu floues.

CORRECTION DE LA PERSPECTIVE

L'inclinaison du plateau permet de redresser une perspective ; lignes verticales convergentes obtenues à la prise de vues, lorsque le plan du film n'est pas parallèle aux verticales du sujet. L'image ci-dessous a été redressée (en bas, à gauche) en inclinant le plateau de l'agrandisseur pour que le sommet du bâtiment soit plus éloigné de l'objectif que le bas. Les verticales sont presque parallèles, mais le bâtiment est très allongé ; il faudrait recouper l'image pour lui donner un format rectangulaire. On peut obtenir une image plus satisfaisante (à droite) en inclinant à la fois – et en sens contraire – le plan du film et le plan de projection, selon le principe de Scheimpflug. **Voir** *Mouvements de l'appareil, page 220.*

Image partiellement redressée
Le plan de projection seul a été incliné d'environ 70° pour donner l'épreuve ci-dessus. Les verticales sont à peu près parallèles, mais la profondeur de champ est trop limitée pour donner une image uniformément nette. Par ailleurs, le bâtiment a un aspect singulier.

Principe de Scheimpflug
Si votre agrandisseur permet de basculer le plan du porte-négatif, vous pouvez combiner ce mouvement avec celui du plateau, comme ci-dessus. On obtient une correction maximale des lignes verticales fuyantes, en conservant la profondeur de champ.

VIGNETTES

C'est une image sans bords bien définis qui se perd dans le fond du papier. Ou une image ayant des bords nets, mais dans un cadre non rectangulaire : un ovale par exemple. Le vignetage se réalise au moment de l'agrandissement et peut être considéré comme une forme de maquillage. Pour obtenir l'effet ci-contre, il suffit de projeter l'image à travers un cache ovale pendant toute la durée de l'exposition. Pour avoir des bords flous, tenez le cache à quelques centimètres au-dessus du papier en le bougeant un peu ; les sujets à fond sombre conviennent mieux.

Bords flous L'image ci-dessus, masquée durant toute la durée de la pose, se fond dans un environnement clair.

Bords noirs En exposant davantage pour les bords (en utilisant un contre-cache), on a un entourage sombre.

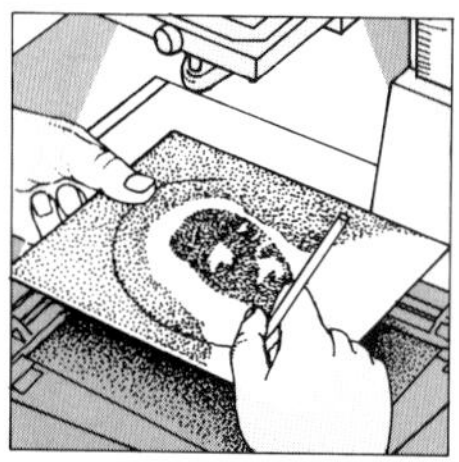

Réalisation d'une vignette
1 *L'image étant mise au point sur le margeur, tracez les contours du cache sur un carton placé à environ 8 cm au-dessus de la surface de projection.*

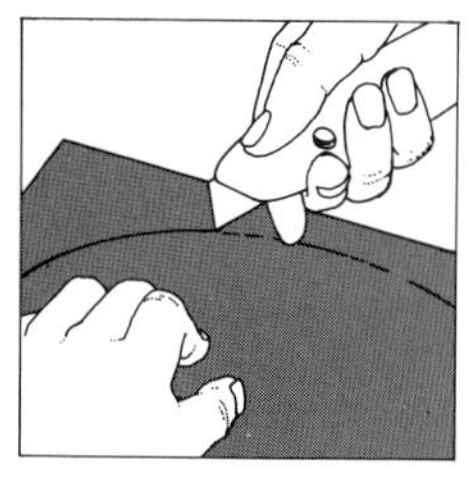

2 *Découpez soigneusement le contour avec un cutter. Attachez solidement la découpe sur un morceau de fil de fer : ce qui constitue un cache à maquiller "géant".*

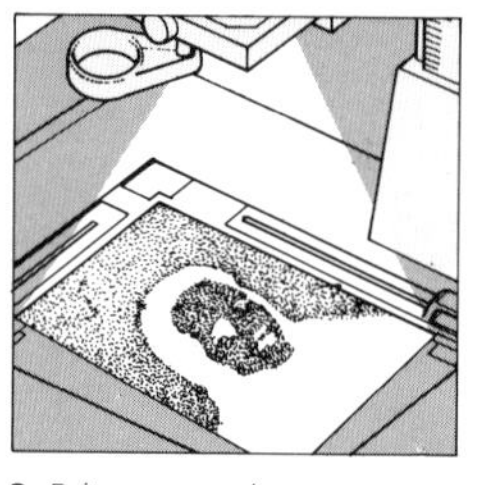

3 *Faites un essai pour déterminer l'exposition ; puis exposez une feuille normalement. Retirez le négatif du porte-cliché que vous remettez en place.*

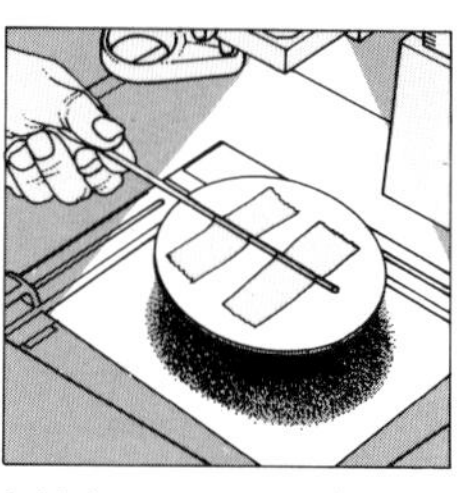

4 *Maintenez votre cache à environ 8 cm au-dessus du papier, en le centrant. Donnez une exposition double de la précédente. Faites remuer le cache pour faire disparaître l'ombre du fil de fer.*

Diverses formes de caches
Vous pouvez découper des caches et des contre-caches de formes très diverses, cela en prenant les contours d'un objet ou en trouvant des motifs géométriques ou autres dans les revues.

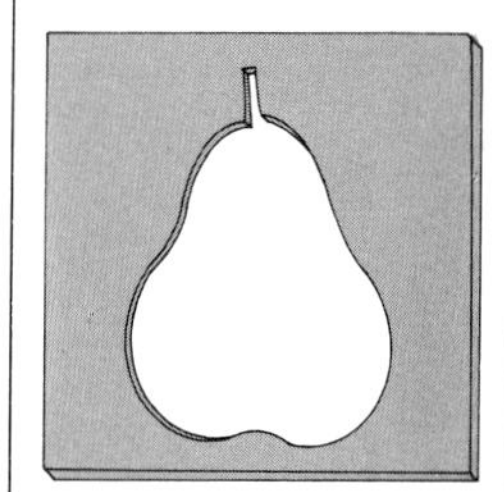

TRAMER L'IMAGE

En tirant vos négatifs sur un papier "à grains", vous pouvez donner à vos images une certaine texture, due à la surface même du papier. Mais il est possible de superposer une trame à l'image elle-même, en superposant au négatif une trame à confectionner d'ailleurs soi-même.

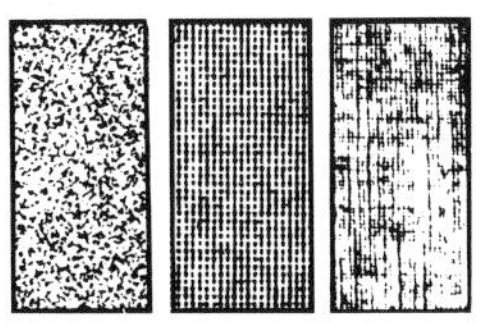

Trames du commerce Ci-dessus, trois modèles de trames qui se trouvent dans le commerce pour le dessin : gravier, tapisserie et toile écrue. Il existe des trames 24 x 36 mm et 6 x 6 cm que l'on peut "sandwicher" avec le négatif. La vue ci-contre a été obtenue avec la trame "gravier".

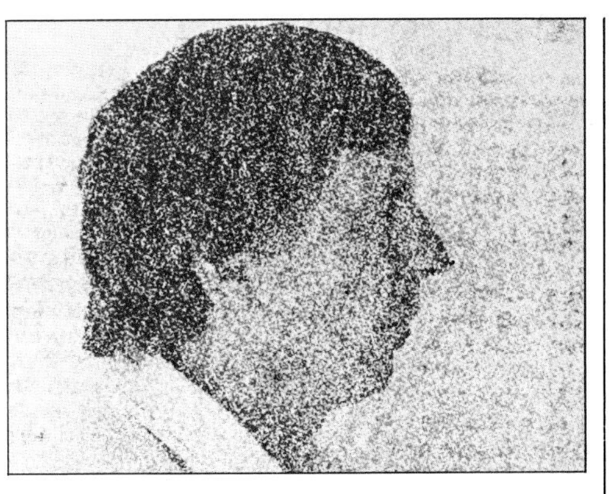

FABRIQUER UNE TRAME

Il suffit de faire un négatif sous-exposé et légèrement sous-développé d'un motif géométrique régulier, comme le nattage ci-dessous, à droite. On peut aussi partir d'une trame transparente, du genre utilisé en dessin. L'image de la trame doit être nette et éclairée uniformément. Sous-exposez d'environ trois divisions de diaphragme sur film lent et accourcissez le développement de 30 %. Autre méthode : on peut photographier un gris uni avec une forte sous-exposition, sur film ultrarapide ; cela forme une trame de grains irréguliers.

1 *Trouvez une surface structurée convenable ; elle peut être de petites dimensions si vous utilisez un objectif macro. Le pas de la trame est un facteur important.*

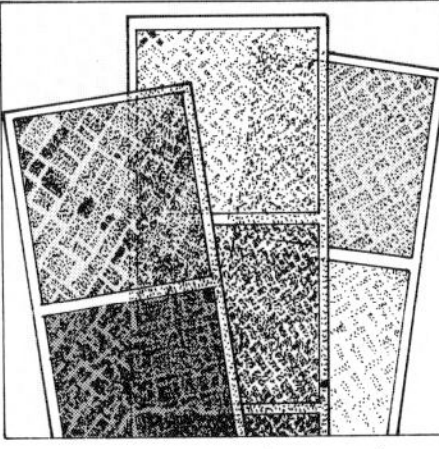

2 *Sous-exposez d'au moins deux divisions de diaphragme et sous-développez pour avoir des négatifs très légers. Variez les expositions pour obtenir un choix de densités variées.*

3 *Superposez négatif original et négatif de trame, émulsion contre émulsion. La trame ne doit pas être plus dense que l'image du négatif. Utiliser un porte-négatif avec verres, pour un contact parfait.*

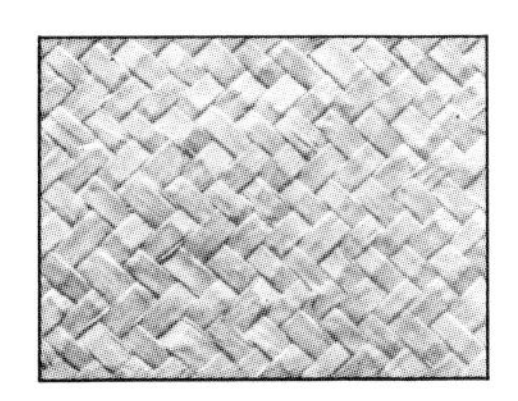

Méthodes de tirage L'aspect varie avec le grossissement de la texture : ces deux images ont été obtenues à partir du même négatif 6 x 6 cm et de la trame "nattage" ci-contre. L'image de gauche a été faite en superposant directement le négatif avec la trame de même format : le dessin a une maille assez serrée. L'image de droite a été faite en deux expositions successives : le négatif a été exposé normalement ; puis on a projeté l'image du négatif "trame" avec un grossissement plus important.

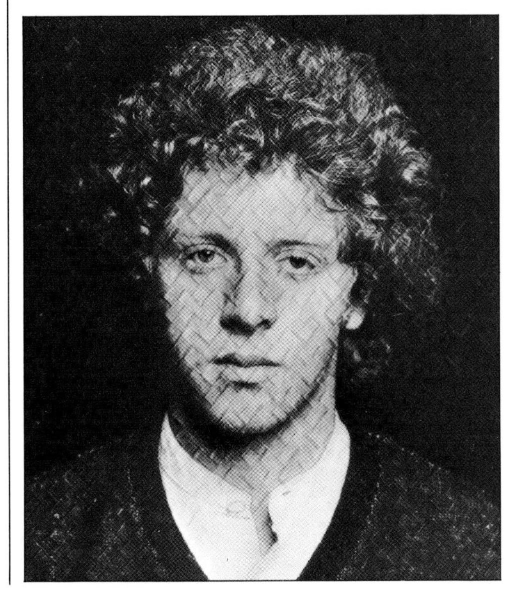

IMAGES RÉPETÉES

On peut répéter plusieurs fois une même image sur une seule feuille de papier sensible, en donnant une série d'expositions et en déplaçant le papier à chaque fois (image de droite). Choisissez un négatif dont le sujet se détache sur un fond clair. Décidez combien vous voulez d'images et la manière dont elles doivent être espacées : parallèlement ou en éventail ; avec des intervalles égaux ou décroissants. Il est utile de s'aider en traçant les contours de l'image sur un papier calque, pour étudier, par avance, le rythme à donner à la composition. Puis repérez les déplacements à donner au papier entre les poses successives.

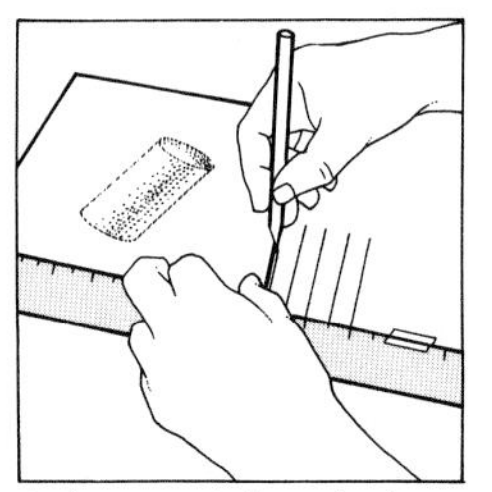

1 *Fixez une règle sur le plateau et utilisez une épreuve du motif pour étudier les dimensions et les espacements idéaux : les intervalles seront repérés sur le bord de la règle.*

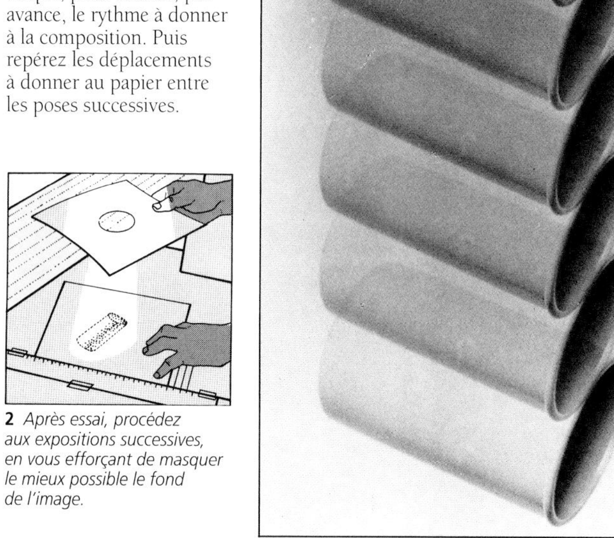

2 *Après essai, procédez aux expositions successives, en vous efforçant de masquer le mieux possible le fond de l'image.*

DÉPLACEMENT DU PAPIER

Un négatif peut présenter une zone nette mais de moindre intérêt qui nuit à l'équilibre général de la composition. Si le recadrage n'est pas possible, la méthode ci-dessous peut améliorer les choses. Sur l'image de droite, la moitié supérieure a été exposée normalement, l'autre moitié étant masquée. On a placé ensuite le masque sur la moitié supérieure en donnant une seconde pose de même durée pour la moitié inférieure, mais en déplaçant lentement le papier sensible en cours d'exposition. Cela a eu pour effet de remplacer le premier plan trop détaillé par une zone de "filé" imprécise, en redonnant la prééminence au sujet principal parfaitement net.

Plateau tournant Pour obtenir l'image de gauche, on a exposé normalement durant trois quarts de la pose totale, puis l'on a fait pivoter le plateau tournant pour le dernier quart de l'exposition

ZOOMING

On donne un mouvement de "zooming" en modifiant le réglage de l'agrandisseur entre les expositions. Donnez une pose environ moitié de la normale, puis continuez l'exposition en montant doucement la tête de l'agrandisseur sur sa colonne, avant d'arrêter la pose. Un effet différent (ci-contre) s'obtient avec un agrandisseur à mise au point automatique : l'image reste nette au cours du déplacement. Là, on a donné une pose continue, en arrêtant cinq fois le mouvement ascendant de l'agrandisseur en cours d'exposition.

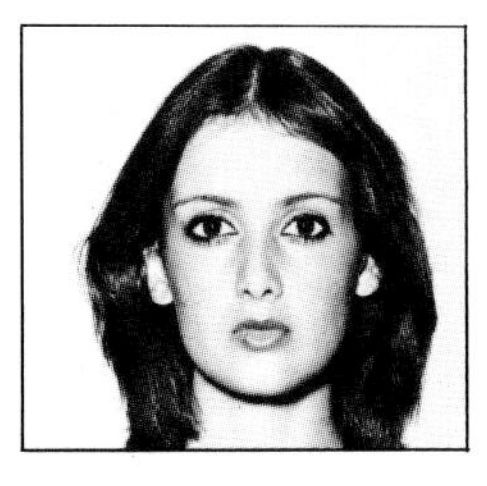

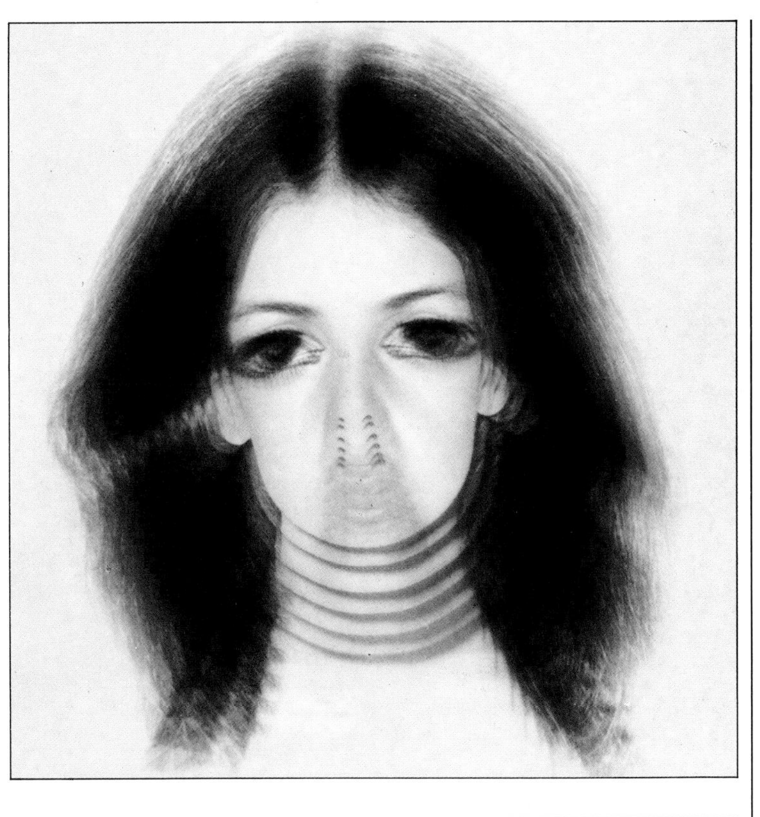

MASQUES MOBILES

Vous pouvez obtenir la combinaison de deux images ou plus, en plaçant des caches rigides sur le papier et en remplaçant les négatifs entre deux expositions successives. Un effet plus complexe s'obtient avec les pièces d'un puzzle (de préférence en carton épais ou en bois, permettant de déplacer certaines pièces sans faire bouger les autres). Pour l'image composite ci-contre, on a d'abord fait des essais pour déterminer l'exposition convenable pour chaque négatif. Chaque pièce du puzzle a été numérotée, avec constitution d'une liste donnant l'ordre et la position de chaque pièce devant être retirée ou remise. Pour retirer une pièce sans risquer de faire bouger les autres, coller une tirette en papier sur chaque élément.

Images Fusionnées

Par de multiples expositions sous l'agrandisseur, vous pouvez construire des photos à partir d'extraits de différents négatifs. Chaque image sera maquillée, pour que les parties sombres de l'une ne viennent pas se superposer sur la zone importante d'une autre. Sinon, il y aura un excès de densité là où les deux images sont superposées et le trucage apparaîtra évident. Faites un essai pour chaque image partielle en standardisant le temps de développement, pour que les diverses parties de l'image aient la même densité.

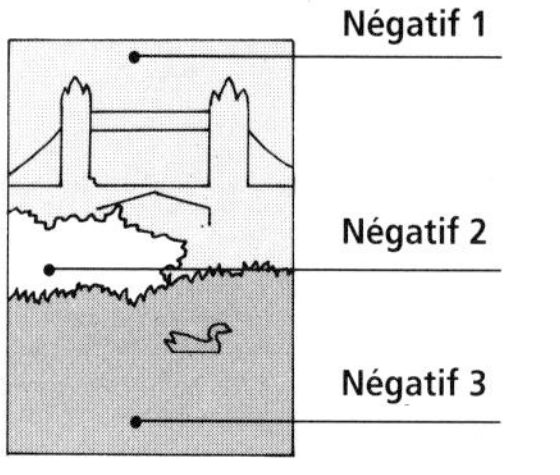

Repérage des images Les trois négatifs combinés pour donner l'image du haut ont été choisis pour leur similitude de perspective et de point de vue. Chaque négatif fut projeté sur une feuille de papier blanc (au format de l'épreuve), afin de tracer au crayon le contour de chaque image, ci-dessus. L'exposition correcte fut déterminée par des essais préliminaires. La feuille de repérage fut replacée sur le margeur avant chaque substitution afin de régler le cadrage et la mise au point. A chaque exposition, le maquillage des zones à protéger a été fait avec des caches de forme appropriée découpés dans du carton noir.
Voir *Montage, pages 270-273 ; Maquillage à l'agrandissement, page 59.*

Exposition Supplémentaire

Avec cette méthode d'expositions multiples, on risque d'avoir des zones plus sombres, là où deux images se superposent : cela permet un effet intéressant en noircissant volontairement les zones de superposition ; soit par maquillage supplémentaire des limites des négatifs, soit par une seconde pose en lumière blanche, avec un cache de découpe appropriée. On utilise pour cela un calque sur lequel les limites sont tracées. La technique du calque-guide est indiquée en bas, à gauche.

Emploi d'un cache pour la pose supplémentaire L'image a été élaborée à partir de deux négatifs et une diapositive : 7 expositions pour les images, plus une pose pour voiler les surfaces interimages. Les trois portails aux étranges visages ont été exposés par la méthode indiquée page 256. La diapositive a été projetée obliquement sur le plateau, pour allonger les verticales du bâtiment. Les 7 expositions "image" étant faites, on a placé un morceau de papier noir pour cacher les portails. Puis, en se servant du calque-guide, une couche de poudre de café instantané a été étalée sur l'image du haut, produisant ces bords irréguliers. Une pose de 15 secondes en lumière blanche a voilé toutes les zones non protégées.
Voir *Distorsions, page 252.*

DÉVELOPPEMENT PROGRESSIF

Le papier plastifié permet de multiplier les images, sans avoir à les repérer à l'avance. En effet, ce papier absorbe relativement peu de solution de développement : son support étant protégé par une mince couche de polyéthylène ou de résine.
Le temps de développement est court, de l'ordre de 1 minute ; durée après laquelle l'image ne progresse plus en densité. Cette particularité, associée à la stabilité dimensionnelle du papier humide, permet de développer individuellement chaque portion d'image dès l'exposition terminée. Aussitôt l'image apparue, on peut procéder à une nouvelle exposition, en repérant exactement sa position, et ainsi de suite. La méthode est utilisable pour la plupart des expositions multiples, surtout si elles sont nombreuses. Néanmoins, il est impossible de superposer parfaitement les images, ni d'effectuer une pose supplémentaire en lumière blanche, comme indiqué page précédente.

Techniques d'expositions progressives L'effet "papier peint" de l'image ci-dessous a été obtenu par expositions multiples et développement progressif. Le négatif a été projeté sur le plateau : un cache sous l'objectif limitant l'image à la partie centrale, avec des bords flous. Une exposition a été faite au centre du papier sensible, puis développée avec un tampon de coton imbibé de révélateur. La première image étant apparue, on fit une deuxième exposition, développée à son tour, et ainsi de suite, jusqu'à occuper toute la surface du papier, avec un total de 30 poses.

Attention Cette méthode oblige inévitablement à avoir les mains humides : pour éviter les chocs électriques, n'employer que le filtre inactinique de l'agrandisseur pour donner les expositions successives ; n'utilisez ni l'interrupteur ni le compte-poses de l'agrandisseur.

Variations de traitement des papiers

Le processus de traitement du papier bromure est fixé une fois pour toutes, sans variations du temps de développement ni de la température du bain. Si l'épreuve est retirée trop tôt du révélateur, les noirs ne sont pas assez denses ; un excès de développement risque de provoquer des taches jaunes et fait griser les lumières. Il est cependant possible de jouer sur le contraste et la densité de l'image, en particulier en changeant de formule de révélateur. Un révélateur "ton chaud" avec emploi de papier chlorobromure donne – en fonction de la durée de développement – toute une gamme de tons (du noir au brun rougeâtre). Pour obtenir des tons chauds, la méthode normale est de surexposer l'épreuve, puis d'accourcir le développement. Vous pouvez par exemple tirer sur papier Kodak Bromesko, avec une forte surexposition et un sous-développement en révélateur très dilué spécial "ton chaud". Vous serez sans doute conduit à prendre le papier de gradation supérieure afin de compenser la perte de contraste. Le développement en deux bains est un moyen d'améliorer les tirages faits à partir de clichés trop contrastés. Commencez par développer l'épreuve dans un révélateur très peu énergique : ce qui donne une image douce des hautes lumières et des demi-teintes. Dès que l'image apparaît, transportez l'épreuve dans un révélateur concentré, juste le temps nécessaire pour faire monter les ombres à la valeur désirée.
Voir *Traitement noir et blanc, pages 46-50.*

Traitement sélectif

Au lieu de chercher un développement uniforme en cuvette, vous pouvez procéder à un traitement partiel, localisé, en pulvérisant le révélateur sur le papier, ou en ne traitant que certaines zones avec un tampon de coton. Si, par exemple, vous exposez l'épreuve d'un cliché représentant un paysage à une faible lumière blanche, et que vous développez avec des tampons de coton trempés dans un révélateur dilué, l'image semblera avoir été prise dans le brouillard. Le révélateur peut être appliqué avec un rouleau ou même avec la paume de la main ; utilisez alors du révélateur concentré. Vous pouvez également tirer l'épreuve trop sombre et l'éclaircir localement avec l'affaiblisseur de Farmer appliqué au pinceau.
Voir *Correction des négatifs, page 242.*

Application du révélateur
Ces quatre photos ont été faites en appliquant le révélateur sur le papier avant l'exposition. Ci-dessus, on a fait des éclaboussures avec une brosse à dents ; ci-contre : un chiffon à parquets a été appliqué. L'image du centre est développée dans une grosse goutte de révélateur tombée d'une éponge tenue à 30 cm du papier. L'image de droite a été développée par application avec un morceau de caoutchouc mousse.

Papiers spéciaux pour le noir et blanc

Il existe plusieurs sortes de papiers spéciaux. Les papiers chlorobromure (le Bromesko par exemple) donnent une image ton chaud ; traitée dans un révélateur spécial, l'image peut même prendre une tonalité brun rougeâtre. Certains papiers bromures ont un support coloré : argent, or, rouge fluorescent, etc. ; traités normalement, ils donnent une image noire sur fond teinté.
Il y a aussi l'émulsion au bromure d'argent, couchée sur un support en plastique translucide, permettant de réaliser des diapositives noir et blanc destinées à être éclairées à travers le support. N'oublions pas non plus le tissu émulsionné pouvant après traitement être tendu sur un châssis ou collé contre un mur.

Papiers à haut contraste
Le papier Kodalith (qui n'est plus fabriqué) a permis de créer les images ci-dessous. Son émulsion très dure, orthochromatique, donnait des noirs très denses lorsqu'elle était développée en révélateur lith. Le film Kodalith donne des effets identiques, ainsi que certains papiers "trait". Bien que ces émulsions soient destinées aux arts graphiques, vous pouvez les employer pour produire une gamme de valeurs inhabituelles à partir de négatifs normaux, cela en variant le temps de développement. Avec une exposition normale (la rapidité est du même ordre que pour un papier bromure ordinaire), le développement complet (2 min 30) donne une image très contrastée avec des noirs profonds de tonalité neutre.
Le sous-développement donne une image brune ou jaunâtre, moins contrastée. Pour obtenir cet effet de coloration, la règle est d'augmenter la pose et de diminuer le temps de développement. Contrôlez avec précision le temps d'immersion dans le révélateur : sous l'éclairage rouge sombre nécessité pour le traitement, vous ne pourriez apprécier la coloration obtenue.

A droite *Image normalement exposée et développée*

Extrême droite *Image normalement exposée sur papier Kodalith*

Ci-dessous *Image très surexposée et surdéveloppée, sur papier Kodalith*

Virage Sépia

On peut virer sépia n'importe quelle image photographique, positive ou négative, sur film ou sur papier. Mais, le plus souvent, on vire en sépia une image sur papier noir et blanc, servant parfois de base à un coloriage. Partez d'une épreuve bromure bien fixée et lavée ; les tirages sous-développés ou ton chaud donnent une tonalité désagréable. Les opérations s'effectuent en pleine lumière : blanchiment de l'image, puis redéveloppement dans un bain de virage au sulfure ou au sélénium. L'image obtenue est permanente et ne peut plus être blanchie.

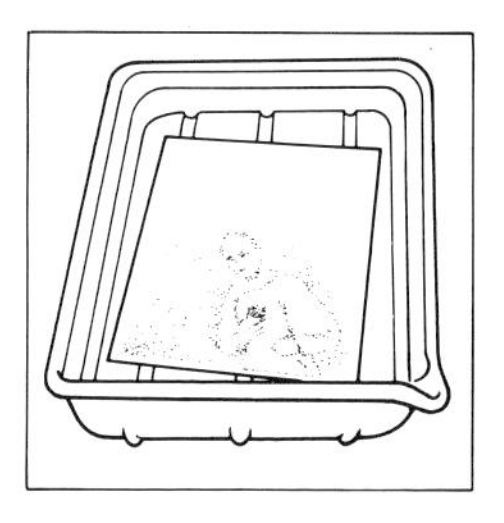

1 *Plongez le tirage noir et blanc normalement traité dans le bain de blanchiment, durant 2 ou 3 minutes, jusqu'à ce qu'il ne reste qu'une image très délavée jaunâtre. Rincez à l'eau froide.*

2. *Plongez l'épreuve dans le bain de virage : l'image réapparaît en sépia au bout de quelques secondes, mais laissez-la 5 minutes, pour qu'elle prenne une jolie tonalité. Lavez et séchez normalement.*

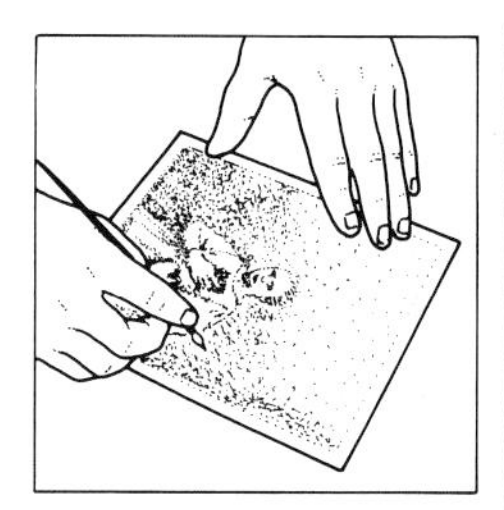

Virage sélectif *Vous pouvez ne virer sépia que des parties de l'image en laissant les autres en noir et blanc. Pour cela, appliquez le blanchiment et la solution de virage avec un pinceau, en respectant les durées indiquées en 1 et 2 (à gauche).*

Étapes du virage sépia
L'image ci-dessous, à gauche, est un tirage normal sur papier bromure (le papier chlorobromure ne convient pas pour cet usage). Cette épreuve a été blanchie, puis "redéveloppée" pour donner l'image sépia ci-dessous. Le virage sépia donne du caractère à une image par ailleurs sans grand intérêt ou encore, comme dans cet exemple, il confère un climat nostalgique et suranné.

COUCHEZ VOS PROPRES ÉMULSIONS

On peut tirer des images photo sur tissu, bois, céramique, boutons métalliques, voire béton ou brique. On achète une bouteille d'émulsion aux halogénures d'argent que l'on réchauffe et étend sur le support choisi. Le plastique demande une précouche de polyuréthane ; la toile à peindre recevra une couche d'apprêt. Versez l'émulsion ou étalez-la au pinceau, puis laissez sécher. Vous pouvez agrandir ou tirer vos négatifs par contact. Le traitement se fait normalement, mais avec délicatesse.

Émulsionnage d'une assiette La partie centrale de l'assiette a été légèrement chauffée, puis recouverte d'une couche d'apprêt. L'émulsion a été étalée uniformément en inclinant l'assiette. Puis l'exposition de l'image a été faite sous l'agrandisseur.

Image sur un œuf On peut appliquer directement l'émulsion sur la surface poreuse de la coquille. Extrayez l'intérieur par des trous percés de l'autre côté de la coquille. Puis lavez la coquille soigneusement pour qu'il ne reste aucune matière organique à l'intérieur et à l'extérieur. Placez l'œuf sur un support (voir ci-dessous). Pour les essais, vous pouvez utiliser des morceaux de coquille.

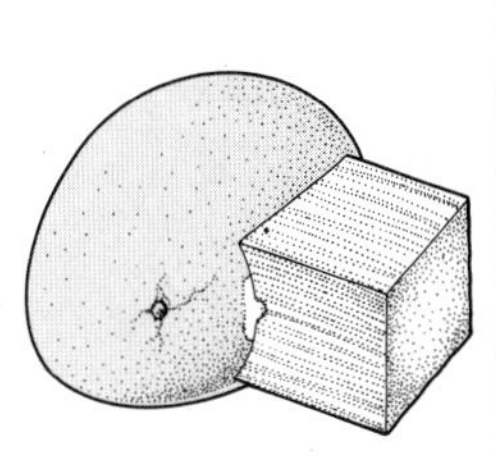

Support pour œuf Le travail est plus facile si la coquille est montée (à la colle époxy) sur un support en balsa : après traitement, ce support peut être conservé pour la présentation.

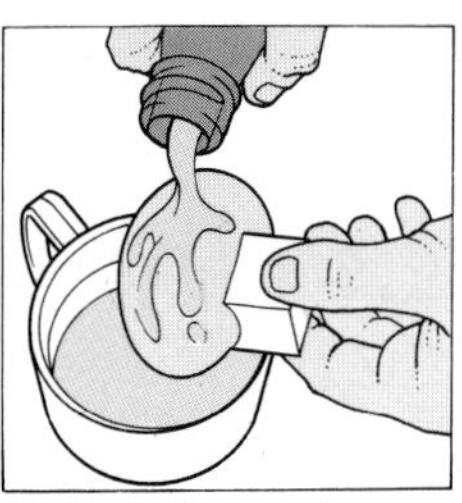

Traitement de l'œuf
1 *Versez l'émulsion tiédie en lumière inactinique au-dessus d'un plat pour en récupérer l'excédent. Deux couches sont nécessaires. Laissez sécher dans l'obscurité totale.*

2 *En se servant du filtre inactinique de l'agrandisseur, placez la coquille : mise au point à grande ouverture, en tenant compte de la courbure de l'œuf ; exposez au plus petit diaphragme.*

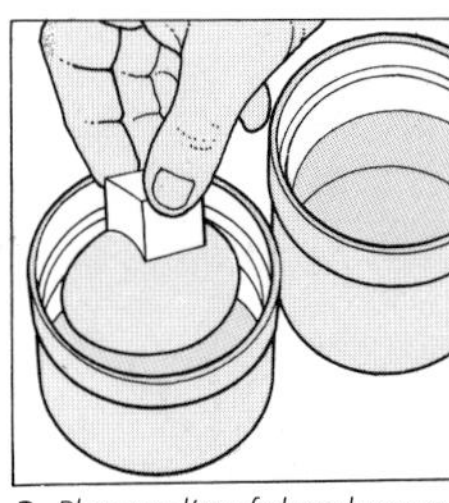

3 *Plongez l'œuf dans la cuve de révélateur et continuez le traitement normalement. Lavez en eau courante. Faites attention à ne pas toucher l'émulsion en cours de traitement.*

SÉRIGRAPHIE

La sérigraphie, ou procédé à l'écran de soie, est une méthode d'impression à l'encre, sur papier ou tout autre support. Il faut une pièce de tissu de soie ou de Nylon, tendue sur un cadre de bois. Versez l'émulsion sérigraphique au dos de l'écran de soie et étalez-la avec une palette. Faites sécher l'écran dans l'obscurité. Si votre sujet est une image trait ou un texte imprimé, agrandissez votre négatif original sur film trait à la taille finale de l'image désirée. Ce positif trait est appliqué contre la partie sensibilisée de l'écran et maintenu par une lourde plaque de verre. Un tampon de mousse plastique, de l'autre côté de l'écran, améliore le contact. Exposez cet ensemble à une vive lumière, telle celle du soleil, pendant 15 à 20 minutes. L'écran de soie est ensuite dépouillé dans l'eau chaude, qui dissout l'émulsion là où elle n'a pas été insolubilisée par la lumière. Lorsque l'écran est sec, les zones correspondant aux parties claires du positif sont bouchées et ne laissent pas passer l'encre. Pour le tirage sérigraphique, appliquez l'écran sur le matériau récepteur et versez l'encre d'impression dans l'écran ; l'encre est étalée avec une raclette en caoutchouc et ne peut atteindre le support qu'à travers les zones non émulsionnées de l'écran. Retirez l'écran et laissez sécher le tirage. On peut sérigraphier des images à modelé continu, en utilisant le film Autoscreen. Partez alors d'un tirage bromure que vous reproduisez sur film Autoscreen 4 x 5" ; agrandissez ensuite ce film sur film trait, servant au tirage de l'écran de soie. L'aspect de l'image obtenue est semblable à la simili d'un journal.

Voir *Film Autoscreen, page 243.*

PHOTOGRAMMES SIMPLES

Le photogramme permet d'obtenir une image sans passer par l'intermédiaire de l'appareil. Posez une série d'objets sur le papier sensible et donnez un bref éclair en lumière blanche pour former des silhouettes. Après traitement, les objets sont reproduits en blanc sur un fond noir.

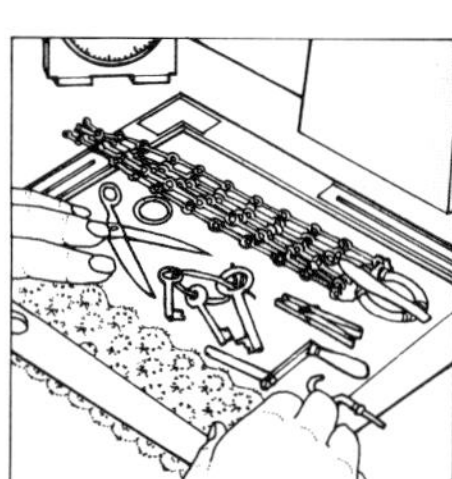

Composition du photogramme Si vous opérez sur le plateau d'un agrandisseur, utilisez le filtre inactinique pour donner l'exposition. Prenez un papier de gradation normale.

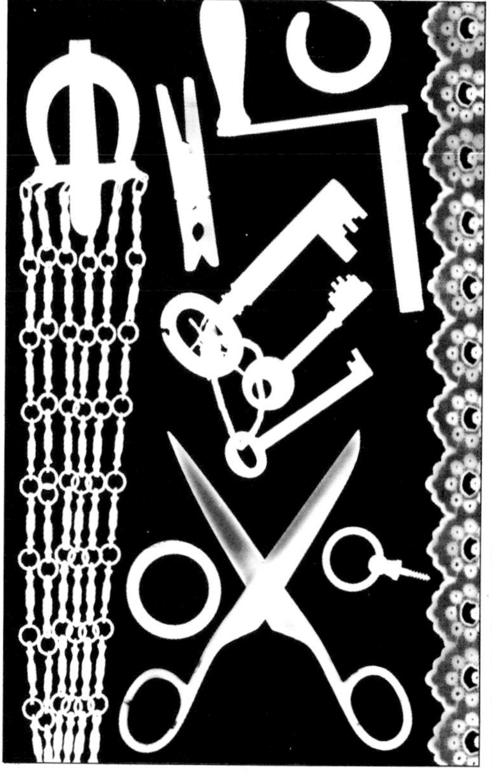

Éclairage du photogramme L'image de gauche fait appel à des objets naturels, alors que celle de droite prend pour prétexte des objets fabriqués. Notez que chaque partie de l'objet qui n'est pas en parfait contact avec le papier est représentée par un ton gris, dû à la lumière réfléchie par en dessous. La lumière doit être dirigée. La source ponctuelle de l'agrandisseur bien diaphragmé est idéale. Ces deux photogrammes ont été exposés 10 secondes.

PHOTOGRAMMES AVEC OBJETS TRANSPARENTS

Les matériaux transparents, particulièrement le verre gravé, donnent des images intéressantes. Une fois encore, les objets seront reproduits en négatif, mais avec éventuellement quelques demi-teintes, en fonction de l'épaisseur et des motifs gravés ou moulés dans le verre ou le cristal. Néanmoins, n'oubliez pas que le papier bromure n'est sensible qu'aux radiations violet-bleu, de telle sorte que les verres teintés dans les autres couleurs sont opaques et forment une silhouette blanche. Attention aux marques, traces et poussières. Si vous désirez une image positive, faites votre photogramme sur film, lequel servira pour le tirage contact de positifs.

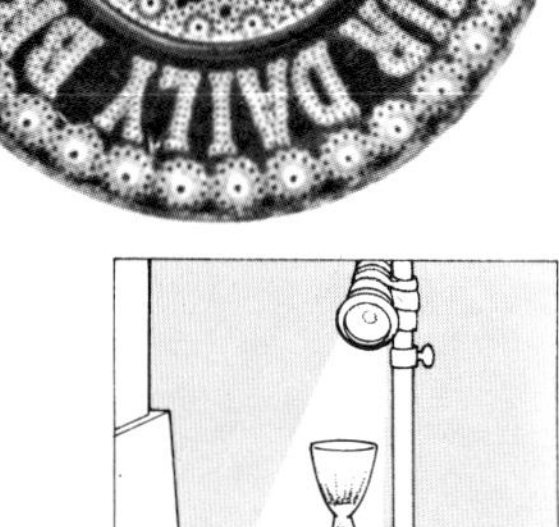

Source oblique de lumière Les images sont plus intéressantes à partir d'objets hauts exposés sous une lumière oblique dirigée : ici, une lampe de poche fixée sur la colonne de l'agrandisseur.

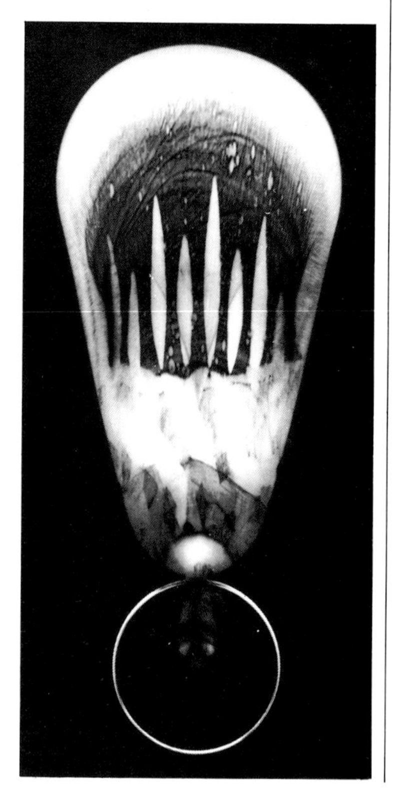

PHOTOGRAMME ET NÉGATIF COMBINÉS

Les possibilités expressives sont encore accrues en combinant photogrammes et négatifs. Les négatifs de grand format sont préférables, mais il faut disposer d'un verre épais assez lourd pour les maintenir en contact avec le papier sensible. C'est ainsi que l'on fait apparaître un visage dans le cadre découpé d'un médaillon ou que l'on environne un paysage de feuilles de fougère. Préparer la composition par un dessin préalable sur calque.

Comment faire un photogramme combiné Pour réaliser une image du même genre que celle ci-contre, faites un photogramme de votre main. Développez la moitié du temps requis ; rincez l'épreuve mais ne la fixez pas. Essorez le papier et séchez-le avec un sèche-cheveux. C'est sur ce papier (encore sensible et développable) que vous superposerez les images négatives projetées par l'agrandisseur, en fonction de l'effet cherché. Tout cela est détaillé dans les schémas légendés ci-dessous. Attention, les parties non protégées sont noires.

1 *Mettez en place le filtre rouge inactinique sur l'objectif de l'agrandisseur et donnez une pose suffisante pour former l'image de la main sur le papier sensible.*

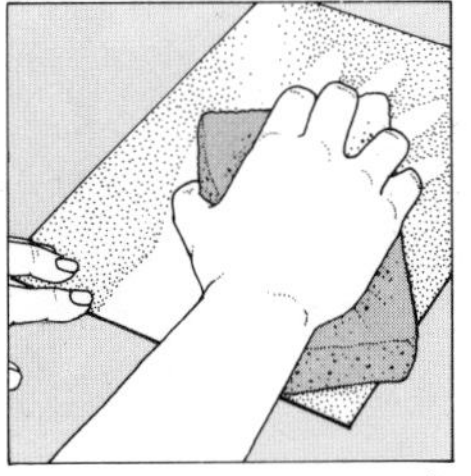

2 *Développez, mais incomplètement. Puis rincez, épongez et séchez avec un sèche-cheveux. Ne fixez pas : rappelez-vous que le papier est toujours sensible à la lumière.*

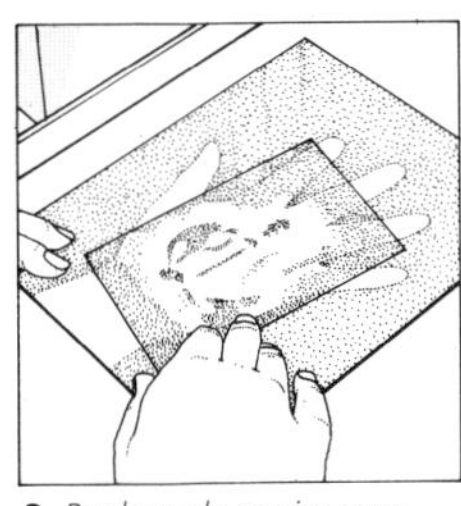

3 *Replacez le papier sous l'agrandisseur : le filtre rouge en place. Positionnez le négatif et entourez-le d'un motif tramé ou de papier opaque.*

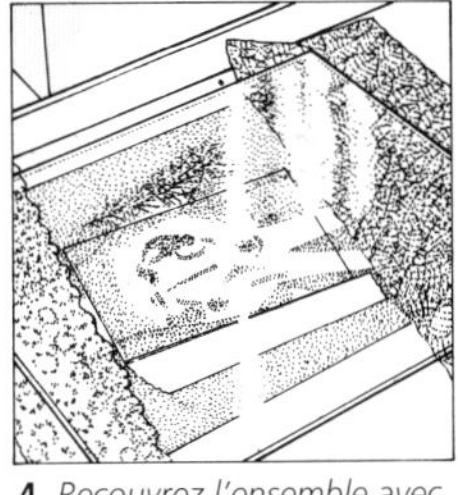

4 *Recouvrez l'ensemble avec une plaque de verre et donnez l'exposition en vous servant du filtre rouge. Développez ensuite à fond, fixez, lavez et séchez normalement.*

PHOTOGRAMMES AGRANDIS

Au lieu de placer les objets en contact sur le papier sensible, on peut les placer dans le porte-négatif de l'agrandisseur, à condition évidemment qu'ils soient assez minces pour y tenir. L'objectif doit être diaphragmé pour assurer une profondeur de champ suffisante. Les insectes, les fleurs et toutes sortes d'objets transparents ou bien découpés peuvent ainsi être mis en valeur par l'agrandissement. De plus, si vous placez d'autres objets en contact sur le papier, vous créez d'étranges rapports entre les diverses formes évoquées. L'image de droite a été composée en plaçant une des joues d'une spirale de développement dans le porte-négatif ; sur le papier sensible, on a placé un négatif du portrait et, à côté, une paire de ciseaux. Mais la silhouette des ciseaux venant trop blanche sur un premier essai, on a fait une seconde image, en retirant les ciseaux en cours d'exposition.

Exposition à donner pour un photogramme agrandi Pour l'image ci-contre, la pose convenable pour la spirale agrandie et le portrait en négatif contact était de 8 s sur papier doux. Après 4 s de pose, on a éteint l'agrandisseur et on a retiré les ciseaux. Puis la pose de 8 s a été complétée.

IMPRESSION AVEC LE FIXATEUR

On peut obtenir des images de manière assez simple, en faisant agir directement des produits chimiques sur l'émulsion ; des liquides divers peuvent aussi être versés, pulvérisés, étalés ou pressés sur le papier ou le film photographique, pour engendrer des formes et des motifs plus ou moins abstraits. Le bain d'hyposulfite est la solution qui convient le mieux, bien qu'elle soit un peu salissante. L'hyposulfite contenu dans le bain fixateur empêche les parties imprégnées de se développer, de telle sorte qu'après développement on obtient une forme blanche sur un fond noir. La méthode la plus simple est de prendre une feuille de papier sensible et d'appliquer la solution d'hyposulfite avec la main, un pinceau ou tout autre ustensile. Puis sécher une fois avec un buvard. Allumer la lumière et placer la feuille dans une cuvette de révélateur jusqu'à ce que les parties non imprégnées soient parfaitement noires. Fixer, laver et sécher normalement. Il y a bien des manières d'appliquer l'hyposulfite : caches découpés, tampons en relief, etc. Il ne faut pas oublier toutefois que l'hyposulfite est légèrement corrosif et qu'il sèche en laissant une poudre blanche qui pourrait contaminer le matériel de laboratoire. Il faut donc travailler proprement, autant que faire se peut. Par ailleurs, ne pas oublier que chaque épreuve développée contamine le révélateur avec l'hyposulfite : aussi est-il mieux de n'utiliser que la quantité minimale de révélateur, que l'on jette après chaque traitement.

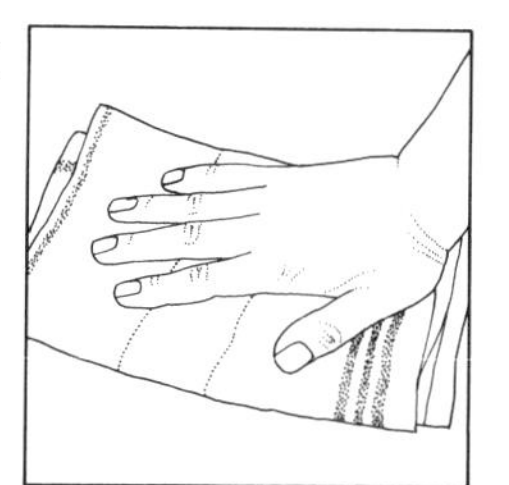

Imprimer la main
1 *Commencez par imprégner votre main en la passant sur des tissus ayant trempé dans du fixateur. Toute la surface de la main doit être humidifiée.*

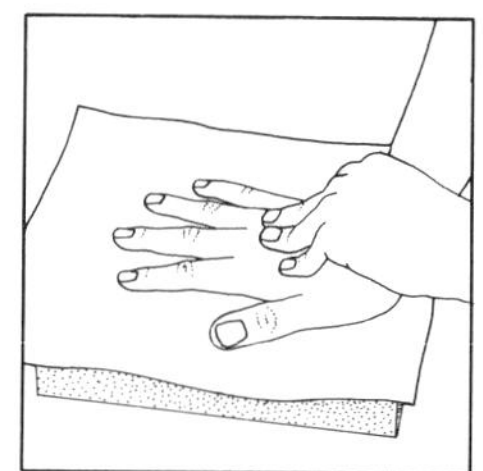

2 *Placez une feuille de papier bromure sur un matelas de papier ou une feuille de caoutchouc. Pressez votre main doucement sur le papier, en veillant à ce que l'application soit parfaite.*

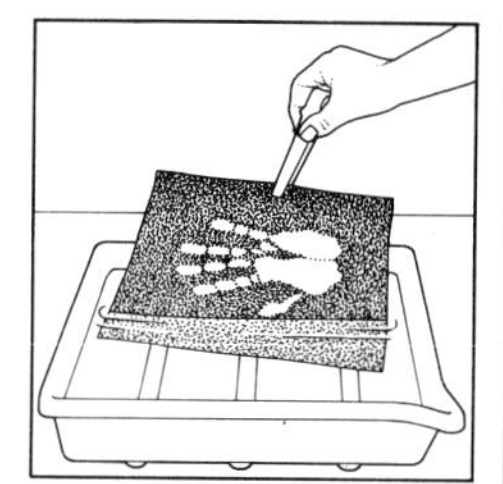

3 *Placez le papier dans le révélateur, allumez la lumière blanche. Retirez l'épreuve dès que les noirs ont une densité suffisante. Complétez le traitement normalement. Ci-dessous, l'image finale.*

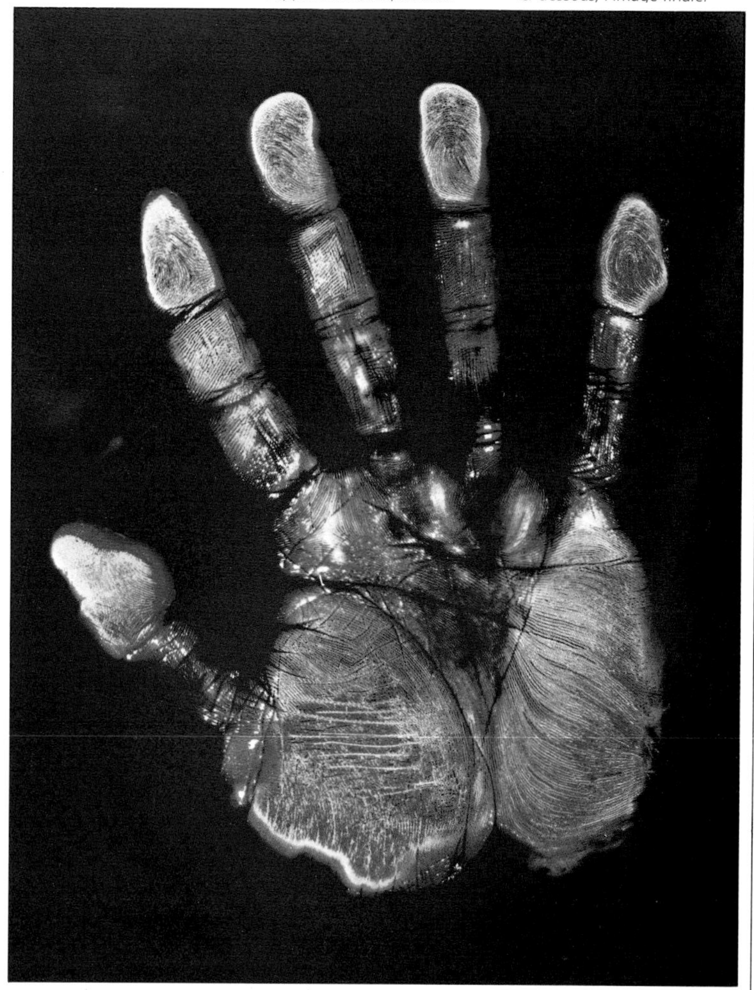

Épreuve positive Cette méthode donne normalement une empreinte blanche sur un fond noir. Mais on peut obtenir une image inversée positive en tirant le négatif papier obtenu par contact sur un film ou une autre feuille de papier.

La Retouche des Négatifs

C'est une intervention manuelle sur l'image utilisant le pinceau ou le crayon pour éliminer taches et piqûres diverses altérant la surface des négatifs. La retouche permet de modifier considérablement le négatif original. Mais, avec les négatifs de petit format, la retouche est impraticable, aussi vaut-il mieux effectuer retouche et repique sur les épreuves papier. La retouche est plus aisée sur les négatifs de grand format : d'une part, l'image est bien plus grande et, d'autre part, elle sera moins agrandie : ce qui rend la retouche moins visible sur les épreuves finales. Si la retouche s'avérait nécessaire pour un négatif de petit format, il vaut mieux soit retoucher les positifs, soit faire un négatif contretype agrandi sur lequel la retouche sera plus aisée. Les instruments indispensables pour la retouche sont : un pupitre à retouche improvisé ou une table lumineuse, ci-contre, un pinceau fin, **1**, un flacon de noir à retouche, **2**, ou un tube de teinte d'aquarelle, **3**, un scalpel très aiguisé, **4**, une loupe d'horloger, **5**, de la bande adhésive opaque, **6**, et de la gouache spéciale pour photographie, **7**.

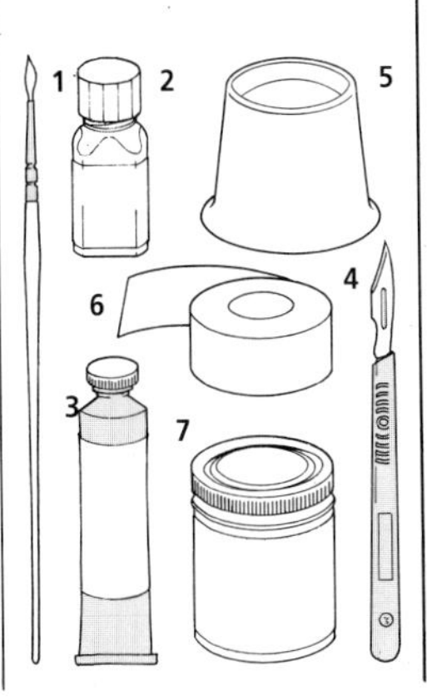

Repique

Cela consiste à boucher les piqûres claires du cliché (qui, sinon, viendraient en noir sur les épreuves) avec un pigment, jusqu'à ce qu'elles se confondent avec la valeur environnante.
La repique est aisée si l'on se contente de boucher chaque piqûre avec une peinture opaque, quelle que soit la densité environnante. La partie repiquée vient alors en blanc sur les épreuves, et il est assez facile de combler une tache blanche sur le positif, alors qu'il aurait été difficile d'éclaircir une tache sombre. Les piqûres et altérations du cliché sont dues à la poussière, à des défauts d'émulsion ou de traitement, à des rayures… Appliquez le pigment en touches légères.
Voir *Repique des épreuves, page 268.*

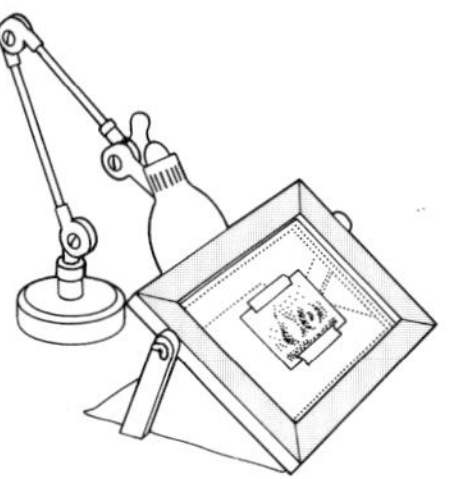

Pupitre à retouche improvisé C'est un simple cadre muni d'un verre dépoli, avec des tasseaux lui donnant l'inclinaison voulue. La lumière de la lampe est réfléchie par un papier blanc.

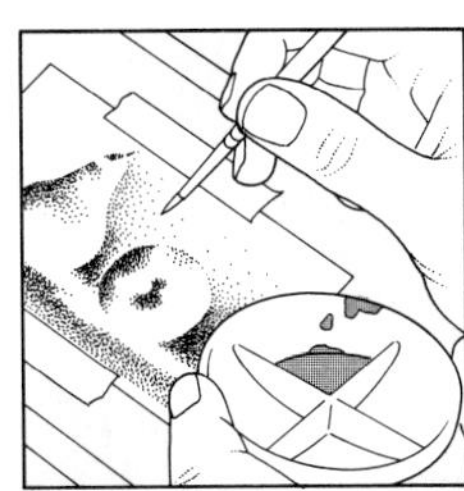

Repique du négatif Remplir chaque piqûre ou tache avec un peu de pigment pour aquarelle convenablement dilué. N'employer que l'extrême pointe du pinceau.

Marques Noires

Ne pas retoucher les taches noires sur le négatif mais sur les épreuves. Parfois, cette opération (en grand format) est faite sur le négatif : on utilise alors le scalpel pour enlever de légers copeaux dans l'épaisseur de l'émulsion.
Voir *Retouche des épreuves, page 268.*

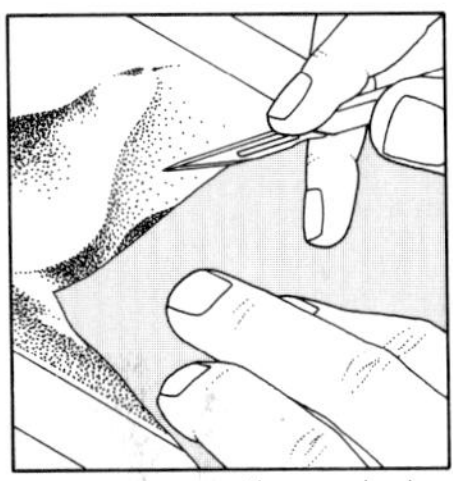

Coupe Le travail au scalpel sur le cliché demande de l'adresse. Il s'agit de découper de minces copeaux dans l'épaisseur de l'émulsion jusqu'à obtenir la valeur désirée.

Le Détourage

C'est le procédé qui consiste à recouvrir toutes les parties du fond par une gouache opaque : au moment du tirage, les surfaces détourées viennent en blanc. Cette technique est encore utilisée en photo industrielle : les objets se détachant alors directement sur le fond blanc du papier. Pour détourer un négatif, il faut le fixer sur le pupitre de retouche. Avec le pinceau enduit de gouache à détourer, suivre très exactement les contours de l'objet à silhouetter. Pour les grandes surfaces, on peut y aller plus franchement, avec un pinceau plus gros ou encore combler les parties à opacifier avec le papier collant opaque. Toujours laisser la gouache sécher naturellement ; sinon, elle risque de se craqueler à la chaleur.

Un exemple de détourage L'image ci-dessus, obtenue à partir d'un négatif 4 x 5", a été détourée sur sa partie droite. Remarquez que le détourage simplifie fortement la forme du sujet, mais en lui donnant une apparence artificielle. On pourrait obtenir le même résultat en agissant sur une image positive avec une solution iodée, mais il faudrait refaire l'opération sur chaque épreuve.

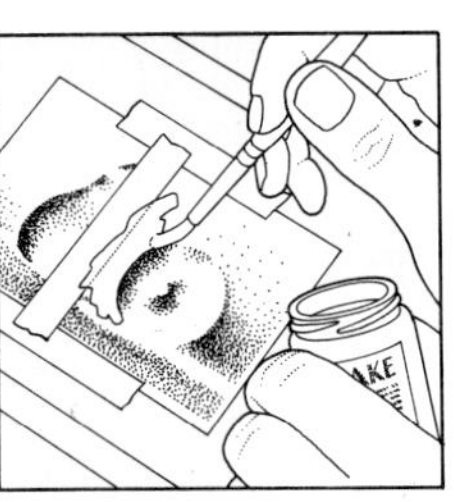

Détourage On peut employer un pinceau de diamètre plus grand que pour la repique. Pour les grandes surfaces à combler, on utilise du papier adhésif opaque réservé à cet usage.

Retouche des épreuves

Il est plus facile de retoucher une épreuve positive qu'un négatif : l'image est grande et ne sera pas ultérieurement agrandie. De plus, un accident n'est pas irrémédiable, puisqu'il suffit de faire un autre agrandissement. Le remplacement généralisé du papier normal par le papier plastifié a rendu la retouche plus difficile. Avec ce dernier, utilisez plutôt les colorants liquides (qui prennent bien sur la surface) que les couleurs d'aquarelle. Les colorants liquides s'utilisent efficacement sur surface mate ou brillante ; mais, une fois appliqués, on ne peut plus les enlever. La retouche est plus aisée sur un papier mat : le papier glacé laisse souvent voir les marques de la retouche sous forme de traces moins brillantes.

Marques blanches

Ce sont les plus connues, provoquées par les poussières ou les petites égratignures du négatif. Les faire disparaître avec une pointe de pigment noir ou un peu de colorant liquide de la densité voulue, par rapport à la valeur de gris de la zone adjacente. L'aquarelle est facile d'emploi, mais se voit sur les épreuves sur papier brillant : mélanger le pigment d'un peu de gomme arabique pour constituer une teinte plus brillante. Les colorants liquides pour retouche sont plus appropriés, d'autant que leur insolubilité permet un glaçage ultérieur, sans destruction de la partie retouchée. Quant aux papiers mats, les retoucher ou les repiquer avec un crayon mat très effilé. Pour les surfaces un peu importantes, donner une série de petites touches parallèles et fondre l'ensemble avec la pointe d'une estompe.

Marques noires

Pour éviter les taches et piqûres noires sur les épreuves, agissez sur le négatif en comblant les marques blanches correspondantes avec un pigment sombre. Faites disparaître ensuite toute trace. Les petites taches sombres peuvent aussi être grattées sur l'épreuve avec le scalpel ou une plume vaccinostyle : il vaut mieux gratter trop que pas assez, quitte à combler la différence de valeur au pinceau ou au crayon. Pour ne pas endommager la surface du papier plastifié, recouvrez la partie sombre de blanc opaque, puis retouchez la partie ainsi protégée.

Modification de valeurs

C'est le domaine de la retouche au pinceau vaporisateur, permettant de modifier la valeur de toute une région de l'image ou encore de dégrader un fond : possibilités considérables ; mais la réalisation demande une très grande dextérité. La retouche au pinceau vaporisateur est possible sur le papier plastifié, à condition que l'épreuve soit impeccablement propre : pas de traces ni d'empreintes digitales sur la surface.

Images colorées

Pour les images ayant subi un virage, employez un pigment dont la teinte s'harmonise avec la tonalité de l'image. Pour les tirages couleur, on emploie des colorants liquides qui sont disponibles dans le commerce pour cet usage. La tonalité voulue s'obtient par des touches successives de couleur superposées.
Voir *Repique des négatifs, page 267.*

Masquage
La tête et les épaules doivent être cachées pour empêcher le pigment vaporisé de les atteindre. Découper le masque protecteur avec précision.

Contours adoucis
Les contours imprécis des cheveux demandent une retouche à la main, avec le pinceau.

Fond inégal
La correction ne peut se faire qu'au pinceau à air, parce que le fond est uni.

Rayure
Il faut tout d'abord blanchir cette rayure par grattage, là où elle traverse le visage. Puis travailler au pinceau pour la faire disparaître.

Le bénéfice de la retouche
L'épreuve du haut est tirée d'un vieux négatif, très abîmé. L'épreuve retouchée, ci-contre, montre que tous les défauts ont été éliminés.

Matériel de retouche
1 Palette pour le mélange des pigments **2** Crayon à mines interchangeables **3** Petit pinceau pour la repique **4** Colorant à retouche **5** Blanchiment **6** Estompes et tampons pour égaliser les teintes **7** Scalpel **8** Pinceau vaporisateur et pigment en aérosol **9** Film pour constitution des masques **10** Loupe grossissante **11** Gomme molle **12** Tubes de peinture : noir, gris et blanc. Il vous faudra également un liquide dégraissant pour la surface de l'épreuve.

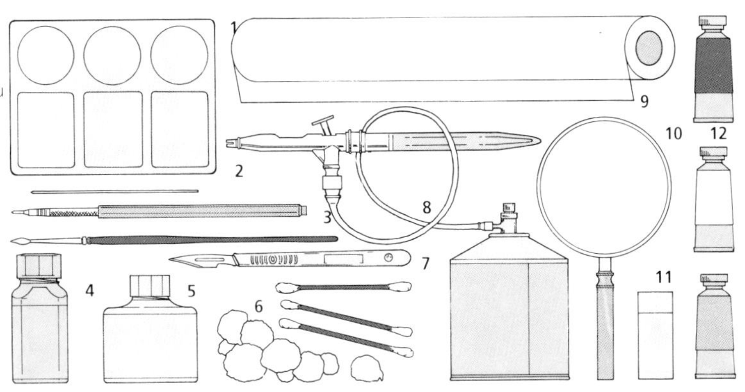

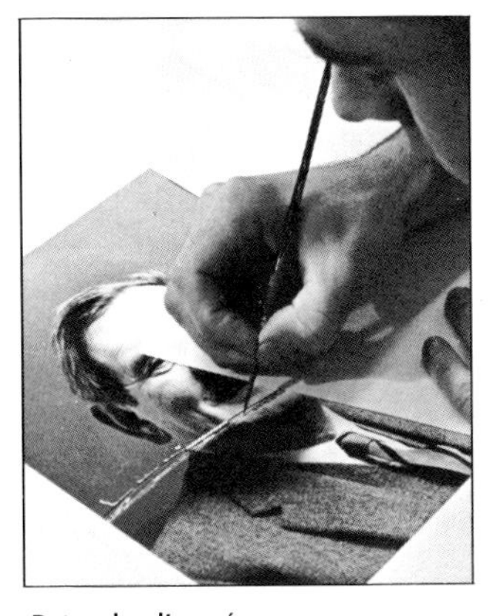

Retouche d'une épreuve
1 *Travaillez sur une surface lisse et bien éclairée, en fixant l'épreuve avec de la colle ou par montage à sec. Commencez par blanchir les parties noires de la rayure, là où elle passe sur le visage.*

2 *Maintenant, vous pouvez commencer à retoucher la trace blanche au pinceau. Employez l'aquarelle ou le colorant liquide. Protégez le document des traces de doigts avec un sous-main de papier.*

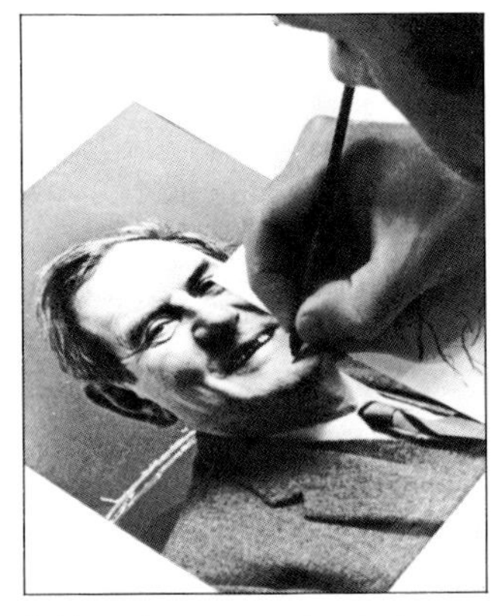

3 *Toutes les marques noires du visage sont enlevées au scalpel. Vous pouvez maintenant travailler sur le fond. Puisque celui-ci est uni, il est possible de le recouvrir d'une couche uniforme de peinture, en utilisant le pinceau vaporisateur.*

4 *Préparez un masque protecteur en plastique, protégeant la tête et les épaules. La découpe demande une certaine habitude, pour ne pas abîmer l'épreuve. Enlevez la partie du masque découvrant le fond à égaliser.*

5 *Le pinceau à air est utilisé à environ 10 cm au-dessus de l'épreuve. Le mouvement de balayage doit être lent et très régulier. Ne pas recouvrir la limite des cheveux qui sera travaillée à la main avec le pinceau.*

6 *Retirez délicatement le masque. Assurez la finition en travaillant sur les zones limites, en particulier dans la région des cheveux. Préparez un cadre de carte blanche pour la présentation définitive.*

Technique de photomontage

On appelle photomontage l'assemblage de plusieurs images photographiques sur un même support, de telle manière qu'elles se recouvrent ou se juxtaposent. On représente ainsi des situations en contradiction avec les lois de la perspective et sans respecter les proportions réelles des objets. L'assemblage se fait en collant les divers éléments les uns sur les autres ou en les montant bout à bout. Commencez avec des éléments analogues par le contraste et la tonalité, tirés sur papier mat : plus facile à découper et à retoucher. Pour le photomontage ci-dessous, on a d'abord monté l'image servant de fond sur un carton fort. Puis l'image centrale de la main a été soigneusement découpée et ses bords intérieurs ont été émincés par abrasion sur de la toile émerisée. Le collage se fait avec une colle type caoutchouc parfaitement étalée. Une petite intervention de retouche permet de faire disparaître les joints.

Voir *Montage surréaliste, pages 272-273.*

Trois dimensions

Les éléments sont découpés et montés sur du carton fort, puis répartis sur plusieurs plans, étagés en profondeur. L'ensemble étant photographié avec un éclairage approprié, on peut obtenir une image donnant une sensation de relief. Une grande ouverture de diaphragme renforce encore l'illusion (profondeur de champ limitée).

Réarrangement de l'image

L'image peut être découpée en bandes, cercles ou carrés et recomposée selon un autre dessin ; on peut aussi mélanger deux images ainsi disséquées.

Réarrangement d'un portrait L'image a été découpée en tranches verticales, puis décalée.

Segments tournants

L'image est découpée en une série de couronnes ou de segments : cela en se servant d'un compas à découper (ci-dessous). Les couronnes découpées sont ensuite décalées et réassemblées.

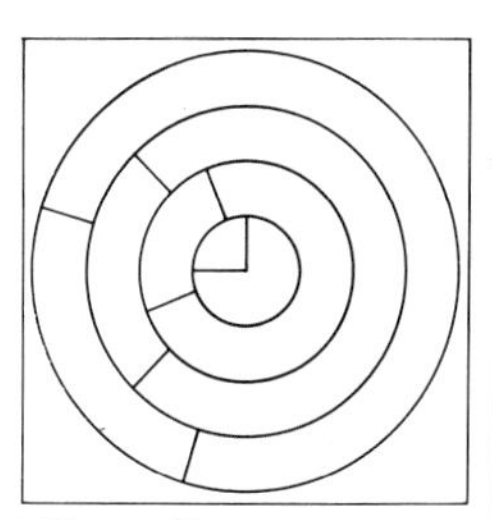

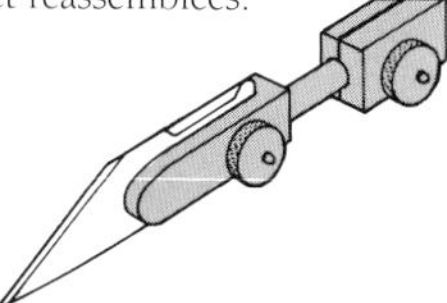

Mélange d'images A partir de deux épreuves du même sujet, l'une positive, l'autre négative, on a découpé des rectangles de dimensions décroissantes dans chaque épreuve, puis assemblés en alternance, enfin montés et rephotographiés.

ASYMÉTRIE

Le visage est asymétrique. En partant d'un portrait de pleine face (ci-contre), on fait deux agrandissements de même taille, l'un étant projeté avec inversion du négatif dans l'agrandisseur. Les deux épreuves étant de même contraste et densité, on les coupe verticalement en deux, puis on monte en repérage les deux parties droites et gauches des deux épreuves.

Portrait original

Deux fois la partie droite du visage

Deux fois la partie gauche du visage

FIGURES SYMÉTRIQUES

On obtient des figures symétriques en assemblant plusieurs fois le même motif photographique sur un même support. Le photomontage de droite, par exemple, résulte de l'assemblage de quatre images du cliché reproduit en bas, à droite. En fait, deux des images sont dans le sens normal, les deux autres sont inversées. C'est l'effet que l'on obtiendrait avec un kaléidoscope. Pour visualiser l'effet qui sera obtenu, servez-vous de deux miroirs assemblés sous un angle de 30° environ. Il n'y a évidemment aucune limite aux possibilités offertes par ces méthodes de photomontage.

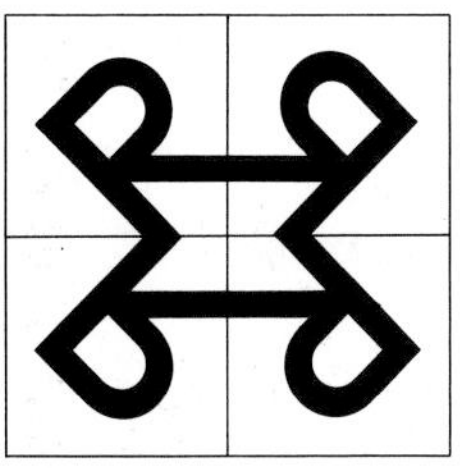

Images kaléidoscopiques Ci-dessus, on a assemblé deux images en sens normal, et deux images ayant subi l'inversion droite-gauche, par retournement du négatif.

Symétrie verticale Cette image est formée des mêmes éléments que la précédente, mais ils ont été assemblés différemment : ce qui produit un dessin nouveau.

Montage en "Patchwork"

Le réalisme apparent de la photographie en fait un moyen idéal pour juxtaposer des objets et des situations dans un climat de fantaisie ou de cauchemar. Mais un résultat convaincant ne peut s'obtenir que par une élaboration précise et une exécution adroite. Partez d'une idée de base, quitte à en changer en cours de route si les images juxtaposées suggèrent une nouvelle composition.
Ce type de montage donne à une photographie conventionnelle les caractéristiques les plus délirantes et absurdes. Dans le montage ci-contre, le raisin remplace les cheveux, tandis que la main droite est transformée en pince de homard ! Ne cherchez pas la réalité : le dessin et la forme des images élémentaires sont plus importants que leur contenu formel. Dans cet esprit, il est probablement aussi efficace d'employer des photos d'archives, de telle manière que leur contenu soit complètement arbitraire.

Montage en Frise

Ce genre de montage (à droite) se démarque tout aussi bien de la réalité, mais dans une composition plus formelle et organisée. Faites plusieurs épreuves du même négatif, dans le bon sens, puis un nombre égal d'épreuves, en plaçant le négatif à l'envers dans le porte-cliché. Montez les épreuves bord à bord, en alternance, une à l'endroit, une à l'envers. Pour un sujet comme celui-ci, il est nécessaire que les verticales soient redressées, pour que les images se montent très exactement : ce contrôle des lignes verticales se fait lors de la prise de vues.
Voir *Chambre monorail, page 220 ; Objectif décentrable, page 126.*

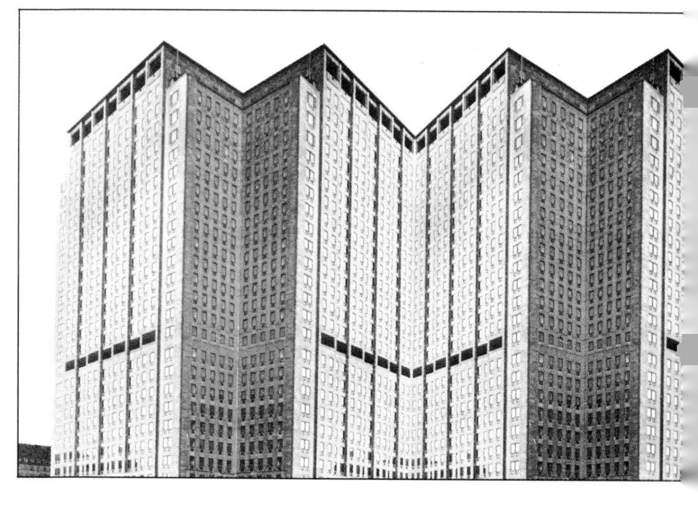

Illusion de Réalité

Le photomontage de droite donne l'illusion de la réalité en utilisant même perspective et même éclairage pour chaque élément. La pièce était éclairée par des fenêtres à gauche ; les éléments superposés : table de billard, personnage, mouette, etc., furent éclairés de la même façon. Pour un contrôle strict de la perspective, utiliser une chambre grand format, sur le dépoli de laquelle on trace l'emplacement de chaque élément. Un dessin semblable sur calque est nécessaire au tirage, pour porter chaque élément à la taille requise. Les épreuves doivent s'harmoniser en contraste et en densité. Faites un photomontage de grandes dimensions à reproduire en plus petit format : les collages sont moins visibles.

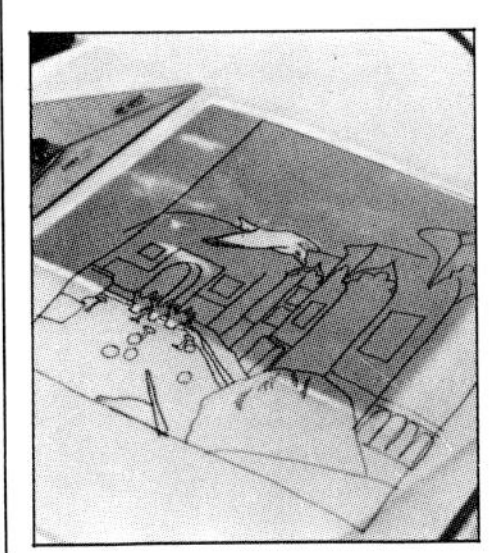

COLORIAGE DES ÉPREUVES

Le coloriage à la main d'une épreuve noir et blanc n'atteint que rarement le réalisme donné par une véritable photo en couleur sur papier ou en diapositives. En revanche, la méthode laisse une très grande liberté d'interprétation des couleurs et de leur intensité. Vous pouvez, par exemple, ne colorier que les parties de l'image que vous désirez mettre en valeur. La méthode la meilleure est d'employer des couleurs liquides étalées au pinceau. Il est possible d'employer le pastel ou la peinture à l'huile, mais cela est extrêmement difficile et demande une grande habitude. Choisissez un cliché ne comportant pas de valeurs trop sombres, et tirez-le sur un papier mat ou semi-mat, que vous virerez en ton sépia : vous ne pourriez étaler des couleurs transparentes sur une image noire ou grise ; en effet, l'image photographique reste visible sous le colorant et tend à le désaturer. Il faut des teintes liquides, des pinceaux de diverses tailles, des tampons de coton, du buvard, une palette pour le mélange des teintes.

Voir *Virage sépia, page 262 ; Montage à sec, page 309.*

Choix de l'image à mettre en couleur La vieille carte postale noir et blanc ci-dessous a été préparée spécialement pour la mise en couleur : la reproduction est claire et sans ombres bloquées. Sa surface est mate et elle a été virée sépia : le résultat final, après coloriage avec des teintes liquides, est montré sur la page ci-contre.

1 *Travaillez dans un endroit bien éclairé, de préférence à la lumière du jour. L'épreuve virée sépia doit être montée à sec, et sa surface bien époussetée avec un chiffon antistatique.*

2 *Humidifiez la surface de l'épreuve avec un tampon de coton plongé dans de l'eau. Cela permettra une absorption plus régulière des teintes liquides par la gélatine.*

3 *Commencez par les zones unies de grande surface, comme la rue ci-dessus. Tamponnez la couleur avec un morceau de coton ; si nécessaire, augmentez la valeur en plusieurs applications.*

COLORIAGE LOCALISÉ

Vous produirez une image plus percutante en limitant la mise en couleur à une ou deux zones importantes : par exemple, les lèvres pour un portrait ou un bouquet de fleurs qui, sans cela, serait perdu dans un fond. Dans le cas de l'image ci-contre, le personnage est isolé du dallage d'une manière que ne permettrait pas la photo en couleur normale.

Choix des couleurs L'image de gauche atteint un climat mélodramatique par le seul choix des teintes. Un vernis imperméable a été soigneusement appliqué sur les zones ne devant pas être coloriées : ce qui facilite grandement l'étalement de la teinte. Ce masque est retiré ultérieurement.

4 *Travaillez progressivement, en prenant toujours la surface restante la plus importante : les petits détails seront coloriés avec le pinceau et non plus avec le coton.*

5 *Avant de commencer la mise en couleur des détails avec le pinceau, vérifiez la densité et l'harmonie des teintes déjà appliquées. Il faut faire les corrections éventuelles dès ce moment, alors que la surface de l'épreuve est encore humide.*

6 *Coloriez les détails avec le pinceau de la taille appropriée. Si vous désirez une teinte saturée, appliquez la teinte en plusieurs fois, mais en laissant sécher entre deux touches.*

Virage en Couleur

Vous pouvez également avoir recours aux virages colorés. Contrairement à la teinture, le virage transforme l'image argentique noire en image colorée : rouge, bleu, jaune, vert… De cette manière, l'épreuve virée ressemble davantage à une photo en couleur qu'une image teintée, bien qu'elle soit monochrome. Sur le plan technique, le principe est identique au virage sépia : une épreuve fixée et lavée est blanchie ; puis redéveloppée dans un bain de virage chimique, ce qui forme une image colorée.

Vous pouvez d'ailleurs compléter ce virage chimique par une intervention manuelle avec des colorants. Il est également possible de virer l'épreuve en plusieurs teintes : à chaque étape, il faut protéger les zones qui ne sont blanchies et virées qu'après. On utilise pour cela un vernis imperméable spécial.

Changement de qualité de l'image
L'apparence déjà vigoureuse de l'image ci-contre est encore accentuée par son virage en bleu.

Installation fixe

Il arrive qu'on ait besoin de reproduire une photo sur papier, une diapositive, un dessin, un plan, etc. On peut opérer sur pied, avec deux lampes. Si les travaux de reproduction sont fréquents, il faut une installation fixe. Celle représentée ci-dessous, permettant de reproduire des dessins de grandes dimensions, utilise un appareil de grand format mobile sur une paire de rails : ce principe assure le parfait parallélisme du film et du document : condition indispensable pour ce genre de travail. Les lampes d'éclairage restent à la même place par rapport au document : les conditions de prise de vues sont ainsi constantes et il suffit de se faire un tableau tenant compte de la rapidité du film, de l'ouverture du diaphragme et du rapport de reproduction.

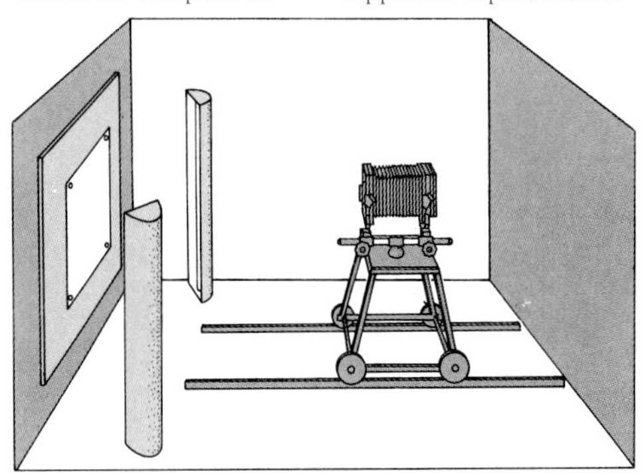

Reproduire un tableau

Les peintures à l'huile sont difficiles à photographier : la structure de la couche est brillante et irrégulière. Placez les lampes une par une, en vérifiant qu'il n'y ait pas de reflets. L'emploi simultané de filtres polariseurs bien orientés (sur l'objectif et sur les projecteurs) est la seule solution pour les cas limites.

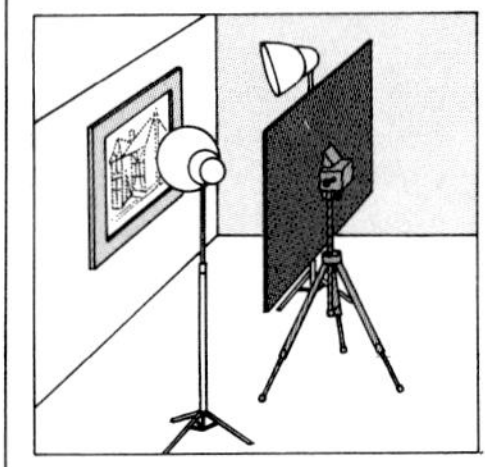

Reflets de l'appareil
Si le document à reproduire est brillant (sous-verre), éliminez les reflets de l'appareil en opérant derrière un carton noir, percé d'une ouverture pour l'objectif.

Adaptation sur pied

Un dispositif à angle droit ou une rotule permettent d'utiliser l'appareil verticalement sur pied.

On emploie aussi un support à pince.
Voir *Pieds-supports, page 37.*

Support pour reproduction
Le modèle représenté ci-dessus comporte des branches télescopiques. Ce dispositif est pratique pour reproduire les pages d'un livre ou les petits objets.

La lumière

Elle doit être régulièrement répartie. En couleur, prévoyez des lampes adaptées au film utilisé. Il faut au moins deux lampes, placées à 45° de part et d'autre du document. Si vous utilisez le flash, contrôlez la disposition des torches avec les lampes de modelage pour éviter les reflets.
Voir *Matériel d'éclairage, pages 34-35 ; Techniques du flash, pages 96-99.*

Éclairage uniforme
Pour vérifier l'uniformité de l'éclairage, placez, en son milieu, un crayon perpendiculaire au plan du porte-documents : les ombres doivent être de longueur et de densité égale.

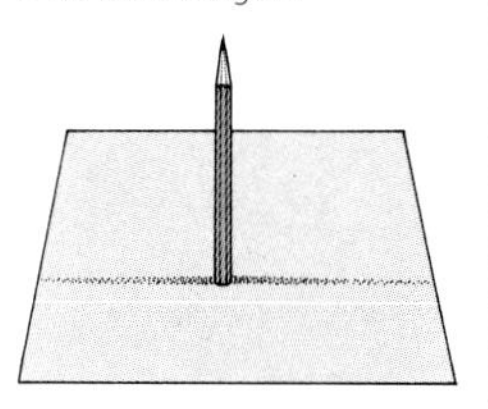

Statif de reproduction

Pour beaucoup de travaux de copie, ce statif vertical est le plus commode ; il est de plus peu encombrant. L'original est simplement posé sur le plateau.
Ce type de statif se trouve dans le commerce ; mais vous pouvez facilement en réaliser un vous-même avec les éléments d'un vieil agrandisseur.

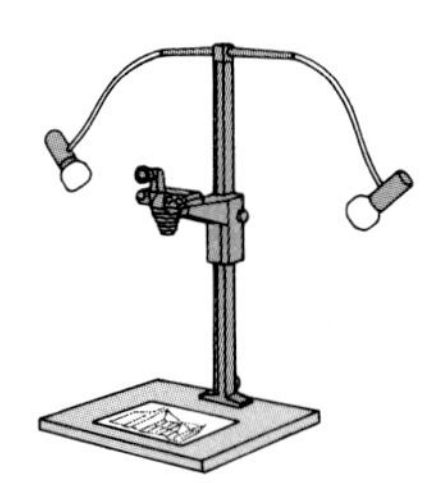

Éclairage pour statif Ce statif est réalisé à partir d'un ancien agrandisseur, ce qui permet de modifier la hauteur de l'appareil. Les deux lampes sont sur tiges flexibles.

Correction de parallaxe

Les appareils à viseur optique et les reflex bi-objectifs demandent un soin particulier pour qu'un document qui est correctement centré dans le viseur le soit également sur le film. Les dessins ci-contre montrent comment surmonter cette difficulté due à la parallaxe.

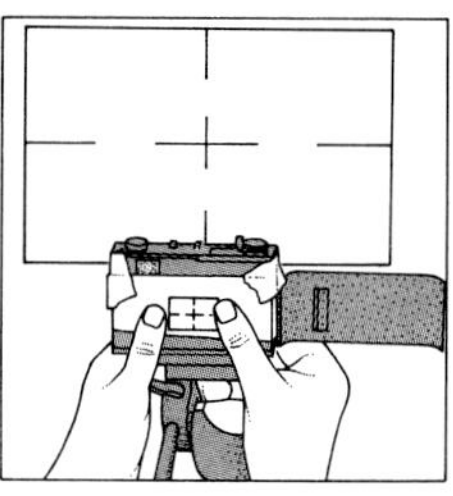

1 *Fixez l'appareil sur pied, sans film. Ouvrez l'obturateur sur "B". Placez un calque sur le cadre-image. L'image doit être centrée sur les lignes tracées sur le porte-documents. Marquez le centre de l'image.*

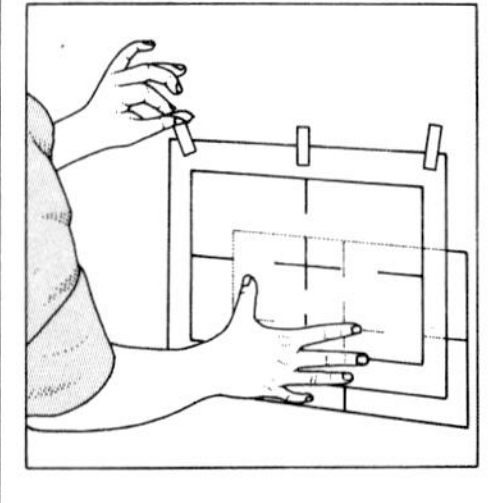

2 *Tracez les lignes extérieures et le centre du document sur un grand calque. Déplacez le calque jusqu'à ce qu'il se cadre exactement dans les repères du viseur. Fixez le calque.*

3 *Le décalage dû à la parallaxe étant connu, cadrez vos documents selon le porte-documents et assurez la mise au point avec le viseur, à l'aide du calque.*

ORIGINAUX

Selon leur nature (gravure, dessin au crayon, photo jaunie, etc.), les documents demandent une exposition et un traitement spécifiques. En noir et blanc, prenez un film trait ou lith développé dans le révélateur à grand contraste approprié. Prenez la mesure de l'exposition sur carte grise placée devant l'original. Pour les dessins au crayon, employez un film à demi-teintes, car ils sont trop contrastés sur film trait ; de même pour les autres documents à modelé continu, aquarelles ou photographies. Si le document à reproduire est monochrome, vous pouvez employer un film non chromatisé. Par exemple, le film ortho convient bien aux photos jaunies par le temps.

Filtres

Si votre original a des taches colorées, essayez de le photographier à travers un filtre de la même couleur que ces taches (observez le document à travers différents filtres, jusqu'à ce que les taches ne soient plus visibles). Prenez un film panchromatique (un filtre éclaircit les teintes de sa propre couleur et assombrit les couleurs complémentaires).

Reproduction sur film couleur

Avec le film inversible, l'éclairage et l'exposition sont très délicats. Avec des lampes halogène : utilisez le film type B ou le film type "lumière du jour" avec un filtre 80A. Prenez plusieurs vues à différentes ouvertures. Si vous opérez sur négatif couleur, placez une charte standard de couleurs sur un bord de l'image : elle servira de référence lors du tirage.
Voir *Films noir et blanc, pages 38-45 ; Traitement noir et blanc, pages 46-50 ; Agrandissement, pages 54-61.*

DUPLICATAS DE DIAPOSITIVES

Avec un soufflet-allonge et un reflex, on obtient facilement de bonnes reproductions en couleur de diapositives. La diapositive sera uniformément éclairée, avec une source de qualité adaptée à la nature du film. Le seul vrai problème est celui du contraste : les diapositives sont par nature très contrastées et, sauf si la vue était particulièrement douce, sa reproduction risque d'être trop dure. En noir et blanc comme en couleur (si vous traitez vos films), vous pouvez réduire ce contraste en surexposant et en sous-développant. Il existe également un dispositif de reproduction avec prévoilage au flash électronique (ci-dessous). La méthode du masque positif réducteur de contraste est également utilisable.
Voir *Emploi d'un masque, page 250.*

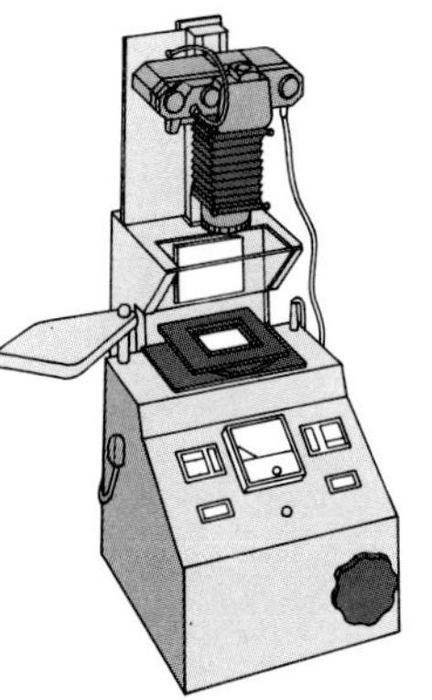

Reproduction pour diapositives couleur L'appareil (avec objectif macro et soufflet-allonge) fait face à un porte-diapo éclairé par l'arrière. Il est doté d'un posemètre dont la cellule peut se mettre en place devant la diapositive originale éclairée par une lampe de modelage : ce qui permet de régler l'exposition en variant la distance de la lampe de modelage, portée par le même support que le tube-éclair utilisé pour l'exposition. Une faible partie de l'éclair du flash est dérivée (fibres de verre) entre l'objectif et le film, pour le prévoilage.

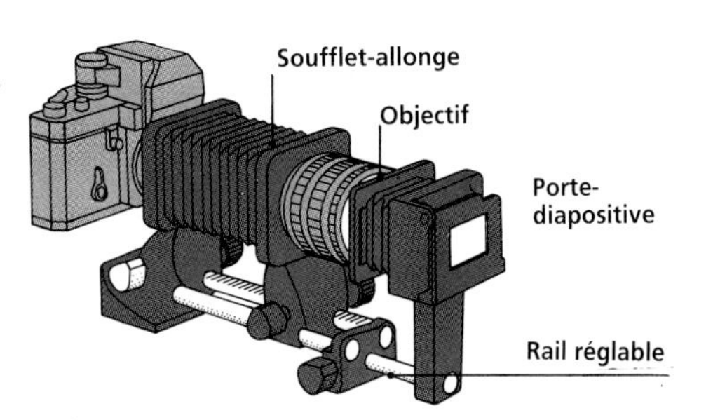

Repro-dia Après avoir mis le soufflet-allonge et l'objectif, fixer l'ensemble soufflet complémentaire plus porte-diapositive "repro-dia" devant l'objectif.

Repro-dia et lumière du jour Vous pouvez opérer de cette manière en pointant l'appareil vers un ciel légèrement couvert. Mesurez l'exposition avec le posemètre intégré à l'appareil.

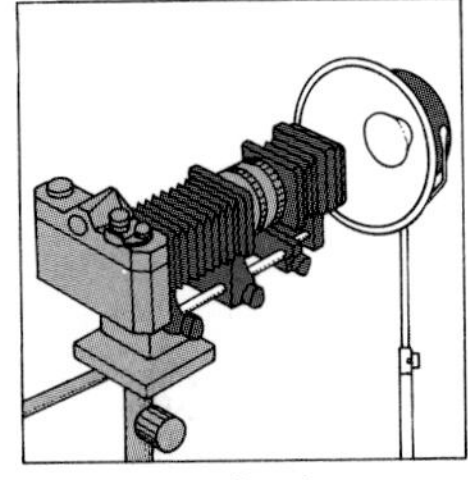

Repro-dia et flood Vous pouvez également employer un film type lumière artificielle et éclairer la diapositive avec une lampe flood : la diapositive ne doit pas être trop près de la lampe.

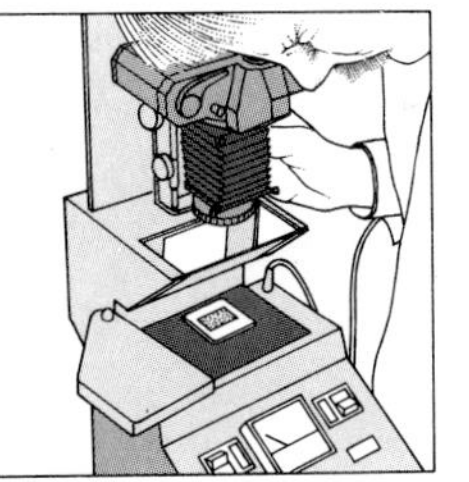

Dupliquer des diapositives
1 *Placez la diapositive originale sur la boîte à lumière ; chargez l'appareil en film type lumière du jour. Faites mise au point et cadrage grâce à la visée reflex.*

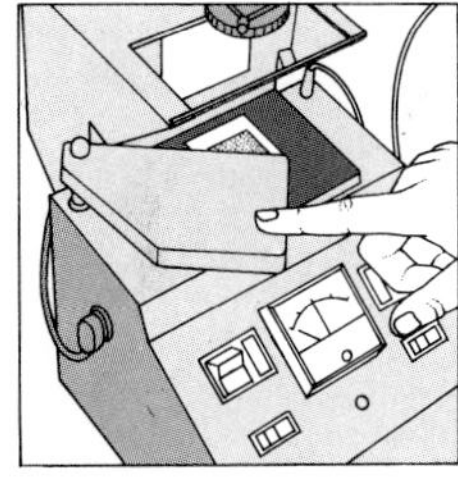

2 *Mettez la cellule du posemètre en place. Réglez la distance du système d'éclairage jusqu'à ce que l'aiguille indique zéro sur le cadran.*

3 *Affichez le degré de prévoilage requis. Les originaux doux ne nécessitent pas de prévoilage. En cas de doute, faites plusieurs vues en variant les réglages.*

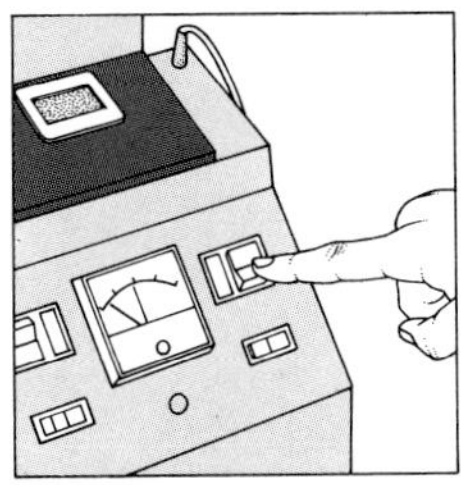

4 *Retirez la cellule du posemètre ; basculez le commutateur en position "flash". Vérifiez que l'obturateur est réglé sur une vitesse synchronisée "X".*

Effets Colorés au Laboratoire

Solarisation couleur
Les effets de solarisation et les équidensités sont le plus souvent réalisés non pas à partir de films couleur mais à partir de négatifs noir et blanc, effets et couleurs étant ajoutés au stade du laboratoire. La solarisation ci-dessous a été faite par la méthode noir et blanc, le positif solarisé ayant été copié sur film négatif couleur exposé sous lumière colorée. Ce nouveau cliché fut enfin agrandi avec filtrage et maquillage spéciaux.

Équidensités
Faire des positifs de sélection, comme indiqué page 245 pour l'isohélie, mais en les tirant successivement sur film négatif couleur, en changeant à chaque fois la couleur de la lumière servant à l'exposition. Pour exagérer la granulation, utiliser le film le plus rapide, sous-exposer de trois divisions de diaphragme et doubler le temps d'exposition.
Voir *Solarisation des négatifs, page 248 ; Isohélie ou posterisation, page 245.*

Image finale négative
Un effet simple mais surprenant est de présenter l'image finale en négatif, au lieu du positif (ci-dessus), mais choisir une image au graphisme prononcé et de couleurs vives.

Équidensités 1-4
Voir *Isohélie, étapes 1 à 4, page 245.*

5 *Remplacez le film demi-teintes par un film couleur et interposez un filtre coloré de densité 1.0 (CC 100), de la couleur de votre choix, entre l'interpositif noir et blanc et le film couleur.*

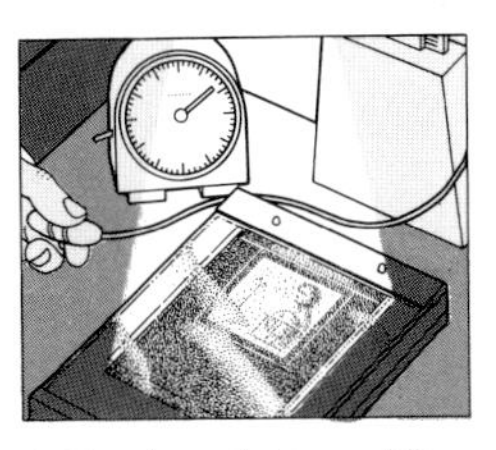

6 *Tirez les trois interpositifs successivement sur le même film couleur, en employant trois filtres (CC 100) de teintes différentes : le négatif résultant sera en équidensités.*

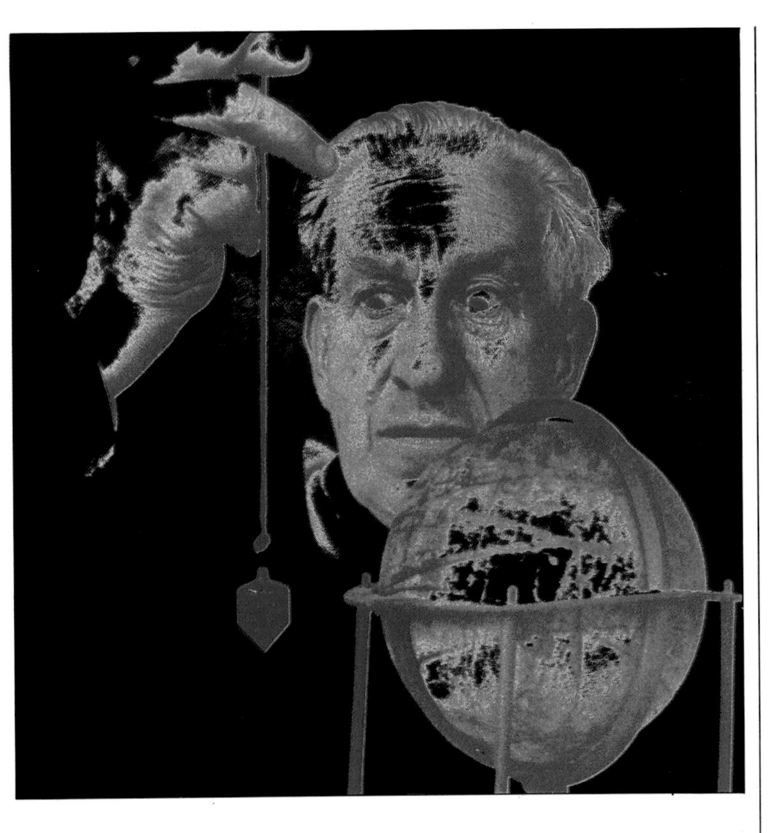

EMPLOI DE MASQUES

Le masque peut servir aux effets spéciaux. Si l'on superpose un négatif noir et blanc très léger à une diapositive, toutes les hautes lumières de cette dernière seront équivalentes à des demi-teintes, sans modification de valeur ou de teinte pour les autres régions. Dans un paysage, un ciel normal sera transformé en ciel d'orage. Le décalage du négatif et de la diapositive correspondante aboutit au pseudo-relief. Un effet curieux s'obtient en prenant le même sujet sur film négatif et sur inversible, ce dernier étant surexposé de deux divisions de diaphragme. Superposez et agrandissez sur papier couleur.
Voir *Pseudo-relief, page 246.*

Emploi d'un masque négatif A droite : combinaison d'une diapositive et d'un négatif noir et blanc léger.

PHOTOGRAPHIER LA NATURE

La photographie de la nature peut être "romantique" ou documentaire : la première manière met l'accent sur la forme, les volumes et la texture, alors que la seconde demande une représentation réaliste. Même si un sujet a déjà été traité un grand nombre de fois, il vous sera toujours possible de trouver une nouvelle manière de le présenter, en mettant en lumière un aspect moins connu de la structure ou du comportement. La chance joue son rôle dans la réussite, mais la patience est un facteur déterminant. Vous vous apercevrez rapidement que la connaissance de la vie sauvage est indispensable afin d'être capable de trouver les sujets et de les reconnaître. De plus, il faut savoir opérer sans modifier l'environnement naturel, ni déranger les animaux. Vous pouvez également opérer à l'intérieur, avec certains sujets ; en studio, il est facile de choisir l'éclairage et le fond. De telles images sont souvent de meilleure qualité technique, mais elles ne peuvent reproduire l'environnement.

Appareils et objectifs

Le mono-objectif reflex, 24 x 36 ou de moyen format, est idéal. Le posemètre intégré au boîtier permet de gagner du temps ; cependant, le posemètre indépendant, en mesure incidente, est plus précis avec certains sujets. En général, le viseur prismatique du reflex convient mieux pour les sujets en mouvement (oiseaux en vol, animaux courant). Pour les vues au ras du sol, le viseur reflex est plus commode, car il vous dispense de vous allonger sur le sol pour faire le cadrage. Si votre viseur prismatique n'est pas interchangeable, n'oubliez pas que vous pouvez y fixer un viseur à angle droit, rendant alors les mêmes services. C'est un bon principe d'aborder le domaine en se concentrant sur un seul aspect de la vie sauvage : fleurs ou insectes ; oiseaux ou mammifères ; en faisant cela, vous pouvez acquérir plus rapidement une bonne connaissance du sujet et vous limitez au minimum le matériel nécessaire. Si vous choisissez les petits sujets, l'achat d'un objectif macro est le meilleur investissement possible. Si vous vous consacrez aux oiseaux, vous devrez acquérir une longue focale. L'objectif grand-angulaire n'est pas indispensable, mais il est très utile pour montrer les plantes ou les animaux dans leur environnement naturel ; par exemple, une plante de montagne sera montrée dans son décor alpestre.

Supports pour l'appareil

Une mise au point extrêmement précise est indispensable pour les gros plans, en raison de la faible profondeur de champ : un pied-support robuste est donc nécessaire. Pour la chasse photographique à l'approche, un monopode est préférable à la tenue à main levée. Néanmoins, utilisez un véritable tripode chaque fois que possible : celui-ci devra avoir les branches individuellement réglables, pour pouvoir être stabilisé sur les terrains irréguliers ou pentus. Les pieds avec colonne centrale réversible permettent de positionner le point de vue à différentes hauteurs, même près du sol. Le point de vue bas permet de photographier convenablement les mousses, champignons ou les plantes rampantes. Il existe des pieds de faible hauteur, à la fois solides et légers, que vous pouvez emporter dans le fourre-tout (voir ci-dessous). Votre appareil peut être mis à l'intérieur d'un fourreau – dit "blimp" – qui atténue fortement le bruit mécanique du déclenchement et de l'armement, lequel peut effrayer certains animaux farouches.

Éclairage

Le flash n'est pas indispensable, mais vous le trouverez fort utile pour opérer en couleur avec une faible lumière ambiante : il est évidemment irremplaçable pour les sujets nocturnes ; songez que plusieurs oiseaux et de nombreux mammifères sont surtout actifs la nuit et il y a de nombreux clichés à faire dans cette spécialité peu fréquemment abordée par les photographes.

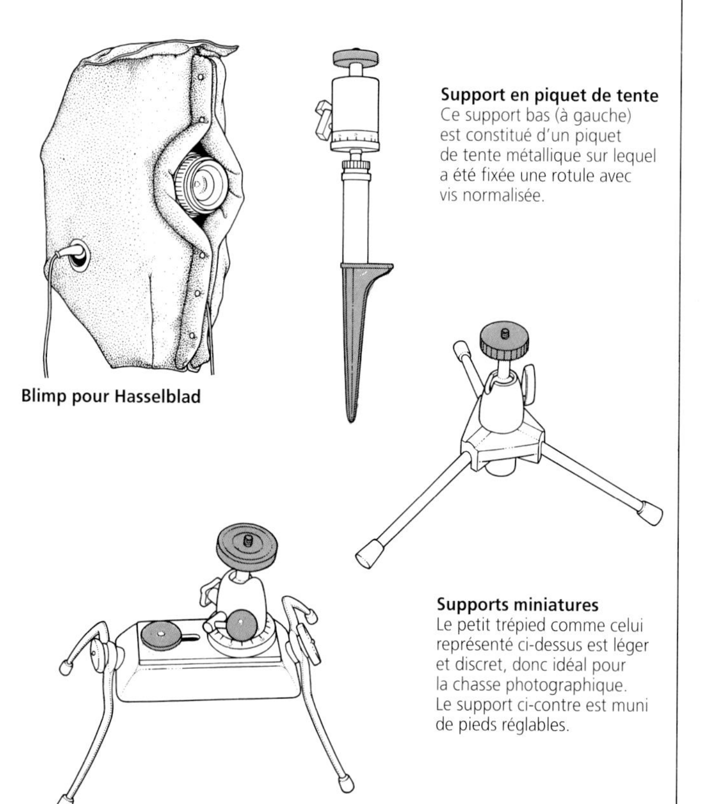

Blimp pour Hasselblad

Support en piquet de tente
Ce support bas (à gauche) est constitué d'un piquet de tente métallique sur lequel a été fixée une rotule avec vis normalisée.

Supports miniatures
Le petit trépied comme celui représenté ci-dessus est léger et discret, donc idéal pour la chasse photographique. Le support ci-contre est muni de pieds réglables.

Photographier des Oiseaux

Les oiseaux peuvent être photographiés à l'approche ou à l'affût, en attendant qu'ils retournent au nid ou sur un perchoir. Prendre grand soin de ne pas déranger un nid (ci-dessous) sous peine de voir les oiseaux l'abandonner. Construisez votre affût progressivement, en plusieurs jours ; à chaque étape, partez ostensiblement, en vous assurant que les oiseaux reviennent au nid. Dégagez les branchages qui vous gênent, en les attachant, mais sans les émonder. Entrez dans l'affût avec un compagnon : lorsque celui-ci s'en ira, les oiseaux croiront que l'affût est désert et cesseront d'être effrayés. Les oiseaux craintifs réagissent au moindre bruit : un reflex étant plutôt bruyant, verrouillez le miroir en position haute, si votre appareil le permet, et utilisez un blimp improvisé. Une voiture constitue un bon affût pour photographier les oiseaux au bord d'un chemin : vous pouvez les appâter pour les attirer à proximité.

Emploi d'un affût Les oiseaux vivant à proximité des routes sont habitués aux voitures : une automobile constitue donc un excellent affût. Vous pouvez employer un support à ventouses (à droite) qui se fixe solidement à une vitre. Si vous désirez photographier les oiseaux sur une longue période de temps, il est préférable de construire un affût permanent, ci-dessous, à droite.

Nikon, 135 mm, Tri-X, 1/60 s, f/5,6

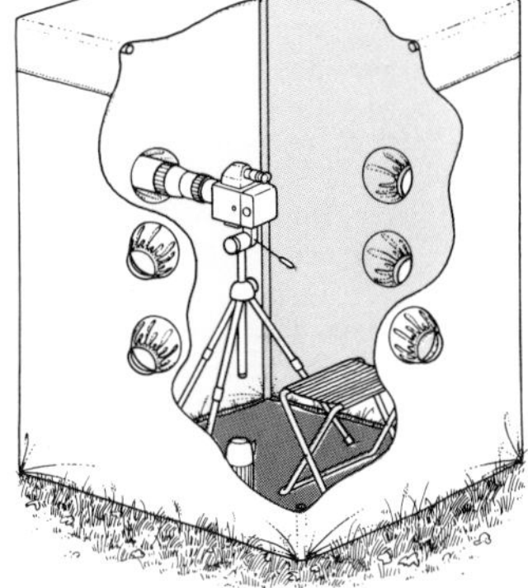

Oiseaux en vol

N'attendez pas un fort pourcentage de réussite. Il faut un objectif de très longue focale, de préférence avec une crosse d'épaule. Pour les oiseaux qui défilent en volant parallèlement à vous, préréglez la mise au point et déclenchez en panoramiquant. Pour une image bien nette, opérez en instantané rapide (1/500-1/1 000 s au minimum). Vous pouvez utiliser une vitesse plus lente pour les oiseaux qui se dirigent vers vous : le corps et la tête seront nets, tandis que les ailes bougées suggéreront le mouvement.
Voir *Objectifs de longue focale, page 123.*

Photographie d'Insectes

Beaucoup d'insectes peuvent être photographiés avec la focale normale et des bagues ou un soufflet-allonge. D'autres demandent une focale plus longue, avec soufflet (90 ou 135 mm). Par beau temps, vous pouvez opérer avec un film lent ; un film rapide est nécessaire par temps couvert ; le mieux est d'employer le flash électronique. Avec une double-torche (ci-contre), vous obtiendrez un excellent éclairage.

Insectes en mouvement rapide
Les deux torches du flash électronique forment un ensemble compact avec l'appareil.

Accouplement de sphinx
Les deux papillons (à droite) se trouvaient sur un brin d'herbe. Ils restèrent longtemps immobiles : ce qui permit d'employer une pose lente par un après-midi sans vent. Le point de vue surbaissé souligne le contour des ailes.

A droite : **Hasselblad**, 80 mm et bagues-allonge Ektachrome (100), 1/30 s, f/11

Les Animaux

Le maniement de l'appareil doit être instinctif pour se concentrer uniquement sur le sujet, en anticipant ses mouvements. Si vous chassez à l'approche, n'emportez qu'un minimum d'équipement : le support idéal est le monopode léger et rapide à déployer. Pour les objectifs, les longues et très longues focales sont très précieuses, notamment pour les safaris et les oiseaux. Employez, lorsque cela est possible, la lumière solaire, donnant des images plus naturelles. Le comportement instinctif du lézard de droite est mis en évidence par son bain de soleil. Le flash est nécessaire dans les sous-bois et les grottes, ainsi que pour les espèces nocturnes ; il fige le mouvement et permet une plus grande profondeur de champ dans les gros plans, comme pour l'araignée de la page ci-contre. Pour les safaris, il faut s'approcher de l'animal : cette lionne dévorant sa proie a été photographiée depuis une voiture.

A droite : **Nikon**, 135 mm, Kodachrome II, 1/60 s, f/5,6
Ci-dessous : **Nikon**, 200 mm, Kodachrome (64), 1/250 s, f/4

Saisir le mouvement
Soyez toujours prêt à déclencher : ce héron bleu a été surpris dans un marécage par la brusque apparition d'un alligator à quelques mètres de lui, alors qu'ils se déplaçait rapidement. L'oiseau s'immobilisa alors une bonne quinzaine de minutes, jusqu'à ce que l'alligator disparût. Cela donnait tout le temps de monter l'appareil sur pied et de composer l'image. Sachez profiter d'un environnement comme celui-ci, qui contraste heureusement le plumage brillant du héron aux feuilles tendres de la végétation aquatique.

En haut, à gauche : **Hasselblad,** 80 mm avec soufflet, Ektachrome (100), 1/125 s, f/8
En haut, à droite : **Nikon,** 500 mm, Kodachrome 64, 1/125 s, f/8
A droite : **Nikon,** 200 mm, Kodachrome 64, 1/125 s, f/8

Le Bord de Mer

Les côtes rocheuses offrent une quantité de sujets intéressants. Les animaux se cachent habituellement dans les flaques ou dans les anfractuosités ; mais, si vous comprenez leur comportement, il vous sera facile de les y trouver. Ce crabe fantôme, à droite, ne sort guère qu'à marée basse et ne se laisse pas approcher : raison pour laquelle il a été pris au téléobjectif. C'est la nuit que le bord de mer est le plus peuplé d'animaux divers à surprendre avec le flash. Attention ! l'eau salée ou les embruns sont très corrosifs pour l'équipement. Veillez aux reflets intempestifs : utilisez soit le filtre polariseur, soit un parapluie noir, cachant, autant que faire se peut, le reflet du ciel.

Nikon, 135 mm, FP4, 1/250 s, f/8

Photographies dans un Aquarium

Beaucoup de petits animaux marins ou d'eau douce peuvent être photographiés dans un aquarium, mais avec un certain réalisme de l'éclairage et du décor. Dans tous les cas, le verre est préférable au Plexiglas. La glace sera parfaitement propre et l'eau très transparente. Un filtre polariseur minimise les reflets dus aux particules en suspension dans l'eau. Cachez avec du tissu noir toutes les parties brillantes de l'appareil pour que son reflet ne puisse se former sur le verre de l'aquarium. Si possible, reconstituez un sol d'aspect réaliste. Le fond noir n'est peut-être pas naturel, mais il fait superbement ressortir les détails de cet animal marin, ci-dessous, à droite. Préférez le flash électronique qui, ne chauffant pas, n'incommode pas les animaux. Un simple flash éloigné de l'objectif permet de simuler la lumière du jour. Les deux images ci-dessous ont été éclairées par deux flashes.

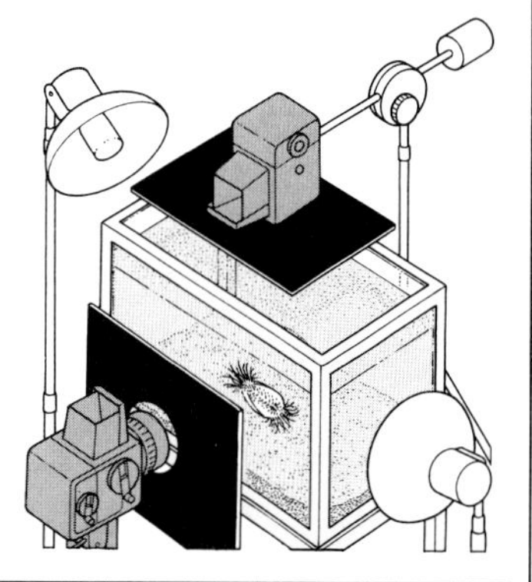

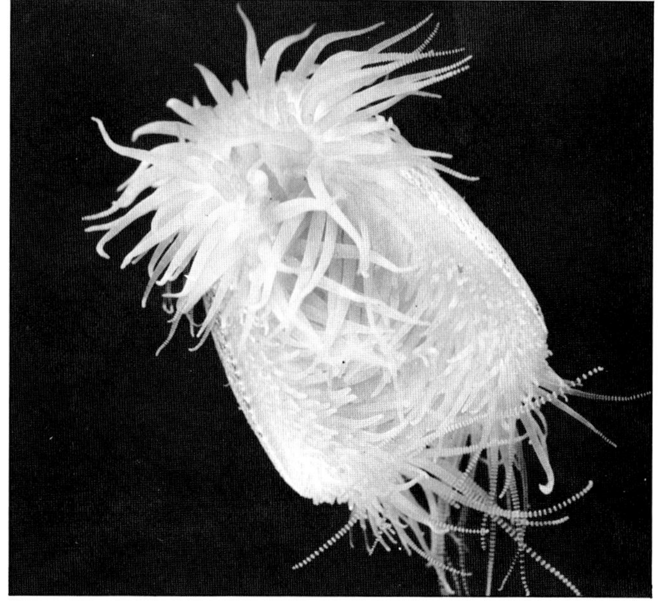

Ci-dessus : **Nikon**, objectif macro 55 mm, FP4, 1/60 s, f/16
A droite : **Hasselblad**, 80 mm avec bague-allonge, FP4, 1/60 s, f/16

Équipement Sous-Marin

Le monde sous-marin reste un milieu hostile au plongeur le plus endurci : l'équipement photographique doit donc rester le plus simple possible. Tout ce qui peut être préparé à l'air libre doit l'être, afin de réduire au minimum les opérations à effectuer sous l'eau. Le matériel doit être à la fois robuste et parfaitement étanche.

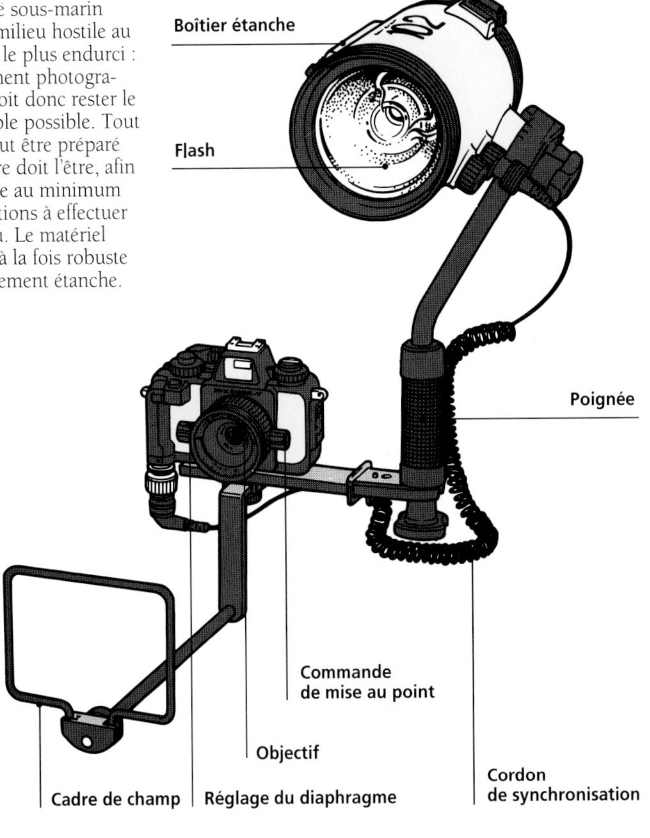

Système Nikonos

Étanche jusqu'à 50 m de profondeur, le Nikonos est constitué d'un boîtier protégé en alliage d'aluminium plastifié et d'un objectif (interchangeable). L'obturateur est du type focal avec synchronisation flash au 1/90 s. Quatre objectifs Nikkor, de 15, 28, 35 et 80 mm, sont disponibles avec viseur direct et dispositif de cadrage. Le modèle actuel (IVA) dispose d'un posemètre incorporé et d'un flash électronique. On peut également utiliser un flash magnésique. Ce système permet d'aborder la plupart des sujets sous-marins, du grand-angulaire au télé, ainsi que le gros plan (grandissement x 0,5) avec le 80 mm et des accessoires complémentaires.

Caissons

Une enceinte étanche "bricolée" ne revient pas cher, mais elle peut être longue à équiper et difficile d'emploi. Un système sous-marin, acceptant différentes focales d'objectifs, offre une meilleure flexibilité.

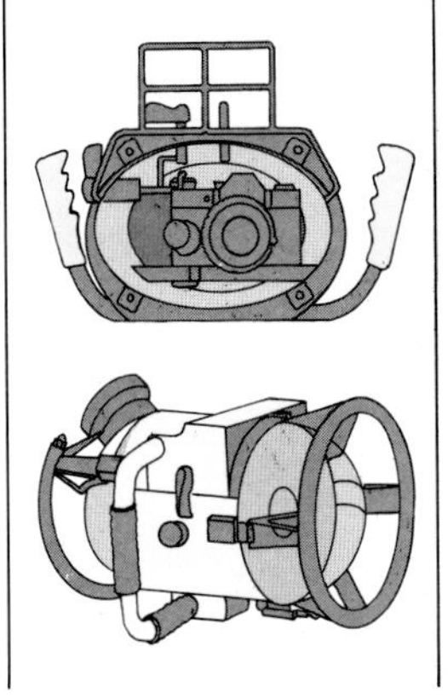

Éclairage

L'éclairage artificiel est nécessaire, afin de faire ressortir les brillantes couleurs de la vie sous-marine, dès que l'on n'est plus tout près de la surface. Mais un flash électronique assez puissant est assez onéreux, aussi on en reste, parfois, aux lampes magnésiques, bien qu'elles ne soient plus fiables en dessous de 10 mètres. Si vous adoptez le flash electronique à computer, choisissez un modèle dont le senseur indépendant peut être fixé sur l'appareil, à une bonne distance de la torche, elle-même éloignée de l'objectif, pour réduire la diffusion. Il existe des flashes spécialement concus pour la photo sous-marine.

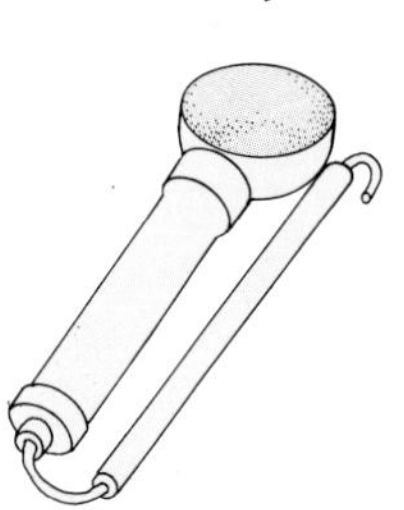

Flash à lampe magnésique Nikonos

Nikonos SB-102

Choix d'un Appareil

Prenez en compte vos capacités de plongeur. Un système Nikonos convient au plongeur très confirmé ; un appareil très simple en enceinte étanche permet au novice de réaliser d'excellents clichés à moins de 1 mètre de profondeur.

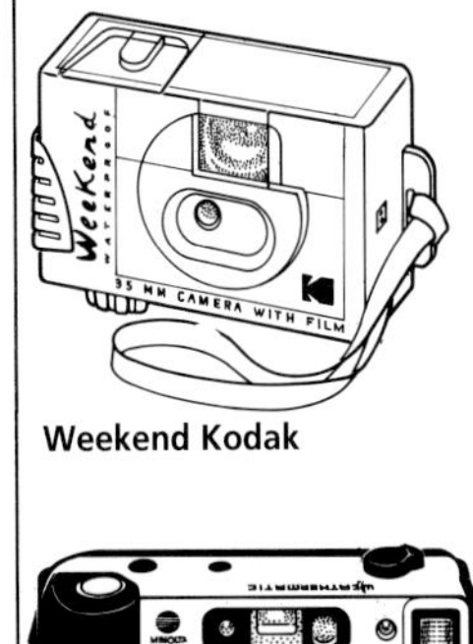

Weekend Kodak

Weathermatic Minolta

LA VIE SOUS-MARINE

La vie sous-marine est plus active en eau peu profonde, disons moins de 10 mètres ; ce qui est à la portée du plongeur équipé d'un tuba. Pour opérer plus profond, et disposer du temps nécessaire, il faut plonger avec le scaphandre autonome. A des profondeurs supérieures à 10 mètres, le flash est toujours nécessaire. Un moyen efficace d'attirer les poissons, c'est d'ouvrir un oursin en deux, comme sur la photo de droite.

Certains poissons, comme cet ange de mer (au milieu, à droite), sont plus faciles à photographier la nuit : le flash hypnotise l'animal déjà somnolent et il ne cherche pas à s'enfuir.

A droite : **Rolleiflex**, Ektachrome (200), 1/60 s, f/8
Ci-dessous : **Bronica**, 50 mm, Ektachrome (100), 1/40 s, f/5,6
Ci-dessous, à droite : **Rolleiflex** avec bonnette, Ektachrome (200), 1/60 s, f/11

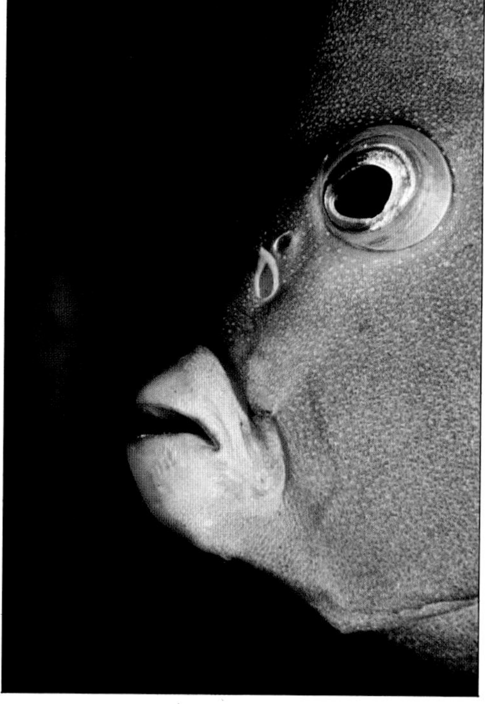

MAUVAISE VISIBILITÉ

Par mauvaise visibilité, plus vous serez près du sujet, mieux cela vaudra. Avec un très grand-angulaire, un plongeur entier peut être photographié à 50 cm. Le plongeur le plus proche sur la photo de droite n'était pas à plus de 60 cm de l'appareil. La très grande profondeur de champ permet de pré-régler la mise au point sur 2 m. Le problème, c'est qu'il est peu de flashes électroniques qui puissent couvrir un champ aussi étendu. L'eau trouble diffuse la lumière et diminue le contraste. Adoptez un film sensible (200-400 ISO). En noir et blanc, utilisez un filtre jaune x 3 ; en couleur, un filtre CC20R.

Nikonos, 35 mm, avec complément grand-angle, Ektachrome (200), 1/30 s, f/5,6

Gros Plans Sous-Marins

Les hauts-fonds marins sont une source inépuisable de sujets pour les gros plans ; la plupart des règles applicables à la photomacrographie sont valables sous l'eau. Le Nikonos permet une mise au point rapprochée, mais vous pouvez employer les tubes-allonge, si le caisson étanche est assez profond. Le flash électronique est absolument nécessaire.

Équipement pour gros plans Les deux images (ci-contre et ci-dessus) ont été prises avec le Nikonos équipé d'une bague-allonge et du dispositif de cadrage (dessin de gauche). Le flash est positionné à 45° au-dessus de l'appareil.

Ci-dessus et à droite :
Nikonos, 35 mm
avec bague-allonge,
Ektachrome (100), 1/60 s, f/16

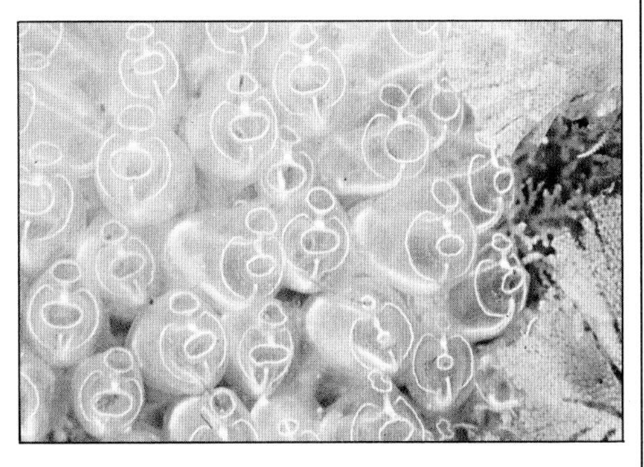

Paysage Sous-Marin

L'eau peu profonde permet les meilleurs paysages sous-marins ; il suffit de plonger avec un tuba. Néanmoins, l'appoint du flash est appréciable. Pour l'image ci-contre, il a permis de mieux faire ressortir le banc de poissons. Mais, sous l'eau, le flash n'est guère efficace au-delà de 4 mètres. Placez-le le plus loin possible de l'objectif, pour diminuer la diffusion en lumière réfléchie.
On peut utiliser un second flash pour donner une image mieux modelée, ou même éclairer en contre-jour : le départ du second flash est assuré par photocellule ou par un long cordon de synchronisation.

Nikonos, 35 mm,
Ektachrome (100), 1/60 s, f/4

Réfraction de la Lumière

Les rayons lumineux sont réfractés lorsqu'ils passent à travers les interfaces du système optique. L'angle embrassé par l'objectif est réduit d'un tiers, et les objets apparaissent un tiers plus grands et plus près. Pour pallier cet effet, adopter une focale plus courte. Un hublot ménisque fixé à l'enceinte étanche supprime la réfraction qui joue aussi bien sur l'œil que sur l'objectif : la mise au point sera donc faite par estimation visuelle.

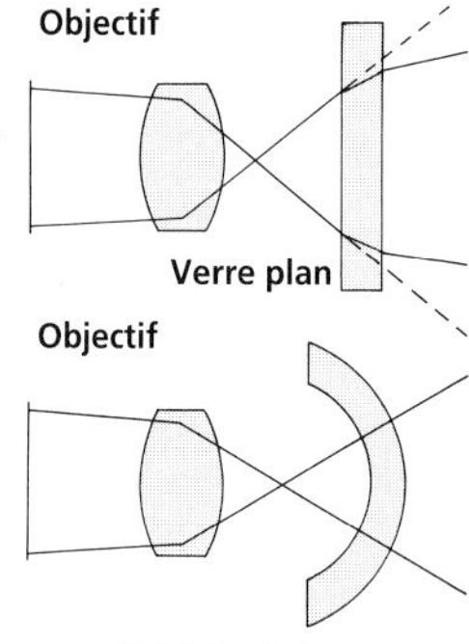

Couleurs Sous-Marines

Ci-contre, on voit l'absorption de la lumière suivant la profondeur ; cette absorption étant sélectivement plus forte dans le rouge. Pour une profondeur de 6 à 10 mètres, on peut corriger l'excès de bleu avec un filtre rouge (CC50R). L'équilibre des teintes est affecté par la nature du milieu marin : dans une eau riche en plancton, la dominante générale est verte, nécessitant un filtre magenta plutôt que rouge. Au-delà de 6 mètres, une correction parfaite est impossible ; on recourt à la lumière artificielle.

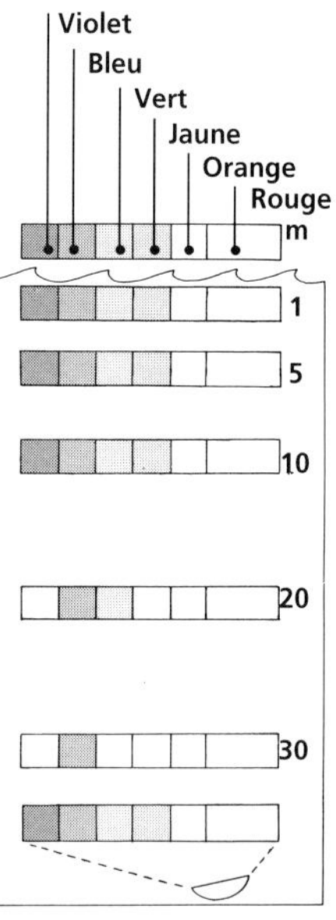

Exposition Sous l'Eau

Employez un posemètre indépendant en enceinte étanche, en ne le pointant pas vers la surface. Sans posemètre, inspirez-vous de ce tableau ou prenez une mesure en ouvrant d'une division de diaphragme juste sous la surface de l'eau, puis par tiers de division à chaque fois que la profondeur augmente de 5 mètres.

Profondeur	Eau claire et calme	Eau claire agitée	Luminosité moyenne	Ciel un peu couvert
En surface	f/16	f/16	f/16	f/16
Sous la surface	f/11	f/8	f/5,6	f/4
5 m	f/8	f/5,6	f/4	f/2,8
10 m	f/5,6	f/4	f/2,8	–
20 m	f/4	f/2,8	–	–
30 m	f/2,8	–	–	–
Soleil vertical, 1/60 s ; film 50 ISO				

Quel Film ?

Utilisez un film de sensibilité 160 ISO, poussé éventuellement à 320 ou 640 ISO par traitement spécial, lorsque vous opérez de loin avec le flash ou en lumière naturelle disponible En noir et blanc, le film de 400 ISO convient bien, quitte à le pousser jusqu'à 1 600 ISO ou davantage. Les films ultrarapides sont peu efficaces sous l'eau, car le grain de sensibilité se fait surtout dans le rouge que l'eau ne transmet pas. Pour les gros plans, un film plus lent : 125 ISO en noir et blanc et 25 ou 64 ISO en couleur.

Voir *Films noir et blanc, pages 40-44 ; Films couleur, page 68 ; Traitement poussé, page 83.*

Mauvaise Visibilité

Lorsque l'eau est très claire, le paysage sous-marin reste comparable à une vue terrestre par temps de brume. La visibilité peut s'étendre à 100 mètres dans une mer transparente et être quasiment nulle dans un estuaire limoneux. Il y a plusieurs manières de surmonter le manque de transparence : pose de plusieurs minutes, l'appareil étant bloqué au fond ou contre un rocher en employant un filtre gris neutre. En eau trouble, vous pouvez photographier en gros plan en interposant entre l'objectif et le sujet un récipient transparent (verre ou plastique) rempli d'eau pure ; une autre possibilité est d'employer le flash, avec deux filtres polariseurs, l'un devant le flash et l'autre devant l'objectif, mais croisés à 90°. Cette méthode fait perdre environ deux divisions de diaphragme d'exposition. Chaque fois que possible, cantonnez-vous à des gros plans, par condition de visibilité suffisante.

Voir *Filtres polariseurs, page 144.*

La Sécurité

Ne plongez jamais seul, ni sans entraînement, d'autant que le matériel de prise de vues sous-marines augmente la résistance à la progression du nageur et le fatigue plus vite. Si vous êtes lesté, afin d'augmenter votre stabilité, ayez un gilet rapidement gonflable. Que le matériel soit assez simple pour ne pas risquer de s'accrocher ou de vous retarder lors d'une remontée urgente. Songez que la narcose due à l'azote augmente avec la profondeur et exige des paliers de remontée plus longs. Si vous ne portez pas de gants, afin d'être plus adroit dans le maniement de l'appareil, faites attention de ne pas vous blesser sur les rochers acérés ou les coraux Ne vous laissez pas absorber par les photos au point d'oublier de respecter les paliers de décompression. Restez toujours vigilant ; attention aux méduses, oursins, pieuvres, requins...

Les Sites

Ce sont ceux restés relativement protégés de la pollution : rien ou peu à photographier dans un estuaire ou une baie fermée ! Recherchez les côtes rocheuses, les calanques, les atolls et les côtes balayées par les courants : endroits où les poissons et autres animaux marins trouvent à la fois nourriture et gîte. Les poissons plats (soles, raies) se trouvent à marée basse sur les littoraux sableux. Les épaves sous-marines sont de bons sujets par elles-mêmes, mais servent aussi de refuge à de nombreux animaux. Voici quelques-uns des meilleurs lieux pour la photo sous-marine : Méditerranée, mer Rouge, Afrique orientale, Antilles, Floride et côte ouest des États-Unis, îles du Pacifique, Indonésie et Grande Barrière de corail.

LES TECHNIQUES DE TÉLÉCOMMANDE

Elles sont parfois nécessaires quand il est physiquement impossible de rester à côté de l'appareil ou quand il s'agit de séries d'images devant être prises sur une longue période. L'appareil peut se trouver au sommet d'un mât télescopique, porté par un cerf-volant ou encore fixé sous l'aile d'un avion, au bout d'une grue, sur la chaussure d'un skieur. Bien protégé et doublé d'un flash, un appareil peut être tiré à l'intérieur d'une canalisation, afin de permettre le contrôle des parois internes. Pour ces applications, le boîtier motorisé est nécessaire, à moins que l'événement à enregistrer ne se produise qu'une seule fois. Les dispositifs de déclenchement sont variés : émetteur radio (ci-contre) envoyant un signal au récepteur actionnant à son tour l'obturateur. Pour les plus courtes distances, on emploie le déclencheur pneumatique (6 à 10 mètres) ou un électroaimant alimenté par piles. L'obturateur peut également être actionné par un intervallomètre, donnant une impulsion de déclenchement à des intervalles prédéterminés, éventuellement à plusieurs appareils diversement orientés ; on déclenche ainsi simultanément quatre appareils ayant des focales différentes, ou des films, ou des filtres variés : cela en fonction du phénomène ou de l'événement à enregistrer.

Boîtier de télécommande à cordon

Télécommande par radio HF

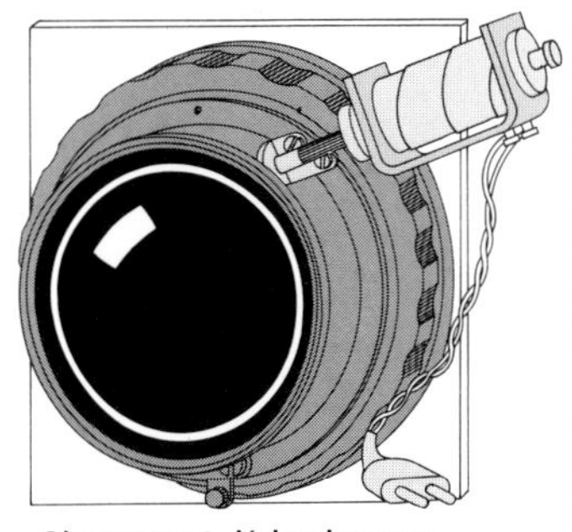

Obturateur à déclenchement électromagnétique

Fabrication d'un dispositif de télécommande Si votre appareil n'est pas motorisé et qu'il ne possède pas de déclenchement électromagnétique, vous pouvez sans doute équiper son obturateur d'un solénoïde qui le déclenche grâce à une impulsion électrique donnée par une pile. N'importe quel contact électrique peut actionner le solénoïde, par exemple les aiguilles d'un réveil.

INSTALLATION DE L'APPAREIL

L'emplacement de l'appareil dépend de la nature du travail à effectuer : si l'appareil doit rester en place toute une journée, il faut un dispositif de contrôle automatique de l'exposition : soit un flash électronique, soit un diaphragme automatique (ci-dessus) qui fait varier l'ouverture en fonction de la luminosité ambiante. En d'autres circonstances, vous ne pouvez installer l'appareil que quelques minutes avant l'événement : c'est le cas pour cette image de saut à la perche, l'appareil étant posé à côté du sabot où l'athlète plante sa perche. L'appareil étant au sol, objectif vers le ciel, la visée n'est guère possible qu'avec un viseur à angle droit. L'obturateur peut être déclenché électriquement, par câble.

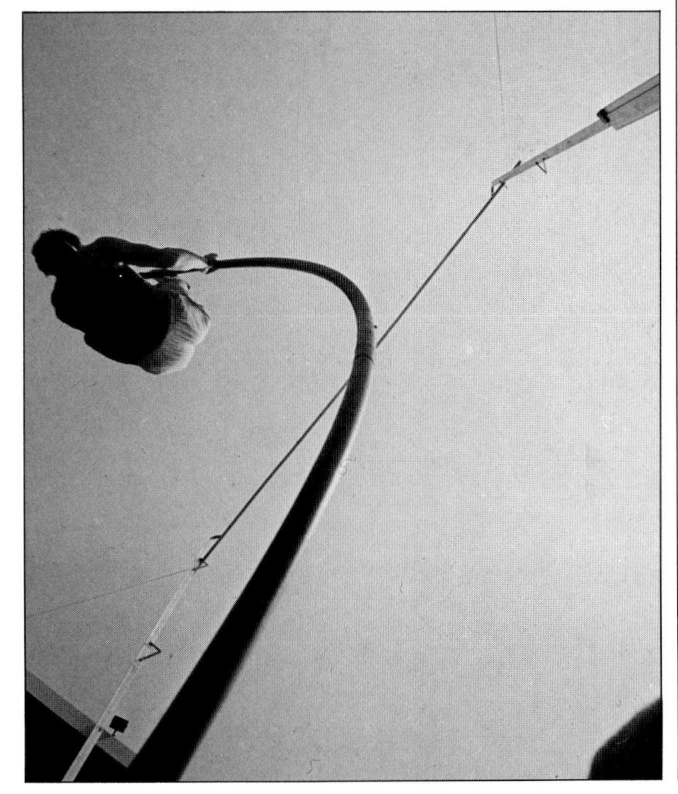

Nikon, 21 mm, Tri-X, 1/500 s, f/11

Photographier à Bord d'un Avion

A bord d'un petit avion de tourisme, il est beaucoup plus facile d'opérer si l'avion est du type à ailes hautes, car la visibilité du sol n'est pas cachée par celles-ci. Évitez de photographier à travers les fenêtres, ce qui n'est évidemment possible qu'avec les petits avions privés. Faites enlever la porte ou la fenêtre et faites poser, si cela est possible, un déflecteur protégeant de l'air qui souffle très fortement dans un cockpit ouvert. Il faut une vitesse d'obturation élevée et un filtre UV, pour réduire le voile atmosphérique. La visée est plus aisée avec un viseur à cadre. L'éclairage est plus favorable le matin ou en fin d'après-midi, l'obliquité des rayons solaires mettant bien en valeur les reliefs du sol, grâce à l'allongement des ombres.

Paysage aérien La photo de gauche a été prise à 1 500 mètres, par la porte ouverte de l'avion. La lumière diffuse réfléchie par le fleuve forme des contours harmonieux. Le film est surdéveloppé, pour compenser la perte de contraste due au voile atmosphérique. L'image ci-dessous a été prise d'un hélicoptère volant à 300 mètres ; le soleil couchant souligne les reliefs du sol.

A gauche : **Pentax**, 28 mm, Tri-X, 1/250 s, f/8
Ci-dessous : **Leica R**, 35 mm, Tri-X, 1/500 s, f/11

Emploi d'un Cerf-Volant

Une manière efficace de prendre des vues aériennes consiste à monter l'appareil sur un cerf-volant. Vous pouvez ainsi obtenir des images à grande hauteur, comparables à la photographie ci-dessus, à droite.

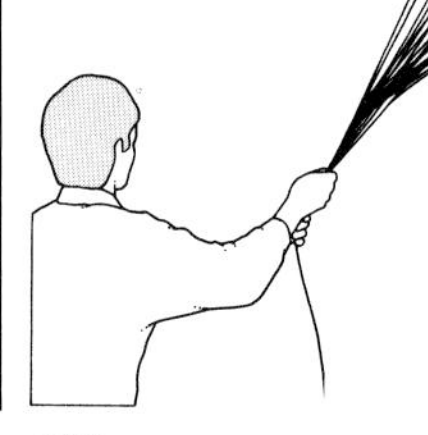

Cerf-volant parachute Théoriquement, tout cerf-volant peut emporter un appareil ; ce modèle a un très bon rendement : avec une voilure de 8 mètres carrés, il peut emporter une charge de 2 300 g. Il vole avec un vent ascendant ne dépassant pas 6,5 km/h.

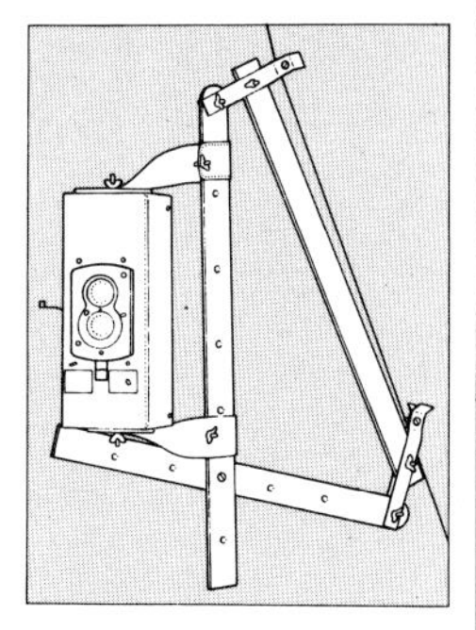

Cerf-volant photographique L'appareil est dans un caisson d'aluminium et sur tampons élastiques pour réduire les vibrations et le choc à l'atterrissage. Le caisson est assujetti, par des entretoises en bois, au support que l'on attache à la ligne lorsque le cerf-volant est à environ 30 mètres du sol. L'obturateur étant armé, un bracelet de caoutchouc est placé sur le levier déclencheur, un fil empêchant le déclenchement immédiat. Ce fil est relié à une mèche de salpêtre, laquelle, en brûlant le fil, déclenchera l'obturateur. Avec une mèche de 15 cm, le temps de combustion est de 2 minutes environ, permettant à l'appareil d'atteindre une hauteur de 300 mètres au moment de la prise de vues.

Photo en Chute Libre

Avant d'envisager toute prise de vues de cette sorte, il faut être un parachutiste expérimenté : 200 sauts au moins… En chute libre, le corps et le matériel emporté n'ont plus de masse et la chute se fait à près de 200 km/h. Mais, lorsqu'on ouvre le parachute, cette vitesse est réduite à 17 km/h en 1,5 seconde.
La décélération est supérieure à 3g, ce qui signifie que chaque objet porté par l'homme pèse plus de trois fois plus. Il est donc souhaitable d'emporter le matériel le plus léger possible. Pour garder une liberté de mouvement, l'appareil est monté sur le casque, ce qui a l'avantage de permettre d'orienter l'appareil avec les mouvements de la tête.
La visée peut être aidée par un dispositif optique devant l'œil (dessin ci-dessous), qui indique l'axe de visée : le champ étant une affaire d'appréciation et d'habitude.
D'une manière générale, on ne saute que par beau temps, ce qui permet de régler l'appareil avant le saut. Un temps de pose de 1/500 s, une mise au point sur 20 mètres, un objectif de 35 mm de focale sont de bonnes valeurs de départ, assurant par ailleurs une forte profondeur de champ.

Olympus OM-1 motorisé, 35 mm, Plus-X, 1/500 s, f/16

Prise de vues en chute libre La photo ci-dessus a été prise immédiatement après le saut du photographe, alors que sa vitesse de descente était proche de 10 m/s. Avec deux appareils portés par le casque, on peut opérer simultanément avec deux focales différentes (normale et grand-angle, par exemple).

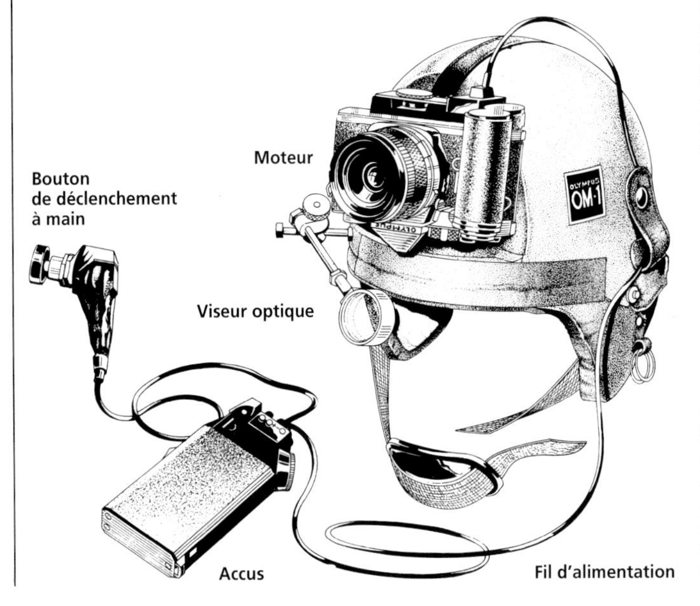

Équipement Un reflex automatique, solidement fixé au casque, est idéal pour la chute libre. Il faut choisir un boîtier léger motorisé (900 g complet), commandé à la main *via* un câble souple passé à travers la manche du vêtement. Compte tenu de l'éclairage très abondant, un film de sensibilité moyenne est largement suffisant.

PHOTO PANORAMIQUE

Vous pouvez réaliser un panorama en prenant plusieurs vues successives avec un appareil normal monté sur plate-forme tournante, puis en assemblant les tirages. Des appareils spéciaux donnent des panoramas de 120, 180 et même 360°, en une seule exposition. Habituellement, c'est l'objectif qui pivote, en balayant à travers une fente le film incurvé. Mais on emploie aussi un appareil muni d'un objectif super grand-angulaire.

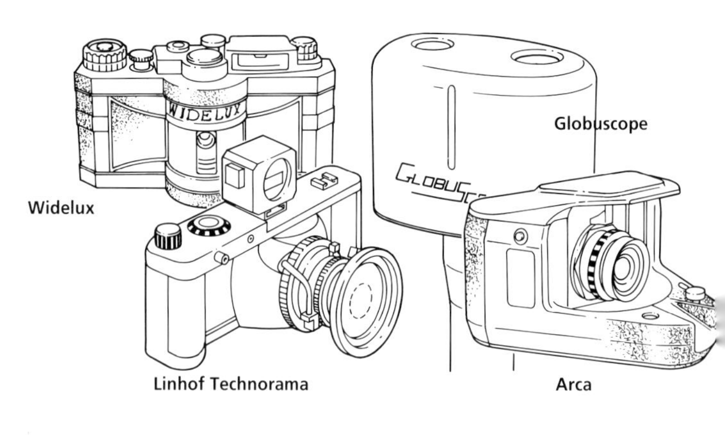

UN PANORAMA DE 360°

La vue panoramique ci-dessous est formée de 12 images se recoupant, prises en faisant à chaque fois tourner l'appareil sur une plate-forme panoramique : champ couvert, 360°. Mais cette méthode donne à chaque image élémentaire une perspective différente : on a un changement d'angle de fuite pour les lignes parallèles, ce qui se sent bien aux limites de chaque image : effet encore plus marqué avec un objectif grand-angulaire, donnant aux lignes fuyantes une inclinaison plus accusée. Pour minimiser cet effet, employez une focale plus longue que la normale, et multipliez le nombre des vues, avec un chevauchement d'au moins 40 % entre deux images. Ne conservez alors que la bande centrale de chaque négatif. On peut opérer en 35 mm, mais le travail d'agrandissement est fastidieux (chaque image doit présenter les mêmes densité et contraste). Employez plutôt un format 6 x 6 cm, les épreuves étant tirées par contact ; cas de ce panorama, formé de 12 négatifs, ce qui limite sa longueur maximale à 56 cm environ. Lorsque les images individuelles ont été harmonisées, préparez une maquette (avec un deuxième jeu d'épreuves) pour contrôler avec précision les points de coupe.
Voir *Montage des épreuves, page 309.*

Mosaïque à points de vue multiples
Un appareil normal peut être employé pour constituer un panorama en déplaçant latéralement le point de vue, parallèlement au sujet, à chaque cliché. On constitue ainsi une mosaïque, ci-contre. Cette méthode permet de conserver la perspective correcte des horizontales, mais elle n'est applicable que si le sujet est assez éloigné et si le premier plan est une surface unie : pelouse ou plan d'eau, par exemple. Comme on le voit par le schéma ci-dessous, certaines parties du premier plan ne sont jamais reproduites : un moyen efficace pour éliminer un arbre ou un poteau gênant du premier plan.

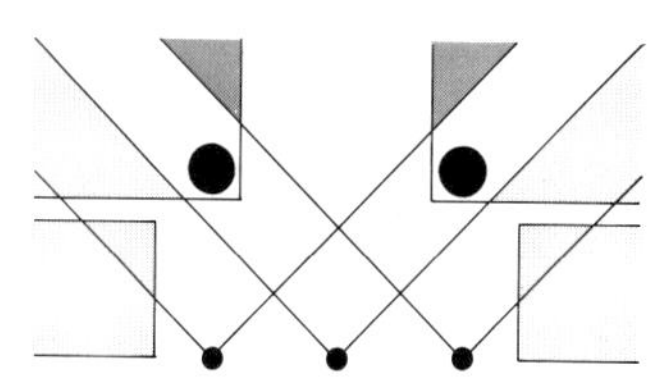

Panoramas à un seul point de vue

La photographie ci-dessous a été prise avec un appareil panoramique à objectif tournant muni d'un niveau d'eau. Les lignes horizontales situées en dessous et au-dessus de l'horizon sont incurvées vers l'extérieur de l'image. Les grandes surfaces planes des murs semblent également s'arrondir en direction du spectateur ; tandis que les objets arrangés en cercle autour de l'appareil se retrouvent sur une même ligne droite. L'appareil s'utilise habituellement dans le sens horizontal (paysage par exemple), mais, en le tenant verticalement, comme on l'a fait pour la photo de droite, on obtient une image déformée – mais parfois acceptable – d'objets verticaux, comme une tour ou un personnage en pied. Pensez à ne pas photographier vos propres pieds et choisissez un point de vue situé au milieu du sujet, afin d'obtenir une composition à peu près symétrique.

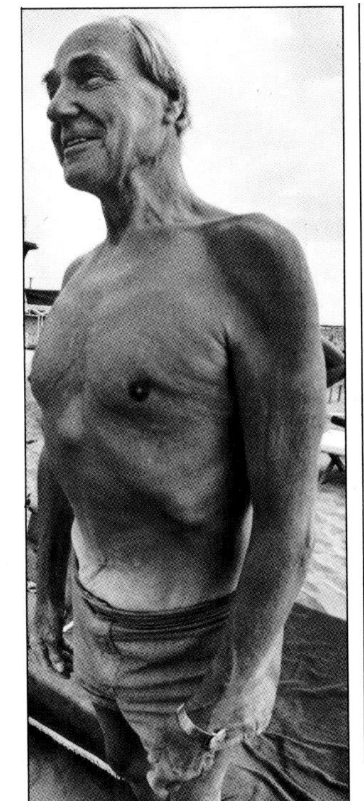

Ci-dessus : **Horizont**, Tri-X, 1/125 s, f/8

A droite : **Horizont**, Tri-X, 1/60 s, f/11

Montage de la mosaïque
La composition de gauche est une mosaïque formée de trois clichés, dont les points de vue sont indiqués en bas, à gauche de la page précédente. La première vue est prise face à la statue : les deux autres étant dirigées vers les dômes. Les parties colorées du dessin ci-dessus indiquent comment les éléments ont été découpés et assemblés. Certains éléments du premier plan manquaient : ce qui a nécessité une intervention au pinceau vaporisateur pour simuler du gazon.
Voir *Retouche des épreuves, pages 268-269.*

ÉQUIPEMENT

On peut déjà obtenir de bonnes photographies de la voûte nocturne en opérant avec un appareil normal, sur pied. Le véritable problème, c'est que le sujet n'est jamais immobile ; la Terre tourne sur son axe d'un tour complet par jour. L'appareil restant immobile, l'image de chaque étoile est une traînée d'autant plus longue que la pose a été grande. Avec un reflex et l'objectif normal, et une pose supérieure à 20 secondes, l'élongation des étoiles est déjà visible. Pour éviter ce phénomène, il faut soit rester en pose courte, soit monter l'appareil ou le télescope sur une monture équatoriale qui compense, en tournant en sens inverse, la rotation de la Terre. Mais, même sans monture équatoriale, les appareils, les objectifs et les films modernes permettent de prendre d'excellentes vues des champs d'étoiles.

Exakta, 50 mm, FP4, 2 min, f/1,8

Monture équatoriale Une monture équatoriale (voir ci-contre) tourne sur elle-même en 23 h 56 min, selon un axe correspondant au pôle Nord ou au pôle Sud (selon l'hémisphère où l'on se trouve). Dans l'hémisphère Nord, l'étoile Polaire est un bon guide qui n'est qu'à un degré du pôle nord réel. Vous pouvez acheter une monture ou la fabriquer vous-même à partir d'un kit à assembler. La rotation peut être assurée par un mouvement d'horlogerie ou par un moteur électrique. **Voir** *L'étoile Polaire, page 297.*

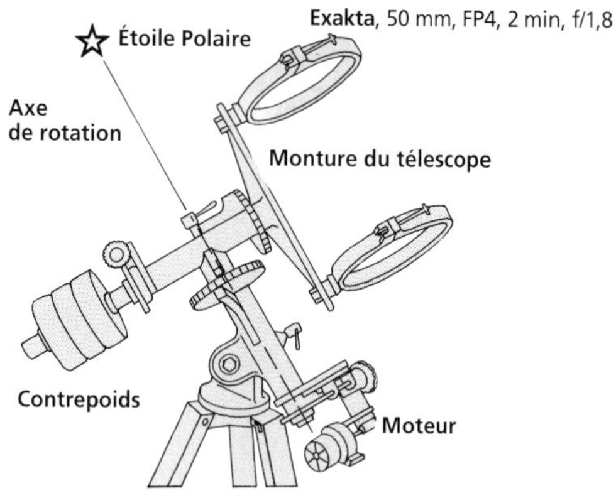

Choix d'un télescope
Un télescope de 15 à 30 cm d'ouverture convient bien pour l'astronomie d'amateur. Utilisez toute la longueur focale pour observer et photographier les planètes. Une focale plus courte convient mieux pour les nébuleuses et les constellations. Si vous habitez la ville, prenez de préférence un télescope portable afin de pouvoir l'emmener à la campagne, en altitude et loin de toute agglomération. Si vous disposez d'un téléobjectif, vous pouvez le transformer en lunette astronomique en lui adaptant un oculaire spécial ; l'ensemble peut alors se monter sur un boîtier reflex, par l'intermédiaire d'une bague-allonge.

Emploi d'un télescope
Avec un télescope, vous augmenterez considérablement les possibilités de votre appareil. Pour obtenir des résultats intéressants, il faut une bonne monture équatoriale et un dispositif de guidage à réticule. Le boîtier de l'appareil doit être fixé au télescope par un adaptateur rigide sur la monture d'objectif. Selon le cas, l'appareil s'adapte directement au boîtier ou par l'intermédiaire d'un oculaire ; ce qui donne un plus fort grossissement, nécessaire pour photographier la Lune ou les planètes. La mise au point se fait généralement par la visée reflex du boîtier.

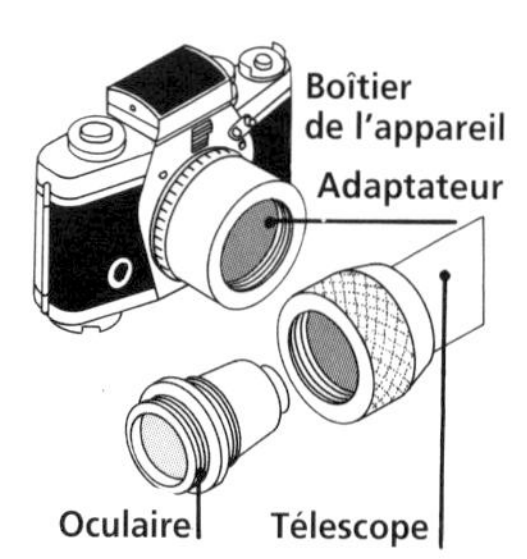

Adaptateur pour télescope
Ci-dessus. Il relie le boîtier de l'appareil à l'oculaire du télescope. Ci-dessous, il remplace l'oculaire.

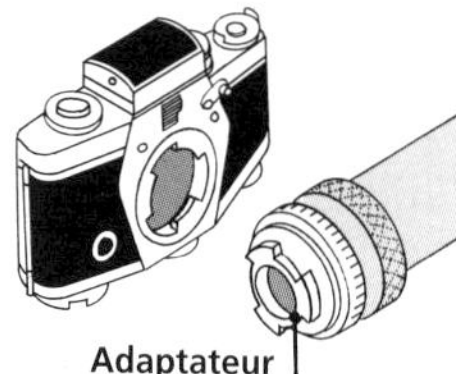

Films et traitement Les films de rapidité moyenne, de 100 à 200 ISO, conviennent pour les planètes, le Soleil et la Lune ; on peut employer le film inversible couleur, surtout si les diapositives sont projetées dans une salle très obscure. Les films rapides (400 et 800 ISO) sont mieux adaptés pour les nébuleuses et les étoiles ; poussez la rapidité au développement. Pour les poses inférieures à 30 minutes, on peut négliger l'écart de réciprocité : une pose relativement courte simplifie le guidage ; l'accroissement du temps de développement fait apparaître les étoiles de plus faible magnitude : tirage sur papier de granulation dure. Pour les diapositives, demandez que le film vous soit livré en bande : il est difficile de distinguer les limites de chaque image 24 x 36 mm.

Étoiles au crépuscule

Le temps de pose, à la nuit tombante permet, de montrer en même temps les étoiles les plus brillantes et les bâtiments (de 1 s à 1 min de pose), voir l'image ci-contre. Un grand-angulaire donne un champ suffisamment étendu pour englober à la fois le bâtiment et le ciel.

Le Soleil

Ne jamais regarder directement le Soleil, ni pointer l'appareil vers lui : il y a un risque énorme de perdre la vue ou d'endommager gravement l'appareil. La seule méthode sûre, si l'on ne dispose pas d'un équipement spécialement adapté, consiste à projeter le disque solaire recueilli par le télescope sur un carton blanc et de photographier cette image de manière conventionnelle. Observez l'image du Soleil ainsi projetée et déclenchez lorsque les turbulences atmosphériques sont minimales. On aperçoit très bien les taches solaires et l'on peut ainsi montrer, par une série d'images, la rotation du Soleil sur lui-même, qui est de 25 jours.

La Lune

Le disque lunaire entier s'obtient en instantané à une ouverture moyenne, (1/60 s, f/11). Pour obtenir un grossissement suffisant, il faudrait disposer d'un télescope de 2 m de focale ; on obtient déjà d'excellentes images avec un petit télescope, une lunette, un monoculaire ou un long téléobjectif. La monture équatoriale n'est pas nécessaire pour une pose aussi courte. On peut prendre des images très correctes en tenant à la main le boîtier de l'appareil devant l'oculaire d'un télescope : si l'appareil est perpendiculaire et à la bonne distance de l'oculaire, l'image sera nette. Prenez plusieurs vues en variant les expositions. Les cratères ont plus de relief (comme celui de Scheiner, au centre de l'image ci-dessous) lorsqu'ils sont voisins de la ligne séparant la partie éclairée de celle non éclairée par le Soleil.

Ci-dessus : **Exakta**, 50 mm, FP4, 45 s, f/1,8

Ci-contre : **Exakta**, optique de 15 cm avec oculaire, FP4, 3 s, f/120

Ci-dessous : **Exakta**, optique de 15 cm, FP4, 1/60 s, f/11

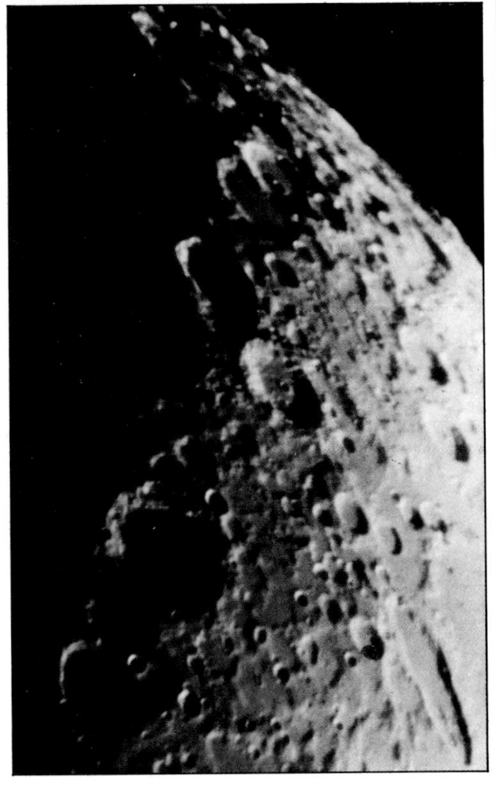

Quand et Où Opérer ?

Le meilleur moment pour photographier les étoiles et les nébuleuses est par temps froid et clair ; mais veillez à la formation de buée sur les surfaces optiques. Pour la Lune et les planètes, on peut admettre une atmosphère un peu embrumée. Dans tous les cas, le corps céleste photographié doit se trouver le plus près possible du zénith, afin que la couche d'air traversée soit la plus mince. Cherchez toujours à vous placer le plus haut possible et loin des lumières de la ville.

Satellite Artificiel

Dirigez votre appareil vers le ciel, dans une direction où doit passer un satellite. Il suffit d'ouvrir l'obturateur et d'attendre que le satellite traverse le champ : il sera enregistré sous la forme d'une ligne blanche parmi les étoiles. (ci-contre).

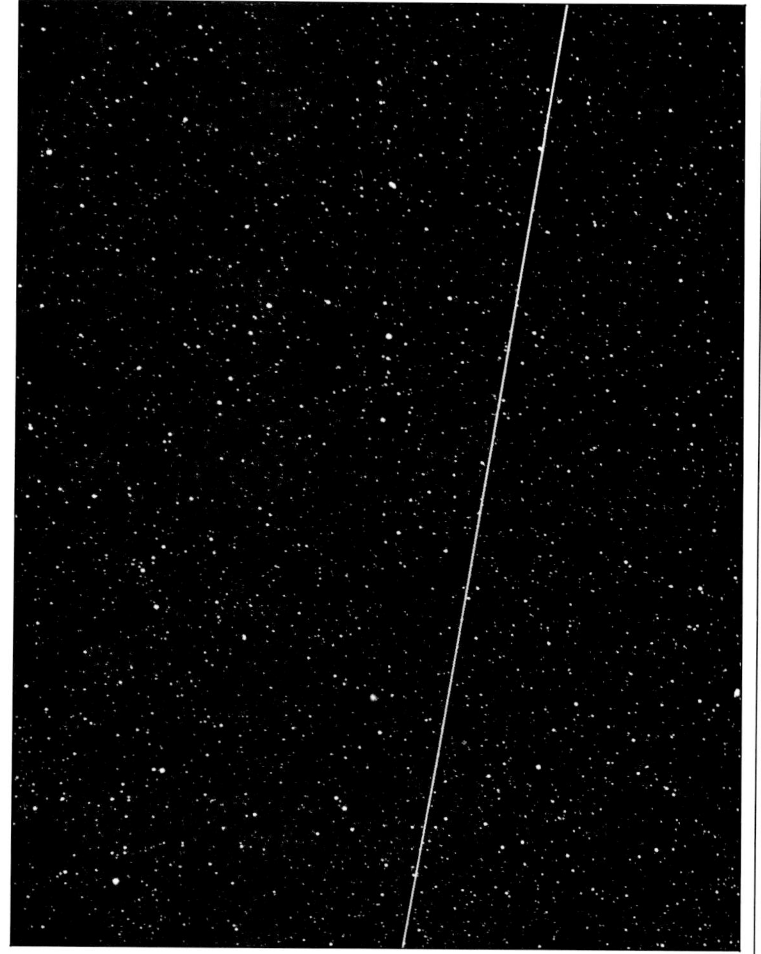

Leica M2 sur monture équatoriale, 90 mm, Tri-X, 10 min, f/4

Étoiles Filantes

Il y a en moyenne six météores ou étoiles filantes à l'heure (mais la fréquence peut atteindre 60 étoiles filantes à l'heure). Vous pouvez les enregistrer sur film de moyenne rapidité sur lequel elles apparaîtront sous forme d'une traînée nettement différenciée des étoiles. Vous pouvez poser jusqu'à une heure à f/5,6 sans que le voile soit trop marqué. Avec un film plus rapide ou une plus grande ouverture, le voile effacerait la trace des météores.

Pentax 55 mm, avec converter fisheye FP4, 66 min, f/6,8

CONSTELLATIONS, PLANÈTES ET COMÈTES

Avec un appareil monté sur pied, vous pouvez, en y mettant le temps nécessaire, dresser l'inventaire complet des étoiles et autres objets célestes visibles depuis la latitude où vous résidez. Avec une monture équatoriale, et des poses de l'ordre de 30 minutes, vous enregistrerez des millions d'étoiles qui ne sont pas visibles à l'œil nu. Les cartes célestes publiées dans les livres et revues spécialisées vous indiqueront quels sont les éléments visibles pour telle époque de l'année. Avec l'appareil et le pied, il vous sera facile de mettre en évidence les planètes, lesquelles, à cause de leur mouvement, n'occupent pas la même place dans le ciel par rapport aux étoiles dont les positions relatives restent constantes. Mars, Vénus et Jupiter (ci-dessous, à droite) sont les planètes les plus brillantes et les plus accessibles. Prenez de nombreux clichés d'une comète (ci-dessous, à gauche) afin d'en montrer les aspects changeants. La photo des planètes demande une très longue focale réelle : 20 m avec un télescope de 15 cm de diamètre donne une ouverture de f/120, mais 10 m et f/64 font une excellente combinaison. Dans ce dernier cas, les poses de "base" pour vos essais personnel, seront de 2 s pour Jupiter, 8 s pour Saturne, 1/2 s pour Mars et 1/15 s pour Vénus.

Ci-dessous, à gauche : **Leica,** 280 mm, Tri-X, 15 s, f/4,8
Ci-dessous : **Exakta** sur monture équatoriale, réfracteur de 15 cm d'ouverture et oculaire, FP4, 2 s, f/120

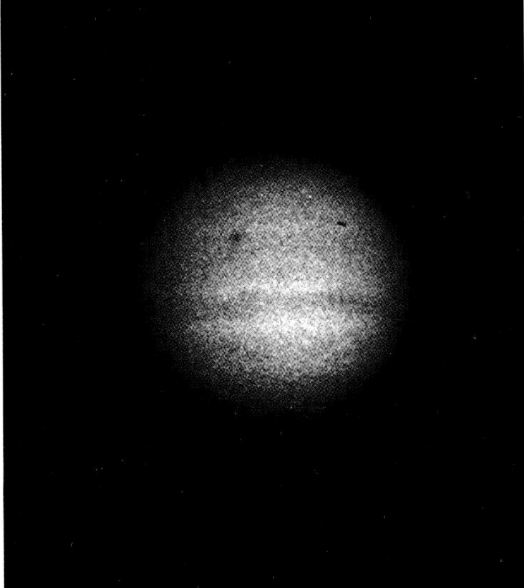

L'ÉTOILE POLAIRE

Elle se trouve à un degré du pôle nord céleste ; vous pouvez donc l'utiliser pour l'alignement de la monture équatoriale. Pour la trouver, repérez la constellation du Grand Chariot (7 étoiles) ; l'étoile Polaire se trouve dans le prolongement des deux étoiles du bas (flèches). **Voir** *Monture équatoriale, page 294.*

Exakta, 30 mm, FP4, 10 min, f/3,5

Nébuleuses

Vue par un grand télescope, une nébuleuse ressemble à un pâle nuage de lumière. La plupart des nébuleuses, comme la spirale Andromède et la M101, dans la constellation de la Grande Ourse, ci-dessous, sont des galaxies extérieures à notre propre système, tandis que Orion, en bas à droite, en fait partie. Quelques-unes des nébuleuses peuvent être photographiées avec un appareil normal ; mais, pour obtenir des bonnes images, la monture équatoriale est indispensable. Pointez votre appareil en direction du Sagittaire par une belle nuit d'été ou en automne vers le Cygne ou le Bouclier ; essayez de trouver une région contenant plus d'une nébuleuse, comme les trois de l'image de droite (constellation du Lion). La pose peut durer de quelques minutes à deux heures, cela dépendant des dimensions du télescope, de son ouverture utile maximale et de la précision de son mécanisme équatorial. Le film doit être positionné directement au plan focal. L'ouverture doit être la plus grande possible, en général entre f/4 et f/8 ; bien que la nébuleuse d'Orion, en bas à droite, soit suffisamment lumineuse pour être enregistrée avec une faible ouverture.

Ci-dessus : **Leica type S**, monture équatoriale, réflecteur de 26 cm, Astro Film Kodak 103a-E, 25 min, f/5,6

En bas, à droite : **Leica type S**, monture équatoriale, réflecteur de 26 cm, Tri-X, 30 min, f/5,6

Ci-dessous : **Leica M2**, monture équatoriale, réflecteur de 26 cm, Astro Film Kodak 103a-E, 30 min, f/5,6

Photo à 3 Dimensions (3D)

L'envie de créer des images en relief date des débuts de la photographie. Elle a été illustrée il y a quelques années par la tentative avortée de lancement du système Nimslo 3D. L'appareil compact comprenait quatre objectifs et pouvait employer n'importe quel film couleur négatif en cartouche 135. Une tireuse spéciale permettait de réaliser une image composite des quatre images (prises sous des points de vue légèrement différents), agrandie sur un papier couleur portant un réseau lenticulaire approprié. L'intérêt de ce système était que l'image en relief s'observait directement, sans aucun dispositif auxiliaire.

Nimslo 3D

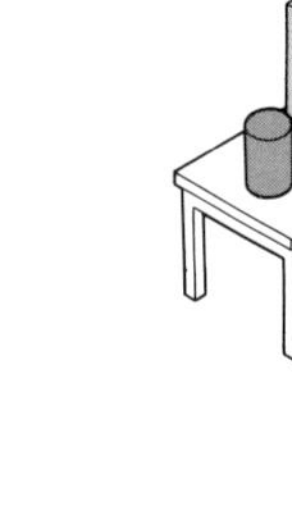

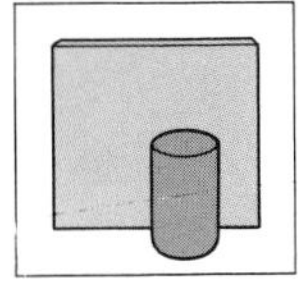

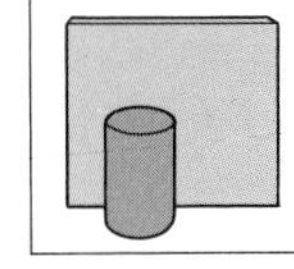

Œil gauche **Œil droit**

Vision stéréoscopique Lorsque vous regardez une scène, chacun de vos yeux la voit selon un point de vue légèrement différent. Faites-en l'expérience en regardant le même objet successivement avec chacun des deux yeux.

Photographie Stéréoscopique

Nous percevons le relief et la profondeur des objets à trois dimensions grâce à la vision binoculaire : la différence parallactique entre les deux yeux : chacun voyant le sujet selon un point de vue légèrement différent. La manière la plus simple de reproduire l'effet stéréoscopique par la photographie, c'est de prendre deux images, dont les points de vue sont séparés par la distance entre les deux yeux (la base), soit 6 cm environ. On emploie pour cela un appareil spécial à deux objectifs, ou un appareil normal, que l'on déplace horizontalement d'une vue à l'autre, ou bien encore muni d'une attache-stéréo. Après traitement, le couple d'images est examiné de telle manière que l'œil droit ne puisse voir que l'image de droite, et l'œil gauche celle de gauche. Les deux images se mélangent alors dans le cerveau du spectateur pour reproduire le relief original du sujet. La photo stéréoscopique convient mieux aux sujets ayant une structure linéaire bien marquée et des plans étagés. Les images doivent être nettes.

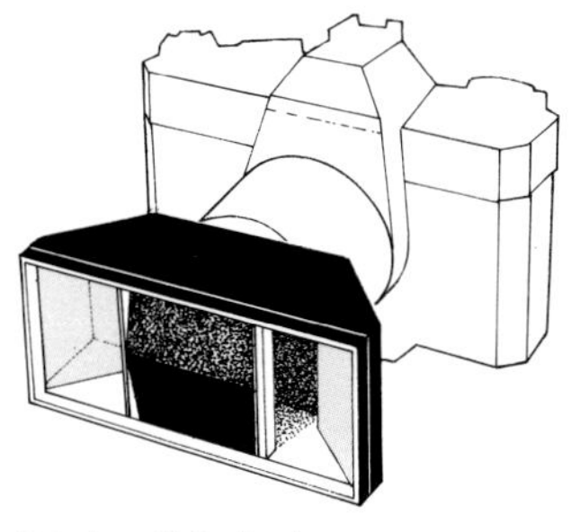

Attache-stéréo Pentax

Diviseur de faisceau L'une des raisons de la disparition des appareils stéréo, c'est que l'on peut pratiquer cette technique avec un appareil normal muni d'un diviseur de faisceau ou "attache-stéréo". Celle représentée ci-dessus est destinée à un reflex 24 x 36. Sur une image 24 x 36 mm se forment les deux images du couple, dont les points de vue sont espacés de 6 cm. L'appareil ainsi équipé s'utilise normalement : on obtient autant de couples que l'on aurait d'images de format normal.

Appareils stéréoscopiques Il en existait jadis un grand nombre : le plus récent étant le Stéréo Realist ci-dessous. Tous ces appareils avaient deux objectifs couplés (obturateur, diaphragme, mise au point) et une visée directe optique. Les modèles utilisant le film 35 mm intercalaient les couples stéréo, afin de ne pas perdre de surface sensible.

Stéréo Realist

Deux Expositions

Le couple d'images stéréoscopiques peut s'obtenir avec un seul appareil que l'on déplace entre les deux vues successives : cela n'est évidemment possible qu'avec les sujets immobiles. Il suffit souvent de déplacer l'appareil de quelques centimètres, cette opération étant facilitée par un dispositif spécial à glissière, se fixant sur le pied : la base peut être déterminée avec précision et les deux axes optiques restent alignés.

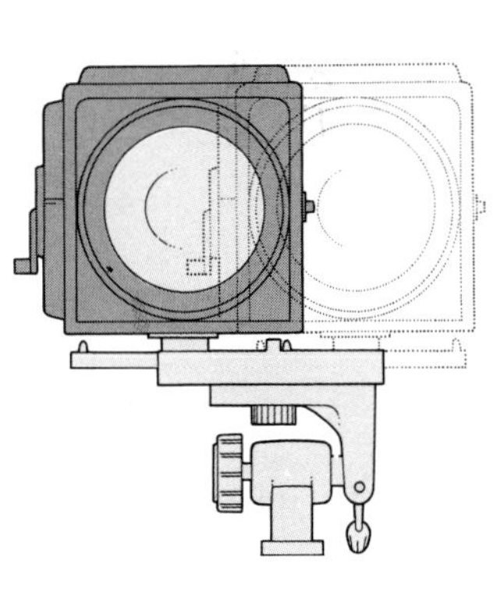

Stéréoslide Ce berceau à glissière permet de déplacer latéralement l'appareil après la première prise de vues. Il existe également des supports prévus pour deux appareils identiques, commandés en même temps par un déclencheur double.

La Révolution Numérique

L'idée de remplacer le film argentique utilisé en photographie traditionnelle par un autre type de récepteur sensible à la lumière est très ancienne. C'est ainsi, par exemple, que dès le milieu des années 1930 on savait produire des images électroniques avec une caméra de télévision. Mais il fallut attendre le début des années 1980 et la naissance du capteur numérique "CCD" (Charged Coupled Device, en français : coupleur à transfert de charge) pour disposer d'un système de prise de vue capable, à terme, de rivaliser avec les bonnes vieilles émulsions chimiques. Le premier appareil photo numérique présenté au public fut le Mavica de Sony, dont le prototype date de 1981. Malgré sa conception intelligente (visée reflex, objectifs interchangeables, etc.), ce précurseur souffrait des médiocres performances de son capteur, dont la résolution (10 fois plus faible que celle des bons appareils actuels) ne pouvait être comparée, même de loin, à celle d'un film argentique. Commercialisé dix ans plus tard, à un moment où bien d'autres fabricants proposaient leurs propres solutions, le Mavica fut un échec malgré les améliorations qui lui avaient été apportées entre-temps.

Parmi ses concurrents de l'époque, le Canon Ion (1990) fut le seul à connaître un succès notable. Mais, là encore, la faible définition des images fournies le cantonna à la photo-constat et à des applications de bureautique peu exigeantes en qualité. Bénéficiant des nouvelles technologies mises au point pour les performants – mais coûteux – systèmes professionnels, les premiers appareils numériques capables de répondre aux besoins du grand public sont sortis vers 1995. Après cinq années de progression modeste, le marché a connu depuis un boom extraordinaire : 180 000 appareils vendus en France en 1999, et ce chiffre devait doubler en l'an 2000... Bien au-delà d'un simple renouvellement du matériel, c'est une véritable révolution que l'avènement du numérique a entraînée dans un univers resté jusque-là relativement stable. Avec l'apparition de possibilités techniques et esthétiques pratiquement illimitées, c'est une nouvelle façon de penser et de pratiquer la photographie qui est en train de naître. Une mutation qui affecte bien sûr ceux qui ont "fait le saut" mais aussi, souvent à leur insu, ceux qui sont restés "argentiques".

Le **Mavica** de Sony, premier appareil numérique présenté au public (1981).

Lancé en 1990, le **Canon Ion** connut un honorable succès.

La Chaîne Analogique

En photographie argentique, l'image captée par l'objectif est enregistrée directement sur le film. Dès que ce film est développé, l'image est réelle et on peut l'observer à l'œil nu, contrairement au numérique, où elle est virtuelle et invisible.

L'image argentique est analogique : ses variations de densité et de couleur sont continues et proportionnelles (ou, sur un négatif, inversement proportionnelles) aux luminances et aux couleurs de la scène photographiée.

Le film assume simultanément trois fonctions :
- **l'enregistrement de l'image,**
- **sa mise en mémoire,**
- **sa conservation définitive** sous forme de négatifs ou de diapositives qu'il suffit de ranger en lieu sûr.

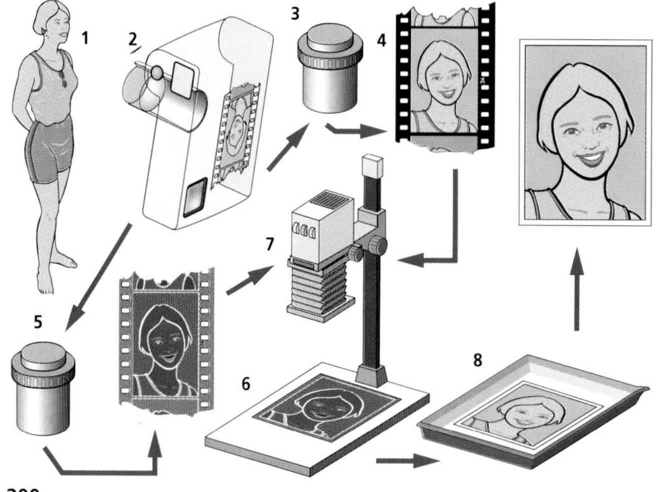

Chaîne des opérations en photographie argentique
En couleur, le photographe a le choix entre un film inversible, qui donne directement des diapositives **(1-4)**, et un film négatif **(1, 2, 5-8)**, qui nécessite une étape supplémentaire (tirage sur papier).

1 Sujet
2 Appareil
3 Développement du film inversible
4 Diapositive
5 Développement du film négatif
6 Négatif couleur
7 Agrandissement
8 Développement du tirage positif.

LA CHAÎNE NUMÉRIQUE

Toutes les opérations – depuis le moment où l'on appuie sur le déclencheur jusqu'à celui où l'on tire les épreuves – sont effectuées à partir de données numérisées.
Le processus habituel est le suivant :
- **prise de vue** avec un appareil de photo numérique ;
- **recueil des données image** sur une carte mémoire ;
- **transfert des données**, sous la forme d'un "fichier image", vers le disque dur d'un ordinateur personnel qui, si on le souhaite, permettra de traiter ces images grâce à un logiciel approprié ;
- **tirage sur papier** à l'aide d'une imprimante. Certains appareils photo numériques permettent de "sortir" directement les images, sans ordinateur, soit sur l'écran d'un téléviseur, soit sur l'imprimante.

En s'accumulant, les fichiers image (dont chacun peut avoir un "poids" très important) occupent petit à petit de plus en plus de volume dans le disque dur de l'ordinateur.
Avant que ce dernier ne soit saturé, on procède enfin à un :
- **archivage** des fichiers que l'on souhaite conserver sur un support de stockage approprié, CD-ROM par exemple.

Chaîne des opérations en photographie numérique
Le transfert des images s'effectue soit directement par câble **(2, 4)**, soit en introduisant la carte mémoire dans un lecteur de l'ordinateur **(3, 4).** Selon les modèles, l'imprimante peut être connectée directement à l'appareil ou à l'ordinateur. Certaines imprimantes **(5)** sont dotées d'un lecteur de carte mémoire qui permet de tirer des épreuves sans ordinateur.

1 Sujet
2 Appareil photo numérique
3 carte mémoire contenant les images enregistrées
4 Ensemble ordinateur
5 Imprimante
6 Photo tirée sur imprimante.

LA CHAÎNE HYBRIDE ANALOGIQUE-NUMÉRIQUE

Cette solution conjugue les avantages de l'un et de l'autre procédé : la haute résolution du film argentique qui permet de très forts taux d'agrandissement et la souplesse du numérique.

Après une prise de vue analogique, on numérise l'image obtenue (négatif, diapositive ou tirage papier) grâce à un scanner connecté à l'ordinateur, en choisissant la résolution souhaitée.

Puis, à partir du fichier informatique ainsi obtenu, on traite et on retouche l'image à volonté sur écran à l'aide d'un logiciel approprié avant de procéder à son tirage sur papier grâce à une imprimante.

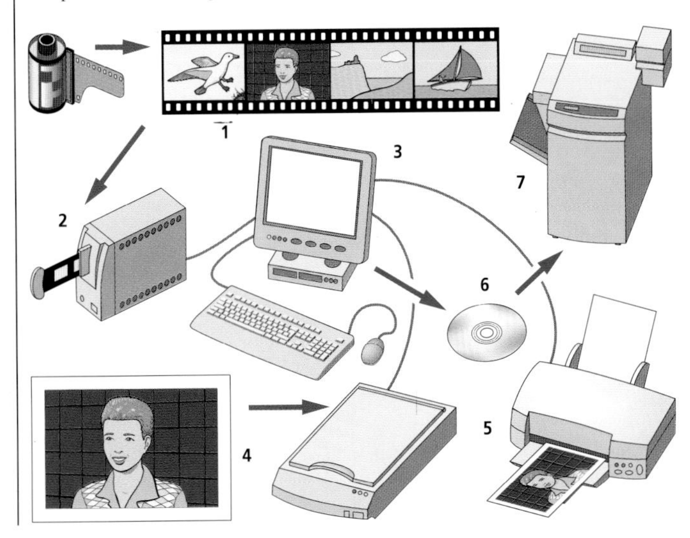

Principe de la chaîne hybride analogique/numérique
Les images photographiques sont numérisées à l'aide d'un scanner à film **(1, 2)** ou à plat **(4)**, connecté à l'ordinateur. Le tirage s'effectue, soit sur une imprimante grand public **(5)**, soit, en grande production, sur un papier couleur traditionnel à l'aide d'une tireuse numérique-argentique **(7)**.

1 Film argentique développé
2 Scanner pour film 1351APS
3 Ordinateur
4 Photo sur papier et scanner à plat
5 Imprimante
6 Fichiers images enregistrés (sur CD-ROM par exemple)
7 Tireuse numérique-argentique.

Principe de la Photo Numérique

En prise de vue numérique, les variations de luminance et de couleur de la scène photographiée sont transformées en données binaires grâce au processus de numérisation. La numérisation des informations recueillies par le capteur CCD permet le stockage, l'exploitation, le traitement, puis la restitution de l'image sous une forme analogique (la seule que nous puissions percevoir !), sur un support fugace (écran) ou permanent (papier) via une imprimante.

Pixels et Numérisation

La numérisation implique la division de l'image formée par l'objectif en une multitude de points élémentaires d'information appelés pixels (contraction des termes anglais *picture elements).*
La résolution de l'image capturée est proportionnelle au nombre de cellules photosensibles (que l'on appelle également pixels) implantées sur la surface du capteur.
Dans le cas d'une image noir et blanc, chaque pixel doit recueillir deux informations : l'une, quantitative, est la luminance du point objet, autrement dit sa "valeur de gris" ; l'autre, spatiale, correspond aux coordonnées X, Y de ce point, c'est-à-dire à sa position dans l'image (faute de cette information, il serait impossible de reconstruire l'image).
Dans le cas d'une image couleur, il faut associer les informations recueillies par au moins trois pixels, généralement rouge, vert et bleu (RVB).
À résolution égale, une image couleur occupe donc trois fois plus de mémoire informatique qu'une image noir et blanc. Cependant, la composante "couleur" (chrominance) est souvent traitée avec une résolution plus faible que la composante "luminance".

Capteur CCD

Un capteur CCD comporte une matrice formée de la juxtaposition en rangées et en colonnes de plusieurs centaines de milliers de cellules photosensibles, que, par commodité, on assimile à des pixels. Pendant l'exposition, le capteur reçoit l'image formée par l'objectif et chacun de ses pixels génère une tension électrique proportionnelle à l'intensité de la lumière qui l'a frappé. Les charges électriques recueillies à la sortie du capteur sont alors numérisées et "vidées" dans une carte mémoire.
Pour enregistrer les couleurs, on procède comme en photo traditionnelle, en analysant les proportions des trois couleurs primaires, grâce à des filtres rouge, vert, bleu (RVB) placés en quinconce devant les cellules du capteur.

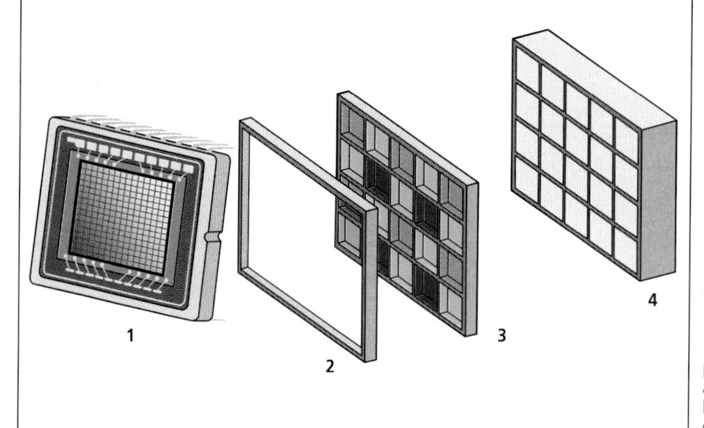

Capteur imageur CCD Afin de conférer au capteur une sensibilité spectrale comparable àcelle de l'œil, le nombre de pixels "verts" (10) est égal à la somme des pixels "bleus" (6) et "rouges" (4).

1 Ensemble du capteur
2 Filtre anti-infrarouge
3 Filtre mosaïque RVB
4 Surface photosensible du capteur (pixels)

Le Système Binaire
Les ordinateurs ne comptent pas comme nous de 0 à 9 (système décimal), mais de 0 à 1 (système binaire). Dans leur monde, en effet, l'unité élémentaire d'information est le bit (contraction de l'anglais *binary digit),* qui ne peut prendre que deux valeurs distinctes, selon qu'un courant électrique passe (valeur 1) ou ne passe pas (valeur 0). Il faut donc :
2 bits pour compter jusqu'à 4, 3 bits pour compter jusqu'à 8,4 bits pour compter jusqu'à 16,5 bits jusqu'à 32,
6 bits jusqu'à 64, 7 bits jusqu'à 128,
8 bits jusqu'à 256, 9 bits jusqu'à 512,
10 bits jusqu'à 1024, etc.
Le nombre décimal que l'on peut représenter en système binaire double à chaque fois que l'on utilise un bit de plus. L'expression binaire d'un nombre décimal élevé nécessite un très grand nombre de bits. Par exemple, le nombre 37 100 requiert 16 bits et s'écrit en binaire 1001000011101100.
Pour simplifier, on compte souvent en "mots" de 8 bits que l'on appelle des octets. Un octet permet de compter jusqu'à 256, par exemple pour renvoyer à des valeurs de gris ou de couleurs captées par un pixel. Pour de très grands nombres, on utilise aussi le kilo-octet (Ko), le méga-octet (Mo) et le giga-octet (Go), qui valent respectivement :
1 kilo-octet (Ko) = 1024 octets
1 méga-octet (Mo) = 1 024 Ko
1 giga-octet (Go) = 1 024 Mo
(et non 1 000 octets, 1 000 kg-octets et 1 000 méga-octets, comme les préfixes kilo- méga- et -giga utilisés ici pourraient le laisser penser : ces nombres sont en effet des puissances de 2 et non des puissances de 10).

Argentique ou analogique ?
Étymologiquement, le terme "photographie" s'applique à tout procédé qui permet, grâce à la lumière, de capturer les images du monde sur un support permanent. Tant que les films régnaient sans partage, ce mot n'avait pas besoin d'être précisé. Aujourd'hui que les émulsions chimiques sont concurrencées par les capteurs physiques, on est bien obligé de qualifier chacun des procédés selon la manière dont l'image est capturée et traitée. Certains parlent ainsi de "photographie numérique" pour les images fournies par les systèmes électroniques et de "photographie argentique" pour les images recueillies grâce à la sensibilité des sels d'argent à la lumière. D'autres préfèrent opposer la "photographie analogique", dans laquelle les valeurs et les couleurs de la scène sont traduites sur l'image finale par des valeurs et des couleursanalogues, à la "photographie numérique", dans laquelle les valeurs et les couleurs de la scène sont traduites par la juxtaposition discontinue de myriades de points créés par numérisation. Ces deux expressions étant aussi employées l'une que l'autre par les photographes et les spécialistes, nous les utiliserons indifféremment.

RÉSOLUTION : LE FACTEUR CLÉ

En photographie analogique, la résolution de l'image captée par l'appareil (qui est, de toute façon, équivalente à plusieurs millions de pixels) dépend à la fois du format de l'appareil de prise de vue et des caractéristiques du film. Elle est ainsi bien meilleure en grand format (4 x 5 pouces, par exemple) qu'en moyen format (4,5 x 6 cm ou 6 x 6 cm) ou, à plus forte raison, qu'en 24 x 36 ou en APS. Par ailleurs, on bénéficie toujours d'une plus grande finesse de grain et donc d'une meilleure définition avec un film lent qu'avec un film ultra-rapide. En numérique, au contraire, la qualité de l'image finale est limitée dès la prise de vue par la résolution maximale du capteur imageur, c'est-à-dire par son nombre de pixels. Indépendamment de ses caractéristiques fonctionnelles et des perfectionnements dont il peut être doté, un appareil numérique se juge donc d'abord à la résolution maximale de son imageur.

Les trois images ci-dessus sont des détails fortement agrandis provenant de deux photos prises par deux appareils numériques différents. La première (à gauche) a été réalisée avec un modèle haut de gamme doté d'un capteur à millions de pixels. La deuxième a été prise avec un appareil d'entrée de gamme à centaines de milliers de pixels. La différence de qualité est évidente. La dernière image (à droite) a été réalisée grâce au même matériel que sa voisine immédiate. Elle paraît pourtant légèrement meilleure. Elle ne contient pas plus de pixels pour autant, mais une fonction spéciale de l'appareil a permis d'améliorer sa netteté apparente. Tous les modèles d'appareils photo numériques n'offrent pas ce perfectionnement appelé, selon les marques, "renforcement", "plus net", "sharp"..., mais un résultat similaire peut être obtenu par intervention ultérieure sur le fichier image grâce à un logiciel de traitement approprié chargé dans l'ordinateur (ici, Photoshop 5.5., fonction "filtre-renforcement-plus net").

COMPRESSION ET POIDS DU FICHIER

Une image à haute résolution occupant beaucoup d'espace sur la carte mémoire de l'appareil, il est souvent nécessaire de réduire le nombre des données à enregistrer, autrement dit de "comprimer" l'image numérique. Pour cela, le mode de compression JPEG est le plus utilisé. Si l'on choisit le mode "SQ" (qualité standard) au lieu du mode "SHQ" (super haute qualité), l'image enregistrée est comprimée, par exemple, avec un taux de dix (1:10), ce qui permet de prendre dix fois plus de vues sur la même carte. La compression s'accompagne toujours d'une perte d'informations, mais on ne la perçoit pas forcément sur un tirage de petit format. Si l'on désire au contraire bénéficier de la plus haute qualité d'image, il faut adopter la résolution maximum et – s'il est offert par l'appareil – le mode TIFF sans compression. À titre d'exemple, le tableau ci-dessous indique le taux de compression et le gain de poids que permettent d'obtenir les principaux formats.

Appellation	Facteur de compression	Poids du fichier	Nombre de vues sur carte 64 Mo
TIFF/RVB	Sans compression	7,5 Mo	7
TIFF/LAB	Sans compression	5 Mo	12
Fin JPEG	1/4	1,25 Mo	22
Normal JPEG	1/8	640 Ko	44
Basique JPEG	1/16	320 Ko	177

NETTETÉ ET RÉSOLUTION...

La **netteté** est une sensation subjective qui dépend de nombreux facteurs : la distance d'observation de l'image, sa luminosité, son contraste, le nombre de détails fins qu'elle comporte, etc. Telle image qui paraît "nette" quand elle est petite ou observée d'assez loin, semble "floue" quand elle est agrandie ou regardée de plus près.
La **résolution** est une valeur objective mesurable. Elle s'exprime en nombre de pixels contenus dans l'image, horizontalement (rangées) et verticalement (colonnes).
Bien que ce soit une grandeur objective, la **définition** exprime la "netteté" apparente de l'image finale, en fonction de sa résolution initiale et de son rapport d'agrandissement. Nous verrons (page 308) comment calculer la définition (en ppp) de l'image finale, connaissant sa résolution et son format de tirage.

FONCTIONNEMENT DE L'APPAREIL NUMÉRIQUE

Comme dans tout appareil photo, l'objectif projette l'image inversée de la scène cadrée sur la surface sensible – ici, la surface utile du capteur CCD (on parle de "surface utile", parce que la cible du CCD comporte à sa périphérie un certain nombre de pixels aveugles qui servent en particulier à établir le niveau du noir de référence). Au moment où l'on presse le déclencheur et pendant tout le temps de pose choisi (c'est-à-dire tant que l'obturateur électronique reste ouvert), la lumière qui atteint chaque cellule sensible du capteur après passage dans le filtre de codage couleur est convertie en un courant électrique plus ou moins fort suivant l'éclairage reçu. Après transformation de ce signal électrique en données chiffrées grâce à un convertisseur analogique-numérique (CAN), le système peut dès lors associer à chaque pixel, repéré par ses coordonnées sur la grille du capteur, une valeur correspondant aux caractéristiques de la lumière reçue. La juxtaposition des informations issues de tous les pixels du CCD fournit une cartographie binaire (en anglais *bitmap)* qui décrit point par point la scène photographiée.
Ce fichier image est stocké dans une mémoire interne de l'appareil, avant d'être "vidé" dans la carte mémoire amovible qui permettra son transfert vers un périphérique (ordinateur, imprimante...) via un lecteur approprié (voir page 314).

Principe de fonctionnement d'un appareil photo numérique

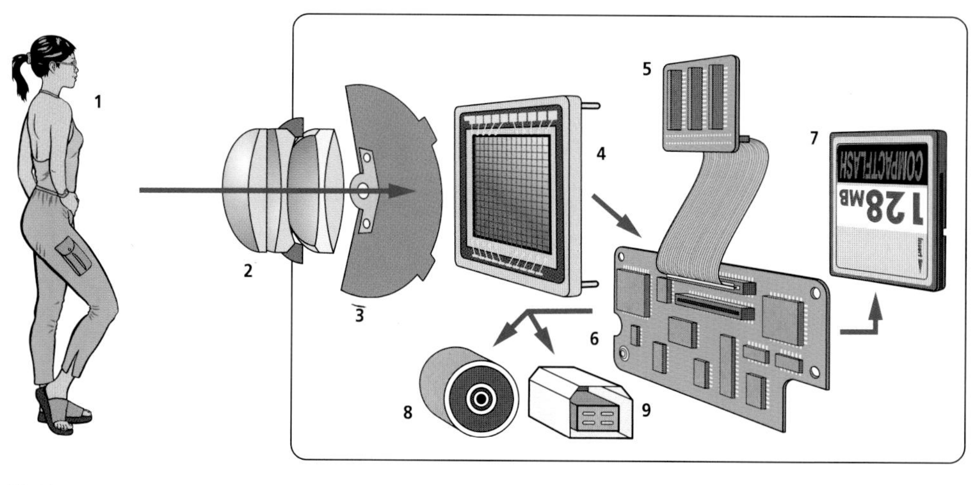

1 Sujet
2 Objectif
3 Obturateur mécanique (facultatif)
4 Capteur imageur CCD
5 Mémoire interne (DRAM)
6 Circuits électroniques de traitement
7 Carte mémoire amovible
8 Sortie analogique (vidéo)
9 Sortie numérique (USB).

DES CAPTEURS TOUJOURS PLUS PERFORMANTS...

En 2000, les appareils grand public de haut de gamme étaient équipés de capteurs CCD d'environ 3,3 M-pixels. Cette résolution très élevée permet de réaliser des tirages de fortes dimensions (voir page 308). Mais elle donne des fichiers très lourds, ce qui réduit d'autant le nombre de vues disponibles dans l'appareil. C'est pourquoi le capteur peut aussi être utilisé à plus basse résolution, sans compression (format TIFF) ou avec différents modes de compression. Voici, à titre d'exemple, les possibilités offertes par le modèle C-3030 Zoom Olympus (ci-dessous) à capteur CCD 1/1,8 pouce de 3,34 M-pixels.

Résolution image (HxV)	Nombre de pixels	Format ou mode de compression
2 048 x 1 536 pixels	3 145 728	TIFF ou SHQ ou HQ
1 600 x 1 200 pixels	1 920 000	TIFF ou SQ1
1 280 x 960 pixels	1 228 800	TIFF ou SQI
1 024 x 768 pixels	786 432	TIFF ou SQ2
640 x 480 pixels	307 200	TIFF ou SQ2
Nombre de vues enregistrées sur une carte 16 Mo		
Mode TIFF (sans compression)		1 à 17 vues*
Mode SHQ (super haute qualité)		6 vues
Mode HQ (haute qualité)		20 vues
Mode SQ1 (qualité standard 1)		11 à 49 vues*
Mode SQ2 (qualité standard 2)		26 à 165 vues*
* *Le nombre de vues dépend de la résolution image choisie par l'utilisateur.*		

Olympus Camedia C-3030 Zoom

ANATOMIE D'UN APPAREIL PHOTO NUMÉRIQUE

Parmi les très nombreux modèles d'appareils photo numériques mis sur le marché, beaucoup ont l'aspect et l'ergonomie d'un appareil argentique de type compact, compactzoom ou reflex ; d'autres ont une forme allongée rappelant celle d'un Caméscope, ou encore une architecture verticale. Quel que soit leur style, on y retrouve sans peine les éléments d'un boîtier photo classique : l'objectif (à focale fixe ou à zoom), le viseur, le déclencheur, le flash intégré, le panneau à cristaux liquides d'affichage des informations, etc. Extérieurement, la seule différence notable est l'écran couleur à affichage par cristaux liquides (ACL) sur lequel apparaissent, si on le désire, les images avant ou après leur enregistrement.

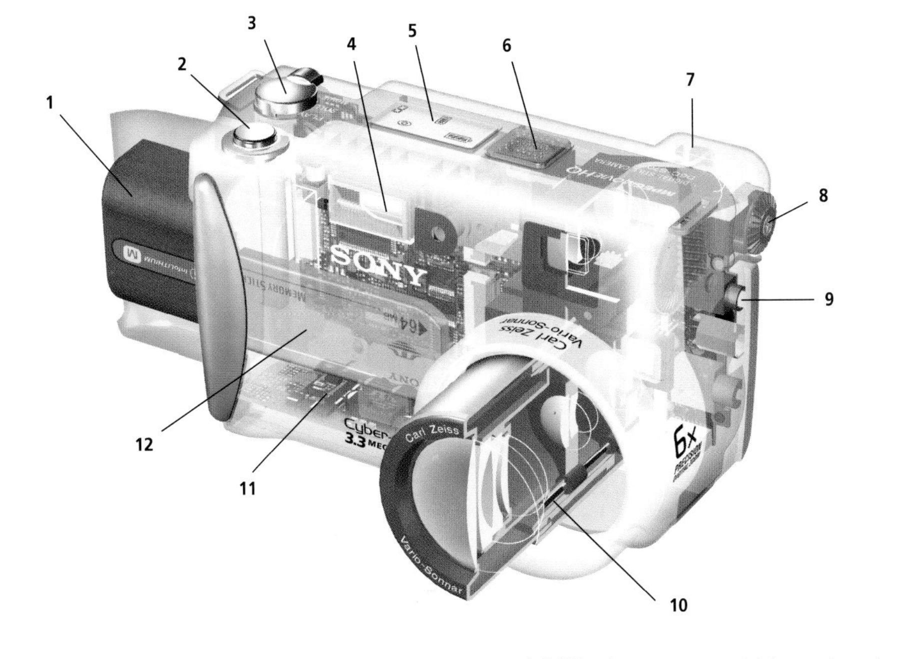

Sony CyberShot DSC-S70. Doté d'un capteur à 3,34 M-pixels (résolution 2 048 x 1 536) et d'un objectif zoom Carl Zeiss très performant (6,1-18,3 mm, f/2,8), équivalent à un zoom de 39-117 mm sur un 24 x 36), cet appareil peut en plus enregistrer des fichiers audio et de courtes séquences vidéo.

1 Batterie Li-Ion (Infolithium)
2 Déclencheur
3 Commutateur principal
4 Flash électronique intégré
5 Écran ACL
6 Prise porte-accessoires synchronisée pour flash externe
7 Viseur zoom
8 Sélecteur de mode
9 Connecteur de sortie du signal numérique (USB)
10 Objectif zoom
11 Circuits électroniques de traitement
12 Carte mémoire amovible (ici, de type Memory Stick).

FONCTIONS ET RÉGLAGES CLASSIQUES

Beaucoup de fonctions et de réglages accessibles à l'utilisateur sont semblables sur les appareils argentiques et sur les appareils numériques.

Mise au point : une majorité de modèles disposent d'un système autofocus, parfois débrayable pour permettre un réglage manuel. Certains appareils sont pourvus d'un mode "macro" pour les gros plans.

Mesure et détermination de l'exposition : au-delà de l'incontournable mode "programmé tout-auto", certains appareils offrent le choix parmi divers modes d'exposition selon le sujet photographié (portrait, action sportive, scène de nuit...), à priorité diaphragme ou vitesse, à correction d'exposition, totalement manuel, etc.

Flash intégré : il est semblable à celui d'un compact, avec ou sans système "anti-yeux rouges" (ci-contre).

Les appareils perfectionnés sont pourvus d'une prise de synchronisation ou d'une griffe porte-accessoire permettant l'emploi d'un flash indépendant.

Comme leurs homologues argentiques, la plupart des appareils numériques sont dotés d'une fonction "anti-yeux rouges".

Fonctions et Réglages Spécifiques

La spécificité la plus évidente de l'appareil numérique est son **écran ACL** qui permet de contrôler tous les aspects de l'image, avant et après la prise de vue (aussi pratique que soit cet accessoire, il ne saurait pour autant remplacer le viseur classique, reflex ou optique, qui demeure indispensable).
Mais c'est par sa gestion radicalement différente des images et par les caractéristiques qui en découlent que l'appareil numérique se distingue surtout. Et d'abord par le fait que certains paramètres qui, en analogique, étaient propres au type de film utilisé (sensibilité, balance des blancs) sont désormais imposés par l'appareil ou sont réglables par l'utilisateur. Puis, en second lieu, par la possibilité offerte au photographe de choisir à la prise de vue la "qualité image" (résolution en nombre de pixels, compression, etc.) qu'il désire, d'autant plus librement que son matériel est plus perfectionné.
Sensibilité : la sensibilité du système s'exprime en valeurs "équivalentes ISO". Elle est normalement déterminée par l'appareil lui-même en fonction de nombreux facteurs comme, par exemple, l'ouverture maximale de l'objectif, mais certains modèles permettent de la forcer manuellement, en général sur 100, 200 ou 400 ISO (cette dernière valeur permet par exemple d'opérer sans flash en faible lumière ambiante). Les modèles reflex à objectifs interchangeables permettent même d'atteindre 1 600 ISO ou plus.
Résolution et taux de compression : ces réglages se font le plus souvent via un menu qui apparaît en incrustation sur l'écran ACL. On a alors le choix entre plusieurs "niveaux de qualité" qui sont généralement désignés par des acronymes hermétiques anglo-saxons comme SHQ *(Super High Quality)*, HQ *(High Quality)*, SQ *(Standard Quality)*, ou par des mots français plus explicites comme Fin, Normal, Basique, etc. À chaque valeur retenue correspondent une résolution en pixels et un taux de compression déterminés, en fonction desquels l'afficheur ACL indiquera le nombre de prises de vue qui peuvent être enregistrées sur la carte mémoire de l'appareil.
Balance des blancs : son réglage est automatique en fonction de la température de couleur et de l'éclairage ambiants, mais on peut parfois l'aligner sur une mesure préalable ou opter pour une valeur prédéterminée (ciel couvert, lampe à incandescence, tube fluorescent, etc.).
Effets spéciaux : les seuls qui soient vraiment intéressants sont ceux que l'on ne pourra pas obtenir plus facilement par un traitement ultérieur de l'image sur ordinateur. C'est, par exemple, le mode "panorama", qui permet de prendre des vues contiguës d'une scène et de les juxtaposer avec précision lors du tirage pour obtenir un plan unique très vaste, ou le mode "Tableau Noir/Tableau Blanc" qui donne une meilleure qualité de reproduction pour du texte sur fond noir ou blanc.
Fonctions supplémentaires : certains appareils numériques, dotés d'un petit microphone, peuvent enregistrer sur leur carte mémoire des messages sonores de courte durée, liés ou non aux images. D'autres peuvent capturer, grâce à un protocole de compression adapté (Quick Time Motion JPEG, par exemple), des séquences vidéo à faible résolution. Sans être indispensables, ces fonctions apportent un confort supplémentaire à l'amateur comme au professionnel, qui appréciera de pouvoir ainsi "annoter" ses prises de vue sans lâcher son appareil.

Canon PowerShot S10

Affichage et Effacement des Images

On peut, si on le désire, afficher l'image captée par l'appareil sur l'écran du moniteur ACL, avant, pendant ou après sa mémorisation. L'appareil est équipé d'un sélecteur de fonctions à plusieurs positions : enregistrement *(Record)*, lecture de l'image enregistrée *(Play)*, appel séquentiel de toutes les images déjà enregistrées, que l'on peut généralement afficher sur l'écran ACL par groupes de 4 ou 9 "imagettes" ou plus.
Une autre fonction importante est l'effacement *(Erase)* des images enregistrées que l'on ne veut pas conserver, ce qui permet de libérer de l'espace sur la carte mémoire. Selon les modèles, l'accès aux diverses fonctions (voir page précédente) s'effectue par affichage des informations sur le panneau externe, et/ou par l'intermédiaire d'un menu apparaissant à la demande sur l'écran ACL.

Olympus C-3030. L'écran ACL permet de visualiser l'image.

Prise de vue et composition en Numérique

La plupart des notions relatives à la prise de vue et à l'esthétique de l'image s'appliquent également à la photographie numérique : elles sont abondamment développées dans cet ouvrage. Compte tenu du degré de perfection atteint par les appareils argentiques, il est souhaitable qu'un appareil photo numérique présente des caractéristiques optiques et ergonomiques semblables. Ce n'est pas le cas de certains modèles – heureusement de plus en plus rares –, qui souffrent encore de défauts de conception sur lesquels nous devons attirer votre attention. Le plus grave de ces défauts est l'absence de viseur optique : il est pratiquement impossible de cadrer rapidement une scène sur l'écran ACL, sur lequel on ne voit presque rien si l'on se trouve en pleine lumière. Un autre problème, heureusement résolu aujourd'hui de façon satisfaisante sur beaucoup de modèles, est celui dit de la "parallaxe de temps", autrement dit du temps s'écoule entre le moment où vous pressez le déclencheur et celui où l'image s'enregistre réellement. Comment saisir à coup sûr l'instant décisif d'une scène d'action si ce retard est, par exemple, d'une seconde ? Ce sont les deux points les plus importants à vérifier avant d'acquérir un appareil numérique.

Ci-dessus : la plupart des appareils numériques récents, comme l'Olympus utilisé ici, sont conçus pour éliminer la "parallaxe de temps", ce retard au déclenchement qui, sur les premiers modèles, empêchait souvent de saisir le moment décisif.

À gauche : comme les compacts et la plupart des 24 x 36, les appareils numériques (ici, un Olympus) sont d'abord conçus pour fonctionner en mode tout-automatique : il suffit de presser le déclencheur pour enregistrer une image de bonne qualité, bien exposée et nette du premier plan à l'infini. La plupart des fonctions de base (autofocus, mesure et détermination de l'exposition, balance des blancs, etc.) sont alors pilotées à partir des informations recueillies par le capteur CCD. Sur les appareils plus perfectionnés, l'automatisme est débrayable. On peut ainsi, par exemple, jouer sur la profondeur de champ pour isoler un sujet net sur un fond flou qui le met en valeur (ci-dessous)

Ci-contre :
Que l'on utilise un appareil classique ou un appareil numérique, un bon cadrage fait toute la qualité d'une photo.

Ci-dessus : **Olympus Camedia C-920 Zoom**. Un modèle pratique d'emploi, doté d'un zoom 3x.

Résolution du Capteur et Format de Tirage

On l'a vu, le meilleur appareil photo numérique ne vaut que ce que vaut son capteur CCD. Ici plus encore qu'en photo traditionnelle, il faut donc se garder de juger un modèle uniquement à son design et à ses perfectionnements. Parmi les appareils "compacts à focale fixe", par exemple, on trouvera aussi bien un "basique" à 350 k-pixels (640 x 480), tout juste bon à donner des photos de format carte postale acceptables, qu'un modèle 2 M-pixels (1 600 x 1 200), quatre ou cinq fois plus cher, mais capable de produire des tirages excellents jusqu'au format A4 (21 x 29,7 cm). Le tableau ci-dessous illustre la relation qui lie la résolution en pixels de l'imageur et la qualité des images qu'il produit.

Appellation informatique	Nombre de pixels du capteur (environ)	Résolution photo utile	Format maximum de tirage (en cm) Qualité photo	Qualité acceptable
Internet	75000	320 x 240	–	–
VGA	350 000	640 x 480	–	A6 (10 x 15)
SVGA	480 000	800 x 600	–	A6
XGA	870 000	1 024 x 768	A6	A5 (15 x 21)
SXGA	1 400 000	1 280 x 1 024	A5	A4 (21 x 29,7)
UXGA	2 000 000	1 600 x 1 200	A4	–
SUXGA	3 100 000	2 048 x 1 536	A4 + *	A3 (29,7 x 42)

* *On se limite généralement au A4, car une image plus grande se regarde habituellement de plus loin, au-delà de la limite normale de résolution de l'œil (25-30 cm ou* punctum proximum).

Le "piqué" en photo numérique
Les photos dites "d'amateurs" (familiales, de voyage, etc.) ne nécessitent pas une résolution élevée à la prise de vue, d'autant qu'elles sont généralement tirées en format standard 10 x 15 cm : dans ce cas, la résolution XGA (tableau ci-dessus) est largement suffisante. Un sujet comportant de très fins détails, telle cette montre, exige en revanche une résolution très élevée, comparable à celle du film argentique. Pour bénéficier de cet excellent "piqué", l'image ci-contre a été enregistrée à la plus haute résolution (3,3 M-pixels, fichier TIFF) offerte par l'appareil numérique, ici, un Olympus.

La "Qualité Photo"

Alors que le nombre de pixels du capteur est une valeur objective, la "qualité" de l'image est une notion totalement subjective. Pour tenter de l'évaluer, il faut commencer par faire abstraction de la valeur artistique et du contenu émotionnel du cliché (même si ce sont les deux facteurs qui font tout le prix d'une œuvre photographique...). Puis on la compare à un étalon dont on connaît la haute qualité technique : l'image argentique. On admet qu'elle est de "qualité photo" si elle ne se distingue pas à première vue d'une excellente photo traditionnelle. Compte tenu de la résolution maximale de l'œil humain, la sensation de netteté dépend de la taille du tirage et de la distance à laquelle on l'observe. Voilà pourquoi, selon le tableau ci-dessus, la résolution XGA (870 k-pixels) permet d'atteindre la qualité photo en A6, alors qu'il faut la résolution UXGA (2 M-pixels) pour y parvenir en A4. Comme ce même format A4 est le plus grand que l'on observe couramment à distance normale, on peut en déduire que la photo numérique de qualité professionnelle commence à 2 M-pixels. Fin 1998, aucun appareil grand public ne dépassait le 1,4 M-pixels (qualité photo en A5). Les modèles de classe 2 M-pixels (qualité photo en A4) se généralisèrent en 1999, et les premiers 3 M-pixels apparurent en 2000, tandis que les fabricants annonçaient déjà des appareils à 4, 5, voire 6 M-pixels. Cependant, cette "course à la résolution" ne se justifie guère que pour les applications professionnelles en studio, et l'amateur ou même le photo-reporter est superbement équipé avec un appareil de 2 à 3 M-pixels, qui, pour un prix raisonnable, couvrira l'essentiel de ses besoins.

Les Appareils Numériques Grand Public

Coûteux et peu performants, les premiers appareils photo numériques des années 1990 ne constituaient pas une alternative sérieuse à la photo argentique traditionnelle. Cependant, les fabricants ont très vite compris que la prise de vue numérique ne pouvait se développer que s'ils proposaient des modèles à des prix modérés, capables de produire facilement des images de qualité presque comparable à celle des photos traditionnelles. Grâce aux fulgurants progrès de la technologie et aux baisses des coûts, ils y sont parvenus et l'on trouve aujourd'hui sur le marché des appareils grand public pour tous les goûts, tous les besoins et… toutes les bourses.

On ne le répétera jamais assez : le premier critère de choix d'un appareil, c'est la résolution en pixels de son capteur CCD, car c'est d'elle que dépendront les utilisations que l'on pourra en faire. Ce n'est qu'une fois ce préalable levé que l'on se penchera sur les avantages et les perfectionnements offerts par les différents modèles dans chacune des grandes catégories suivantes :

- **Très basse résolution (moins de 400 k-pixels) :** un capteur intégrant 350 k-pixels environ (VGA - 640 x 480) permet d'obtenir des images acceptables si on les visionne sur écran. Il convient aussi pour envoyer des clichés (réduits à 320 x 240) sur le réseau Internet – mais ce sont des "imagettes" et pas des photos…
- **Basse résolution (850 k-pixels environ) :** avec un tel capteur (XGA - 1 024 x 768), les épreuves sont correctes en A6 (10 x 15 cm) et acceptables en A5 (15 x 21 cm).
- **Résolution normale (1 - 1,5 M-pixels) :** excellentes images jusqu'au A5, plus qu'acceptables en A4.
- **Haute résolution (classe 2 M-pixels) :** la qualité photo (voir page 308) garantie pour des images jusqu'au A4.
- **Très haute résolution (3 M-pixels et plus) :** si les qualités optiques de l'appareil sont à la hauteur (ce n'est pas toujours le cas), on obtient des images dignes d'un très bon reflex classique – mais ce dernier serait sans doute moins cher à l'achat et plus pratique…

Ci-contre : l'Olympus numérique haut de gamme utilisé ici donne un "piqué" digne de celui d'un reflex argentique.

À droite (de haut en bas) :

Samsung Digimax 800K. Il est équipé d'un objectif à focale fixe et à mise au point autofocus.

Canon Powershot Pro 70. Cet appareil à 1,68 M-pixels peut être équipé d'un flash externe spécifique.

Sony Cybershot DSC-F505. Cet appareil à 2,1M-pixels possède un excellent zoom conçu par Zeiss.

Ci-dessous : tous les utilisateurs professionnels d'images n'ont pas besoin d'une qualité maximale. Pour ce tirage petit format destiné au fichier d'une agence immobilière, une résolution de 640x480 est amplement suffisante. On pourra même la diminuer encore (imagette de 320 x 240, par exemple) pour une diffusion sur Internet.

Systèmes Reflex à Objectifs Interchangeables

La photo numérique n'est en somme qu'une alternative très attrayante pour le photographe amateur : s'il est passionné d'infographie et de manipulation d'images, il pourra sans doute faire mieux ou au moins aussi bien et à moindre coût en numérisant ses négatifs ou ses diapos avec un scanner (voir page 318). Par contre, de nombreux professionnels ont besoin de capturer des images et de les expédier quasi instantanément vers leur site d'exploitation, via les réseaux de télécommunication (Numéris ou Internet). C'est d'abord le cas des photo-reporters de presse, mais aussi de beaucoup d'autres utilisateurs dans des domaines très divers (médecine, police et sécurité, transport, industrie, recherche, etc.). Le plus souvent, la résolution de l'image n'est pas le facteur déterminant – il suffit qu'elle soit adaptée à l'utilisation finale que l'on doit faire du cliché. Les premiers systèmes reflex du début des années 1990 se contentaient donc d'un capteur de 1,3 à 1,5 M-pixels – ce qui était d'ailleurs très bien pour l'époque. Ces appareils étaient généralement dérivés de boîtiers reflex 24 x 36 "pro" (Canon, Minolta, Nikon) dont ils utilisaient la plupart des objectifs et accessoires. Le problème inhérent à cette solution séduisante à première vue était la petite taille du capteur CCD que l'on peut loger dans un boîtier standard, et l'allongement apparent que cette diminution de la surface sensible par rapport à celle d'un film produisait sur la focale des objectifs employés : ainsi, sur les premiers appareils Kodak DCS à base de Canon EOS, le capteur ne mesurait que 9,3 x 14 mm. Comme les objectifs de l'appareil étaient calculés pour un film 24 x 36 mm, tout se passait comme si leur focale avait été multipliée par un facteur 2,57, de sorte qu'un super-grand-angle de 14 mm ne correspondait plus qu'à un 36 mm et qu'un objectif normal de 50 mm se transformait en un télé de 128 mm. Les boîtiers plus récents sont équipés d'un convertisseur optique qui compense cet effet pervers. Les modèles spéciaux pour le numérique peuvent recevoir un capteur plus grand. Le Nikon D1 est ainsi doté d'un CCD à 2,74 M-pixels de 23,7 x 15,6 mm, ce qui réduit l'allongement apparent de la focale de ses objectifs pour 24 x 36 à un facteur 1,5 (le 21 mm équivaut ainsi à un grand-angle de 30,5 mm). Sur les appareils de nouvelle génération le capteur CCD devrait voir sa surface utile portée à 24 x 36 mm, ce qui résoudra définitivement ce problème et rendra transparente la conversion d'un boîtier reflex 24 x36 en appareil numérique.

Ci-dessous : en photo de reportage, la capture de l'événement à l'instant décisif est plus importante que la résolution de l'image... et même que le cadrage ! Cette résolution n'a du reste pas besoin d'être très élevée si la photo doit être imprimée dans un journal ou en petit format dans un magazine .

Nikon D1

Kodak Professional DCS-560

Avec ces systèmes autonomes alimentés par batterie, le stockage provisoire des images se fait habituellement sur une carte mémoire PC-Card ou CompactFlash et/ou un mini-disque dur de même format. L'utilisateur dispose généralement d'un ordinateur portable dans le disque dur duquel il transfère les images en vue de leurs stockage, traitement et exploitation ultérieurs.

Photo numérique en moyen et grand format

Les photographes professionnels spécialisés dans la publicité et l'illustration de catalogues ont été les premiers à se convertir à la photo numérique.
Dans un studio, en effet, il n' y a aucun inconvénient à utiliser un équipement lourd et un puissant ordinateur directement connecté au "dos numérique" monté à la place du dos à film d'un appareil de moyen ou grand format. On peut ainsi créer des images de très haute résolution nécessitant d'énormes volumes de fichiers.
Pour les prises de vue de sujets statiques, la solution la plus évidente est d'utiliser un dos numérique scanner. On en trouve aujourd'hui pour presque tous les appareils de moyen et grand format.
Prenons par exemple le ScanPack de Rollei, qui peut se substituer au dos à film sur les reflex 6 x 6 cm de cette marque. L'analyse de l'image s'effectue grâce à une barrette CCD de 35 mm de long comprenant 5 000 cellules, laquelle se déplace, guidée par un moteur pas à pas, sur une longueur de 41,2 mm. L'image obtenue, de format 35 x 41,2 mm compte 5 850 x 5 000 points d'analyse, soit 30 M-pixels environ. Selon ce processus, l'analyse d'une image N et B se fait en une seule passe, celle d'une image couleur, en trois passes successives à travers les filtres de sélection RVB. L'acquisition d'une image à pleine résolution dure plusieurs minutes.
Pour la prise de vue couleur instantanée de sujets en mouvement, l'appareil doit, en revanche, être équipé d'un dos à capteur CCD matriciel, doté d'un réseau de filtres colorés. C'est par exemple le cas du Dicomed BigShot à capteur de 4 096 x 4 096, soit 16 M-pixels environ, qui couvre la surface utile du format 6 x 6 cm (56 x 56 mm). Les capteurs couleur sont difficiles à fabriquer et, pour cette raison, sont encore onéreux en moyen format. En attendant l'arrivée de capteurs de nouvelle génération à prix plus abordable, la plupart des dos numériques matriciels sont équipés d'un plus petit capteur (par exemple, de format 24 x 36 mm, intégrant 6 M-pixels), nécessitant donc l'emploi d'objectifs de plus courte focale. Pour beaucoup de photographes professionnels, la meilleure solution aujourd'hui est d'utiliser un dos numérique scanner pour les sujets statiques, et un dos à film pour les sujets en mouvement.

Dos numérique LightPhase de Phase One. Monté ici à la place du magasin à film d'un appareil de moyen format Hasselblad, il est doté d'un capteur CCD à filtre couleur mosaïque de format 24 x 36 mm, comportant 2 032 x 3 056 pixels. En mode RVB, le fichier image correspondant "pèse" 18 Mo. Transfert rapide des données dans l'ordinateur par liaison " FireWire " IEEE 1394.

Système photo numérique professionnel. La chambre monorail Sinar p2 (à gauche) est équipée d'un dos à capteur CCD matriciel N et B intégrant 6 millions de pixels environ. On peut donc prendre les photos noir et blanc en instantané, au flash si on le désire. La prise de vue en couleur demande en revanche trois poses successives à travers les filtres de sélection R, V et B. Le transfert des données vers le disque dur de l'ordinateur (à droite) se fait directement par câble de liaison. Le photographe peut ainsi juger l'image sur l'écran et l'exploiter immédiatement.

Avantages du numérique en studio

Si le numérique s'est si vite imposé en photo de studio, c'est bien que les professionnels lui ont trouvé des avantages :
- Les principaux paramètres de l'image (cadrage, exposition, ombres...) sont immédiatement contrôlables sur écran, sans avoir à "shooter" les classiques (et assez onéreux) films à développement instantané utilisés jusque-là.
- Si le photographe n'est pas satisfait du résultat, aucun consommable n'a été gâché. Il suffit de recommencer la prise de vue en corrigeant ce qui doit l'être.
- L'étape du développement est supprimée. Les clichés réalisés sont immédiatement retouchables sur l'ordinateur.
- Les images peuvent être transmises sans scan préalable, par Numéris ou par Internet, au client pour approbation, puis à son graphiste ou à son agence et, de là, après intégration dans un logiciel de mise en pages, à l'imprimeur.

Le gain de temps et de souplesse ainsi que l'économie réalisée (films, photogravure...) rentabilisent ainsi l'amortissement de matériels et d'accessoires qui restent onéreux et qui sont vite dépassés.

LES CARTES MÉMOIRE

Dans un appareil numérique, la carte mémoire joue le même rôle que le film dans un appareil classique : elle stocke les images au fur et à mesure de leur capture. Néanmoins, ces deux supports accomplissent leur tâche de manière radicalement différente.

• **Le film** est un support analogique : une fois exposée, son émulsion contient une empreinte réelle de la scène photographiée. Bien qu'elle ne soit visible qu'après développement, cette image est vraiment présente dans l'émulsion, dont la structure chimique a été modifiée de façon irréversible par la lumière. Le film est donc aussi un support définitif qui, comme tel, n'est pas réutilisable.

• **La carte mémoire** , au contraire, ne contient pas d'image. Elle recueille sous forme de fichiers binaires les données numériques invisibles qui lui sont fournies par le capteur. C'est un support de stockage provisoire, en attendant le transfert de ses fichiers vers le disque dur de l'ordinateur. Une fois vidée, elle est de nouveau prête à resservir.

Ci-dessus : quand elles doivent être tirées en petit format ou envoyées aux parents et amis par Internet, les photos d'amateur peuvent être très légères. Une carte mémoire normale peut en contenir près d'une centaine.

Ci-contre : Angie Everhart au 52e Festival de Cannes. Une photo comme celle-ci, destinée à être publiée en pleine page dans la presse magazine glamour, doit avoir une résolution maximale. Le fichier correspondant est donc très lourd (plusieurs Mo). La plupart des cartes mémoire actuelles ne pourront contenir qu'uneseule image de cette qualité.

CAPACITÉ DES CARTES MÉMOIRE

La capacité des cartes mémoire est un paramètre déterminant en photo numérique : même si elle ne cesse d'augmenter à taille et à prix égaux, elle n'est pas infinie. Une même carte ne permet donc de stocker qu'un nombre limité de photos, nombre qui, d'ailleurs, varie grandement en fonction de la qualité d'image choisie (voir tableau page 304).

Pour bénéficier d'une autonomie de prise de vue suffisante, en voyage par exemple, l'utilisateur d'un appareil photo numérique a trois solutions :

• la première, la plus efficace – mais pas la plus pratique ! – consiste à se munir d'un ordinateur portable, dans lequel il "vide" la carte périodiquement et, en tout cas, dès qu'elle est saturée ;

• la deuxième, la plus commode – mais pas la plus économique ! – est d'employer des cartes de la plus grande capacité possible et d'en avoir toujours plusieurs sur soi ;

• la troisième – rarement satisfaisante sauf si les images recueillies doivent être tirées en très petit ou si elles sont seulement destinées à être visualisées sur écran ou diffusées sur Internet –, consiste à se contenter d'images en basse résolution, ce qui augmente la capacité de la carte-mémoire, mais diminue d'autant la qualité. Ainsi, par exemple, sur un appareil à 3 M-pixels doté d'une carte mémoire de 16 Mo qui ne peut stocker qu'une seule image de résolution maximale (TIFF 2 048 x 1 536), on pourra prendre jusqu'à 165 vues si l'on se contente de la résolution SQ2 (640 x 480).

Au début de l'an 2000, le prix des cartes mémoire était à peu près proportionnel à leur capacité (250 F pour 8 Mo, 1000 F pour 32 Mo, par exemple). Devant l'accroissement rapide de la résolution des appareils (1 M-pixels en 1999, 2 M-pixels en 2000...), les fabricants ont cherché à accroître la capacité des supports de stockage existants ou à mettre au point de nouvelles solutions plus efficaces et moins coûteuses.

L'explosion du marché et celle des secteurs voisins qui ont les mêmes besoins en mémoires (téléphones mobiles, baladeurs numériques...) ont stimulé la recherche et permis d'amortir d'énormes investissements. Et tout laisse à penser que nous pourrons pendant longtemps encore disposer de cartes mémoire de capacité toujours plus élevée à des prix stables, voire en baisse.

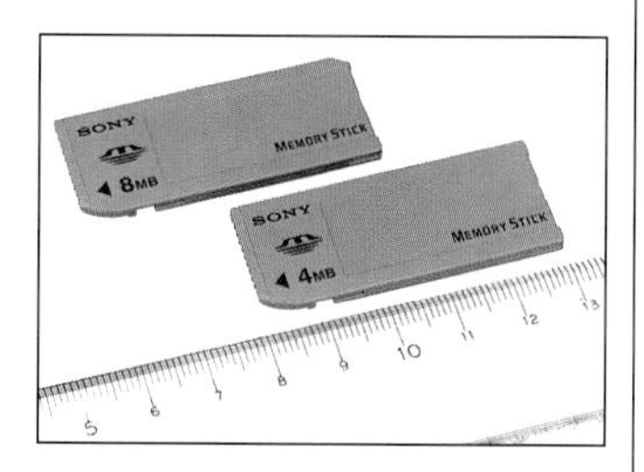

Les fabricants rivalisent d'ingéniosité pour produire des cartes mémoire toujours plus petites et plus performantes.

Ci-dessus : la **Memory Stick** de Sony.

Ci-dessous : la **CompactFlash Type II** à mini-disque dur IBM Microdrive a une capacité de 340 Mo et ne pèse que 20 grammes, pour une taille équivalente à celle d'une balle de golf !

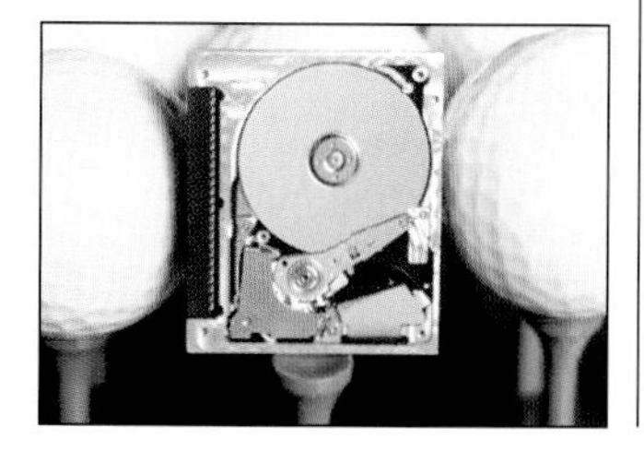

Principaux Formats de Cartes Mémoire

Cinq formats de cartes mémoire sont couramment utilisés sur les appareils numériques de diverses marques et générations :

PC-Card (ex PCMCIA)
Historiquement, ce fut la première à être utilisée sur des appareils grand public. Ses dimensions extérieures sont celles d'une carte de crédit (56 x 86,6 mm), mais son épaisseur peut varier : Type I = 3,3 mm, Type II = 5,5 mm et Type III jusqu'à 10 mm. La PC-Card n'est plus utilisée aujourd'hui que sur certains appareils reflex professionnels, parfois en version Type II à mini-disque dur dont la capacité atteint plusieurs centaines de Mo.

CompactFlash (CF)
Plus petite (42,8 x 36,4 x 3,3 mm) que la PC-Card dont elle est dérivée, la CompactFlash a adopté le même nombre de broches (50), ce qui assure sa compatibilité avec le modèle précédent via un adaptateur. Les cartes CF et PC-Card ont l'avantage sur leur concurrente SmartMedia d'intégrer un contrôleur enregistrement/lecture qui leur permet d'être immédiatement reconnues par n'importe quel ordinateur. Les capacités actuellement proposées sur le marché vont de 4 Mo à 192 Mo. Une version Type II à mini-disque dur, appelée IBM Microdrive (voir photo page précédente) atteint la très grande capacité de 340 Mo, mais son épaisseur de 5 mm ne permet de l'utiliser qu'avec les appareils spécialement prévus, comme le reflex numérique Nikon D1.
Principales marques ayant adopté la CompactFlash : Canon, Casio, Epson, Hewlett-Packard, JVC, Kodak, Konica, Kyocera, Nikon, Panasonic, Polaroid, Samsung, Vivitar, Yashica.

L'Olympus C-2500 L accepte deux formats de cartes mémoire : la SmartMedia et la CompactFlash.

SmartMedia (SM)
Développée par un consortium de fabricants japonais, la SmartMedia a des dimensions voisines de la CF (45 x 37 mm), mais elle est souple, ultra-plate (0,76 mm d'épaisseur) et les broches y sont remplacées par des contacts. Elle existe en deux tensions, 3,3 et 5 volts, mais les appareils photo utilisent la 3,3 V. Dépourvues de contrôleur, les cartes SM intègrent à demeure des logiciels de gestion et offrent (en option sur les modèles Olympus d'entrée de gamme) diverses fonctions et perfectionnements : panorama, calendrier, décor, etc. En 2000, les capacités disponibles allaient de 4 à 96 Mo.
Principales marques ayant adopté la SmartMedia : Agfa, Fuji, Minolta, Olympus, Toshiba.

Memory Stick (MS)
La carte Memory Stick a été spécialement développée par Sony, qui l'utilise pour le stockage et le transfert des données dans différents domaines : photo numérique, audio, vidéo, musique, informatique, etc. La Memory Stick mesure 21,5 x 50 x 2,8 mm. Elle est équipée d'un connecteur 10 broches fonctionnant en protocole de communication série. Elle n'est actuellement utilisée que sur des produits de la marque Sony.
Sa capacité maximale début 2000 (64 Mo) devait être rapidement portée à 128 Mo.

Disquette 3,5 pouces
Sony est le seul fabricant qui ait pensé à utiliser la bonne vieille (et très économique !) disquette standard de 3,5 pouces pour sa famille d'appareils numériques Mavica. Malgré la capacité restreinte de ce support (1,44 Mo seulement), d'astucieux algorithmes de traitement et de compression, tel modèle 1,3 M-pixels (FD-88) permet quand même d'y enregistrer 25 à 40 images en basse résolution (640 x 480) ou 4 à 5 images en moyenne résolution (1 280 x 960).

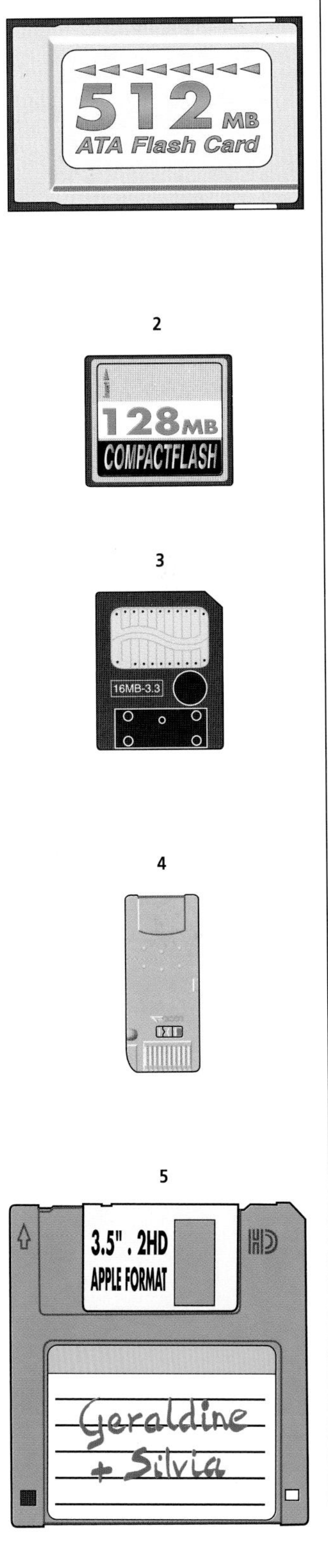

À droite : différents types de cartes mémoire

1 PC-Card (ou PCMCIA)
2 CompactFlash
3 SmartMedia
4 Memory Stick
5 Disquette 3,5 pouces

TRANSFERT DES FICHIERS IMAGE

Quand la carte mémoire de l'appareil photo numérique est saturée, on la "vide" en transférant les fichiers qu'elle contient vers un autre support – en général, le disque dur d'un ordinateur – sur lequel ils seront conservés tant que l'on aura besoin d'y accéder, notamment pour procéder au traitement des images. Après quoi on copie ces fichiers une nouvelle fois pour archivage sur un autre support de grande capacité, réinscriptible (Zip, JAZ, CD-R....) ou non (CD-ROM, DVD-ROM...).

Le schéma ci-dessous illustre les différentes méthodes de transfert de la carte mémoire vers le disque dur, soit par liaison directe (1 à 2), soit via un adaptateur et/ou un lecteur externe ou interne de l'ordinateur (4-5-2 ; 4-6-2 ; 4-7-2).

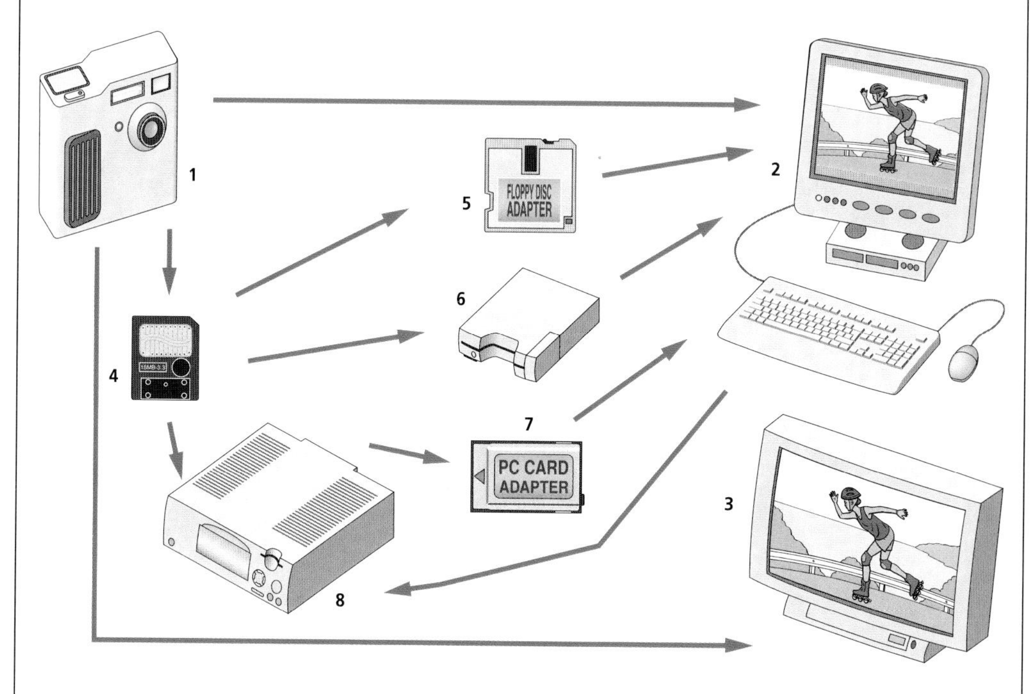

1 Appareil photo numérique
2 Ordinateur
3 Téléviseur ou moniteur vidéo
4 Carte mémoire
5 Adaptateur carte mémoire /lecteur de disquette de 3,5 pouces
6 Lecteur externe de carte mémoire
7 Adaptateur carte mémoire /lecteur de PC-Card
8 Imprimante (elle-même pourvue d'un lecteur de carte mémoire)

LIAISON DIRECTE APPAREIL-ORDINATEUR

Bien que l'appareil numérique soit normalement livré avec tous les accessoires nécessaires au transfert de ses fichiers (câbles, logiciel, adaptateur, etc.) vers l'ordinateur, le succès de l'opération n'est pas toujours garanti : l'ordinateur peut ne pas être équipé des bons connecteurs d'entrée/sortie (les "ports") ou la vitesse de transmission de cette liaison peut être insuffisante. De plus, le câble ne fait qu'assurer le transfert physique des données. Il faut encore que le logiciel intégré à l'appareil établisse la communication et que le signal sortant de l'appareil photo soit accepté et compris par l'ordinateur....

Trois types de liaisons coexistent actuellement sur le marché.

Liaison série : tous les appareils numériques grand public actuels et la plupart des ordinateurs sont équipés d'un port dit "série" de type RS-232C pour un PC ou RS-422 pour un Macintosh, qui permet une transmission des données bit par bit, avec un débit maximal de 115 000 bits/s seulement. Si la liaison série est quasiment universelle, son débit est trop faible pour la forte capacité des cartes mémoire d'aujourd'hui, et le transfert de toutes les images d'une carte de 32 Mo dure ainsi au minimum 5 minutes...

Liaison USB

Le port USB (Universal Serial Bus) équipe les PC récents et certains Mac. On le voit aussi apparaître en sortie sur un nombre croissant d'appareils photo numériques de la classe 2 à 3 M-pixels. Ce succès s'explique par la rapidité de la transmission qu'il permet : grâce à son débit de 1,5 Mo/s, on peut en effet transférer les données d'une carte 32 Mo en 22 secondes environ.

Bus FireWire (IEEE-1394)

Ce standard est aujourd'hui en plein essor dans le monde de la photo numérique mais aussi dans d'autres applications (prise DV, i-Link, etc.). Son signal numérique multiplexé est reconnu et accepté par les Macintosh récents, ainsi que par les PC Windows 98 et NT. Il est de plus en plus adopté en sortie de signal sur les systèmes photo professionnels et les périphériques tels que les imprimantes. Avec son débit de l'ordre de 380 Mo/s, il permet de vider entièrement une carte 32 Mo en 1/12 de seconde environ !

LIAISON PAR ADAPTATEUR

L'absence de standardisation des ports de communication des ordinateurs et la difficulté corrélative d'établir une liaison directe par câble, les problèmes de compatibilité logicielle, etc., compliquent le transfert direct des images de l'appareil vers le disque dur. Et on peut souvent simplifier, voire accélérer de façon sensible cette opération en faisant lire la carte directement par l'ordinateur, même si cette méthode n'est pas, en théorie, la plus rationnelle.
Comme l'ordinateur n'est en général pas équipé d'un lecteur capable de lire les cartes mémoire, on doit en général recourir à un adaptateur conçu pour le type de support utilisé par l'appareil :

1. Adaptateur PC-Card (ex- PCMCIA) : rare sur les ordinateurs familiaux ou de bureau, le lecteur pour PC-Card équipe tous les ordinateurs portables récents, d'autant qu'il sert aussi, par exemple, à la connexion des modems employés pour se connecter à Internet. Si votre ordinateur n'en possède pas, vous pouvez vous procurer un lecteur/enregistreur de PC-Card externe (voir paragraphe 3. ci-contre), ainsi qu'un adaptateur pour PC-Card du modèle correspondant au type de carte mémoire utilisé par votre appareil. Il suffit d'installer la carte dans l'adaptateur, puis d'introduire le tout dans le lecteur interne ou externe de l'ordinateur. Vous pouvez alors lire les fichiers et les transférer vers le disque dur, et même en profiter pour effacer ou enregistrer de nouvelles données sur la carte, classer les images, etc.

2. Adaptateur disquette : le principe est le même que ci-dessus, mais l'adaptateur a les dimensions d'une disquette 3,5 pouces, de façon à pouvoir être introduit dans le lecteur de disquette dont presque tous les ordinateurs sont pourvus.
À noter qu'il existe des adaptateurs de ce type pour les cartes SmartMedia et Memory Stick, mais pas pour la carte CompactFlash, qui est trop épaisse. Le transfert est par ailleurs plus rapide via l'adaptateur que par la liaison série.

3. Lecteur ordinateur externe
On trouve dans le commerce, à des prix abordables, des lecteurs capables de lire un type particulier de carte (PC-Card, CompactFlash, SmartMedia, Memory Stick) et qui se connectent au port approprié de l'ordinateur. On peut ainsi, lorsque l'ordinateur est doté d'un port USB, bénéficier d'un transfert d'images à grande vitesse, même si l'appareil photo est équipé d'un simple connecteur série à faible débit.

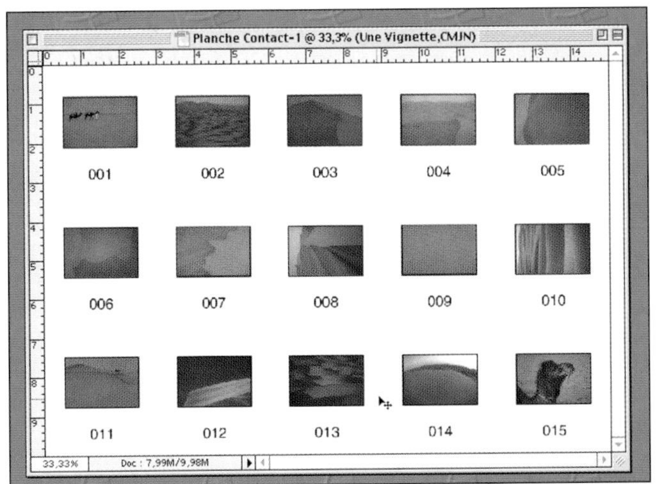

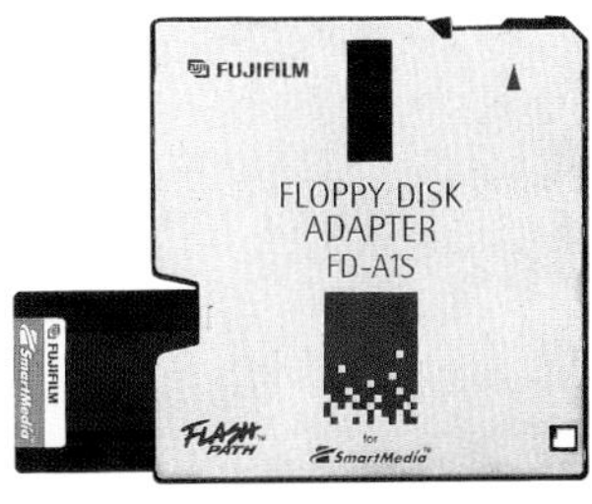

Ci-dessus : adaptateur **PathFlash** pour **SmartMedia**.

Ci-dessous : les images issues de l'appareil photo numérique ont été transférées dans le disque dur de l'ordinateur. Elles vont pouvoir être traitées, imprimées, puis archivées sur un support de grande capacité.

Ci-dessus : **Adobe Photoshop 5.5.** Une fonction "planche-contact" permet de visionner sur l'écran de l'ordinateur des vignettes correspondant aux images issues de l'appareil photo. Le numéro qui est automatiquement associé à chaque image pour faciliter son repérage peut par la suite être remplacé par un nom plus explicite.

Ci-dessous : adaptateur **PC-Card** pour carte **Memory Stick** de Sony.

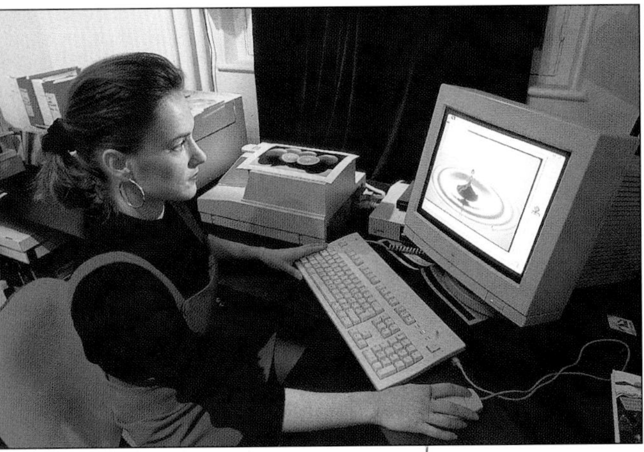

Traitement et Retouche des Images

Contrairement à ce qui se passe en argentique, où toutes les interventions sur les photos (traitements, truquages, application d'effets spéciaux et même les simples retouches) sont longues, délicates et nécessitent souvent des étapes intermédiaires complexes (réalisation d'internégatifs ou de duplicatas…), les images numériques peuvent être travaillées, corrigées et retravaillées à l'infini dans l'ordinateur grâce à des programmes d'infographie dont on ne se lasse pas d'explorer les fonctionnalités, d'ailleurs de plus en plus vastes à chaque mise à jour.
Si elle permet de réveiller l'artiste et le créateur qui sommeillent en tout photographe, cette extraordinaire souplesse, jointe à la perfection que les nouvelles techniques d'infographie permettent d'atteindre dans les manipulations (au point que rien ne distingue plus l'image "arrangée" de l'original), ne va d'ailleurs pas sans poser des problèmes juridiques (protection des droits moraux et patrimoniaux des auteurs) ou éthiques (authenticité et sincérité des œuvres…).
Quelle que soit la réponse que l'on peut apporter à ces interrogations morales et déontologiques, il est clair que la révolution du numérique est en marche, et que rien ne l'arrêtera plus. Rappelons d'ailleurs que n'importe quelle photographie classique peut elle aussi être truquée et dénaturée : une fois scannée en haute résolution, plus rien ne la distingue d'une image capturée avec un appareil numérique, et plus rien ne la protège donc des manipulations bien ou mal intentionnées auxquelles l'expose sa nouvelle forme numérique.
À l'ordinateur, une image peut subir deux grands types de traitements dont la limite n'est d'ailleurs pas toujours très nette. Les uns, simples correctifs, ne transforment que ses caractéristiques techniques sans volonté d'en modifier l'esthétique ou la signification ; les autres sont des procédés d'amélioration (avec tout ce que cela peut recouvrir de subjectivité), d'interprétation ou de transformation susceptibles d'en modifier totalement l'aspect.

Correction des Images

1. Traitement des imperfections techniques ou des erreurs à la prise de vue : il s'agit par exemple d'établir une meilleure balance des couleurs, de chercher davantage de détails dans les zones d'ombre, de modifier la densité générale ou le contraste de l'image, voire de corriger des défauts liés à certaines insuffisances de l'appareil (notamment les horribles yeux rouges dans les portraits réalisés au flash sans l'indispensable fonction qui permet de les éviter).
2. Modification des paramètres informatiques de l'image : le "format" informatique du fichier image peut ne pas convenir à l'usage que vous voulez en faire, par exemple parce que sa résolution "native" n'est pas celle dont l'imprimante a besoin pour sortir une épreuve de bonne qualité. Une opération très simple sur l'ordinateur permet de résoudre ce problème.
3. Repique/retouche : comme en photo traditionnelle, cette opération a pour but d'éliminer les piqûres, les défauts et les taches d'origines diverses qui peuvent être visibles sur l'image, notamment dans les zones de densité uniforme.
4. Redimensionnement, rotation et recadrage : ces techniques, également très courantes, visent à modifier l'inclinaison, le cadrage et/ou les proportions de l'image, avec ou sans modification de son rapport d'agrandissement, par exemple pour mettre en valeur un détail, supprimer des zones ou des marges inutiles, etc.
5. Montage et assemblage : il s'agit d'assembler ou de monter plusieurs images pour réaliser, par exemple, une mosaïque ou un panoramique.
Remarque : les opérations 1 à 3 ont pour seul but d'améliorer la qualité physique des images, alors que les opérations 4 et 5 peuvent, si elles sont importantes, leur conférer une toute nouvelle signification.

Ci-dessous : **Adobe Photoshop 5.5.** Les outils les plus utilisés (flèche, lasso, baguette magique…) sont regroupés dans une barre verticale. On les sélectionne en cliquant sur l'icône qui les représente. En cliquant successivement dans les menus "Images", puis "réglages" de Photoshop, on accède aux réglages de la "balance des couleurs".

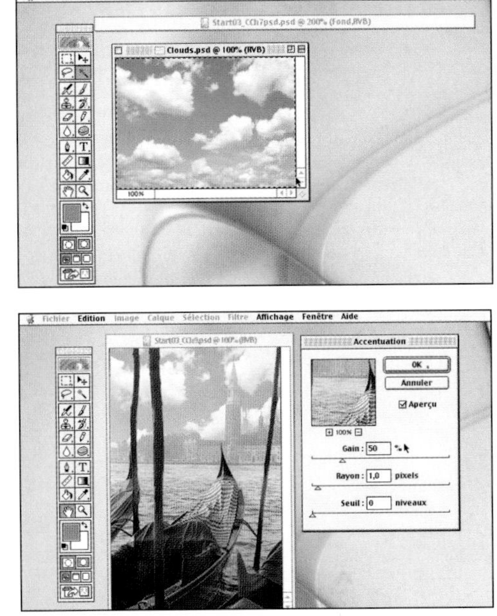

Il pleuvait ce jour-là ? Pas de problème : **Adobe Photoshop 5.5** est là : un petit coup de baguette magique pour sélectionner le ciel… Un peu d'azur, quelques nimbus prélevés dans une autre photo… un simple "copier-coller", comme disent les professionnels de la souris, et l'Italie retrouve comme par magie ses couleurs légendaires !

Effets spéciaux

Les logiciels de traitement d'image ouvrent un champ de manipulation si vaste qu'il serait vain de tenter de donner ne serait-ce qu'une simple liste des effets qu'ils permettent d'obtenir. Nous nous limiterons donc à quelques exemples très simples et renverrons pour le reste le lecteur aux manuels des fabricants et aux ouvrages spécialisés qui fleurissent sur le marché (de plus en plus épais, ils sont souvent complétées par des CD-ROMS équivalents à des centaines de pages d'explications !). Bref, tout est possible, l'imagination est au pouvoir et la réussite ne dépend que du talent de l'infographiste…

• **Élimination d'un objet ou d'un personnage :** après l'avoir gommé, on remplace l'indésirable par une portion d'image semblable prélevée dans son environnement immédiat (outil "tampon" de Photoshop).

• **Superposition et collage :** grâce à la technique des "calques", on compose une image synthétique à partir d'éléments divers prélevés dans plusieurs photographies. On peut, par exemple, simuler un clair de lune dans un paysage photographié à midi.

• **Effets de flou :** quand, sur la photo originale, le sujet principal se détache mal sur un arrière-plan trop net, rien n'est plus facile que de "flouter" le fond (comme disent les infographistes dans leur jargon) à l'ordinateur. On peut, de la même manière, obtenir des effets de "filé" afin de recréer l'illusion du mouvement.

• **Déformations :** en recalculant la distribution des pixels de l'image, le logiciel permet par exemple de redresser les verticales fuyantes d'un immeuble, de transformer la perspective linéaire en perspective curviligne, ou bien, grâce au "morphing", de déformer un visage jusqu'à la caricature.

• **Filtres et trames :** ils donnent à la photo l'aspect d'un dessin ou d'une peinture sur un support texturé (parchemin, toile, tissus, etc.).

• **Autres effets :** l'ordinateur permet de recréer – à la puissance mille et très facilement – tous les effets spéciaux bien connus en argentique (high key, low key, solarisation, postérisation, pseudo-relief…) plus une infinité d'autres, cumulables et combinables à volonté. Si élaborés soient-ils, ces effets ne sont que des outils au service de l'imagination et du talent d'un créateur.

Les logiciels

Les appareils numériques sont en général livrés avec un ou plusieurs logiciels de traitement d'image. Selon le cas, ces logiciels peuvent être inclus dans le boîtier de l'appareil, dans la carte mémoire, ou dans un CD-ROM qui se charge dans l'ordinateur. Les plus simples sont des utilitaires qui gèrent, par exemple, le transfert des images, leur mise en forme (panorama, multi-écran…).
D'autres, plus complets, permettent d'effectuer quelques-unes des opérations simples ou des retouches les plus courantes évoquées ci-dessus. Mais des interventions plus importantes ou plus créatives nécessitent l'emploi de logiciels nettement plus perfectionnés comme Adobe Photoshop par exemple, l'un des leaders du marché, dont nous montrons sur cette page quelques-unes des innombrables applications et qui, de mise à jour en mise à jour, couvre des domaines de plus en plus vastes.

Le Mariage Argentique-Numérique

Malgré tous les attraits du numérique, l'image argentique est loin d'avoir dit son dernier mot. D'abord parce que les avantages qu'elle conserve face à son challenger (haute résolution native des films, perfection des appareils qui offrent aujourd'hui un rapport qualité/prix difficile à battre, très grande autonomie de prise de vue…) devraient lui permettre d'aborder l'avenir avec sérénité. Ensuite parce que sa rivale peut, paradoxalement, devenir sa meilleure alliée : converties par un scanner en fichiers binaires, les bonnes vieilles images argentiques (qu'elles soient issues d'archives ou qu'elles viennent d'être prises par un APS ou l'un de ces reflex à objectifs interchangeables qui resteront longtemps irremplaçables) ne se distinguent en rien d'images qui auraient été produites par un appareil numérique dernier-cri. Et elles se prêtent avec la même bonne grâce à toutes les retouches, tous les truquages, toutes les manipulations auxquels l'informatique nous a habitués depuis quelques années.

Le Scanner

Le scanner, comme l'appareil photo numérique, convertit des images analogiques en fichiers binaires exploitables par l'informatique. Mais il s'en distingue par plusieurs caractéristiques :

• c'est un simple périphérique de l'ordinateur, auquel il est directement relié par un câble. Il n'est absolument pas autonome et ne fonctionne que piloté par l'unité centrale ;

• il ne numérise pas une scène en trois dimensions issue du monde réel et "aplatie" sur sa surface sensible par un objectif, mais des images (épreuves papier, dessins, gravures, illustrations imprimées, négatifs, diapositives…, noir et blanc ou couleur), qui sont déjà en deux dimensions ;

• l'original qu'il numérise étant statique, il l'analyse séquentiellement, grâce au déplacement d'une barrette dotée d'une seule rangée de cellules CCD et de filtres de sélection trichromes rouge-vert-bleu (RVB), ou de trois lignes de capteurs RVB parallèles (voir le schéma de principe page suivante) ;

• moins soumis aux impératifs de la miniaturisation qu'un appareil photo, il peut intégrer davantage de capteurs. Certains modèles haut de gamme permettent ainsi d'échantillonner l'image sur 30 bits ou même sur 36 bits, soit 10 ou 12 bits par couleur primaire, au lieu des 3 x 8 bits dont doivent se contenter les appareils photo. Ce gain de profondeur de couleur augmente très nettement l'amplitude et la dynamique des contrastes et permet une reproduction beaucoup plus détaillée des nuances de couleur et des valeurs de gris.

Une fois scanné, l'original ci-contre (un tirage papier 13 x18) pourra bénéficier de toutes les retouches que l'infographie a rendues si faciles : agrandissement, recadrage, détourage, renforcement de la netteté, etc. On profite ainsi du meilleur des deux mondes : la définition de l'argentique et la souplesse du numérique pour obtenir la grande image finale recadrée de gauche.

Les scanners sont livrés avec un ou plusieurs logiciels, le plus souvent sur CD-ROM, qui se chargent dans l'ordinateur et qui assurent le pilotage de l'appareil, ainsi que des fonctions utilitaires, des corrections colorimétriques et photométriques simples, etc.

Comme les images à numériser peuvent être très différentes par leurs dimensions et par leur nature, deux types de scanners ont été mis au point. Le **scanner à film**, comme son nom l'indique, est spécialisé dans la numérisation de transparents (négatifs ou diapositives), tandis que le **scanner à plat** est étudié pour l'acquisition de documents opaques. Certains modèles de scanners à plat, dotés d'un dos lumineux à transparents, sont **mixtes** et permettent de numériser aussi bien des films que des documents opaques.

Scanner à Film

Destinés surtout au 24 x 36, mais quelquefois utilisables en APS grâce à un adaptateur, les scanners à film assurent la numérisation des diapositives et des négatifs, couleur ou noir et blanc, de petit format (pour les formats plus grands, on utilise généralement des scanners à plat dotés de dos à transparents). Le scan se fait généralement en deux étapes : une acquisition rapide de l'image à basse résolution (10 à 35 seconde, selon les modèles) permet une **prévisualisation** sur l'écran de l'ordinateur, avec une qualité suffisante pour permettre à l'utilisateur de régler le cadrage et, éventuellement, d'effectuer certains réglages de base de la luminosité, du contraste, etc., avant de procéder à l'acquisition définitive. Le **scan à haute résolution** peut durer, selon le modèle, la résolution optique de l'appareil et la nature (transparente ou opaque) de l'original, de quelques dizaines de secondes à plusieurs minutes. Compte tenu de la faible taille de l'image à analyser, un bon scanner à film doit offrir d'emblée une très haute résolution, allant de 2 000 à 2 700 ppp (voir page 319).

Scanner à film 135 Minolta.
Il accepte le film négatif ou inversible en bande, ainsi que les diapositives 24 x 36 mm montées sous cache.

Scanner à plat

La plupart des scanners à plat grand public permettent la numérisation d'images jusqu'au format A4. Leur barrette mobile d'analyse (voir ci-dessous) comprend de 600 à 1 200 capteurs selon la qualité recherchée. Les performances en ppp ou en dpi (voir ci-contre) d'un scanner à plat sont en règle générale assez nettement inférieures à celles d'un scanner à film : les originaux qu'il doit numériser (tirages, gravures...) sont en effet de plus grande taille qu'un film, et le rapport d'agrandissement (donc la définition) qu'on lui demande n'a donc pas besoin d'être aussi élevé.

Certains modèles, dits mixtes, sont pourvus d'un dos lumineux qui assure l'éclairage des documents transparents et permet ainsi la numérisation de films (négatifs ou diapositives). Ils offrent en général une résolution plus élevée que les modèles simples, étudiés pour des documents de grande taille seulement. Outre l'acquisition d'épreuves photo existantes ou d'autres documents opaques, les modèles mixtes à fenêtre A4 permettent la réalisation de planches-contact de tout un film 135, que l'on peut ensuite archiver sous forme de vignettes informatiques.

Ci-dessous : scanner à plat **Canon FB-630U** pour format A4.

Principe du scanner à plat. Pilotée par un mécanisme de précision, la tête de scannage **(1)** balaie successivement toute la surface du document opaque (photo sur papier, par exemple). Cette tête comporte une ou trois barrettes de capteurs CCD, les filtres de sélection trichrome et une lampe tubulaire d'éclairage.
Un scanner à film fonctionne selon le même principe, le document étant éclairé par transparence.

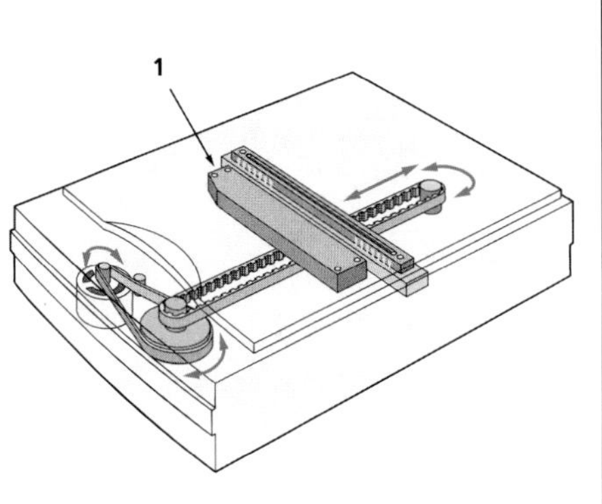

Trame et pixellisation. La numérisation d'une photographie conventionnelle par un scanner superpose, aux modulations continues de valeurs et de teintes de l'image d'origine, une "trame" régulière dont le pas est égal au nombre de capteurs CCD unitaires de la barrette d'analyse. Cette trame n'est visible que sur une portion agrandie de l'image numérique.

A Photographie argentique idéalement nette (ici, simulée par un dessin)
B Agrandissement conventionnel au rapport 3 d'une partie du négatif original.
C Agrandissement au même rapport de la photo scannée : on constate la disparition des plus fins détails, ainsi que la structure discontinue caractéristique de l'effet de "pixellisation".

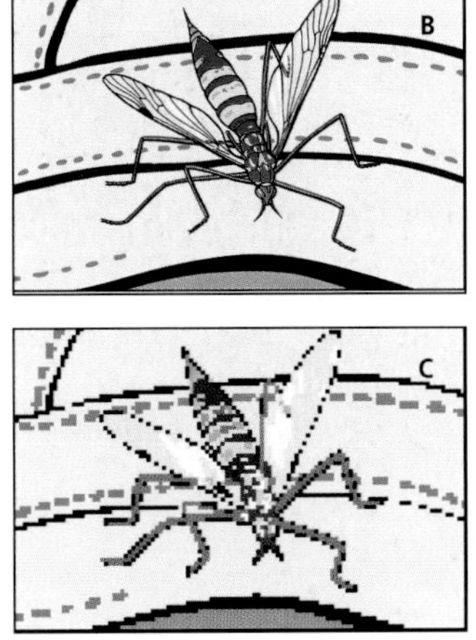

Résolution du scanner et définition de l'image

- La résolution d'un scanner est une donnée objective, liée uniquement à la quantité d'informations que son système imageur est capable de recueillir, donc au nombre de cellules photosensibles qu'il affecte à l'acquisition de l'image. Cette grandeur devrait logiquement s'exprimer en nombre de pixels, comme sur les appareils numériques. Malheureusement, pour des raisons historiques, on préfère la définir en fonction du nombre de points analysés par le scanner sur chaque pouce de l'original. On parle donc, en France, de ppp (points par pouce) ou, dans le reste du monde, de dpi (Dots Per Inch) – ce qui ne simplifie guère les choses...
- La définition d'une image, au contraire, est un paramètre subjectif, qui dépend à la fois de sa résolution, de son format et du pouvoir séparateur de l'œil, lequel varie en fonction de la distance d'observation. On admet généralement que, pour paraître impeccablement nette, une image A4, observée à la distance minimale de vision distincte de l'œil humain, doit avoir une résolution de 250 ppp. Il est facile d'en déduire l'agrandissement maximum que l'on peut faire subir à un document original scanné en une résolution donnée pour obtenir une image finale satisfaisante : il suffit de diviser la résolution optique du scanner utilisé par la définition souhaitée au final (250 ppp, donc, pour obtenir un résultat correct). Ainsi, un très bon scanner, analysant en 2 700 ppp le petit côté d'un 24 x 36, permettra d'atteindre un rapport d'agrandissement de 2 700 ÷ 250 = 10,8, donc de produire une épreuve finale allant jusqu'au format 260 x 390 mm environ. Cet exemple montre la très haute résolution que doit atteindre un scanner (dans notre exemple, 10 M-pixels, à peu près celle du film argentique). Les fichiers que produit un tel appareil, utilisé au maximum de ses capacités, ont donc des poids considérables (heureusement, la capacité des disques durs ne cesse d'augmenter !). En pratique, on se contente souvent de fichiers compressés, ou d'une résolution finale de 150 ppp.

Impression des images

L'image numérique devient une photographie au sens habituel du terme quand elle prend la forme d'une épreuve permanente sur papier. Le passage du fichier image issu de l'appareil photo numérique ou du scanner (et retravaillé ou non à l'ordinateur) à cette épreuve finale se fait via une imprimante. Une chaîne ne valant que ce que vaut son maillon le plus faible, le développement de la photo numérique a longtemps été freiné par les médiocres performances (coût élevé, qualité médiocre des images produites) de ces périphériques. Ce problème a heureusement été réglé depuis, et l'on trouve maintenant des modèles abordables, capables d'atteindre la fameuse "qualité photo" déjà évoquée (voir page 308).
Il existe aujourd'hui deux grands types d'imprimantes : celles dites à sublimation thermique et celles à jet d'encre. Le prix d'achat de l'appareil et la résolution maximale des images qu'il fournit constituent bien évidemment des critères de choix importants, mais le rapport qualité/prix de chaque modèle dépend aussi du coût des consommables, notamment des cartouches d'encres noir ou couleur, qu'il nécessite. À noter en outre que, si les imprimantes à jet d'encre peuvent fonctionner avec du papier ordinaire, elles ne donnent leur pleine mesure qu'avec du papier dit "qualité photo", qui n'est pas vraiment bon marché, même si l'augmentation de la consommation tire les prix vers le bas.

Ci-dessous : imprimante à sublimation thermique **Canon CD-300**. Elle dispose de lecteurs de cartes PC-Card ou CompactFlash incorporés et peut être programmée pour différentes présentations d'épreuves.

Imprimante à sublimation thermique

La technique d'impression dite à sublimation thermique (voir l'explication de principe ci-dessous) est surtout adoptée aujourd'hui pour des imprimantes destinées à fournir des épreuves de petite taille, jusqu'au format carte postale (10 x 15 cm environ). Ce système garantit une remarquable qualité d'image en modelé continu (c'est-à-dire sans structure de trame) et un excellent rendu des couleurs. Parmi les différents modèles proposés sur le marché, certains, comme la P-33OE d'Olympus, ci-contre, ont l'avantage de pouvoir être soit connectés directement à l'appareil, soit utilisés de manière autonome grâce leur lecteur de carte mémoire SmartMedia. Un logiciel intégré permet certaines opérations de correction, de mise en pages (impression de plusieurs vues sur la même feuille, par exemple) voire quelques effets spéciaux. Toutefois, le format réduit des tirages qu'elle produit ne permet pas à ce type d'imprimante de répondre aux besoins des créatifs et la cantonne à la photo d'amateur. Certains constructeurs, tels Kodak et Sony, proposent des modèles d'imprimante à sublimation thermique de format A4 fournissant des tirages de très haute qualité. Cependant, leur prix élevé, auquel il faut ajouter celui des consommables, en réserve l'emploi aux applications professionnelles.

Ci-dessus : **Appareil C-1400XL** et **imprimante à sublimation thermique P-330E Olympus.** Ici, l'appareil photo numérique est connecté directement à l'imprimante à sublimation thermique : l'utilisateur peut ainsi tirer ses photos sans avoir besoin d'un ordinateur.

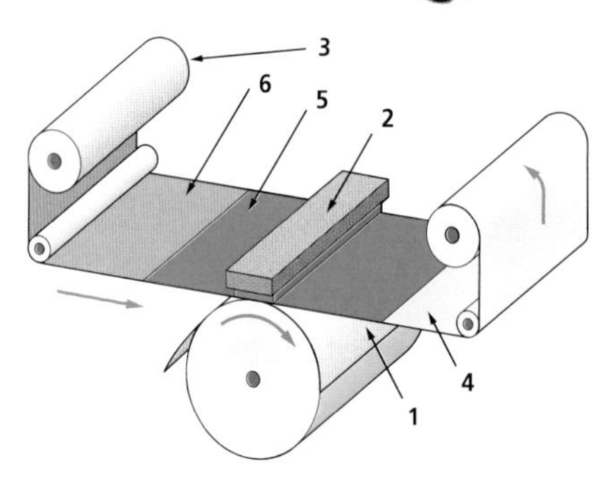

Principe de l'imprimante à sublimation thermique
L'impression de l'image sur le papier récepteur **(1)** se fait en trois passages successifs de la tête thermique **(2)** à travers le film encreur **(3)**. L'image couleur finale résulte de la superposition des images du colorant jaune **(4)**, du colorant magenta **(5)** et du colorant cyan **(6)**. Certains systèmes déposent en plus une couche de laque protectrice transparente.

Imprimante à jet d'encre

Alors que la sublimation thermique est longtemps restée la meilleure technique d'impression des photos numériques couleur, elle est aujourd'hui largement supplantée par le système à jet d'encre. L'évolution rapide des technologies, qui varient quelque peu d'un fabricant à l'autre, même si le principe de base reste le même (ci-contre) a permis de mettre au point des modèles qui, aujourd'hui, produisent en A4 et même en A3 des tirages dont la qualité et l'aspect sont en tous points dignes des meilleurs agrandissements argentiques. Certains modèles sont pourvus de lecteurs de carte mémoire, parfois bi-formats (CompactFlash et SmartMedia) qui peuvent également servir au transfert des fichiers image vers l'ordinateur. En usage professionnel, toutefois, l'imprimante à jet d'encre souffre de sa faible vitesse d'impression : plusieurs minutes pour un tirage A4 de haute qualité (300 ppp, par exemple).

Stylus Photo 875 DC d'Epson : l'un des plus récents modèles d'imprimante à jet d'encre.

Principe de l'imprimante à jet d'encre
À gauche : l'encre est éjectée de la buse sous la pression d'une bulle de gaz chauffée.
À droite : l'encre est éjectée de la buse sous la pression d'une membrane vibrante, animée par un système piézoélectrique (documents Epson).

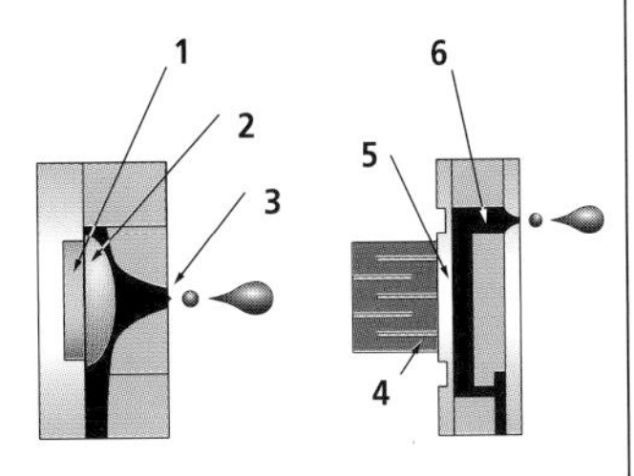

1 Tête thermique
2 Bulle de gaz
3 Buse d'éjection de la goutte d'encre
4 Système piézoélectrique faisant vibrer la membrane
5 Membrane
6 Buse d'éjection de la goutte d'encre.

Autres procédés d'impression

• Le procédé Thermo-Autochrome mis au point par Fujifilm fait appel à un papier spécial revêtu de trois couches de colorants (jaune, magenta, cyan) qui sont "révélées" par échauffement.
• L'imprimante à cire utilise un ruban dont les colorants, lorsqu'ils sont légèrement chauffés, se déposent sur le papier. Cette solution sera peut-être retenue pour l'imprimante de poche qui accompagnera les appareils numériques amateurs de prochaine génération.
• Les imprimantes laser couleur, enfin, fournissent des résultats d'excellente qualité avec des temps d'impression raisonnables, mais leur prix d'achat élevé les fait pour l'instant réserver aux usages professionnels.

Matériels professionnels

Dans certains domaines, tels la prise de vue en studio et le reportage, les photographes professionnels font déjà un usage intensif du numérique. Mais il existe encore, dans la chaîne de production, un goulot d'étranglement au niveau du tirage, dû au faible débit des imprimantes actuelles, comparé à celui des machines automatisées des laboratoires traditionnels.

Pour résoudre ce problème, les industriels ont mis au point des systèmes très complexes assurant, à partir des fichiers images numériques, des tirages sur papier couleur argentique. Quant aux agrandissements géants (plusieurs mètres carrés), ils se font désormais à l'aide d'imprimantes à jet d'encre spéciales de grande largeur appelées "traceurs".

Ci-dessus : imprimante à jet d'encre **Encad Novajet Pro** permettant la réalisation d'agrandissements géants (largeur du papier : jusqu'à 127 cm).

Ci-contre : imageur **Durst Lambda 130** permettant, grâce à un système de balayage à trois lasers RVB, de tirer les fichiers images numériques sur papier couleur argentique (Kodak). L'impression s'effectue en continu sur des rouleaux de 50 à 127 cm de largeur.

STOCKAGE DES IMAGES NUMÉRIQUES

La photographie étant la mémoire visuelle du passé, la conservation à long terme des images est un enjeu majeur. Si, par nature, un fichier informatique est éternel et inaltérable (contrairement aux films ou aux tirages argentiques, il ne vieillit pas et ne perd rien de sa qualité quand on le copie), encore faut-il que le support sur lequel il est stocké reste fiable malgré le passage du temps. C'est d'autant plus important que beaucoup d'archives analogiques sont en cours de numérisation, précisément pour en assurer la pérennité… La plupart des supports actuels s'acquittent bien de cette mission. Le disque CD-ROM de 12 cm de diamètre est le plus utilisé, dans sa version enregistrable une seule fois (CD-R) ou réinscriptible (CD-RW). Malgré sa capacité qui paraissait gigantesque à sa naissance (650 Mo), il est déjà concurrencé par le DVD-RAM, d'aspect semblable, mais 7 fois plus spacieux (4,7 Go). En vertu du principe de compatibilité vers le haut, les lecteurs (et, au-delà, les lecteurs-enregistreurs) de DVD-RAM, qui équipent déjà certains ordinateurs et que l'on trouvera sans doute sur tous les modèles de demain, pourront continuer à lire les CD actuels.

La démocratisation des graveurs de CD-ROM, et celle, prochaine, des graveurs de DVD-RAM (ci-dessus, **Hitachi GF 2000**), auront beaucoup contribué au succès du numérique dans le domaine du son comme dans celui de l'image.

Quelques supports d'archivage des images numériques, classés par capacité croissante,
1 Disquette 3,5 pouces (1,4 Mo)
2 Cartouche ZIP (250 Mo)
3 Disque magnéto-optique (1,3 Go)
4 Disque DVD-RAM (3,5 Go environ)

1

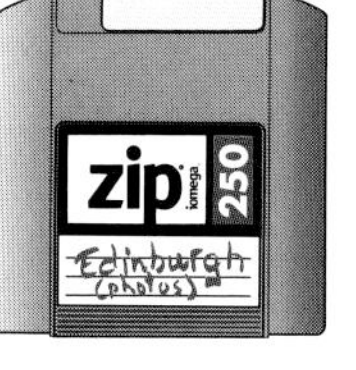

2

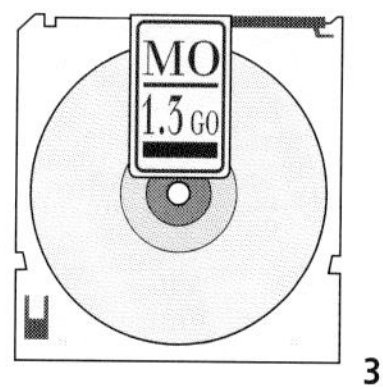

3

DVD

4

LE PHOTO-CD ET LE PICTURE-CD

Excellente solution d'archivage des images numérisées, le Photo-CD a été développé par Kodak à partir de 1992. Il visait à l'origine le marché des amateurs mais, paradoxalement, il a surtout été adopté par les professionnels. C'est, à la base, un CD-ROM ; il est donc lisible par tous les lecteurs, mais organisé de façon particulière.

• Dans sa version grand public (**Picture-CD**), il contient une centaine d'images, chacune étant enregistrée 5 fois à 5 niveaux de résolution différents, en doublant à chaque fois la résolution horizontale et la résolution verticale (ce qui quadruple le poids du fichier) ; on passe ainsi de la très basse résolution (128 x 192 pixels, pour des vignettes diffusées sur Internet par exemple) à la haute résolution (2 048 x 3 072 pixels), celle des images détaillées capturées par un appareil haut de gamme ou numérisées par un bon scanner (voir ci-dessous).

• Dans sa version destinée aux professionnels (**Photo-CD**), il peut contenir 25 photos en très haute résolution (4 096 x 6144, soit 25 M-pixels).

Ci-dessus : le **Kodak Picture-CD**

Nature de l'image	Appellation	Format image	Nombre de pixels
Très basse résolution	Base/16	128 x 192	24 576
Basse résolution	Base/4	256 x 384	98 304
Résolution TV	Base	512 x 768	393 216
Résolution TVHD*	4x Base	1 024 x 1 536	1,5 million
Haute résolution	16x Base	2 048 x 3 072	6,3 millions
Master Pro	64x Base	4 096 x 6 144	25 millions

* TVHD = TéléVision Haute Définition

TRAVAUX PHOTO NUMÉRIQUES

L'utilisateur occasionnel de fichiers image numériques (ou l'amateur plus éclairé mais à court de temps ou pas encore complètement équipé…) peut, comme au bon vieux temps de la photographie traditionnelle, confier tout ou partie de ses travaux photo à un revendeur qui assurera le transfert :

• **de l'argentique au numérique,** à partir de films développés ou non, avec numérisation des photos et stockage sur disquette, ZIP, Picture CD (CD-ROM) ou Photo-CD.

• **du numérique à l'argentique,** à partir d'images numérisées sur divers supports (SmartMedia, CompactFlash, Memory Stick, PC-Card, Photo-CD, Disquette, CD-ROM, etc.) vers des agrandissements sur papier photographique.

TRANSMISSION DES IMAGES NUMÉRIQUES

L'un des avantages de l'image numérique, nous l'avons vu, est qu'elle peut être transmise, sous forme de fichier binaire, d'un bout à l'autre de la planète à la vitesse de la lumière. Le réseau Internet normal, dans lequel les informations transitent à haute vitesse, mais à un faible débit, convient à la transmission du texte, de la parole et de graphismes simples, mais il est très insuffisant pour l'envoi d'images de "qualité photo" ou, à plus forte raison, de séquences vidéo plein écran. S'ils ne constituent pas un obstacle majeur pour la plupart des amateur, les taux de compression très forts que cette limitation conduit à adopter sont gênants pour les professionnels qui doivent manipuler chaque jour des photos haute résolution, lourdes de plusieurs Mo, par exemple pour les télécharger depuis une banque d'images, ou les expédier vers des sites distants (agences de presse, studios d'arts graphiques, imprimeries, journaux...).

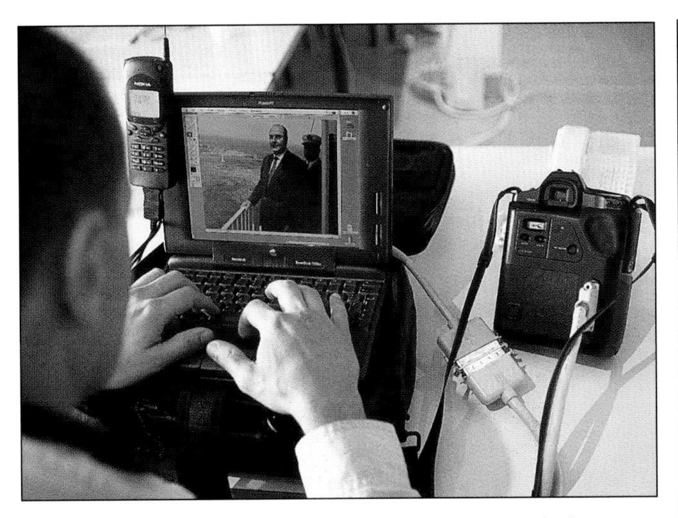

Heureusement, des lignes spécialisées à haut débit, Numéris, par exemple, connectées à des interfaces performantes, permettent à ces utilisateurs exigeants de transmettre des fichiers très lourds en un temps raisonnable et avec un maximum de sécurité. Demain, avec l'apparition de nouvelles normes Internet et de modems ultrarapides, ces techniques fabuleuses seront à la portée de M. Tout-le-monde...

Ci-dessus : transmission de photos numériques par un correspondant de l'agence Reuter, depuis un ordinateur portable et via un téléphone mobile.

Ci-dessous : la **Webcam** de **Philips** permet l'acquisition d'images et de vidéos basse résolution destinées à Internet.

Envoi d'images numériques par réseau de télécommunications
Où qu'il se trouve dans le monde, un photo-reporter peut transmettre rapidement les photos numériques qu'il vient de prendre à son agence de presse ou à sa rédaction, par le réseau téléphonique normal **(1, 2, 6, 7)**, ou par liaison satellite **(1, 2, 3, 4, 5, 7)**.

1 Appareil photo numérique
2 Ordinateur portable et modem
3 Émetteur portable avec antenne parabolique
4 Satellite de communication
5 Antenne parabolique et récepteur
6 Liaison téléphonique (modem à modem)
7 Ordinateur de traitement des images (agence de presse, journal, etc.).

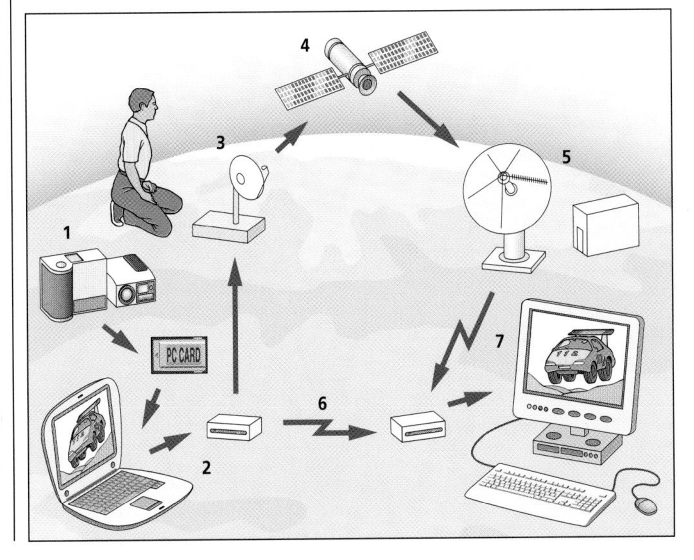

TRAVAUX PHOTO SUR INTERNET

Vous avez traité vos images numériques sur ordinateur avant de les transférer sur CD-ROM.
Pour obtenir de véritables tirages photo, il vous suffit de vous connecter sur le site Internet d'un laboratoire assurant ce type de travaux. Sur le menu du logiciel (I-PhotoPrint, par exemple) qui apparaît sur votre écran, vous cliquez sur l'icône voulue, vous indiquez ce que vous désirez (format, nombre des tirages, etc.), puis vous validez pour passer commande. Vos images sont alors automatiquement transférées de votre CD-ROM au laboratoire. Quelques heures plus tard, vos travaux seront livrés chez le revendeur de votre choix.

GLOSSAIRE

A

Aberration Terme traduisant, pour une lentille ou un objectif, l'impossibilité à donner une image nette : un point du sujet n'est pas traduit par un point sur l'image.

Aberration chromatique Caractéristique d'un objectif ou d'une lentille simple ne pouvant donner en même temps une image nette des diverses couleurs du sujet, pourtant situées sur le même plan objet.

Aberration sphérique Caractéristique d'un objectif dont les rayons inclinés sur l'axe optique ne peuvent donner une image nette du sujet.

Abrasion (marques d') Le frottement ou la pression sur l'émulsion provoquent des marques dues à l'halogénure d'argent rendu spontanément développable.

Absolue (température) Le "zéro absolu" est la température à laquelle cesse le mouvement moléculaire, soit - 273 °C. Le zéro absolu forme la base de l'échelle Kelvin des températures. La température de couleur de la lumière est généralement exprimée en kelvins (K).

Absorption Propriété de la matière de ne pas réfléchir ni transmettre une certaine proportion des radiations du spectre.

Accélérateur Nom que l'on donne au corps basique utilisé dans le révélateur. Plus un révélateur contient d'accélérateur, plus il est énergique.

Achromatique Se dit d'un objectif corrigé pour donner une image nette de deux couleurs primaires du spectre.

Acétate de cellulose Support transparent le plus communément utilisé pour les films.

Acide acétique Utilisé dans le bain d'arrêt pour neutraliser la base contenue dans le révélateur et stopper ainsi l'action de ce dernier. Une solution à 2 % est recommandée pour les films et papiers.

Acide chlorhydrique Acide employé dans plusieurs formules de blanchiment.

Acide sulfurique Corps employé dans quelques formules d'affaiblisseur.

Actinisme Propriété de la lumière de provoquer la modification physico-chimique d'une substance. C'est l'actinisme de la lumière qui modifie la structure des halogénures d'argent, les rendant développables.

Acutance Mesure objective de la netteté de l'image. L'acutance est d'autant plus élevée que le passage d'une plage noire à une plage blanche se fait plus rapidement. Notons que l'idée subjective de netteté ne correspond pas forcément à la valeur d'acutance mesurée ; autrement dit, une image de faible acutance peut sembler très nette, et inversement.

Adamson, Robert (1821-1848) Photographe anglais de l'époque victorienne qui travailla avec David Octavius Hill en produisant d'excellents portraits et photos de groupes.

Additive (synthèse) Système de reproduction des couleurs prenant pour base les trois couleurs primaires (bleu, vert et rouge) pour restituer toutes les teintes du sujet original. Certains procédés anciens utilisèrent la synthèse additive (Autochrome Lumière par exemple).

Aérienne (perspective) Effet de distance ou de profondeur produit par le voile atmosphérique. La lumière bleuâtre diffusée par le voile atmosphérique dilue l'image des lointains, d'autant plus qu'ils sont près de l'horizon ; c'est cet étagement des plans que l'on appelle "perspective aérienne".

Aérienne (photographie) Spécialité de la photographie, le plus souvent pratiquée par avion ou par hélicoptère (mais on peut aussi utiliser un appareil montés sur un cerf-volant ou sur des modèles réduit) qui connaît de nombreuses applications : cartographie, reconnaissance, surveillance, défense. La photo aérienne peut être : air-sol, air-air ou air-mer. La plupart des appareils pour photo aérienne utilisent un film de grand format (12,7 x 12,7 cm ou 22,9 x 22,9 cm) en longues bandes (30 mètres). L'appareil est parfois tenu à la main par un opérateur (photographie oblique, à basse altitude) ; pour la cartographie ou la reconnaissance aérienne, il est généralement fixé à l'avion, derrière un hublot protecteur. La durée de la pose doit dépendre de l'altitude et de la vitesse de l'appareil.

Affaiblisseur Traitement chimique ayant pour objet de diminuer la densité générale de l'image, avec une action variée sur le contraste.

Affaiblisseur de Farmer
Affaiblisseur superficiel, retirant des quantités égales d'argent dans les ombres et dans les lumières.

Solution A :

Hyposulfite de sodium	100 g
Eau, pour faire	1 l

Solution B :

Ferricyanure de potassium	20 g
Eau, pour faire	1 l

Préparer la solution de traitement en mélangeant 100 ml de A, 20 ml de B et 200 ml d'eau ; elle ne se conserve pas. L'affaiblissement se continue tant que le négatif n'a pas été rincé à l'eau courante ; puis plonger dans le fixateur et laver normalement.

Affaiblisseur proportionnel
La densité élevée est proportionnelle à la quantité d'argent présente dans la zone considérée de l'image : on a donc une réduction de la densité et du contraste.

Solution A :

Permanganate de potassium	0,25 g
Acide sulfurique à 10 %	15 ml
Eau, quantité pour faire	1 l

Solution B :

Persulfate d'ammonium	25 g
Eau, quantité pour faire	1 l

Préparer la solution de travail avec 1 partie de A et 3 parties de B. En agitant constamment, l'affaiblissement dure 1 à 4 minutes. Ensuite, plonger le négatif dans une solution à 1 % de métabisulfite de potassium, puis laver normalement.

Affaiblisseur surproportionnel
On a une réduction de la densité, du contraste et un plus net affaiblissement des hautes lumières.

Persulfate d'ammonium	3,3 g
Acide sulfurique à 10 %	10 ml
Eau, quantité pour faire	1 l

Employer la solution immédiatement et la jeter lorsqu'elle devient laiteuse. Plonger le négatif le temps nécessaire pour le résultat cherché, puis le plonger dans un fixateur acide ou dans une solution à 5 % de sulfite de sodium.

Agent mouillant Produit ayant la propriété d'abaisser la tension superficielle de l'eau. Quelques gouttes dans la dernière eau de lavage des films améliorent considérablement le séchage.

Agitation Moyen utilisé pendant le traitement pour assurer le renouvellement constant de la solution active à la surface de l'émulsion.

Agrandissement Épreuve plus grande que le négatif original, obtenue par projection à l'aide d'un agrandisseur.

Alun (de chromé ou de potassium) Produit utilisé pour tanner la gélatine. Il s'utilise séparément ou dans un fixateur acide tannant.

Ambiance Nom donné à un projecteur donnant une lumière diffuse et répartie régulièrement sur une grande surface.

Amidol Développateur agissant en milieu peu basique.

Ambrotype Procédé photographique introduit en 1851-1852 par Scott Archer. L'image ressemblait à un daguerréotype, mais l'examen de l'image était plus facile. Son faible coût lui valut un bon succès.

Anamorphoseur Dispositif optique à lentille cylindrique, permettant de comprimer l'image dans une de ses dimensions.

Anastigmat Nom donné à un objectif qui est corrigé de l'aberration appelée astigmatisme.

Angle d'incidence Angle formé entre la direction de la lumière frappant une surface et la normale à cette surface.

Angle de champ Portion d'espace embrassée par un objectif, en fonction du format de film utilisé.

Angström Unité de longueur employée en optique, pour indiquer la longueur d'onde de la lumière. Vaut un dix-milliardième de mètre.

Anneaux de Newton Anneaux de lumière colorée formés lorsque deux surfaces transparentes ne sont pas en parfait contact (interférences).

Antihalo (couche) Couche dorsale des films, devant absorber la lumière qui a traversé l'émulsion et le support.

Antivoile Constituant du révélateur ayant pour mission de retarder l'apparition du voile chimique. Généralement, bromure de potassium.

Aplanat (ou aplanétique) Objectif parfaitement corrigé de l'aberration sphérique.

Apochromatique Objectif parfaitement corrigé de l'aberration chromatique.

APS (Advanced Photo System) Format photographique créé en 1996, utilisant des cartouches spéciales à chargement automatique. L'utilisateur peut choisir entre trois cadrages (C, H et P) à la prise de vue. De plus, un code optique et magnétique porté par le film mémorise le cadrage désiré pour les tirages, diverses informations qui seront imprimées au dos des épreuves (date, numéro de vue, etc.), ainsi que des données techniques exploitées par le laboratoire de traitement.

Archer, Frederick Scott (1813-1857) Inventeur du procédé au collodion humide (1851) qui supplanta rapidement le calotype, à cause de sa plus grande rapidité. En 1852, il développa l'ambrotype, avec Peter Fry.

ASA Ancien système de mesure de la sensibilité des films, selon les normes de l'American Standards Association. Remplacé par le système ISO (voir à ce nom).

Asphérique (lentille) Lentille dont l'une des surfaces n'est pas une calotte sphérique. Permet de corriger certaines aberrations, sans augmenter le nombre des lentilles de l'objectif.

Autochrome Premier procédé commercialisé de photographie en couleur, inventé par Auguste et Louis Lumière en 1908. Il utilisait la synthèse additive avec mise en œuvre d'un réseau de grains de fécule de pomme de terre teints dans les trois couleurs primaires : rouge, vert, bleu. Le fim panchromatique était impressionné à travers ce réseau : après traitement par inversion, l'image positive vue à travers ce réseau était en couleur.

Axe optique Ligne imaginaire passant par le centre optique de chacune des lentilles de l'objectif.

B

B (pose) Lettre gravée sur le sélecteur de vitesses de l'obturateur, indiquant que celui-ci restera ouvert tant que l'on maintient la pression sur le déclencheur.

Bague-allonge Tube métallique utilisé avec les appareils reflex, permettant d'augmenter le tirage, pour les vues rapprochées.

Bain d'arrêt Solution chimique dont le but est de stopper le développement en neutralisant le révélateur. Cela permet une plus grande précision du temps de développement et prolonge la vie du bain fixateur.

Baryte Couche de sulfate de baryum appliquée entre l'émulsion et le support des papiers d'agrandissement.

Bascule Mouvement des corps avant et arrière d'une chambre grand format, grâce auquel le plan du film n'est plus perpendiculaire à l'axe optique.

Baume du Canada Substance transparente d'origine végétale, dont l'indice de réfraction est voisin de celui du verre optique. Utilisé pour coller les lentilles des objectifs.

Bichromate de potassium Produit utilisé dans le renforçateur au chrome.

Bichromate de sodium Produit utilisé dans les bains de renforcement, virage et blanchiment.

Biconcave (lentille) Lentille divergente dont les deux surfaces sont incurvées vers le centre optique.

Biconvexe (lentille) Lentille convergente dont les deux surfaces sont incurvées vers l'extérieur.

Binoculaire (vision) Capacité des yeux de percevoir la troisième dimension. La stéréoscopie est fondée sur la vision binoculaire.

Bisulfite de sodium Produit employé dans les fixateurs comme acide faible.

Bitume de Judée Produit ayant la propriété de durcir sous l'effet de la lumière. Pour cette raison, il fut utilisé, au début du XIXe siècle, par Joseph Nicéphore Niepce, pour l'obtention de la première photographie.

Blanchiment Solution chimique capable de transformer l'argent métallique en halogénure d'argent.

Blanquart-Evrard, Louis (1802-1872) Français qui améliora le procédé calotype en introduisant le papier albuminé.

Bonnette Lentille convergente pouvant se placer sur l'objectif normal de l'appareil, ce qui raccourcit sa focale. Toutefois, l'image perd ainsi en qualité.

Borax Base faible employée, dans les révélateurs grain fin, comme accélérateur.

Box (appareil) Ce modèle d'appareil photographique extrêmement simple, en forme de boîte, fut introduit par George Eastman en 1886 et connut une grande popularité. Ce système ne permet aucun réglage, les valeurs étaient fixées généralement à 1/25 s, f/11 ; objectif simple réglé sur l'hyperfocale.

Brady, Matthew (1823-1896) Américain qui s'illustra par ses photographies de la guerre de Sécession.

Brewster, David (1781-1868) Pionnier de la stéréoscopie, procédé fondé sur la reconstitution des images droite et gauche de la vision binoculaire. Brewster mit au point un stéréoscope d'examen.

Bromure de potassium Produit utilisé comme antivoile dans les formules de révélateur et pour réhalogéner dans les blanchiments.

Bromure (papier) Type le plus courant de papier d'agrandissement ; sa couche sensible est formée d'une émulsion de bromure d'argent dans la gélatine.

Brownie (appareil) Marque des premiers appareils box mis sur le marché par Kodak.

C

Callier (effet) Augmentation du contraste provoquée par l'emploi du condenseur dans un agrandisseur à lumière dirigée. Elle est due au fait que les parties sombres du négatif diffusent davantage de lumière que les parties claires. Le contraste est augmenté d'environ une demi-gradation de papier sensible, par rapport à un agrandisseur à la lumière diffusée.

Camera obscura Nom donné à la forme la plus simple de la chambre noire : une pièce obscure avec une petite ouverture sur l'un de ses murs. L'image des objets éclairés de l'extérieur se forme sur le mur opposé. La camera obscura, mentionnée par Aristote au IVe siècle avant J.-C., fut perfectionnée à l'aube du XVIe siècle par l'adjonction d'une lentille convergente. Servant d'abord d'aide au tracé du dessin, elle fut utilisée par Thomas Wedgwood (fils du céramiste Josiah) pour tenter de fixer l'image formée, ce que parvint à faire Nicéphore Niepce en 1826.

Cameron, Julia Margaret (1815-1879) Photographe anglaise, célèbre pour la beauté de ses portraits.

Candela Unité de mesure des intensités lumineuses.

Capteur imageur matriciel Récepteur sensible remplaçant le film dans un appareil photo numérique. Généralement de type CCD (dispositif à transfert de charges), il intègre plusieurs millions de photo-cellules élémentaires ou "pixels", disposées en rangées et en colonnes.

Carbonate de sodium Base utilisée dans de nombreuses formules de révélateur d'emploi général.

Carbonate de potassium Base très soluble, utilisée dans certaines formules de révélateur.

Carte-mémoire Support amovible d'enregistrement des images capturées par un appareil photo numérique. Il en existe différents types, de capacité variable (exprimée en méga-octets ou Mo).

Cartouche Conteneur en métal ou en plastique, pour film 35 mm perforé.

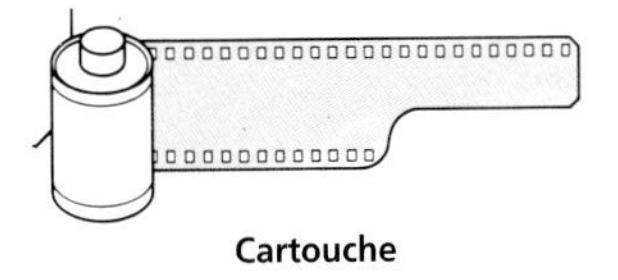

Cartouche

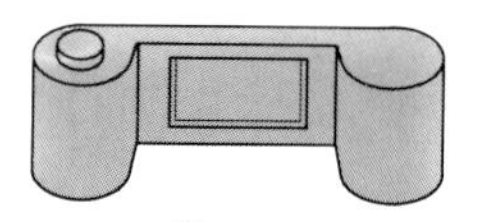

Chargeur

CCD (Charge Coupled Device) Variété de capteur imageur (voir à ce mot).

Cercle de confusion L'image de chaque point du sujet est un disque lumineux : l'image est d'autant plus nette que le diamètre de ce cercle est plus petit. Le diamètre acceptable est celui pour lequel le cercle est confondu par l'œil avec un point.

CC (filtres) Filtres utilisés en photo couleur pour corriger ou prévenir l'apparition de dominantes colorées. Ces filtres, calibrés en teinte et en densité, s'emploient couramment pour le tirage par la méthode soustractive.

CD (Compact Disc) Ce disque optique de 12 cm de diamètre fut créé en tant que support d'enregistrement sonore (CD-Audio). Sous diverses versions (CD-ROM, CD-Photo, etc.), il est aussi utilisé pour l'enregistrement et le stockage des images.

Chambre noire Nom donné au laboratoire, pouvant être obscurci, où l'on effectue les travaux photographiques.

Champ clair Méthode d'éclairage utilisée en microscopie, permettant de détacher le spécimen sur un fond clair ou blanc.

Champ sombre Méthode d'éclairage utilisée en microscopie, détachant le spécimen sur un fond sombre ou noir.

Chargeur Conteneur de film permettant le chargement instantané dans l'appareil (110 ou 126).

Châssis Conteneur pour plan-film, s'employant avec les chambres de grand format.

Chicane Système employé dans les laboratoires, permettant le passage sans laisser entrer la lumière extérieure.

Chlorobromure (papier) Type de papier sensible, plus lent que le papier bromure, mais plus souple. La tonalité de l'image peut varier selon la formule et la méthode de développement.

Chlorure d'ammonium Produit utilisé dans certaines formules de virage.

Chlorure ferrique Constituant d'un bain de blanchiment pour négatifs.

Chlorure mercurique Produit utilisé pour le renforcement négatif (renforcement "au mercure").

Chlorure d'or Produit soluble employé pour le virage "à l'or".

Chlorure de potassium Utilisé dans certaines solutions de blanchiment.

Chlorure de sodium Nom chimique du sel de cuisine.

Chromatique (aberration) Incapacité de la lentille ou de l'objectif à former l'image des différentes longueurs d'onde, c'est-à-dire des différentes couleurs, sur un même plan.

Citrate de potassium Utilisé dans les bains de virage en vert ou en bleu.

Collodion (procédé) L'émulsion sensible au collodion humide fut inventée par Frederick Scott Archer en 1851. Elle marquait un grand progrès sur le calotype, grâce à l'accroissement de la rapidité de la plaque, exposée encore humide, juste après sa préparation. En revanche, l'équipement à emporter pour les prises de vues en extérieur était considérable. Le procédé au collodion humide ne fut supplanté qu'en 1870, par la plaque "sèche".

Coma Aberration optique, donnant des images en forme de comète sur les bords du champ embrassé.

Concentrée (solution) Se dit d'une solution de réserve, qu'il suffit de diluer dans une certaine quantité d'eau avant l'emploi.

Contraste Différence entre les densités extrêmes d'un négatif ou d'un positif ou encore entre les luminances extrêmes du sujet. Le contrôle du contraste est un élément important de la pratique photographique ; le contraste final de l'image dépend à la fois du sujet, de la nature et du traitement du négatif et du positif.

Contrôle du fixage et du lavage Il permet de savoir si la conservation de l'image sera assurée dans le temps. Deux tests sont utilisables :

Contrôle du fixage
Déposer quelques gouttes d'une solution à 10 % de sulfure de sodium, sur la marge blanche de l'épreuve bromure. Si le papier devient brun, le fixage est insuffisant, ou le fixateur est épuisé. La méthode est utilisable avec les négatifs. Pour ces derniers, doubler le temps de clarification de la couche opalescente d'halogénure d'argent.
Contrôle du lavage
Solution de réserve :

Permanganate de potassium	2 g
Carbonate de sodium	1 g
Eau, quantité pour faire	1 l

En utilisant deux récipients, prélever l'eau d'égouttage des épreuves ou des négatifs, d'une part, et de l'eau pure prélevée à la source, d'autre part. Ajouter quelques gouttes de la solution de réserve ci-dessus à chaque échantillon d'eau, puis observer le changement de teinte. S'il y a une différence de teinte après la même durée d'observation, c'est que le lavage est insuffisant, car il reste du fixateur dans les épreuves ou les négatifs.

Convergente (lentille) Lentille positive, ayant la propriété de former une image réelle des objets (plan convexe, biconvexe et ménisque convergent).

Couche antihalo Couche de colorant déposée sur le dos du support des films, destinée à absorber la lumière qui traverse l'émulsion. On évite ainsi que la lumière réfléchie par le presse-film ne voile l'émulsion.

Couleur complémentaire Deux couleurs sont dites complémentaires si leur combinaison en proportion correcte reconstitue la lumière blanche. Les couleurs complémentaires, dites parfois couleurs soustractives, sont les suivantes :

Complémentaires	*Primaires*
Jaune (vert + rouge) ou blanc	Bleu
Magenta (bleu + rouge) ou blanc	Vert
Cyan (bleu + vert) ou blanc	Rouge

Courbe gamma/temps Courbe ou abaque exprimant le contraste du négatif en fonction de la durée de développement.

Courbure de champ Aberration de l'objectif donnant d'un plan perpendiculaire à l'axe optique une image en forme de calotte sphérique concave.

Couverture de l'objectif Surface maximale sur laquelle l'objectif donne une image correcte du sujet.

Cuves Récipients destinés au traitement des films ou papiers (couleur). Les cuves "étanches" permettent le développement en pleine lumière, pourvu qu'elles aient été chargées dans l'obscurité.

Cuvettes Récipients plats, utilisés pour le traitement des papiers ou des plans-films en feuilles séparées. Les révélateurs s'oxydent plus rapidement en cuvette qu'en cuve, la surface exposée à l'air étant plus importante.

Cyan Couleur primaire bleu-vert, absorbant le rouge et transmettant le bleu et le vert (c'est-à-dire la lumière blanche, moins le rouge).

Cyanure de potassium Poison violent, solvant de l'argent.

Cyclorama Disposition d'un studio photographique, dans lequel le mur de fond est relié au plan du sol par des surfaces incurvées.

D

Daguerre, Louis Jacques Mandé (1787-1851) Il mit au point le daguerréotype, premier procédé photographique commercialisé (en août 1839). Auparavant, il s'était associé avec Niepce, lequel mourut trop tôt pour connaître le succès éclatant du daguerréotype, particulièrement dans le domaine du portrait. Lorsque Daguerre disparut, en 1851, son procédé était largement supplanté par le calotype et l'ambrotype.

Daguerréotype Dans le procédé de Daguerre, la substance photosensible était du nitrate d'argent couché sur une plaque de cuivre ; l'image positive apparaissait par "développement" à la vapeur de mercure. Le fixage se faisait au sel de cuisine ou dans une solution faible d'hyposulfite de sodium.

Dallmeyer, John (1830-1883) Opticien anglais qui inventa l'objectif rectilinéaire "rapide" en 1866.

Date de péremption Date portée sur la plupart des emballages de films et indiquant la période limite

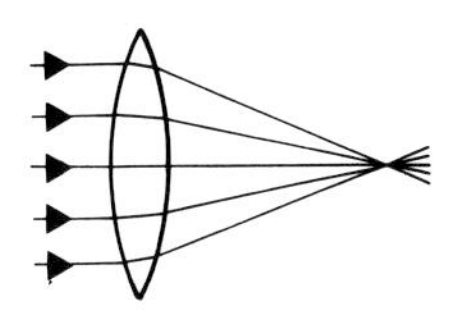

Lentille convergente

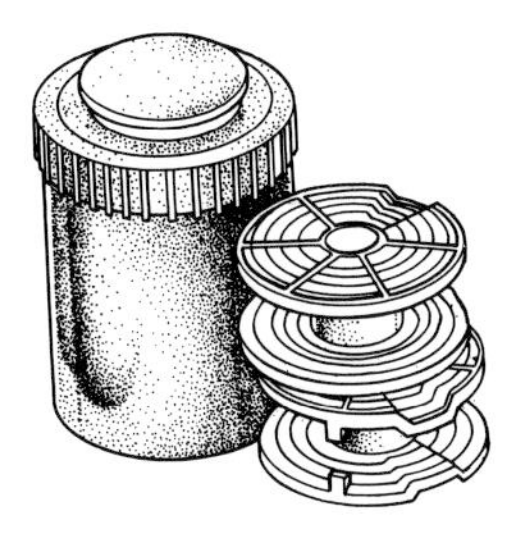

Cuve étanche

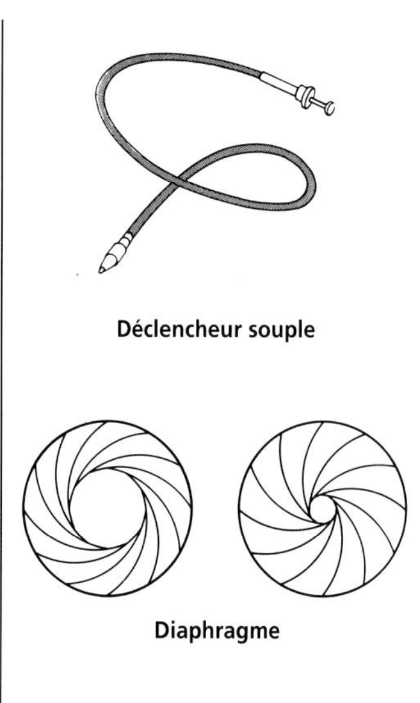

Déclencheur souple

Diaphragme

pour laquelle l'émulsion peut être utilisée sans perte de ses caractéristiques nominales.

Décentrement Mouvement des corps avant et/ou arrière d'une chambre grand format, déplaçant l'axe optique par rapport au milieu du film.

Déclencheur souple Câble qui permet de déclencher l'obturateur sans toucher directement l'appareil ; ce qui, sur pied, permet d'éviter les vibrations.

Définition Terme général servant à caractériser subjectivement la netteté de l'image obtenue. La notion de définition est moins précise que celle de "résolution", cette dernière impliquant une valeur numérique.

Densité Importance de la couche d'argent métallique formée par l'exposition et le développement de la surface sensible. La densité s'exprime par le logarithme de l'opacité.

Densité neutre En procédé couleur, l'équilibre parfait des teintes est atteint lorsque l'image d'un objet gris (neutre) est grise : ce qui est mis à profit dans tous les principes de correction des dominantes, soit à la prise de vues, soit lors du tirage couleur.

Densitomètre Appareil permettant de mesurer la densité des images photographiques, soit par transparence (négatifs et diapositives), soit par réflexion (épreuves).

Détective (appareil) Appareil ancien, suffisamment petit pour être dissimulé dans un chapeau, une montre, etc.

Détourage Opération consistant à isoler un objet de son environnement, en gouachant le fond : ce qui, au tirage, donne un fond blanc.

Développement Opération qui permet de transformer (de réduire) les halogénures d'argent impressionnés en argent métallique. Pour être "correct", le développement doit être conduit en respectant les normes de dilution, de durée, d'agitation, de température.

Diaphragme Ouverture de diamètre généralement réglable, permettant de doser la quantité de lumière pénétrant dans l'appareil. Le diaphragme est toujours situé au centre de l'objectif.

Diaphragmer Action de fermer l'ouverture du diaphragme ; ce qui joue à la fois sur l'exposition et sur l'étendue de la profondeur de champ.

Diapositive Image transparente (sur film) et positive. Souvent destinée à la projection.

Dichroïque (voile) Voile chimique coloré, affectant surtout les négatifs, provoqué par la formation de l'argent en présence d'un acide. Il peut survenir lors du fixage dans un bain contaminé par du révélateur ou complètement épuisé.

Diffraction Dispersion et changement de direction de la lumière passant par une très petite ouverture.
Ce phénomène apparaît, par exemple, lorsque l'objectif est trop diaphragmé, ce qui dégrade la netteté de l'image. D'une façon générale, la netteté maximale de l'image est obtenue avec une ouverture moyenne du diaphragme : assez petite pour réduire les aberrations résiduelles, assez grande pour ne pas provoquer de diffraction, f/11 par exemple.

Diffuseur Tout matériau capable de diffuser la lumière, laquelle devient plus "douce", c'est-à-dire formant des ombres moins nettes.

DIN Valeur de rapidité, selon les normes allemandes, il est basé sur une échelle logarithmique, la rapidité doublant lorsque la valeur augmente de trois unités. Par exemple, un film de 21 DIN est deux fois plus rapide qu'un film de 18 DIN et deux fois plus lent qu'un film de 24 DIN.

Dioptrie Unité caractérisant la puissance – ou vergence – d'une lentille. La puissance en dioptries est l'inverse de la focale exprimée en mètres. Une lentille de 25 cm de focale a ainsi une vergence de 1/0,25 = 4 dioptries. S'il s'agit d'une lentille ou d'un système optique divergent, la valeur est précédée du signe moins. Une lentille divergente de 0,25 m de focale a une puissance de – 4 dioptries.

Dispersion Propriété du verre et d'autres substances transparentes de décomposer la lumière blanche en fonction des différentes longueurs d'onde. La dispersion dépend de la nature du milieu transparent, de l'incidence de la lumière et de l'indice de réfraction.

Distance focale Distance entre le point nodal d'émergence de l'objectif et l'image nette d'un objet placé à l'infini.

Distorsion Aberration de l'image donnée par l'objectif, provoquant la concavité (distorsion en coussinet) ou la convexité (distorsion en barillet) des lignes droites placées parallèlement aux bords du format.

Divergente (lentille) Lentille négative formant une image virtuelle des objets (plan concave, biconcave, ménisque divergent).

Dos numérique Se dit d'un adaptateur équipé d'un capteur matriciel ou d'un scanner, se substituant au dos à film d'un appareil professionnel de moyen ou de grand format.

Double tirage Se dit d'un appareil de grand format dont l'extension du soufflet permet de donner un tirage égal au double de la focale normale.

Driffield, Charles (1848-1915) C'est en travaillant avec Ferdinand Hurter qu'il jeta les bases de la sensitométrie moderne : tracé de la courbe caractéristique, mesure des opacités en fonction des expositions, indices de rapidité, etc.

Ducos du Hauron, Louis (1837-1920) Physicien français qui formula les principes de la synthèse des couleurs par le procédé trichrome. Le poète Charles Cros parvint, indépendamment de lui, aux mêmes conclusions.

Dufay, Louis Inventeur d'un ancien procédé additif de photo couleur utilisant une trame géométrique formée des trois couleurs primaires : Dufaycolor.

Durcissant (ou tannant) Substance chimique ayant la propriété d'augmenter la dureté de l'émulsion ; ce qui la rend plus résistante à l'abrasion et à la température.

DVD De même aspect que le disque CD, le disque DVD offre une capacité plus de 7 fois supérieure (4,7 Go, au lieu de 650 Mo) : ce qui en fait désormais le support idéal de stockage des images numériques.

Dye transfer Méthode de tirage des images couleur utilisant des matrices positives en relief (une par couleur primaire), lesquelles, imbibées de colorant, sont ensuite déchargées en repérage sur un support convenable.

DX (système) Il permet la lecture automatique de la sensibilité ISO du film 135 par l'appareil. La sensibilité ISO est codée sur la cartouche par un pavé comprenant des plages carrées, conductrices ou non conductrices. Des contacts palpeurs, situés dans le logement film du boîtier, transmettent cette information aux circuits du posemètre de l'appareil.

E

Eastman, George (1854-1932) Fabricant américain qui mit la photographie à la portée de tous en vulgarisant le film à support souple et les appareils simples : les "Kodak".

Eau oxygénée Utilisée dans une formule d'éliminateur de l'hyposulfite.

Eberhard (effet) Il se traduit par une ligne noire bordant les contours sombres, ou une ligne claire bordant les zones de faible densité. Il se produit lorsque le film est insuffisamment agité dans le révélateur.

Écran lenticulaire Système optique, généralement en plastique moulé, comportant un grand nombre d'éléments lenticulaires juxtaposés. L'écran en nid d'abeilles est utilisé avec certaines cellules au sélénium, pour concentrer la lumière. L'écran à lentilles hémicylindriques est employé pour certains procédés de photographie en relief (xographie).

Éliminateur d'hyposulfite Solution permettant d'éliminer les traces de fixateur résiduelles des images photographiques. La formule suivante convient pour les films et les papiers :

Eau oxygénée	100 ml
Ammoniaque à 22 °B	10 ml
Eau, quantité pour faire	1 l

Préparer la solution juste avant l'emploi. Immerger les épreuves lavées durant 10 minutes ; relaver quelques minutes.

Emerson, Peter Henry (1856-1936) Célèbre photographe anglais, partisan de la photo "naturaliste", surtout de paysage.

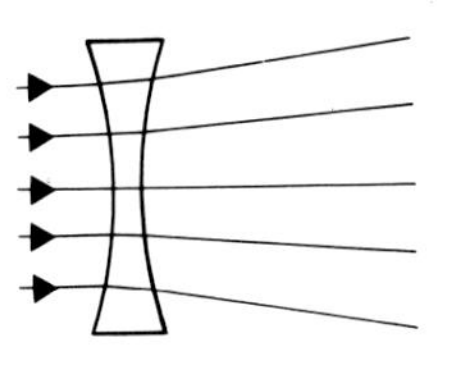

Lentille divergente

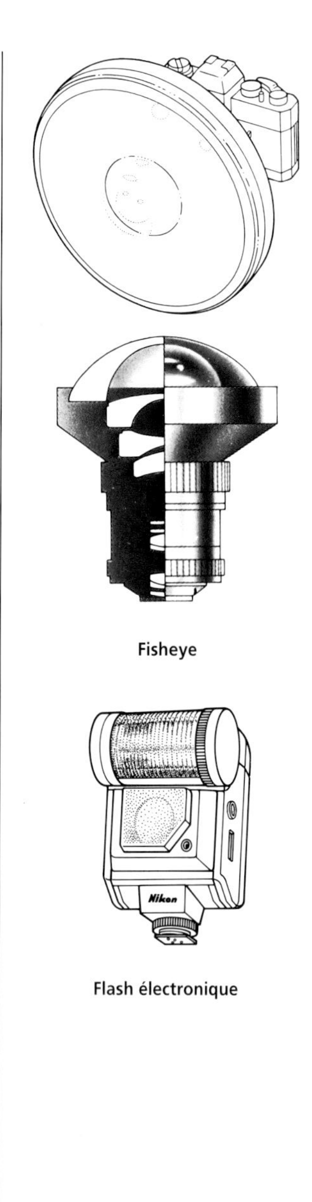

Fisheye

Flash électronique

Émulsion Matériau sensible à la lumière, constitué par la suspension de particules d'halogénure d'argent dans la gélatine. Elle est "couchée" sur divers supports pour la fabrication des diverses sortes de films et de papiers photographiques.

Équidensités Technique photographique utilisant un certain nombre de négatifs de sélection (de densité), tirés sur film à grand contraste. Puis une couleur arbitraire est affectée à chaque zone ainsi sélectionnée. Isohélie : même principe, mais appliqué au procédé noir et blanc.

Esclave (flash) Se dit d'un flash non relié par un cordon à l'appareil de prise de vue. Il est déclenché à distance au moyen d'une photocellule recevant l'éclair du flash "maître" synchronisé à l'obturateur. En principe, la vitesse limite de synchronisation X adoptée pour le flash maître devrait convenir au flash esclave. Il y a quand même lieu de procéder à des essais préliminaires car, avec certains systèmes de flashes automatiques, il est nécessaire d'adopter une vitesse de synchro plus lente.

Essais Les essais sont indispensables pour la plupart des opérations de tirage, en noir et blanc comme en couleur. Il s'agit de trouver le plus rapidement et le plus économiquement possible les valeurs d'exposition, de gradation, de filtration (en couleur) donnant l'épreuve correcte. La bande d'essais, comportant plusieurs valeurs d'exposition (ou de filtration), est le moyen le plus couramment utilisé.

Étendue des luminances (d'un sujet) C'est la valeur de luminance de la partie la plus lumineuse, comparée à la partie la moins lumineuse ; autrement dit : le contraste de la scène.

Exposition (ou lumination) Elle est égale au produit de l'éclairement (en lux) par la durée de pose (en secondes). C'est le diaphragme qui contrôle le premier terme, et l'obturateur le second terme. La lumination s'exprime en "valeurs" ou "indices de lumination" ou, en termes scientifiques, en lux-secondes.

F

Farenheit (degrés) Échelle des températures, nommée d'après son inventeur allemand. Dans cette échelle, la température de congélation de l'eau est 32 °F ; son point d'ébullition : 212 °F.

Farmer (affaiblisseur de) Formule employée tant pour les films que pour les papiers. Voir "Affaiblisseur".

Fenton, Roger (1816-1869) Photographe anglais qui fut le premier à photographier des scènes de guerre, en 1855, pendant la guerre de Crimée.

Fichier-image Forme sous laquelle sont stockées les images numériques dans les divers supports de données informatiques (carte-mémoire, disque dur, disque CD ou DVD, etc.).

Filtre Disque de verre ou de gélatine, coloré ou non, qui modifie la qualité de la lumière qui le traverse. Les filtres s'utilisent à la prise de vue ou lors de l'agrandissement, en noir et blanc comme en couleur.

Filtre de ciel Filtre, généralement jaune, qui n'est teint que sur une partie, dégradée, de sa surface. En le réglant correctement, on peut n'absorber la lumière bleue du ciel que sur la partie utile du paysage, sans altérer les autres teintes.

Filtre de correction Filtre qui modifie le rendu des couleurs d'une scène, pour la rendre conforme à notre vision. Les films panchromatiques, par exemple, traduisent souvent le bleu du ciel par une teinte trop claire ; cela peut être corrigé par un filtre jaune.

Filtre gris neutre Filtre gris, absorbant également toutes les radiations du spectre, c'est-à-dire sans modifier les teintes. Il permet d'allonger la pose sans fermer le diaphragme.

Fisheye Objectif super-grand-angulaire, dont l'angle de champ atteint 180°. La profondeur de champ est presque illimitée. L'image donnée par le fisheye est caractérisée par sa perspective curviligne.

Fixation Opération chimique dont le rôle est de transformer l'halogénure d'argent non impressionné en sels argentiques solubles, l'image photographique devenant ainsi stable. Le corps actif d'un bain de fixage est l'hyposulfite de sodium ou d'ammonium.

Fixe (focale, mise au point) On nomme ainsi les objectifs simples, assez diaphragmés, par construction, pour qu'il ne soit pas nécessaire de modifier le tirage pour les distances habituelles de prise de vue.

Flash électronique Appareil d'éclairage produisant un éclair bref par la brusque décharge d'un condensateur dans un tube empli de xénon.

Flash magnétique Lampe contenant un filament métallique (magnésium, zirconium, aluminium) dans une atmosphère d'oxygène. Lors du déclenchement, le filament se consume en produisant un éclair lumineux (lampe à combustion).

Flou Absence de netteté de l'image due soit à l'incapacité du système optique de former une image nette, soit au manque de mise au point, soit au déplacement relatif de l'appareil et du sujet.

Flux lumineux Intensité de la lumière, mesurée en lumens.

Foyer Point de l'axe optique d'une lentille ou d'un objectif où convergent tous les rayons issus d'un point situé à l'infini.

Format Dimensions d'un négatif, d'une épreuve ou de l'image formée dans un appareil.

Fox-Talbot, William Henry (1800-1877) Cet Anglais mit au point le premier procédé négatif/positif, ou calotype, qui ne fut commercialisé qu'en 1841, alors que le daguerréotype était déjà très en vogue.

Fresnel (lentille de) Ce dispositif qui redresse les rayons obliques, transformant un faisceau divergent en rayons parallèles, a deux usages en photographie : sur les projecteurs spot et sur le verre de visée des appareils de prise de vue, ce qui augmente la luminosité de l'image vers ses bords.

G

Gamma Terme utilisé en sensitométrie, mesurant la pente de la partie rectiligne de la courbe caractéristique.
Le gamma exprime le contraste du film et de l'image.

Gélatine Substance, d'origine animale, servant de liant dans les émulsions photographiques.

Glaçage Opération consistant à donner une surface uniforme et brillante à l'émulsion du papier brillant, en la pressant fortement, à chaud, sur une plaque de métal chromé.
Le papier "plastifié" brillant ne nécessite pas de glaçage.

Gradation Terme caractérisant le contraste des papiers. Elle est indiquée par un chiffre, de 0 à 5, d'ultradoux à extradur. Malheureusement, ce chiffre ne correspond pas au même contraste selon les divers fabricants.

Gradient moyen Pente moyenne de la courbe caractéristique (G).
Elle traduit le contraste de l'émulsion ainsi que l'intervalle de pose correcte de l'émulsion.

Granulation Aspect discontinu de l'image photographique, dû aux amas de grains d'argent métallique formés lors du développement de l'image.

Grand-angulaire (objectif) On appelle ainsi un objectif embrassant un champ supérieur à celui de la focale normale. Un grand-angulaire a forcément une courte focale.

Granularité Terme scientifique définissant par des valeurs chiffrées la structure discontinue de l'image.

Grossissement (ou agrandissement) Taille de l'image, par rapport à celle du sujet. Le grossissement est proportionnel au rapport entre le tirage et la distance de prise de vue.

H

Halo Image diffuse, généralement formée autour d'une partie lumineuse du sujet. Il est provoqué par la réflexion de la lumière sur le presse-film, après avoir traversé l'émulsion et le support. Voir "Couche antihalo".

Halogène Famille d'éléments chimiques métalloïdes. Trois sont utilisés sous forme d'halogénures d'argent sensibles à la lumière : le brome, l'iode et le chlore.

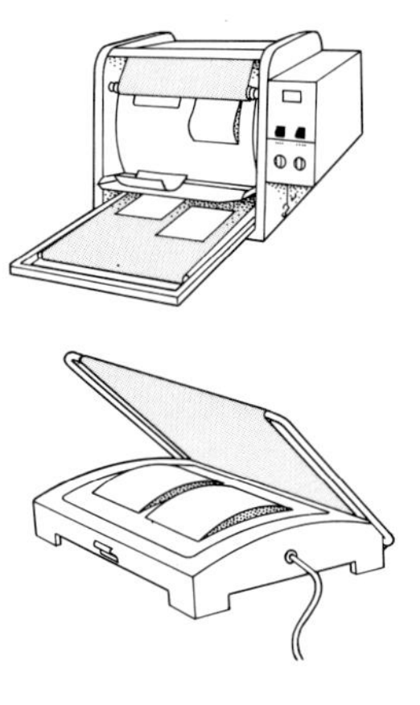

Glaceuses

Haut contraste (révélateur, film) Solutions et émulsions donnant des images très contrastées.

Hautes lumières Parties les plus lumineuses d'un sujet, se traduisant sur le négatif par les parties les plus denses.

Helmholtz, Hermann (1821-1894) Physicien allemand qui perfectionna la théorie de Young de la vision colorée.

Herschel, John (1792-1871) Fils de William Herschel. Il découvrit l'hyposulfite (en tant qu'agent fixateur) et se livra à de nombreux travaux de chimie photographique.

Herschel, William (1738-1822) Il mit en évidence le rayonnement invisible infrarouge.

High key (hautes valeurs) Se dit d'une image photographique qui n'est formée que de valeurs claires.

Hill, David Octavius (1802-1870) Photographe écossais qui travailla avec Robert Adamson, en produisant de très remarquables portraits par le procédé calotype.

Holographie Système photographique permettant d'obtenir des images tridimensionnelles par une méthode interférentielle.

Hydroquinone Le plus utilisé des développateurs employés dans les diverses formules de révélateur. En milieu très basique, il donne des images contrastées. Il est le plus souvent employé en combinaison avec le génol ou la phénidone (M/Q ou P/Q).

Hydrosulfite de soude Utilisé comme générateur de voile dans certains bains d'inversion.

Hyperfocale Distance minimale pour laquelle un objet est net, lorsque la mise au point est faite sur l'infini. Si la mise au point est faite sur la distance hyperfocale, l'image sera nette de la moitié de cette distance hyperfocale jusqu'à l'infini.

Hypersensibilisation Méthode permettant d'augmenter la sensibilité d'une émulsion, avant exposition. La solution ci-dessous donne un gain de rapidité de 50 % environ :

Ammoniaque à 22 °B	3 ml
Alcool pur	24 ml
Eau, quantité pour faire	1 l

Travailler en obscurité totale ; tremper le film ou la plaque dans cette solution ; sécher rapidement ; utiliser le plus tôt possible après l'opération.

Hyposulfite (thiosulfate) de sodium Corps chimique universellement utilisé comme agent fixateur : il a la propriété de transformer les halogénures d'argent en sels solubles. L'hyposulfite d'ammonium a les mêmes propriétés, mais il agit plus rapidement.

I

Image au trait Image photographique constituée uniquement de noir et de blanc, à l'exclusion de toute demi-teinte. On peut l'obtenir en partant d'un original à modelé continu (en demi-teintes), par l'emploi de films et révélateurs à haut contraste.

Imprimante Machine permettant de tirer directement les images numériques sur papier. Il en existe différents types dont les plus utilisés sont l'imprimante à sublimation thermique de colorants et l'imprimante à jet d'encre.

Incidente (lumière) Lumière frappant une surface ou un objet.

Incidente (mesure en lumière) Mesure de l'exposition, avec le posemètre qui tient compte de la quantité de lumière qui frappe l'objet ; autrement dit son éclairement.

Infini En langage photographique, distance assez grande pour ne pas nécessiter de correction de la mise au point, par rapport à une mise au point faite sur l'horizon. L'infini photographique est égal à 1 000 fois la distance focale de l'objectif utilisé.

Infrarouge Radiations situées au-delà du spectre visible. Il existe des émulsions photographiques sensibilisées pour l'infrarouge, permettant d'opérer sans lumière visible.

Intégration Terme utilisé pour désigner une méthode de mesure de l'exposition continue, tenant compte des variations d'intensité lumineuse au cours de la pose.

Intermittence (effet d') Cet effet caractérise des expositions courtes, séparées, qui ne donnent pas le même noircissement de l'émulsion qu'une seule pose, correspondant à la même lumination.

Inverse du carré de la distance (loi de l') Cette loi indique que l'éclairement reçu par une surface éclairée par une source ponctuelle est inversement proportionnel au carré de la distance séparant la surface de la source. Lorsque la distance double, l'éclairement est quatre fois moindre.

Inversible Se dit d'une émulsion photographique qui donne directement une image positive après traitement.

Iodure de potassium Produit utilisé dans certains bains de virage et de renforcement.

Iris (diaphragme) Ouverture de diamètre réglable, par la rotation d'une bague de l'objectif.

Irradiation Dispersion de la lumière provoquée, au sein de l'émulsion, par les grains d'halogénure d'argent. Elle est plus manifeste avec les films rapides (à forte granulation), dont l'émulsion est épaisse.

ISO (International Standardization Organization) Système utilisé pour exprimer la sensibilité d'un film ; les valeurs ISO ont aujourd'hui définitivement remplacé celles des anciens systèmes ASA et DIN.

J

Joule Cette unité de puissance est utilisée en photographie pour indiquer la puissance d'un flash électronique. Un joule égale un watt-seconde.

K

Kelvin (K) Unité de mesure de la température en degrés absolus. L'échelle Kelvin s'emploie pour quantifier'une source à spectre continu (soleil, lampe à incandescence).

L

Lampe Terme très général désignant une source de lumière artificielle.

Lampe à arc La lumière est provoquée par le passage d'un courant électrique entre deux électrodes de carbone.

Lampe à vapeur de mercure La lumière, essentiellement violet-bleu, est générée par le passage du courant de haute tension dans une atmosphère de mercure vaporisée.

Lanterne Nom que l'on donne à la partie essentielle d'un agrandisseur, comprenant la lampe, le condenseur, le porte-négatif, l'objectif, dans une enceinte appropriée.

Laser Source de lumière cohérente permettant la production de faisceaux très dirigés, monochromatiques. Il est utilisé, entre autres, pour la réalisation des hologrammes.

Latensification Méthode permettant d'augmenter la sensibilité initiale d'un film, en le voilant après l'exposition et avant le développement. On peut employer la voie chimique ou la lumière. Voici trois méthodes :
Bain chimique
Solution à 0,5 % de métabisulfite de sodium
Solution à 0,5 % de sulfite de sodium
Immerger les négatifs exposés dans un mélange à parts égales des deux solutions. Rincer, puis procéder normalement.
Vapeurs chimiques
Les négatifs exposés sont placés dans une petite enceinte contenant une petite quantité de mercure. Les films sont traités normalement après 24 h. La réussite n'est pas assurée.
Lumière
Le film doit être exposé brièvement à une lumière de faible densité.
Ici encore, procéder à des essais préliminaires.

Latente (image) Image invisible formée par l'exposition, qui sera révélée lors du développement.

Latitude de pose Ce terme rend compte de la capacité de l'émulsion sensible d'accepter des expositions différentes, pour un même sujet, tout en donnant des images correctes. Les émulsions rapides ont une meilleure latitude de pose que les films lents.

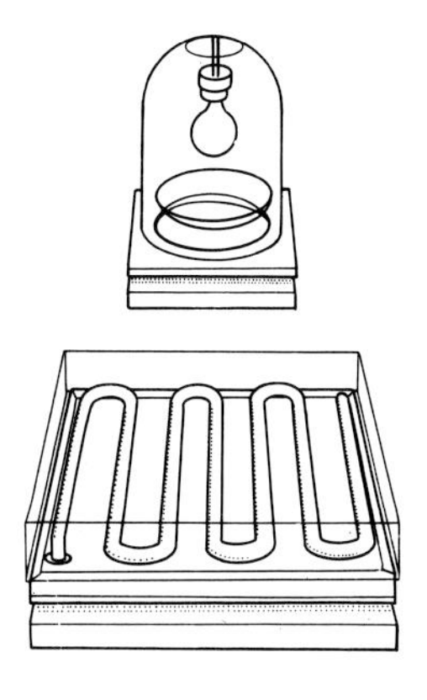

Lanterne (source d'éclairage pour agrandisseur)

Lavage Une des dernières étapes du traitement, ayant pour but d'éliminer les produits chimiques résiduels au sein de l'émulsion.

Local (contrôle) Lors de l'agrandissement, le maquillage permet d'augmenter ou de diminuer la densité de l'image pour des régions bien déterminées.

Logiciel Programme informatique assurant une tâche spécifique : par exemple, la gestion et le traitement des images numériques dans un ordinateur.

Longue focale Se dit d'un objectif dont la distance focale est supérieure à la normale.

Longueur d'onde C'est la distance entre deux alternances d'une radiation électromagnétique. Pour ce qui est du spectre visible, la longueur d'onde s'exprime en nanomètres (nm) ou en angströms (Å).

Low key (basses valeurs) Se dit d'une image photographique qui est surtout formée de valeurs sombres.

Lumen Unité d'intensité lumineuse.

Lumen-seconde Unité permettant d'exprimer la valeur de l'intensité lumineuse d'une source, en fonction du temps.

Lumière Partie visible du spectre des ondes électromagnétiques, comprise entre 400 et 700 nm.

Lumière froide Nom que l'on donne aux tubes fluorescents utilisés parfois dans des agrandisseurs grand format.

Lumière polarisée Radiations lumineuses qui n'oscillent que sur un seul plan de l'espace.

Luminance Quantité de lumière mesurable émise ou réfléchie par une source.

Luxmètre Appareil destiné à la mesure de l'éclairement ; fonctionne comme un posemètre en lumière incidente.

Lux-seconde Unité exprimant l'éclairement, en fonction du temps.

M

Maddox, Richard Leach (1816-1902) Il conçut le principe de la plaque sèche au gélatinobromure d'argent.

Magenta Couleur complémentaire du vert ; composée de lumière bleue et rouge.

Manchon de chargement Sac en tissu opaque, dans lequel on peut introduire les bras et les mains, pour le chargement des cartouches, des châssis, des cuves, etc.

Maquillage (à l'agrandissement) Contrôle local de l'exposition donnée au papier sensible : faire venir ou retenir telle ou telle zone de l'image.

Maquillage (du visage) Pour les portraits classiques, féminins, il est généralement nécessaire de procéder à un maquillage complet du visage.

Marques de séchage Défauts de la surface de l'émulsion du film, avec des zones de densité irrégulière. Ces marques, dues à un séchage trop brutal, ne peuvent être supprimées. En revanche, les marques provoquées par une eau de lavage trop calcaire peuvent disparaître après immersion du film dans une solution très légèrement acide.

Masque Positif ou négatif de faible contraste ou densité permettant de corriger une image couleur ou noir et blanc.

Matrice Image photographique en relief, utilisée dans les procédés par décharge de colorants, comme le dye transfer.

Maxwell, James-Clerk (1831-1879) Savant écossais qui démontra le premier la formation des couleurs et de la lumière blanche, en synthèse additive ou soustractive. Il s'était fondé sur les travaux sur la vision des couleurs de Young et de Helmholtz.

Métabisulfite de potassium Corps acide, utilisé dans certains fixateurs et bains d'arrêt.

Métabisulfite de sodium Utilisé comme acide faible dans certaines formules de fixateur.

Microfiche ; microfilm Clichés négatifs de documents au trait.

Micromètre (ou micron) Unité de longueur valant un millionième de mètre.

Miniature (appareil) Nom général donné aux appareils de format inférieur au 24 x 36 mm.

Mired Abréviation de micro reciprocal degree : échelle de mesure de la température de couleur de la lumière. La valeur mired est obtenue en divisant la valeur en kelvins par un million.

Mise au point Opération consistant à régler la distance objectif-film, pour obtenir la netteté de l'image selon l'éloignement du sujet.

Miroirs (objectif à) ou objectif catadioptrique Le faisceau lumineux est replié deux fois, par sa réflexion successive sur deux miroirs. Le principe est appliqué à de très longues focales dont l'encombrement est ainsi très réduit.

Modelé continu (image à) Se dit d'une image photographique normale, c'est-à-dire comportant toutes les valeurs intermédiaires entre le blanc et le noir.

Moholy-Nagy, Lászlo (1895-1946) Photographe hongrois qui fit de nombreuses images abstraites en utilisant toutes les ressources de la photographie et du dessin.

Monobain Solution unique, combinant le révélateur et le fixateur, pour le traitement des films noir et blanc.

Monochromatique Se dit d'une lumière qui n'est composée que de radiations de même longueur d'onde.

Monorail Chambre de grand format dont les corps avant et arrière coulissent sur une colonne unique, ou rail. La chambre monorail est dotée de mouvements de grande amplitude.

Montage à sec Méthode de collage des épreuves par l'intermédiaire d'un papier adhésif chauffé dans une presse.

Mouvements Dans une chambre de grand format : déplacements relatifs des corps avant et arrière de la chambre. Mouvements de rotation : bascules, ou de translation : décentrements.

MQ/PQ Abréviations indiquant le type d'un révélateur. MQ = révélateur génol-hydroquinone ; PQ = révélateur phénidon-hydroquinone.

Muybridge, Eadweard James (1830-1904) Photographe américain, d'origine anglaise, dont les travaux sur la locomotion des animaux et de l'homme sont à la base du cinématographe.

N

Nadar (Félix Tournachon, dit) Photographe français, portraitiste célèbre. Il réalisa les premières photos aériennes en ballon captif.

Négatif Image photographique dont les valeurs sont inversées.

Niepce, Joseph Nicéphore (1765-1833) C'est le véritable et unique inventeur de la photographie : il obtint des images dans les années 1820. La première authentifiée date de 1826 et fut réalisée sur bitume de Judée. Associé plus tard avec Daguerre, il mourut six ans avant la divulgation du daguerréotype (1839).

Nitrate d'argent Sel d'argent utilisé pour la préparation des émulsions.

Nitrate d'uranium Utilisé dans certaines formules de virage.

Nitrate (support) Le nitrate de cellulose (ou Celluloïd) était employé autrefois comme support transparent pour les films. Très inflammable, il est remplacé aujourd'hui par l'acétate de cellulose ou d'autres polymères stables.

Nombre-guide Valeur chiffrée exprimant la puissance lumineuse d'un flash. C'est le produit de la distance en mètres par l'indice du diaphragme.

Normal (objectif) Se dit de l'objectif dont la distance focale est voisine de la diagonale du format utilisé.

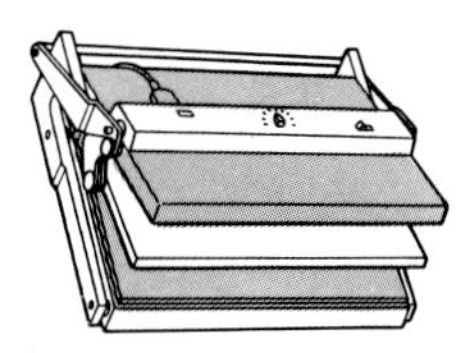

Presse pour montage à sec

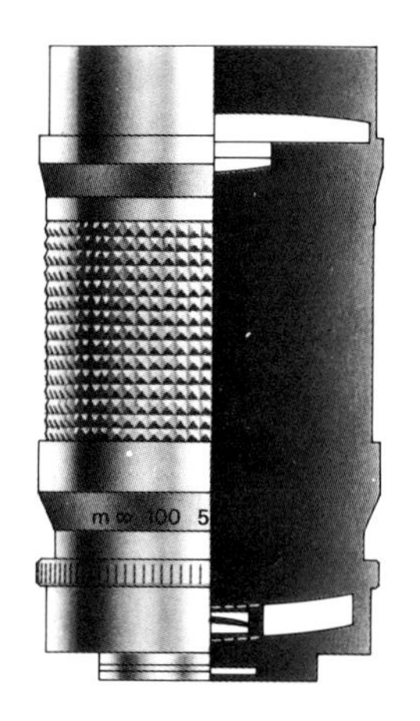

Objectif à miroirs

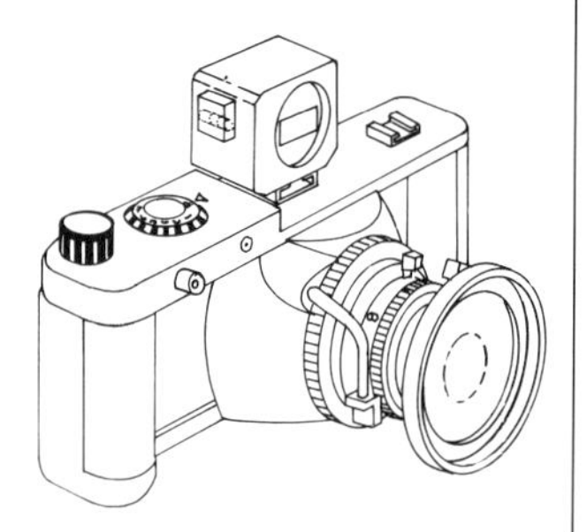

Appareil panoramique

Numération binaire En informatique, toutes les valeurs sont exprimées sous cette forme qui ne peut prendre que deux états : le 0 et le 1 (au lieu des dix chiffres de 0 à 9 du système décimal). L'unité de compte est le bit, mais on exprime habituellement les valeurs en octet (8 bits), , kilo-octet (Ko), méga-octet (Mo) et giga-octet (Go).

Numérique (photo) On regroupe sous cette appellation les appareils et les systèmes photographiques fondés sur l'emploi de capteurs photosensibles de type CCD au lieu du film argentique classique. L'image "numérisée" (dans l'appareil ou à l'aide d'un scanner) peut être traitée ou modifiée sur ordinateur, tirée sur imprimante et stockée sur divers supports magnétiques ou optiques.

Numéro d'émulsion Toutes les émulsions fabriquées portent un numéro de lot, permettant aux professionnels de contrôler et de suivre les caractéristiques des films, afin d'obtenir des résultats constants, pour une même série.

O

Objectif Système optique convergent formé de plusieurs lentilles, donnant des images réelles dont les principales aberrations ont été réduites ou supprimées. Un objectif photographique se caractérise par sa distance focale, son ouverture relative et son angle de champ (par rapport au format utilisé).

Objectif à focale variable Voir "Zoom".

Obturateur Dispositif mécanique de l'appareil photographique permettant de limiter dans le temps la durée d'action de la lumière sur le film.

Obturateur central, obturateur focal L'obturateur central est placé dans ou au voisinage de l'objectif, dont les lamelles métalliques s'ouvrent par le centre. L'obturateur focal, placé devant le film, est constitué d'un système de rideaux ou de lamelles, ménageant une fente qui "balaye" la surface du film..

Opacité En sensitométrie, c'est le rapport de la lumière incidente à la lumière transmise par un film.

Open flash Désigne la méthode d'emploi du flash avec déclenchement manuel de l'éclair, durant la période d'ouverture de l'obturateur réglé en pose "B".

Ordinaire (émulsion) Émulsion au gélatinobromure d'argent qui n'est pas sensibilisée : elle n'est sensible qu'au violet et au bleu.

Orthochromatique (émulsion) Émulsion sensibilisée chromatiquement pour le bleu et le vert. Elle n'est donc pas sensible au rouge.

Ouverture (du diaphragme) Synonyme de valeur de diaphragme (ou indice). Cette valeur est le quotient de la distance focale de l'objectif par le diamètre du diaphragme.

P

Panchromatique (émulsion) Émulsion qui a été sensibilisée pour toute l'étendue du spectre visible.

Panoramique Mouvement de l'appareil de prise de vue, accompagnant, par exemple, un mobile durant son déplacement.

PAP (appareil) Ce "prêt à photographier" est un appareil ultrasimple déjà chargé d'un film, qui n'est pas restitué à l'utilisateur après le développement. Il en existe divers modèles : normal, avec flash électronique, panoramique, étanche pour photographie sous-marine, etc.

Papier albuminé Papier de tirage photographique inventé par Blanquart-Evrard, utilisant le blanc d'œuf comme liant de l'émulsion.

Papier à contraste variable Papier d'agrandissement dont le contraste (ou gradation) peut être modifié par filtration colorée de la lumière.

Parallaxe Différence des points de vue entre l'objectif et le viseur, devant être corrigée pour les vues rapprochées.

Paraphénylènediamine Développateur utilisé dans certaines formules de révélateur grain fin.

Parasite (lumière, image) La lumière qui frappe l'émulsion, sans contribuer à la formation de l'image, est appelée parasite.

Parasoleil Tube cylindrique de longueur et de diamètre convenables ayant pour objet d'arrêter les rayons obliques ne participant pas à la formation de l'image.

Pentaprisme (ou prisme en toit) Bloc de verre optique utilisé dans les appareils reflex, ayant pour but de redresser l'image formée sur le verre de visée.

Permanganate de potassium Produit chimique couramment utilisé dans les formules d'affaiblisseur, de renforçateur, de blanchiment, de virage.

Perspective Rapports entre les objets diversement espacés d'une scène à trois dimensions, tels que leur éloignement les fait paraître sur une surface de projection à deux dimensions. La perspective linéaire est déterminée par le point de vue.

Persulfate d'ammonium Produit employé dans une formule d'affaiblisseur surproportionnel.

Petzval (objectif) Objectif ancien destiné au portrait, inventé par Joseph Petzval. Il avait une très grande ouverture, permettant les poses lentes avec les émulsions peu rapides du XIXe siècle.

pH Échelle de valeurs numériques, allant de 0 à 14, exprimant la basicité ou l'acidité d'une solution chimique. La neutralité correspond à pH = 7. Les solutions dont le pH est inférieur à 7 sont progressivement plus acides ; les valeurs supérieures à 7 correspondent à une basicité croissante.

Phénidone Développateur utilisé dans de nombreuses formules de révélateur, où il remplace souvent le génol, en restant associé à l'hydroquinone (P/Q).

Photocellule Composant électronique sensible à l'action de la lumière, utilisé dans les posemètres. On distingue les cellules photovoltaïques au sélénium, les cellules photorésistantes CdS, les phototransistors au silicium, etc. Seule la photocellule au sélénium ne nécessite pas d'alimentation électrique.

Photoflood Lampe à incandescence, survoltée par construction, donnant une lumière de forte intensité dont la température est de 3 400 K.

Photogramme Image photographique obtenue sans emploi de l'objectif, en posant directement divers objets sur la surface sensible, puis en éclairant l'ensemble.

Photogrammétrie Méthode permettant des relevés topographiques par la photographie, avec des mesures très précises.

Photomacrographie Prise de vue à une échelle plus grande que la taille de l'objet, sans emploi du microscope. Le domaine de la photomacrographie s'étend généralement de x 1 à x 10.

Photomètre Instrument permettant de mesurer la quantité de lumière réfléchie par une surface, par comparaison avec une plage lumineuse étalonnée. Remplacé par des appareils à photocellule, plus précis.

Photomicrographie Photographie avec l'aide du microscope. Le grossissement est supérieur à x 10 et peut atteindre x 1 000.

Photomontage Image réalisée par l'assemblage de motifs empruntés à différents sujets.

Physique (développement) Principe de développement de l'image latente, avec lequel des particules d'argent métallique, en suspension dans la solution, sont attirées par les halogénures impressionnés. Il n'est pas utilisé en pratique.

Physiogramme Image photographique obtenue avec un pendule lumineux.

Pinacryptol Colorant qui était utilisé pour désensibiliser les émulsions, ce qui permettait de surveiller le développement en lumière atténuée.

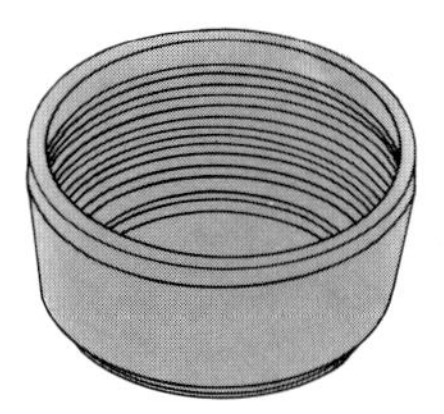

Parasoleil

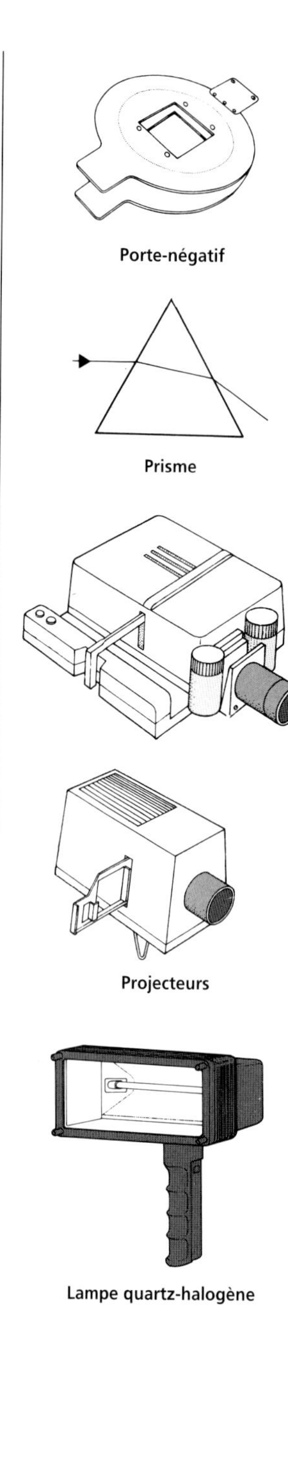
Porte-négatif

Prisme

Projecteurs

Lampe quartz-halogène

Pinceau à air Appareil permettant de projeter un nuage de colorant pour la retouche des positifs.

Pixel Contraction du terme anglais "picture element" (élément image). Par extension, ce terme sert à désigner les cellules unitaires d'un capteur CCD, par exemple.

Plan-film Film coupé au format, s'utilisant dans un châssis ou au laboratoire.

Plan focal Plan sur lequel se forme l'image d'un plan perpendiculaire à l'axe optique, situé à l'infini.

Plan-image Plan perpendiculaire à l'axe optique, sur lequel se forme l'image d'un plan objet.

Plan principal Plan perpendiculaire à l'axe optique, passant par le point nodal d'émergence de l'objectif.

Plaque Émulsion couchée sur verre. N'est plus utilisée que pour des usages scientifiques.

Plaque sèche Désignait, au XIXe siècle, les plaques qu'il n'était pas nécessaire de préparer juste avant la prise de vues ; par opposition au collodion humide.

Plein format Agrandissement sans marges.

Point nodal Il y a deux points nodaux dans un objectif : ce sont les points de l'axe optique où les rayons sont le plus concentrés. La distance focale se mesure à partir du point nodal d'émergence.

Polarisation La lumière qui se propage en ligne droite vibre selon toutes les directions de l'espace. Si la lumière se réfléchit sur une surface non métallique, ou si elle traverse un filtre polariseur, les rayons réfléchis ou transmis ne vibrent plus que selon un seul plan. Le filtre polariseur permet ainsi de supprimer les réflexions indésirables, dont la lumière est polarisée.

Polariseurs croisés Pour supprimer complètement la lumière (indésirable ; par exemple des reflets), il suffit de placer un polariseur sur la source et un autre sur l'objectif, en croisant leur axe de polarisation à 90°.

Porte-négatif Partie d'un agrandisseur où se place le négatif à agrandir.

Portrait (objectif pour) Objectif donnant une image légèrement "enveloppée", ce qui minimise la retouche habituellement nécessaire pour le portrait commercial.

Posemètre Appareil de mesure de l'exposition.

Positif Image photographique dont les valeurs sont identiques ou analogues à celles du sujet original.

Potasse caustique Base très forte employée dans les révélateurs très énergiques. Poison dangereux.

"Pousser la rapidité" Méthode d'accroissement de la rapidité nominale d'un film noir et blanc ou couleur, en utilisant un révélateur très énergique ou en prolongeant la durée de développement.

Préservateur Élément du révélateur prévenant l'oxydation trop rapide des développateurs. C'est toujours le sulfite de sodium.

Prisme Bloc de verre déviant la trajectoire de la lumière.

Profondeur de champ Distance entre le premier plan et le dernier plan net d'une image photographique. Elle s'étend un tiers devant et deux tiers derrière le plan sur lequel la mise au point a été faite.

Profondeur de foyer Distance pour laquelle l'image reste d'une netteté acceptable lorsqu'on joue sur la mise au point de l'appareil.

Projecteur Appareil donnant une image agrandie d'une diapositive, sur un écran.

Pseudo-relief Effet obtenu par la superposition, avec un certain décalage, d'un négatif et d'un positif sur film identiques.

Q

Quantum Unité indivisible d'énergie radiante.

Quartz-halogène (lampe) Source constituée d'un filament de tungstène dans une enveloppe de quartz. Un halogène, généralement de l'iode, contenu dans l'enceinte, permet au filament de se régénérer.

R

Rapidité Sensibilité de l'émulsion photographique à la lumière. Elle est exprimée en unités DIN ou en indices ASA.

Rayons X Radiations électromagnétiques de plus courtes longueurs d'onde que l'ultraviolet, très pénétrantes. Ils sont utilisés en radiologie.

Réciprocité (écart à la loi de) Perte de rapidité initiale du film, lorsque la durée d'exposition est soit très longue, soit extrêmement courte.

Réciprocité (loi de) Elle indique que : exposition = intensité x temps, si la lumination (en lux-secondes) est constante (Bunsen et Roscoe, 1866). Elle n'est vérifiée que pour les durées de pose habituelles.

Rectilinéaire (objectif) Objectif formé de deux doublets disposés symétriquement de part et d'autre du diaphragme. Il fut introduit par Dallmeyer et Steinheil, supprimant ou atténuant plusieurs aberrations gênantes.

Récupération de l'argent L'argent présent sous forme de sels dans les bains usagés peut être récupéré selon trois méthodes : précipitation, échange d'ions ou électrolyse.

Réducteur Corps chimique ayant la propriété de perdre de l'hydrogène en s'oxydant. Les développateurs sont les réducteurs des halogénures d'argent impressionnés.

Réfléchie (mesure en lumière) Méthode de détermination de l'exposition fondée sur la quantité de lumière réfléchie par le sujet, autrement dit sa luminance.

Réflecteur Toute surface claire ou brillante capable de réfléchir la lumière.

Reflex Appellation donnée à tous les appareils photographiques avec lesquels la visée se fait après réflexion de l'image sur un miroir.

Réflexion Renvoi et changement de direction de la lumière après sa rencontre avec une surface. On distingue la réflexion spéculaire (miroir) et la réflexion diffuse, sur une surface non polie.

Réfraction Déviation de la lumière passant d'un milieu transparent (l'air ou l'eau) à un autre milieu transparent (comme le verre optique). La déviation dépend de la valeur de l'angle d'incidence et de l'indice de réfraction du milieu transparent.

Réhalogénation Lors du blanchiment, l'argent métallique de l'image est retransformé en bromure d'argent.

Renforcement Méthode chimique permettant d'augmenter la densité d'un négatif trop clair, surtout si ce manque de densité est dû au sous-développement. Il existe de nombreuses formules. Nous en donnons une seule ; le principe mis en œuvre consiste à blanchir l'image, puis à la redévelopper :

Solution A :

Bichromate de potassium	25 g
Eau, pour faire	500 ml

Solution B :

Acide chlorhydrique	25 ml
Eau, quantité pour faire	500 ml

Prendre 10 parties de A et 5 parties de B. Si, le négatif étant blanchi, il reste un voile jaune, rincer dans une solution à 2 % de métabi-sulfite de potassium. Rincer à l'eau et redévelopper dans un révélateur universel MQ, pauvre en sulfite. Les révélateurs grain fin ne sont pas utilisables. Laver et sécher normalement.

Résolution (ou pouvoir résolvant) Capacité d'un objectif ou d'un film à résoudre les plus fins détails. La résolution s'exprime par le nombre de traits d'une mire que le système photographique est capable d'enregistrer par millimètre d'émulsion.

Résolution et définition de l'image numérique Il faut distinguer la résolution initiale de capture de l'image (nombre de pixels implantés en horizontal et en vertical sur le capteur de l'appareil de prise de vue) et la définition de l'image finale qu'on exprime habituellement en nombre de points par pouce (ppp).

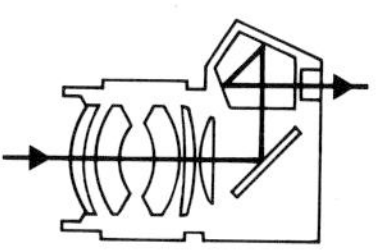

Reflex mono-objectif

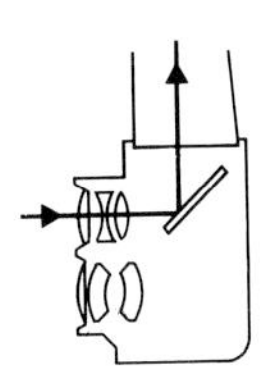

Reflex bi-objectif

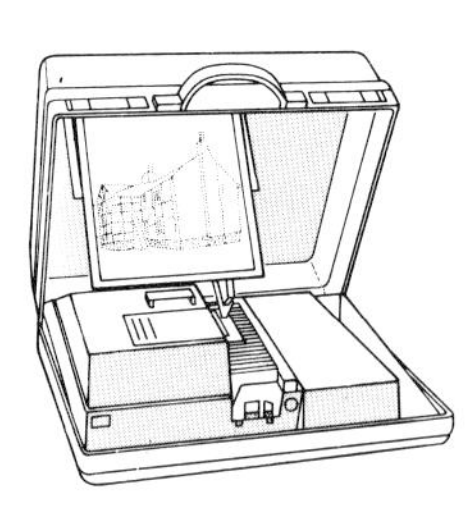

Appareil à rétroprojection

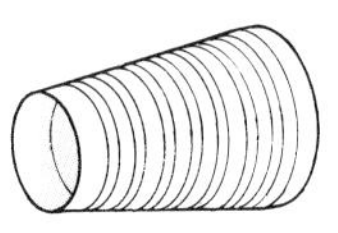

Snoot

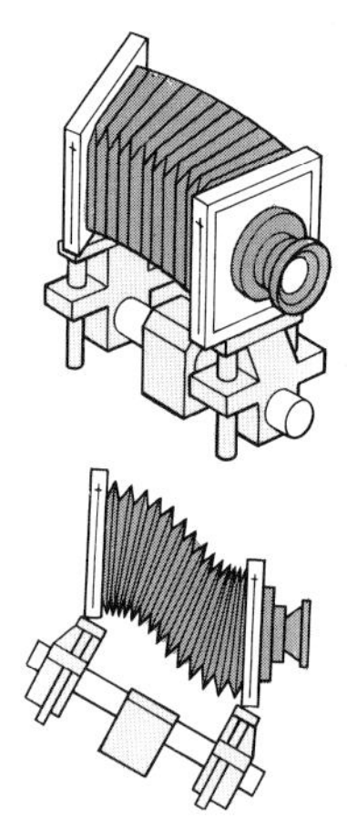

Soufflets

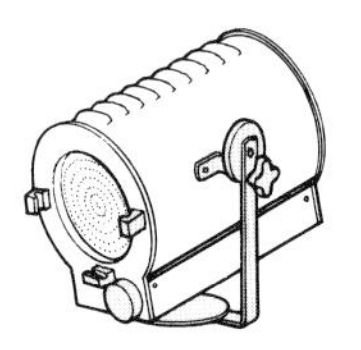

Spotlight

Réticulation Plissement de l'émulsion provoqué par le brusque passage du négatif dans des solutions dont les températures sont très différentes.

Retouche Intervention manuelle sur le négatif ou le positif, pour en corriger les défauts.

Rétrofocus Principe optique permettant l'emploi des focales courtes avec les appareils reflex, sans être gêné par le débattement du miroir.

Rétroprojection Projection par l'arrière, sur un écran translucide.

Révélateur Bain photographique faisant apparaître l'image, par réduction des halogénures impressionnés en argent métallique.

Rinçage Lavage court, en eau courante.

S

Sabatier (effet) Ou pseudo-solarisation. C'est l'inversion partielle d'une image photographique soumise à une exposition en lumière blanche en cours de développement.

Scanner Appareil permettant la conversion d'une image analogique (photo argentique en modelé continu) en image numérique. Son fonctionnement est fondé sur l'analyse progressive de l'image originale au moyen d'une barrette mobile alignant plusieurs milliers de cellules sensibles (pixels).

Schultze, Johann Heinrich (1687-1744) Découvrit l'action de la lumière sur un mélange de craie et de nitrate d'argent.

Sélection (négatifs de) Ensemble de trois négatifs, pris avec emploi de filtres colorés, permettant de décomposer un sujet en un certain nombre (généralement trois) de teintes ou de valeurs.

Sélénium Métalloïde qui, par effet photoélectrique, engendre un faible courant, selon l'intensité de la lumière qu'il reçoit.

Sensibilisation chromatique Introduction de sensibilisateurs dans l'émulsion lors de sa fabrication, ce qui étend sa sensibilité naturelle aux radiations vertes et rouges.

Sensibilité Elle exprime, en valeurs ISO, la "rapidité" relative du film considéré à la lumière.

Sensitométrie Étude scientifique de l'action de la lumière sur les surfaces sensibles.

Silicagel Nom d'un gel de silice ayant la propriété d'absorber l'humidité.

Solarisation Inversion totale ou partielle (effet Sabatier) des valeurs de l'image.

Solubilité D'une manière générale, capacité d'un corps chimique de se dissoudre dans un liquide, le plus souvent l'eau. Elle se définit par la quantité de produit (soluté) pouvant être complètement dissoute dans le solvant.

Soude caustique Base très forte, mêmes caractéristiques que la potasse caustique (voir ce terme).

Soufflet Dispositif souple, plié en accordéon, reliant l'objectif au corps arrière d'une chambre grand format ou le boîtier d'un appareil reflex (soufflet-allonge). Le soufflet "ballon", pour chambre grand format, permet l'emploi du grand-angulaire.

Source de lumière Terme très général s'appliquant à tous les dispositifs engendrant ou réfléchissant la lumière.

Sous-développement Durée, activité ou température insuffisantes pour développer complètement l'image impressionnée. Le sous-développement provoque un manque de contraste et une densité faible de l'image.

Snoot Sorte de cône placé sur un projecteur d'éclairage pour réduire le diamètre du faisceau.

Spectre Concerne généralement la partie visible (lumière blanche) des radiations électromagnétiques, étalée en ses différentes couleurs.

Spotlight Nom anglais du projecteur à lumière dirigée par une lentille de Fresnel ("spot").

Spotmètre Posemètre indépendant, muni d'un objectif, permettant de faire la mesure en lumière réfléchie selon un angle très étroit.

Stabilisation Une méthode de conservation de l'image photographique, pour une durée limitée. Aucun lavage nécessaire.

Sténopé Nom donné à une chambre noire ne comportant pas d'objectif, mais une ouverture de faible diamètre.

Stéréoscope Photographie en relief faisant appel à un couple d'images prises selon deux points de vue légèrement différents, et examinées avec le stéréoscope.

Sulfate de baryum Utilisé dans la fabrication des papiers sensibles pour augmenter la blancheur du support (baryte).

Sulfite de sodium Produit employé comme préservateur (ou conservateur) dans toutes les formules de révélateur.

Sulfocyanure de potassium (ou de sodium) Utilisé comme solvant de l'argent dans certaines formules de révélateur grain fin.

Sulfure d'ammonium (ou de sodium) Produits à l'odeur nauséabonde, employés pour le virage en sépia.

Support La surface sur laquelle la couche sensible est couchée : papier, acétate de cellulose, verre, Estar, etc.

Surdéveloppement Il provoque une augmentation de la densité, du contraste, de la granulation.

Sûreté (éclairage de) Éclairage inactinique utilisable avec des émulsions ordinaires ou orthochromatiques.

Surface sensible En photographie, on n'utilise que les émulsions aux halogénures d'argent, en particulier le bromure d'argent. Mais il existe bien d'autres corps photosensibles (verre photochrome, diazoïques, etc.).

Survoltées (lampes) On appelle ainsi les lampes à incandescence utilisées à une tension supérieure à celle qui est normalement prévue pour le filament : la lumière est plus blanche, mais la durée de vie est réduite (photoflood).

Synchronisation Manière de faire correspondre l'ouverture maximale de l'obturateur avec la durée utile de l'éclair d'un flash. On distingue la synchronisation M, pour les lampes à combustion, et la synchronisation X, pour le flash électronique.

Synthèse additive Synthèse des couleurs par addition de lumières colorées.

Synthèse des couleurs Combinaison de lumières colorées ou de colorants pouvant produire une image photographique en couleur. La synthèse peut être additive ou soustractive.

Synthèse soustractive Synthèse des couleurs par soustraction de radiations à la lumière blanche, par l'intermédiaire de pigments.

T

T (pose) En pose "T", l'obturateur s'ouvre à la première pression sur le déclencheur ; il ne se referme que par une seconde pression.

T-stop Les valeurs "T", gravées sur certains objectifs, correspondent à l'ouverture photométrique. Cette dernière, tenant compte de l'absorption du verre et des réflexions parasites, est moins élevée que l'ouverture du diaphragme calculée normalement.

Tampon Substances chimiques ayant la propriété de maintenir relativement constant le pH d'une solution. Borax et acide borique, dans un révélateur, par exemple.

Taylor, Harold Dennis (1862-1942) Opticien : breveta le célèbre triplet de Cooke en 1893.

Télémètre Instrument servant à la mesure des distances. Son fonctionnement est basé sur l'écart angulaire qu'il y a lorsqu'on vise un

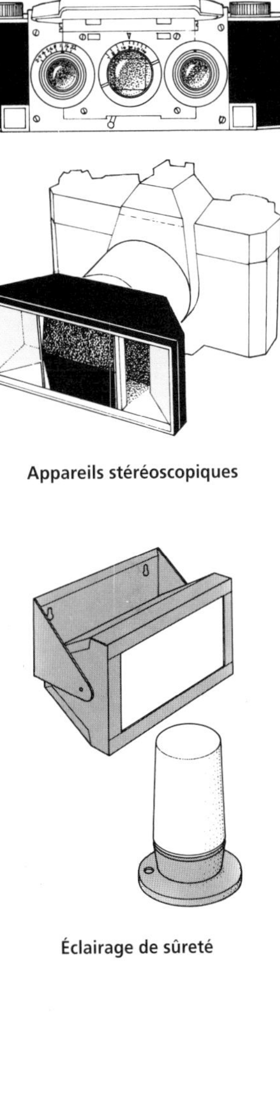

Appareils stéréoscopiques

Éclairage de sûreté

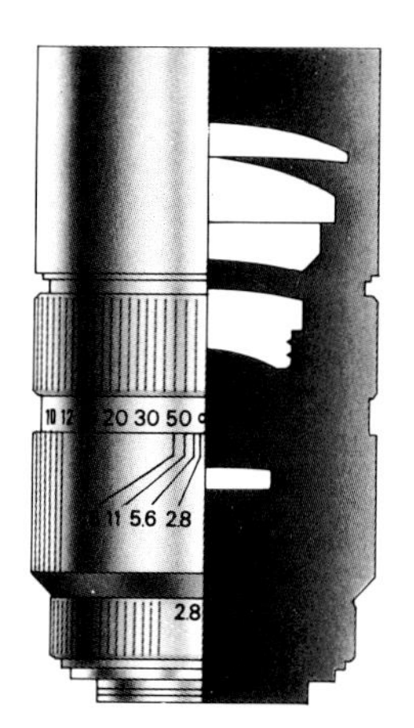

Téléobjectif

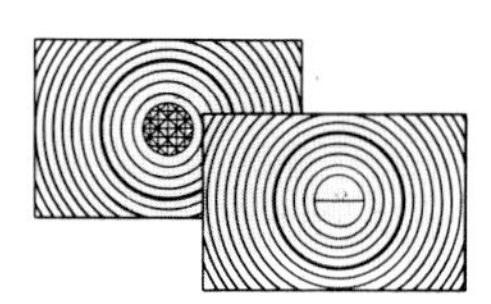

Verre de visée

même point à partir de deux points distincts (base du télémètre). Sur les appareils photographiques, ce télémètre est couplé au réglage de la mise au point.

Téléobjectif Système optique permettant d'avoir une longue focale, avec un tirage mécanique réduit.

Température de couleur Méthode permettant de caractériser la qualité spectrale de la lumière d'une source à spectre continu. Elle s'exprime en Kelvins (K) ou en valeurs mired.

Texture Aspect de la surface des objets.

Tirage couleur Le tirage couleur peut se faire par la méthode additive ou par la méthode soustractive. On peut partir d'un négatif ou d'un positif transparent (diapositive). Le tirage couleur nécessite toujours l'emploi de filtres, afin d'équilibrer les couleurs du positif.

Tonalités Différentes valeurs de gris contenues dans un sujet ou dans une image.

Traité (objectif) Se dit d'un objectif dont les lentilles ont reçu un traitement antireflet.

Transmise (lumière) Quantité de lumière pouvant traverser une substance transparente ou translucide.

Triplet de Cooke Objectif anastigmat à trois lentilles, breveté par Taylor en 1893. Il s'agissait du premier objectif "moderne", ouvrant la voie à de nombreux modèles d'objectifs.

Triple tirage (appareil à) Chambre professionnelle dont le soufflet a une extension égale à trois fois la focale normale de l'objectif.

Tungstène Métal utilisé pour le filament des lampes à incandescence classiques et quartz-halogène.

Type A Film inversible lumière artificielle, équilibré pour 3400 K.

Type B Film inversible lumière artificielle, équilibré pour 3200 K.

U

Ultraviolet Rayonnement invisible dont les longueurs d'onde sont inférieures à celles du spectre visible : 400 nm et au-dessous. Les émulsions photographiques y sont très sensibles, mais le verre des objectifs absorbe les ultraviolets les plus pénétrants. Pour l'ultraviolet proche, sensible en haute montagne par exemple, il suffit d'employer un filtre anti-ultraviolet pour les éliminer.

Universel (révélateur) Formule MQ et PQ, pouvant servir aussi bien pour les films que pour les papiers, mais avec une dilution différente.

V

Valeur du diaphragme L'indice ou valeur du diaphragme s'exprime par f/n : elle est égale à la distance focale divisée par le diamètre de l'ouverture. Les valeurs sont normalisées : entre deux valeurs successives, la lumière admise dans l'appareil double ou est diminuée de moitié.

Verre dépoli Surface translucide sur laquelle se forme l'image réelle dans les appareils photographiques reflex et de grand format.

Verre de visée Nom que l'on donne au dispositif d'un appareil reflex où se forme l'image. Les verres de visée sont munis de systèmes de mise au point (stigmomètre, microprismes) et doublés d'une lentille de Fresnel, augmentant la luminosité de l'image vers les bords du champ. Les verres de visée sont parfois interchangeables.

Vignetage Disparition des bords et des coins de l'image provoquée par une couverture insuffisante de l'objectif, par un parasoleil inadapté, etc.

Virage Opération consistant à changer une image noir et blanc en image colorée, en camaïeu. Par blanchiment, suivi d'un bain chimique, l'argent métallique est transformé en un corps coloré. On l'utilise aujourd'hui surtout pour les papiers.

Virage au sulfure (sépia)

Produit des tons bruns chauds.

Blanchiment :

Bromure de potassium	50 g
Ferricyanure de potassium	100 g
Eau, quantité pour faire	1 l

Diluer de 9 parties d'eau, juste avant l'usage.
Bain de virage :
Sulfure de sodium 200 g
Eau, pour faire 1 l
Diluer de 6 parties d'eau, juste avant l'usage.
Blanchir l'épreuve dans la première solution jusqu'à ce qu'elle prenne une teinte brun très clair. Puis rincer brièvement en eau courante.
L'immerger dans le bain de sulfure durant une minute environ. Laver 30 minutes.
Les solutions doivent être jetées après usage. Les solutions concentrées seront conservées en flacons opaques.
Le sulfure a une odeur nauséabonde : ne travailler que dans une pièce bien ventilée.
Virage en bleu
Blanchiment et virage sont combinés en une seule solution pour l'emploi.
Blanchiment :
Ferricyanure de potassium 2 g
Acide sulfurique concentré 3 ml
Eau, pour faire 1 l
Bain de virage :
Citrate de fer ammoniacal 2 g
Acide sulfurique concentré 3 ml
Eau, pour faire 1 l
La solution de travail se prépare en prenant des parties égales des deux solutions juste avant l'usage. Plonger l'épreuve lavée dans cette solution jusqu'à ce que la teinte désirée soit obtenue ; puis laver pour éliminer le fond légèrement jaunâtre de l'image.
Virage au cuivre
Les couleurs de l'image vont du brun chaud au rouge clair, selon la durée du traitement. Ici, également, le virage se fait dans une seule solution.
Blanchiment :
Ferricyanure de potassium 6 g
Citrate de potassium 28 g
Eau, pour faire 1 l
Virage au sulfate de cuivre :
Citrate de potassium 28 g
Sulfate de cuivre 7 g
Eau, pour faire 1 l
Préparer la solution de traitement en mélangeant les deux solutions en parties égales. Laisser les épreuves dans le bain jusqu'à l'obtention de la tonalité désirée.

Viseur Dispositif de l'appareil photographique permettant de cadrer le sujet, parfois de faire la mise au point. Il en existe plusieurs types : direct, verre dépoli, reflex, à cadre.

Voile Densité produite sur une émulsion sensible, soit par l'action chimique, soit par le vieillissement, soit par la lumière. Il est toujours considéré comme nuisible.

Voile chimique Voile naturel du film lors du traitement, pouvant être accidentellement exagéré.
Il est provoqué par les halogénures d'argent non impressionnés qui ont reçu un début de développement.

Voile noir Morceau de tissu opaque servant à se protéger de la lumière pour cadrer l'image sur une chambre de grand format.

Volets Dispositif permettant de limiter le faisceau d'un projecteur.

W

Watt-seconde Unité de puissance électrique, équivalente au joule.

Wedgwood, Thomas (1771-1805) Fils du célèbre céramiste Josiah.
Il travailla avec Humphry Davy avec lequel il publia, en 1802, le résultat de leurs recherches sur les surfaces photosensibles.

X

Xérographie Procédé photographique utilisant des plaques électriquement chargées, surtout le papier. L'exposition à la lumière détruit la charge électrique, laissant une image
latente où les ombres sont représentées par les zones chargées.
Un pigment est attiré par les zones chargées, donnant une image positive.

Z

Zootrope Instrument ancien, recréant la sensation de mouvement.

Zoom (objectif) Objectif comportant plusieurs groupes de lentilles, dont certains sont mobiles : ce qui permet d'en faire varier la longueur focale entre deux valeurs extrêmes.
Le rapport numérique entre la plus longue et la plus courte focale est appelé "amplitude" ou encore "puissance" du zoom.
Par exemple, un zoom 35-105 mm est dit "zoom 3 x ".

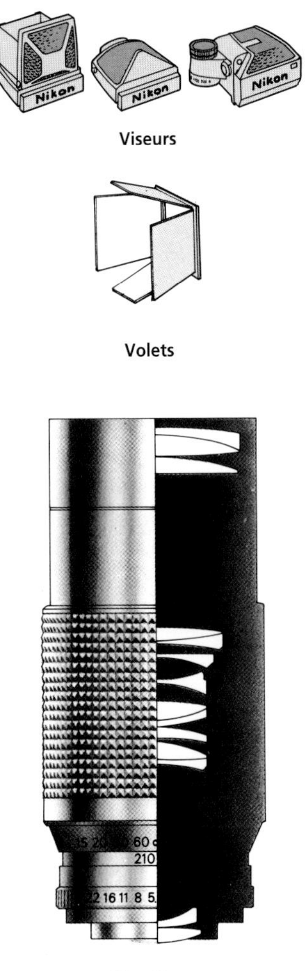

Viseurs

Volets

Objectif zoom

Les caractères gras indiquent les pages les plus importantes pour le sujet considéré.

Toutes les photographies sont de John Hedgecoe à l'exception de :
Michael Allman 110- 113
Heather Angel 280-284
Michael Barrington- Martin 42 (haut droite)
Gerry Cranham 123, 162 (haut droite), 166, 167, 168 (milieu et lias), 172 (bas), 289
Philip Dowell 223
Robert Forrest 294-5, 297 (haut droite et bas)
Tim Glover 286 (haut droite) Julian Holland 130 (haut gauche et haut droite) 254 (haut milieu)
John Lythgoe 286 (milieu droite)
Cris Meehan 128, 160 (droite)
Stuart Mc Leod 230 (maquillage par Régis)
W.E. Pennel 296, 297 (haut gauche), 298
George Perks 108 (bas), 109 (bas), 220 (bas), 221
Roger Pring 164 (bas), 258 (droite), 259, 263 (milieu gauche)
David Reynolds 156 (bas), 192 (haut droite)
Gordon Ridley 286 (bas), 287 (haut gauche et haut droite)
Peter Scoones 286 (milieu gauche), 287 (bas)
David Waterman 291

Illustrations et services studios :
David Ashby
Eileen Batterbery
Paul Buckle
Kong Chen
Paul Colbeck
Graham Corbett
Brian Dell
Frederick Forci
Mick Gillah
G ilchrist Studios
Nicholas Hall
Kenneth Hone
Julian Holland
Norman Laccy
Terri Llawler
Richard Lewis
jim Marks
Nigel Osborne
Andrew Popkiewicz
QED
]nu Robins
Brian Sayers
Les Smith
Sutton/Paddock
Studio Briggs
Roger Twinn
\'entier Ait ists
Jackie Whelan
Michael Woods

Services photographiques :
Art Repro
Ron Bagley
Dyble + Rose
Negs
N.J. Paulo
Presentation Colour
Bill Spencer
Summit
Tantrums

Informations et assistance technique :
Agfa Ltd
Laurie Atkinson, Laptech Ltd
Bowens Ltd
Canon Europa
Canon UK Limited
Sarah Dale
Dixons Ltd
Duval Cameras Ltd
Electrosonic Ltd
Gossen GmbH
Hanimex Ltd jurgen Hanson,
Hasselblad A/B
Hasselblad (UK) Limited
Karl Karl Heitz, Inc
Hoya Corporation
Ilford Ltd
Introphoto Ltd
Keith Johnson Photographic Ltd
Ray Klarnett, Gordon AV Ltd
Kodak Ltd
Steven Mathewson
Nikon UK Limited
Nimslo Limited
Pelling + Cross Ltd
Photargus, Paris
Photax Ltd
Photopia Ltd
Polaroid (UK) Ltd
Procter Cameras
Rank Photographic
Sean Rawnsley
Rodenstock
James Teboul
Technica Ltd
Ken Vaughan, Marine Unit Ltd
Michael Wheeler Ltd
Tim Williams

Crédits illustrations de la présente édition :
Les dessins des pages 14-15 et 300 à 323 ont été réalisés par Édouard Elcet (www.elcet.com)
Les images Adobe Photoshop 5.5 sont fournies avec l'aimable autorisation de Adobe Systems Incorporated © 2000 Adobe Systems Incorporated - Tous droits réservés 315, 316, 317 ; Ph. Goodshoot 1994, 315 (milieu gauche)
Canon 15 (milieu gauche), 300 (milieu), 306 (milieu), 309 (milieu), 319, 320 (haut)
Durst (diffusé par SACAP) 321 (bas)
Encad 321 (milieu)
Epson 321 (haut)
Fujifilm 14 (bas), 15 (milieu droite et bas), 315 (milieu droite)
Hitachi 322 (haut)
IBM 312 (bas)
Kodak 310 (bas droite), 322 (milieu)
Minolta 318 (bas)
Nikon 310 (milieu droite)
Olympus 304, 306 (bas), 307 (bas gauche) ; Olympus C 2500 L - Ph. Olympus 307 (haut) ; Olympus C 2500 L - Ph. Daniel Gourvitz / Olympus 307 (milieu), 308 ; Olympus C 2000 Z- Ph. Rémy Poinot / Olympus 309 (milieu gauche) ; 313, 320 (bas)
Phase One (Phase One est une marque commerciale déposée de Phase One A/S. LightPhase est une marque commerciale déposée de Phase One A/S) 311 (haut)
Philips 323 (milieu)
Ph. Jacques Bottet/ Archives Larbor 309 (bas gauche)
Ph. Campos / Efe / Sipa Press (Ivan Pedroso au Championnat du Monde de Séville) 310 (gauche)
Ph. Emmanuel Chaspoul 303
Ph. Laurent Gaboriau 305 (bas)
Ph. Niviere / Sipa Press 312 (haut droite)
Ph. Valérie Perrin 312 (haut gauche), 318 (haut)
Ph. Eliane Sulle / Image Bank 307 (bas droite)
Ph. Trung / Cosmos 315 (bas droite)
Ph. Christian Vioujard / Gamma 323 (haut)
Samsung 309 (milieu droite)
Sinar (diffusé par Photo Service July) 311 (bas)
Sony 300 (haut), 305 (haut), 309 (bas droite), 312 (milieu), 315 (bas gauche)

Dépôt légal : septembre 2000
Imprimé à Hongkong (Printed in Hongkong)
560232 - 02 - janvier 2003